公取委実務から考える

独占禁止法

〔第2版〕

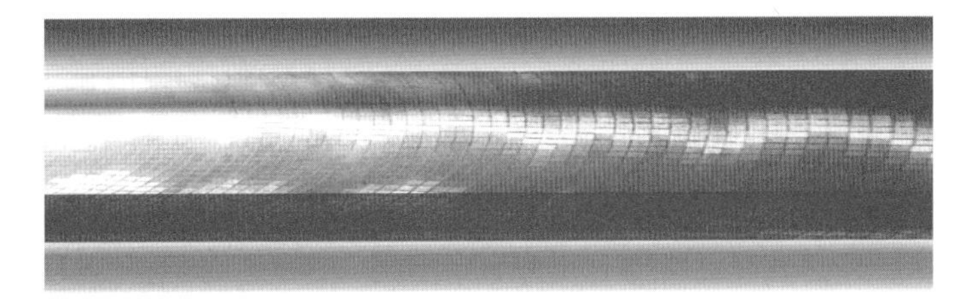

元公正取引委員会委員・弁護士
幕田 英雄 著
Hideo Makuta

商事法務

第2版はじめに

1　第2版も、初版と同じ執筆方針で発刊

初版発刊から5年が経ち、第2版を出すこととなった。

第2版は、初版から体裁も構成も内容も大きく刷新されているが、執筆方針は、初版「はじめに」の趣旨を踏襲している。

第2版も、本格的には独禁法を学習したことのない企業法務担当者、法曹、学生等を読者として想定し、本書を独習することによって、公取委における独禁法の法解釈と運用の実務とその考え方を理解し、それぞれの立場における目的を達成できるようになることを目標としている。本書の特徴は、初版同様、判例・公取委実務（審決等の先例）と学説（通説）をベースにしたオーソドックスな解説をしつつ、公取委の独禁法実務とその考え方を、その根拠となる原理的事項まで深掘りして分かりやすく解説し、読者がより一層納得感をもって理解できるように努めていることである。

なお、第2版による独習の目標の内容については、初版では少し抽象的なものにとどまっていたので、これを少しだけ具体的にし、「読者が本書を独習することによって、公取委の公表資料をひととおり理解できるようになるレベル」を目標とすることにした。読者が、本書を独習することによって、このレベルまで公取委実務やその考え方について知識・知見を持つことができるようになれば、各自が、公取委の公表資料（各種ガイドライン、企業結合事例集、相談事例集など）を自力で読み解き、公取委の実務やその考え方を、より深いレベルで理解できるようになるとともに、それぞれの立場において独禁法を使いこなすこともできるようになると考えるからである。

2　改訂のコンセプト

今回は、次のコンセプトで改訂を行った。

(1)　内容のアップデート

初版発刊後、大きな独禁法改正も行われ、実務上重要な排除措置命令・課徴金納付命令、判決・審決が出されたので、次のとおりのアップデートを行った。

・　令和元年独禁法改正後の新たな課徴金制度・課徴金減免制度などについて詳しく解説。

・　初版発刊後の主な排除措置命令・課徴金納付命令、判決・審決を踏まえて解説。

⑵　公取委の実務とその考え方をより丁寧に紹介

経験上、企業等には、公取委の実務と考え方をより丁寧に記述した解説を求めるニーズが高いように思われたので、次のような工夫をした。

第一に、本書は、前記のとおり、実務と通説の考え方をベースに執筆しているものであるが、重要論点に関して、公取委の実務やその考え方を解説するに当たって、可能な限り、公取委の公表資料ないし公取委実務家の著作・論文等を紹介するなど、より丁寧に解説するように努めた。

第二に、とりわけ、不公正な取引方法に関して、日常のビジネスで問題になりやすく、公取委の運用方針やその考え方を知りたいという企業等からのニーズも大きいと思われるので、全体的に、公取委の実務ベースに解説を補充した。

⑶　体裁をより読みやすいものに刷新

初版に対しては、本文の字が小さすぎる、注が多すぎるなどの理由から、読みにくいとのご意見もあったので、この機会に、本文の文字を大きくし、注を必要最小限のものに減らすなど、読者の読みやすさに配慮した。

⑷　内容を絞り込むとともに、一層分かりやすくする工夫

第一に、読者ニーズを考慮し記述内容を絞り込んだ。例えば、行政処分関係では、違反成立要件、法的措置（課徴金減免制度も含む）の内容の解説を中心とし、手続論に関する解説や、刑事訴追に関する記述は全体的に簡略化した。

第二に、多忙な企業関係者や基本法律科目の学習の合間に独禁法を独習しようとする学生等が、挫折することなく最後まで独習できるよう、導入的解説である第１章をより理解しやすいものに工夫した。第１章は、入門者にとって難解な内容を含む独禁法の基礎理論解説ではなく、初めて独禁法を学ぼうとする方であっても、順を追って読み進めば容易に内容が理解できるような「入門コーナー」という位置づけにし、具体例をもとに、独禁法の全体像や独禁法違反の成立要件について入門的なガイダンスを行うことにした。

3　おわりに

第２版を執筆するに当たっては、初版執筆時同様、少なからぬ公取委関係者から有益な御教示御指摘をいただいた。改めて感謝申し上げる。

私の所属する長島・大野・常松法律事務所の競争法プラクティス・グループの同僚弁護士各位からは、最先端の独禁法・競争法の動向について教示を受けインスパイアされ続けた。また、私は、弁護士になると同時に、第一東京弁護士会総合法律研究所独占禁止法研究部会の部会員となったが、同部会員弁護士各位からも、同様に、貴重な情報提供や示唆をいただいた。これら弁護士各位からの刺激がなければ、第２版の完成はおぼつかなかったであろう。深く感謝申し上げる。

最後に、本書のうち意見にわたる部分は、私の個人的なものであり、私の所属し、あるいは所属した組織を代表してのものでないことを申し添える。

2022年８月

弁護士（元公正取引委員会委員）
幕田　英雄

はじめに

1　本書の想定する読者は、これまで本格的には独禁法を学習したことがない①企業法務担当者等のビジネスパーソン、②法曹（弁護士・裁判官・検察官等）、③法科大学院生・大学生等である。

本書の目標は、これらの読者が、本書を独習することによって、公正取引委員会（以下「公取委」という）における独禁法の法解釈と運用の実務（以下、単に「公取委の実務」ともいう）とその考え方を理解し、それぞれの立場における実務・実用上の目的を達成できるようになることである。

2　独禁法の分野では、国際カルテル、知的財産権、IT、e コマース等の最先端の論点に関連した、きらびやかなテーマが目白押しであるため、はじめて独禁法を本格的に学習しようという人のなかには、何を学習の目標にしたらいいのか途方に暮れる向きも多いのではないだろうか。

刑事法の実務家から公取委委員に転じた私自身の経験に照らせば、独禁法の学習者が、まず目標とすべきは、独禁法に関する公取委の実務の実際と、それがどのような考え方に基づくものであるかを理解できるようになることであろうと思う。

企業コンプライアンスを担当する企業法務担当者等にとっては、公取委が、企業のどのような行為を違反と評価し、どのような行為を適法と判断するのかを、その判断基準も含めて正確に知っておくことは必要不可欠であろう。独禁法に関連する個別案件を担当する法曹の場合は、公取委の実務やその考え方から一定の距離を保つことや、批判的なスタンスに立つことが期待されることがあるかもしれないが、まずは、問題となる個別案件に公取委の実務を当てはめたときの結論とその考え方を正確に予測し、それを出発点として、これと異なる結論や考え方が可能かを検討し、対案を想定するなどすることは、完成度の高い案件処理を行うという点からみて効率的といえよう。各種試験の準備をする大学院生等にとって、公取委の実務とその考え方を確実に理解することは、独禁法の基礎の学習そのものであり、実践的で効果的な試験対策になる。

3　ところで、公取委の実務の実際を、その背景にある考え方まで掘り下げて正しく理解することは、実はそれほど簡単ではない。

独禁法に関する公取委の実務の実際を対外的に明らかにするため、公取委からは各種ガイドラインや資料が数多く公表されており、公取委ホームページから取り出して読むことができるのであるが、これらは概して、民事法、刑事法等の基本法の勉強しかしていない法学部出身者にとっては難解なものと思われる。

私も公取委委員になってから、ガイドラインや公表資料を読みながら音をあげそうになったことが少なからずあった。しかし、そのような場合に、理解できない箇所について、公取委事務総局の職員と議論をしてみると、職員からは、公取委の実務とその考え方を支える、様々な知見が分かりやすく説明されることが多々あり、その都度、私は、その説明に納得するだけでなく、大きな知的満足感を味わい、独禁法の深さを実感しつつその後の学習を進めることができた。

その経験を通じて分かったのは、独禁法に関する公取委の実務やその考え方は、公取委事務総局組織において長年教え継がれ共有されてきた、先例（判決・審決・命令）、独禁法に関する学説、ミクロ経済学・産業組織論などの経済学的知見、ゲーム理論などの経済学的な経験則（「囚人のジレンマ」「繰り返しゲーム」の考え方等）などを含めた、様々な知識・知見がベースになっているということであった。そして、対外説明時には、それらの知識・知見が当然の前提とされ、必ずしも言語化されることがなく、公取委事務総局組織のいわゆる「暗黙知」として存在するにとどまっているものも多い。

最近、公取委事務総局の職員自らが、これら「暗黙知」を言語化して対外発信しようとする動きが出てきている（菅久修一編著『独占禁止法』（初版・平成 25 年 2 月）、山﨑恒＝幕田英雄監修『論点解説 実務独占禁止法』（平成 29 年 2 月）。いずれも商事法務刊）が、これは、公取委の実務とその考えを外部の人たちに正確に深く伝える上で極めて有効なものと思われた。

本書でも、これにならい、公取委の独禁法の実務とその考えを支えると思われる知識や知見を、判例・審決等、公取委の公表資料、通説的学説をベースとした概説書、公取委事務総局職員の著作などから拾い出し、これを丁寧に紹介する形で、公取委の実務とその考えについて、「暗黙知」レベルまで掘り下げて説明するように心がけ、読者がより一層納得感をもってこれを理解できるように努めた。

4　このほか、本書では、公取委の実務の実際とその考え方を読者に理解してもらうため、次のような工夫もしている。

① 解説に当たっては、「分かりやすさ」を追求した。そのため、独禁法の解釈と運用の抽象的説明で終わらせず、実務上遭遇すると思われる事例（実例・仮想事例）に即し、可能な限りかみ砕いて具体的に説明した。また、読者が暗記学習に陥らないよう、結論を導き出すための「考え方」・「原理原則」まで掘り下げて説明するように努めた。

② 企業コンプライアンス上、最もシリアスな場面と思われる独禁法違反「刑事事件」について、実体法解釈および調査・捜査手続の両面において、実務に即した詳細な解説を行った。

③ 日常のビジネスシーンで問題となり得る「不公正な取引方法」については、平成29年6月に全面改正された「流通・取引慣行に関する独占禁止法上の指針」（流・取慣行ガイドライン）を参照し、最新かつ充実した解説を行った。

④ 企業結合規制における基本的考え方や基本概念の的確な理解は、独禁法の他の規制における考え方や基本概念の理解に役立つという観点から、企業結合規制についても、基本的概念や審査の判断手順・考え方を丁寧に解説した。

5　本書によって、これまで独禁法や公取委に「敷居の高さ」を感じていた方も含め、多くの読者が、容易かつ短時間に、公取委の実務とその考えを理解し、実務において平常的に取り扱われる案件に対応できるレベルまで到達し、それぞれの当面の目的を達成できることを心から祈念する。

さらに、読者が、公取委の実務の実際と考え方を出発点として、一層思考を深め発展させ、それぞれの立場において独禁法に関する実務を活発に実践していくことも期待したい。そのような思いも込め、本書の表題を「公取委実務から考える」とした次第である。

6　本書を執筆するに当たっては、少なからぬ公取委関係者から有益な御教示御指摘をいただいた。最後になるが、改めて感謝申し上げたい。

しかしながら、本書の記述についての責任は、当然のことながら著者である私個人にある。また、本書のうち意見にわたる部分は、私の個人的なものであり、公取委はじめ私の所属する、または所属した組織を代表するものではないことを申し添える。

2017年9月

弁護士（前公正取引委員会委員）
幕田　英雄

目　次

第1章　独禁法入門

第2章　不当な取引制限

第3章　事業者団体規制

第4章　私的独占

第5章　不公正な取引方法

第６章　行政上の措置

第７章　刑事訴追

第8章　企業結合

凡　例

1　法令・ガイドライン（以下「GL」と略記）等

独占禁止法	私的独占の禁止及び公正取引の確保に関する法律 （本文中では「独禁法」あるいは単に「法」ということがある。）特記がない限り、令和元年改正（令和元年6月19日成立、令和2年12月25日施行）に係るものを指す
独禁法施行令	私的独占の禁止及び公正取引の確保に関する法律施行令
行訴法	行政事件訴訟法
刑訴法	刑事訴訟法
民訴法	民事訴訟法
入札談合等関与行為防止法	入札談合等関与行為の排除及び防止並びに職員による入札等の公正を害すべき行為の処罰に関する法律
課徴金減免規則	課徴金の減免に係る報告及び資料の提出に関する規則
審査規則	公正取引委員会の審査に関する規則
届出規則	私的独占の禁止及び公正取引の確保に関する法律第九条から第十六条までの規定による認可の申請、報告及び届出等に関する規則
犯則規則	公正取引委員会の犯則事件の調査に関する規則
企業結合GL	企業結合審査に関する独占禁止法の運用指針
行政指導GL	行政指導に関する独占禁止法上の考え方
公共入札GL	公共的な入札に係る事業者及び事業者団体の活動に関する独占禁止法上の指針
事業者団体GL	事業者団体の活動に関する独占禁止法上の指針
知財GL	知的財産の利用に関する独占禁止法上の指針
排除型私的独占GL	排除型私的独占に係る独占禁止法上の指針
不当廉売GL	不当廉売に関する独占禁止法上の考え方
優越GL	優越的地位の濫用に関する独占禁止法上の考え方
流・取慣行GL	流通・取引慣行に関する独占禁止法上の指針

2　参考文献

〔全体〕

今村入門	今村成和『独占禁止法入門〔第4版〕』（有斐閣、1993）
今村ほか注解［上巻］	今村成和ほか編『注解経済法（上巻）』（青林書院、1985）

金井ほか独禁法	金井貴嗣＝川濵昇＝泉水文雄編著『独占禁止法〔第6版〕』（弘文堂、2018）
経済法百選	金井貴嗣＝泉水文雄＝武田邦宣編『経済法判例・審決百選〔第2版〕』（有斐閣、2017）
経済法20講	神宮司史彦『経済法20講』（勁草書房、2011）
実務に効く	泉水文雄＝長澤哲也編『実務に効く公正取引審決判例精選』（有斐閣、2014）
白石講義	白石忠志『独禁法講義〔第9版〕』（有斐閣、2020）
菅久授業	菅久修一『独禁法の授業をはじめます』（商事法務、2021）
菅久ほか	菅久修一編著『独占禁止法〔第4版〕』（商事法務、2020）
菅久ほか初学	菅久修一編著『はじめて学ぶ独占禁止法〔第3版〕』（商事法務、2021）
泉水経済法入門	泉水文雄『経済法入門』（有斐閣、2018）
泉水独禁法	泉水文雄『独占禁止法』（有斐閣、2022）
注釈独禁法	根岸哲編『注釈独占禁止法』（有斐閣、2009）
根岸・舟田	根岸哲＝舟田正之『独占禁止法概説〔第5版〕』（有斐閣、2015）
ベーシック	川濵昇＝瀬領真悟＝泉水文雄＝和久井理子『ベーシック経済法〔第5版〕』（有斐閣、2020）
論点解説	山﨑恒＝幕田英雄監修『論点解説 実務独占禁止法』（商事法務、2017）
論点体系	白石忠志＝多田敏明編著『論点体系 独占禁止法〔第2版〕』（第一法規、2021）

〔第5章　不公正な取引方法〕

佐久間ほか解説	佐久間正哉編著『流通・取引慣行ガイドライン』（商事法務、2018）
昭和57年独禁報告書	独占禁止法研究会「不公正な取引方法に関する基本的な考え方」（昭和57年7月8日）

〔第7章　刑事法〕

小木曽	小木曽國隆「Ⅳ　私的独占の禁止及び公正取引の確保に関する法律」平野龍一＝佐々木史朗＝藤永幸治編『独占禁止法 注解特別刑法補巻(3)――関税法・独占禁止法・割賦販売法』（青林書院、1996）
西田刑法総論	西田典之著・橋爪隆補訂『刑法総論〔第3版〕』（弘文堂、2019）

〔第8章　企業結合〕

深町ほか企業結合　深町正徳編著『企業結合ガイドライン〔第2版〕』(商事法務、2021)

〔経済学〕

小田切イノベーション時代　小田切宏之『イノベーション時代の競争政策――研究・特許・プラットフォームの法と経済』(有斐閣、2016)

3　判例解説

最高裁調査官判例解説（平○度）△頁［執筆者］　最高裁判所判例解説刑事篇（平成○年度）△頁（法曹会）

4　判決・審決等

東京地判令／平／昭○・○・○　東京地方裁判所令和／平成／昭和○年○月○日判決

＊　独禁法が問題になった主な判決や審決は、公取委ホームページの審決等データベースで参照することができるので、それらが登載されている審決集・判例集は、原則として示さなかった。

なお、公取委の審決等データベースでは、平成17年改正独禁法適用事件に係る審決を「審判審決」「課徴金の納付を命ずる審決」「その他の審決」に区別するが、本書では「審判審決」と総称する（上記データベース利用時には、審決の時期を問わず、審決の種類を「一括選択」として検索すればよい）。

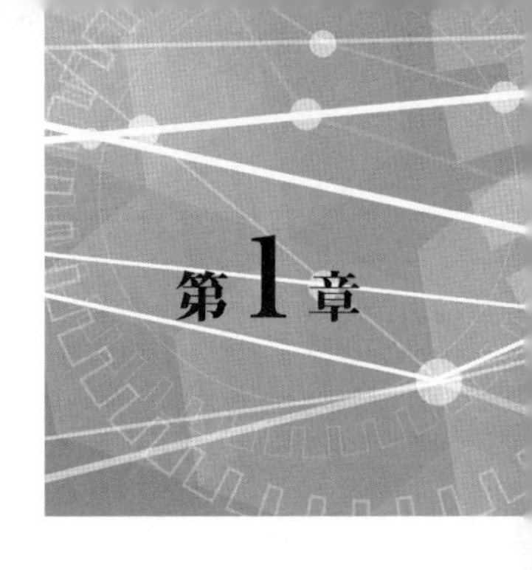

独禁法入門

この本を手にした読者であれば、これから、しっかりと独禁法を勉強し、将来は、ビジネスの第一線などで、独禁法がらみの問題について相談を受けた時に、手際よく、「市場分析」などを行い、違反になるかどうか判断し、役に立つアドバイスができる「独禁法エキスパート」になりたいと思っているであろう。

本章は、独禁法エキスパートを志願する人が、学習の第一歩を踏み出しながら、独禁法の全体を見通すための「入門」コーナーである。この章を読了した読者は、独禁法の仕組みの全体の輪郭が見えてきて、次の章に進むことが楽しみになっているはずである。

第1節から第3節まででは、架空の弁当屋事例を用いて、独禁法を理解するためのキーワードである「競争」、「競争制限」、「市場の競争機能」などの基本概念や、独禁法による規制類型やこれに対する法的措置のあらましを、分かりやすく説明している。

第4節では、事業者の問題行為が独禁法違反といえるかどうかの判断枠組みを、一般の刑事法における犯罪成立要件の検討枠組みになぞらえて可能な限り分かりやすく説明する。この「入門」コーナーのメインパートなので、じっくり読んでほしい。独禁法と一般の刑事法とが一番違う点は、独禁法では、「競争の実質的制限」などの効果要件が充足しているかどうかの判断に当たって、「市場分析」が不可欠だということである。第5節では、市場分析で用いることの多い用語の解説をする。

第１節　独禁法が必要とされる理由

学習のはじめに

独禁法の学習を始めるに当たって、この日本社会で、独禁法が必要とされる理由を考えてみてほしい。

この本の読者は、独禁法の規制が行われる理由として、ビジネス活動での「**公正で自由な競争**」を確保するためであるとか、「**市場の競争機能**」を守るためであるとかという話を聞いたことがあるはずだが、その意味するところを理解できているだろうか。日本では、昭和の時代までは独禁法の存在感は大きくなく、ビジネス社会でも「協調」や「共存」が良しとされ「競争」を好まない気風が強かった。今や、日本でも、独禁法が極めてパワフルな存在になったが、その理由は、単にそれが国際標準だからということではない。社会やビジネスが進歩するためには「公正で自由な競争」が不可欠であり、それを確保するには独禁法の規制が必要だからであり、そのことが、わが国のビジネス社会にも浸透し多くの事業者の共通認識になったからである。

「公正で自由な競争」や、「市場の競争機能」というものを、単なるスローガンとしてでなく、社会実態として理解することができれば、独禁法の規制が必要とされる理由が、読者各位にとって、より腹落ちした形で理解できるであろうし、第２章以下で述べる、独禁法の各種規制についてもより的確に理解できるようになるであろう。

次の弁当屋事例で、この「公正で自由な競争」や「市場の競争機能」というものを具体的にイメージしてみよう。

１　弁当屋事例

(1)　弁当屋の弁当がおいしくなったわけ

弁当屋やコンビニで弁当を購入して昼を済ます人が増えている。

私が知るある役所では、昔は、出入りの弁当屋は１社程度であったが、次第に、複数の弁当屋が弁当を販売するようになり、そのうち、役所の中にも、複数のブランドのコンビニエンスストアができ、様々な弁当を売るようになった。それにつれて、弁当の値段は、同じ内容の弁当が昔より安くなり、おいしくなり、品揃えもバラエティに富んだものになった。

どうして、弁当が、昔に比べて、値段が安く、おいしくなったかというと、複数の弁当屋同士の**競争**が活発化して、それぞれが、より安い価格で、よりおいしい弁当を提供するよう努力してきたからだ。

なお、ここでは、「**競争**」とは、「複数の事業者が、客にとって望ましい商品・サービスを、より望ましい取引条件で提供しようと競い合っていること」と説明しておく（ベーシック2頁［川濵昇］参照⇒なお第5節2)。

「競争」というと、お互い足を引っ張り合うようなマイナスイメージで語られることが多い。しかし、この弁当屋の場合のように、事業者同士の「競い合い」によって、事業者が創意工夫し、その結果、消費者が便利になっただけでなく、弁当販売事業というビジネスが大きく発展し、関わる事業者に大きな利益をもたらしている。これは、**「競争」が社会を良くした1つの例であろう。**

⑵　弁当屋事例で「競争」のもたらすメリットを考える

甲会社に出入りする弁当屋の仮想事例を取り上げ、弁当屋の間で競争がない場合と、十分な競争がなされている場合とで、弁当屋の事業活動がどのように変わるかを検討しよう（甲会社は、郊外にあり、会社内にも周辺にも食堂はなく、また他に弁当を購入できるところもないと仮定する。そのため検討の対象とする市場[1]は「甲会社内の弁当販売事業」となる[2]）。

ア　1社のみが独占的に弁当を供給している場合

弁当屋A社1社だけが、甲会社内で独占的に弁当を販売している場合である。最初は、ごはんの量も多く、おかずも多くおいしかったとしても、

---

1)　「**市場**」とは「**競争が行われる場**」を意味する（ベーシック53頁［和久井理子］)。この市場は、抽象的なものであり、例えば、自動車メーカーによる新車の販売の市場についていえば、日本全体を舞台に行われている自動車のメーカー同士の競争の場をいう。現実に街の中に現実に存在する「○○マーケット」などと呼ばれる小売店などの集合体を意味するものではない。

2)　競争があることや競争がないことによる影響を検討するには、その前提として「競争が行われる場」としての**市場**を決めておく必要がある（⇒第4節4⑵)。もし、甲会社が都会のど真ん中にあるならば、弁当屋の客として想定される甲会社の社員は、出入りの弁当屋の弁当が気に入らないときは、他の選択肢として、会社の外に出て別の弁当屋やコンビニエンスストアで弁当を買ったり、レストランで昼食を取ることができるので「競争が行われる場」を、甲会社内に限定できないことになる。

［図表 1-1］　1社のみが独占的に弁当を供給する場合

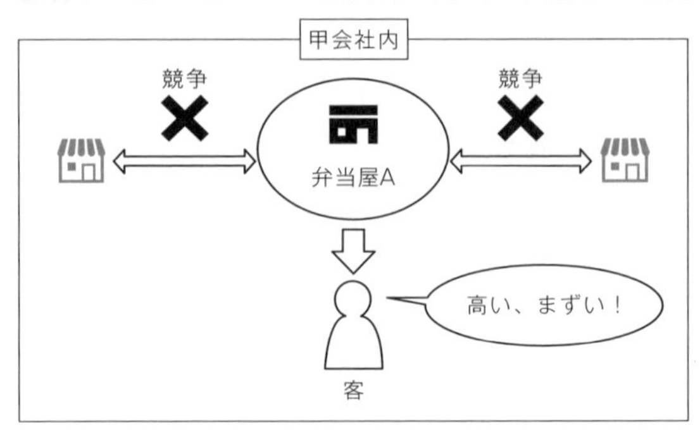

次第に、おかずの種類が減り、おかずもごはんもまずくなり、実質値上げのようなことも行われる。それでも客は他の弁当屋から購入できないので売上は落ちない。また多少、売上が減ったとしても、弁当屋は、利益が出る限りは、まずくて高い弁当を販売する商売を続けることになる。

ライバルがおらず競争がないので、このような「殿様商売」ができるのである。

イ　複数の弁当屋が競争する場合

甲会社に、A社のほかにB社、C社という弁当屋が入ってきて弁当を売るようになり、あるいは甲会社内にコンビニエンスストアができ弁当を売るようになるとどうなるか。A社の弁当が値段の割にまずかったり、そこそこの味だが高かったりすると、A社で弁当を購入していた客は購入先をB社やC社やコンビニエンスストアに変更することになる。そのため、ど

［図表 1-2］　複数の弁当屋が競争する場合

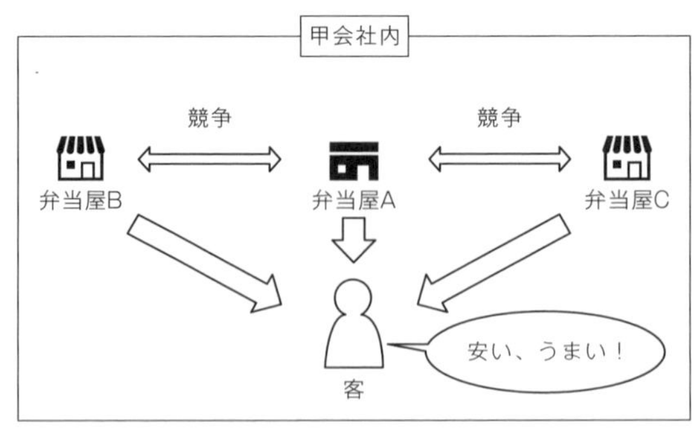

の弁当屋も、客を維持し獲得するため、よりおいしい弁当を、より安く提供するための企業努力（創意工夫）を行うようになる。その結果、客は安くておいしい弁当が食べられる。A～C社の弁当屋やコンビニエンスストアも、コストを抑えながらおいしい弁当を提供し客を集めるノウハウを蓄積する。そのうち、他の地域においてもライバルに伍していけるような実力を持つようにさえなる。

これは、「甲会社内における弁当販売事業」分野という市場に、複数の事業者が参入し、客を獲得するための価格と品質での競争が十分に行われることによって、事業者それぞれが、より安くて、よりおいしい弁当を作るようになったということである。

各事業者の心構えが立派になったというわけではなく、**自由で公正な競争**が十分に行われる市場では、その市場自体の持つ力によって、競争する事業者は、客を獲得するため、より安くよりおいしい弁当を作るようになり、客は、安くておいしい弁当を購入できるようになるのである。

このような力は、公正で自由な競争が行われる市場それ自体が持つ機能であり、これを「**市場の競争機能**」という。

2 「市場の競争機能」とは

「**市場の競争機能**」とは、「市場における競争の結果、需給が均衡点に達することによって成立する価格（市場価格）を媒介として、資本主義社会における効率的な経済循環が行われる機能のこと」である（今村入門14頁参照）。

かみ砕いていうと、「市場に多数存在する需要者と同じく市場に多数存在する供給者の双方が、それぞれ個々の自主的な判断により最も高い満足を得ようと行動する（市場において互いに競争する）結果、需給のバランスにより価格と数量が自然に調整され、『社会的に最も適正な価格と数量の水準』が一意的に定まる」こと、あるいは「需要者と供給者がそれぞれ自らの判断で自由に意思決定する結果、『神の見えざる手』を通じて最適な均衡が導かれる」ということである（論点解説５頁［岩下生知］）。

これは「**市場の自動調節機能**」ともいい、ミクロ経済学でいうところの「**市場メカニズム**」と同義である（根岸・舟田２頁参照）。その仕組みはミクロ経済学で説明がなされている（例えば、伊藤元重『入門経済学〔第４版〕』

（日本評論社、2015）5頁～8頁、91頁～115頁など）。

3　「市場の競争機能」の発揮がもたらすメリット

「市場の競争機能」が発揮されることによるメリットは次のとおりである。

(1)　供給取引の場合（競争する事業者が商品の売り手の場合）

ア　事業者のメリット

1つ目は、競争する事業者自身にもたらされるメリットである。供給者間の競争が行われれば、**供給者の効率性**が向上する。供給者は、価格・品質競争の中で創意工夫し効率性を高めて事業活動が活発になり、**技術改善**や**コスト削減**を図り、競争力をつけていく。

イ　需要者（消費者）のメリット

2つ目は、需要者にもたらすメリットである。供給者間で価格・品質競争が行われることで、需要者の選択肢が確保され、そのニーズに沿った、より安くより良質な商品が提供されるようになる。供給者が価格・品質競争に打ち勝つには、需要者のニーズをくみ取って商品・技術を開発する必要があり、結果として、需要者のニーズに合致した商品が提供され、それによって**需要者（消費者）利益**が向上するのである。

ウ　社会全体のメリット

3つ目は、市場の競争によって社会全体にメリットがもたらされるということである。まず価格・品質競争の中で、社会全体の**イノベーション**[3)]が促進される。これまでの歴史では、宅配便、パソコン、携帯電話やインターネットのように、社会を大きく変えるようなイノベーションが行われ、社会経済が発展してきた。次に、供給者の競争が十分に行われれば、市場の競争機能が働いて、商品の価格や供給量が適正に決まり、社会における資源の配分が最も適正に行われることになる。これは、目に見えないものなので気づきにくいが、市場の競争のもたらす重要な機能の1つである。

社会主義的計画経済がうまくいかず旧ソビエト連邦が崩壊した後、社会主義国でも、「市場メカニズム」を採用し市場経済に移行したことからみても、「市場メカニズム」ないし「市場の競争機能」の有用性は実証済みであ

---

3)　革新と訳されることが多いが、画期的な発明のみでなく、日々の工夫による改善もイノベーションである（小田切イノベーション時代1頁）。

ろう。

(2) 購入取引の場合（競争する事業者が商品の買い手の場合）

買い手競争が活発に行われれば、市場の競争機能のメリットが生じる。逆に、例えば、原材料の買い手（完成品の製造者）の間に競争がなければ、この原材料等の価格が競争が活発に行われる場合の水準以下に設定され、当該原材料等の生産が少なくなり、最悪の場合、完成品が製造されなくなりその供給が悪化するようになる（ベーシック16頁［川濵昇］参照）。

4 「市場の競争機能」発揮のためには、「公正かつ自由な競争」が必要

「市場の競争機能」が有効に発揮されるためには、市場において需要者と供給者の双方がそれぞれ、自由で自主的な判断により意思決定し、**自由な競争**ができることが不可欠である。

(1) 自由な競争とはなにか

自由な競争とは、次のような状況が確保されていることをいう。

ア 自由に価格等を決定し自由に事業活動ができる状況

競争関係にある事業者（以下「ライバル」ともいう）が、それぞれ自由に商品の価格や販売量などを決定し自由に事業活動を行う状態にあることが必要である。

イ ライバルに牽制力がある状況

自由な競争が行われる市場では、安易に値上げをしたり、商品の質を落とすようなことをすれば、自分の客をライバルに客を奪われるとして、そのような値上げ等を押しとどめる圧力（牽制力）が働く。事業者が、ライバルの牽制力が存在する下で、ライバルと価格や品質等における競い合いを行うことによって市場の競争機能が発揮される。

ウ ライバルの行動について予見できない状況

「市場の競争機能」が発揮されるためには、市場において事業者が他の事業者の行動について予見できない状況で自己の行動を選択し、意思決定する状況が確保されることが必要である。ライバルと示し合わせるなどにより、この状況が確保できないときは市場の競争機能が損なわれる（論点解

説55頁［品川武］)。例えば、同種の商品を販売するライバル関係の事業者甲と事業者乙がいて、甲が商品を値上げするかどうかを検討する場面において、甲は、自分が値上げしたときにライバル乙が追随して値上げするか、価格を据え置くかの予想ができない場合、自分が値上げしたときに価格を据え置いた乙に客を奪われ利益があがらないというリスクを考え、市場の動向を合理的に判断して価格をつける。互いに他の事業者の行動を予見できない状況の市場では、どの事業者も、市況等を合理的に判断し、自主的に商品価格や供給量を決める。これは「市場の競争機能」そのものである。

これに対し、甲が乙の行動を予見できる状況の市場では、甲が値上げすれば乙も追随して値上げする意向であるとき、甲はそのことを予見できるので、甲はライバルに客を奪われる心配なしに、安心して値上げを行うことができる。そして乙も甲に追随して値上げする。市場において、事業者がこのようなやり方で価格等を決めるようになれば、事業者が自主的かつ自由に設定した商品の価格や供給量が市場の中で調整されていくというメカニズムである「市場の競争機能」は発揮されなくなる。

なお、自由な競争が行われ、ライバルの牽制力が働く状況の下では、事業者は互いに手の内（商品の予定価格、予定販売量など）を明かさない。もしライバルが、予定価格を知れば、ライバルはより安い価格をつけ自分の客を奪いにくるリスクがあるからである。また、ライバルが自分のシェアを奪いにくるときは、ライバルにおいて十分な販売量を準備する必要があるが、自分の販売予定量を教えることはライバルが自分のシェアを奪いにくる準備を手助けすることになるリスクがあるからである。

(2)　公正な競争の確保とは

同時に、競争は公正に行われなければならない。**自由な競争**は「弱肉強食」を認めるものではないからである。競争は、商品の価格・品質を中心とした「**能率競争**」であるべきであり、例えば、不当な利益による顧客誘引のように**不公正な競争手段**が用いられることは好ましくない。また、取引する者が**自由で自主的な判断ができること**は、自由な競争の基盤として保証されなければならない。

(3)　自由な競争が減殺し、または公正な競争が行われなくなれば

自由な競争が減少・消滅することを**自由競争の減殺**（げんさい）という（⇒第4節3）が、この場合には、**上記(1)の状況が確保できなくなり得る**。例えば、ライバル同士が、価格等を互いに話し合って決めたり、客の奪い合いを止めることを協定するような場合は、互いの自由な競争はなくなり、ライバルの牽制力も働かなくなり、互いに価格決定行動が予見できるようになり、価格等は人為的に決まるので、「市場の競争機能」は発揮されなくなる。その結果、前記3で挙げた「市場の競争機能」がもたらすメリットが得られなくなる。

公正な競争が行われない場合も、市場の競争機能の発揮を妨げるおそれがある。例えば、不当な利益による顧客誘引のように不公正な競争手段が用いられれば、商品の価格・品質を中心とした「**能率競争**」が行われなくなるおそれがある。また例えば、優越的地位が濫用されて、取引において不利益が押し付けられれば、取引における自由で自主的な判断ができなくなり、自由な競争の基盤が侵害されるおそれが生まれ、市場の競争機能が正常に発揮できなくなるおそれが生ずる。

5　独禁法の目的

以上を前提として、独禁法自身が、同法の目的について規定していると解される（法1条）。

(1)　法1条の趣旨

○法1条

この法律は、

① 私的独占、不当な取引制限及び不公正な取引方法を禁止し、事業支配力の過度の集中を防止して、結合、協定等の方法による生産、販売、価格、技術等の不当な制限その他一切の事業活動の不当な拘束を排除することにより、

② **公正且つ自由な競争を促進し**、事業者の創意を発揮させ、事業活動を盛んにし、雇傭及び国民実所得の水準を高め、

③ 以て、一般消費者の利益を確保するとともに、国民経済の民主的で健全な発達を促進することを目的とする。

＊筆者注：①〜③は筆者において付したもの。

通説および公取委の実務では、独禁法の目的は、「公正かつ自由な競争の促進」にあり、独禁法は競争秩序維持を実現するための法律と考えられている（今村入門2頁など）。例えば、公取委の実務家は、「独占禁止法は、こうした自由経済（市場経済）がうまく機能するようにするための法律である」という（菅久ほか初学2頁［菅久修一］）。

最高裁判決も同旨であり、独禁法の直接の保護法益は「自由競争経済秩序」であり、「一般消費者の利益を確保するとともに、国民経済の民主的で健全な発達を促進すること」は同法の究極の目的だとする（最判昭59・2・24〔石油価格協定刑事事件〕）。

(2)　「公正かつ自由な競争の促進」とは

独禁法の目的である**「公正かつ自由な競争の促進」**とは、**「市場のもつ価格形成機能（市場機能ともいう）が充分に働くような競争秩序」**（今村ほか注解［上巻］23頁［今村成和］）**を維持すること**であり、前記2および3で説明した**「市場の競争機能」を十分発揮させるために、自由競争秩序を確保すること**を意味する。

別の表現をすると、独禁法の保護法益は「**自由競争経済秩序**」ということである。最高裁もその旨を判示し（上記石油価格協定刑事事件最高裁判決のほか、最判平29・12・12〔ブラウン管事件（サムスンSDIマレーシア）〕）、下級審でも、独禁法は、国内における自由経済秩序を維持促進するために制定された経済活動に関する基本法である旨を判示している（東京高判平5・12・14〔シール談合刑事事件〕、東京高判平5・5・21〔ラップ価格カルテル刑事事件〕）。

独禁法の目的が「競争秩序」維持であるとか、保護法益が「自由競争経済秩序」であるという意味は、独禁法の直接的な目的が、事業者間の個々の取引の公正さや取引における個々の消費者の個別の利益を守るということにあるのではなく、**市場において公正で自由な競争が十分に行われるようにし、市場の競争機能を発揮させるようにすること**にあることを示しているのである（根岸・舟田28頁）。

(3)　目的規定の実務上の重要性

独禁法においては、法文の規定が抽象的であったり明示的な規定がない場合がある。そのような場合に、上記の目的規定が、解釈の指導的方針を示す重要な役割を果たすことがある。例えば、不当な取引制限における「公共の利益に反して」の解釈（⇒第４節５)、国外で合意されたカルテルにわが国独禁法が適用される場合の解釈（⇒第11章第１節２(4)）などで、目的規定の趣旨が参照されている。

第２節　独禁法規制の概要

ここで、どのような場合に、独禁法によるどのような規制を受けるか、独禁法規制の概要を示す。第１節で説明した考え方を基礎にして、各規制が設計されていることが分かるであろう。

なお、事例で用いる弁当屋事案においては、引き続き検討の対象となる市場を「甲会社内の弁当販売事業」と仮定する。

1　不当な取引制限

(1)　不当な取引制限

規制の１つ目は、「不当な取引制限」への規制である（法２条６項、３条）。複数の事業者が、共同して相互にその事業活動を拘束し「一定の取引分野における競争を実質的に制限」し、市場の競争機能を損なった場合の規制である（典型は、カルテル・入札談合（⇒定義は第２章第１節２(1)参照）への規制である）。

(2)　弁当屋事例においてカルテルが行われた場合のイメージ

［図表 1-3］　カルテルのイメージ

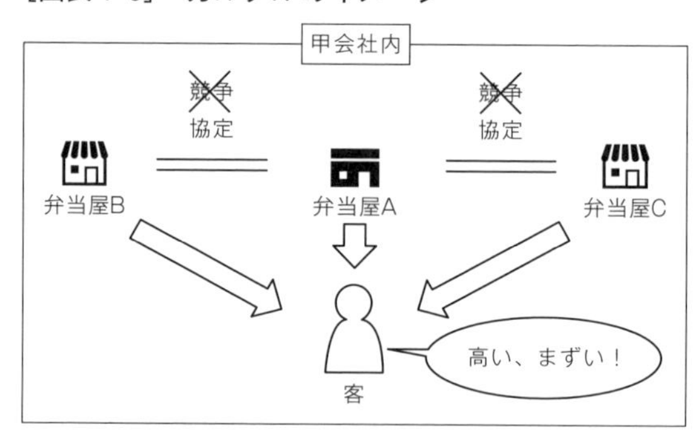

例えば、ライバル関係にある弁当屋Ａ、Ｂ、Ｃの３社が、各社の弁当の価格や内容を同一のものにする協定を結んだ場合を想定してみる。これによって、３社間の本来あるべき競争が回避されてしまう（⇒**競争回避**については第４節３(2)参照）。これは競争していた３社が実質的に１社に減少した

（これを「競争単位が減少した」ともいう）と評価でき、市場の競争機能を損なったとして規制の対象になる。

2　私的独占

(1)　私的独占

規制の2つ目が、私的独占への規制である（法2条5項、3条）。

単独または複数の事業者が、他の事業者の事業活動への「**排除**」や「**支配**」を行い「一定の取引分野における競争を実質的に制限」した場合の規制である。

「排除」とは物理的・現実的に追い出すという、現実の結果発生が必要なわけではなく、人為的手段を用いて事業活動の継続を困難にさせまたは新規参入を困難にする高い蓋然性があれば足りる（⇒自由競争の減殺をもたらす**競争排除**の仕組みについては⇒第4節3(2)）。

(2)　弁当屋事例で排除型私的独占が行われた場合のイメージ

［図表1-4］　私的独占のイメージ

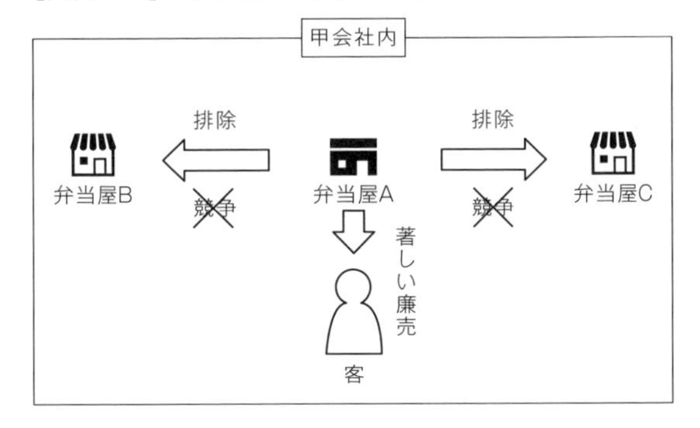

例えば、お互いにライバルである弁当屋A、B、C3社のうち、最大手のA社（甲会社内における弁当販売という市場でのシェアが70%。同社は、弁当屋のほかに、全国でレストランを経営し利益をあげている）は、ライバルのB社、C社が甲会社内での弁当販売が継続できないようにする目的で、レストラン営業で得た利益を投入して、約1年間、弁当の価格を仕入原価の半分で販売したとする。約1年間、弁当の価格を仕入原価の半分で販売すれば、B社、C社などのライバルは事業を継続できず撤退するしかないから、こ

の行為は「**排除**」に該当する。A社の市場シェアなどからみて、この行為によって「競争の実質的制限」が生じたといえるから排除型私的独占が成立する（⇒第4章）。

3　不公正な取引方法

(1)　不公正な取引方法

規制の3つ目は、不公正な取引方法への規制である（法2条9項、19条）。

独禁法2条9項や「一般指定」と呼ばれる公取委の告示などで規定される一定の行為によって公正競争を阻害するおそれ（**公正競争阻害性**）が生ずるとき規制の対象となる。一定の行為によって市場の競争機能がゆがむおそれがある場合の規制である。「一定の取引分野において競争が実質的に制限」された場合に比べ、競争阻害の程度が低い場合の規制であり、例えば、取引拒絶、不当廉売、再販売価格拘束、優越的地位の濫用などがある（⇒第5章）。

(2)　弁当屋事例で不公正な取引方法が行われた場合のイメージ

［図表1-5］　不公正な取引方法のイメージ

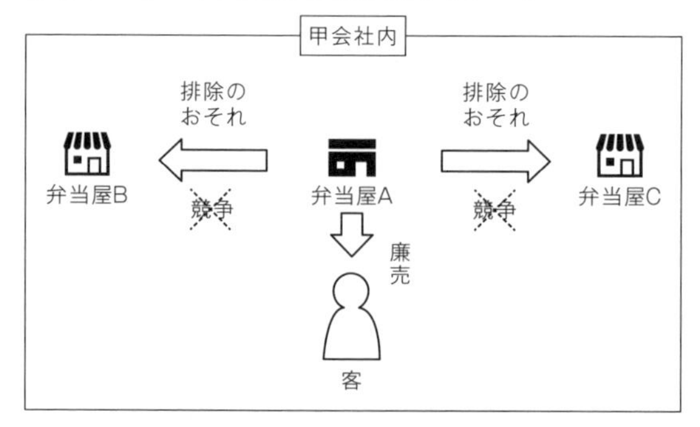

例えば、ライバルの弁当屋A、B、C3社のうち、A社（甲会社内における弁当販売という市場でのシェアが40％とする）が、1ヶ月程度、弁当の価格を、1個当たり原価（販売管理費等も含む総販売原価）を10円程度下回る価格で販売した場合である。この場合、行為が行われた期間やA社のシェア、原価割れの程度などから、排除型私的独占の行為要件である「排除」に当たるとはいいにくく、競争排除によって「競争の実質的制限」が生じたとま

ではいえず、私的独占に問うことは難しい。しかし、この場合であっても、この廉売は、ライバルB社、C社が甲会社内で弁当販売を継続することを困難にするおそれ（競争排除のおそれ）があって**公正競争阻害性**（市場閉鎖効果）（⇒第4節3(3)）があるとされ、不公正な取引方法としての不当廉売に該当するものとして規制され得る。

不公正な取引方法という規制は、排除型私的独占という規制のミニ版といえる測面がある。

4　企業結合

(1)　企業結合

規制の4つ目は、会社が行う企業結合に対する規制である（法10条、15条、15条の2、15条の3、16条）。

会社が行う合併などの企業結合によって、将来「一定の取引分野における競争の実質的制限が行われることになる」場合にこれを規制するものである。主な規制対象は、会社たる事業者である[4)]。一定の市場に会社が集中することで市場の競争機能が損なわれないかを問題にする「**市場集中規制**」であり、後記6の「**一般集中規制**」と区別される。

また、一定の基準に達した企業結合は、計画段階で公取委への届出が義務付けられて公取委の企業結合審査を受ける。企業結合の規制は、このように事前規制として行われるという点で、事後規制として行われる他の規制と大きく異なる（⇒第8章参照）。

(2)　弁当屋事例で企業結合が問題になる場合のイメージ

例えば、甲会社内の弁当販売事業という市場において、ライバルである弁当屋（いずれも会社とする）A、B、C3社で活発な競争が行われていたとして、そのうちのA社とB社の2者間で合併が行われれば、両者の間に競争がなくなり、あたかもA社とB社がカルテルを結んだ場合と同じような状態になる。その結果、市場の競争機能が損なわれる蓋然性が高いと判断されればこの合併は禁止され得る。

---

4)　例外的に、会社以外の者の株式保有が規制されることがある（法14条）。

［図表 1-6］　企業結合として問題となる場合のイメージ

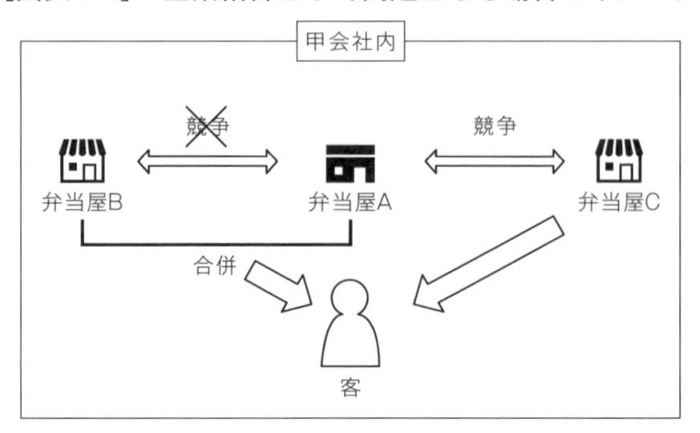

5　事業者団体への規制

事業者の結合体である事業者団体によって、その団体を構成する事業者（構成事業者）の事業活動が拘束され、構成事業者が取引する市場の競争に影響が生じることがある。これを防ぐために、事業者団体の一定の行為を禁止する規制が行われる（法8条⇒第3章）。

6　その他の規制

(1)　一般集中規制

法9条、11条の規則は、産業全体における事業支配力の過度の集中による弊害を問題にする。具体的には、①他の国内の会社の株式を所有することにより事業支配力が過度に集中することとなる会社の設立等の禁止（法9条）や②金融会社（銀行および保険会社）が非金融会社の議決権の5%または10%を超える株式保有の原則的な禁止（法11条）である。

(2)　国際的協定・契約の規制

法6条は、事業者が、不当な取引制限または不公正な取引方法に該当する事項を内容とする国際的協定または国際的契約を締結することを禁止する（国際的協定または国際的契約とは、国内事業者と外国事業者との間において締結する協定または契約をいう。外国事業者かどうかは、自然人の場合、事業活動の本拠地によって判断するため、日本人が外国で事業活動を営んでいるときは外国事業者に該当し、外国人が日本で事業を営んでいるときは国内事業者に該当する。法人の場合は、原則として、法人の設立準拠地国により判断する（小木曽72頁）⇒第3章第2節3、第7章第1節1も参照のこと）。なお、外国事業者が不当な取引制限に関与している場合は、本来的に法3条違反を問題にすべきであるなどの理由から、近時、法6条の適用事案はない。

(3)　独占的状態に対する規制

法8条の4の規則である。これは行為を対象とする規制ではなく、非競争的な「市場構造」という状態そのものに着目し、これに対して事業譲渡などの措置を命じることより競争的状態を回復させようとする規制である。しかし、昭和52年の制度導入以来使われたことはない。

第３節　独禁法違反への法的措置の概要

1　刑罰

「私的独占」および「不当な取引制限」に該当する違反行為については刑罰が科される。行為者の法定刑は、５年以下の懲役または500万円以下の罰金（情状により併科可。法89条、92条）であり、両罰規定により処罰される事業者の法定刑は罰金５億円以下である（法95条）。

「不公正な取引方法」違反に対して罰則はない（ただし、不公正な取引方法違反について発出された排除措置命令が確定した場合、これに従わない行為に対しては、２年以下の懲役または300万円以下の罰金が科される（法90条３号⇒第７章参照）。

2　行政上の法的措置

(1)　排除措置命令

排除措置命令とは、違反行為があるとき、公取委が事業者に対し、その行為の差止め、事業の一部の譲渡その他違反行為を排除するために必要な措置を命ずることである。

「私的独占」、「不当な取引制限」（法３条）および「不公正な取引方法」（法19条）についてこの措置を命じることができる（法７条、20条[5]⇒第６章第１節２参照）。

公取委は独禁法に違反することとなる企業結合に対しても、当該企業結合を禁止するなどの排除措置命令を講じることができる（法17条の２）。

(2)　課徴金納付命令

課徴金納付命令とは、違反行為を防止するという行政目的を達成するために、違反をした事業者等に対して金銭的不利益を課す行政上の措置をいう（最判平17・9・13〔機械保険連盟料率カルテル事件〕）。「不当な取引制限」および「私的独占」違反があり、要件が備わっているときは、課徴金納付

5)　不当な取引制限および不公正な取引方法を内容とする国際的協約等（法６条）についても、この措置が講じられる（法７条）。

を命じなければならない（法7条の2第1項・2項・4項）。

不公正な取引方法のうち、法定違法類型（法2条9項1号ないし5号）に該当する違反があり、要件が備わっているときにも、課徴金納付を命じなければならない（法20条の2〜20条の6）。

要件が備わるとき、公取委は課徴金納付命令の発出を義務付けられており裁量の余地はない。

(3)　確約手続

公取委が違反の疑いがある事実があると思料して、調査を開始した事業者の事業活動について、当該事業者が、公取委の抱く競争上の懸念を解消するための排除措置計画（**確約計画**）の認定を申請し、公取委が、同計画で懸念が解消されるとして**確約計画を認定**したときに、当該確約計画を実施することを条件として、公取委が調査を打ち切る手続を**確約手続**（法48条の2〜48条の9）という[6)]（⇒第6章第1節6）。

カルテルや入札談合のようなハードコアカルテル（⇒第5節3）は、運用上、確約制度の対象とされないが、不公正な取引方法、私的独占については、確約制度の活用が期待され、実際に活用されている。

Column 1-1　独禁法違反に対する法的措置の変遷

公取委が講じる排除措置命令等の法的措置に関しては、数次の独禁法改正に伴い、法的措置の実施方法等が変わり、呼び方（表記）も変遷しているので、簡単に説明する。

(1)　平成17年改正法施行前

平成17年改正法（平成18年1月4日施行）施行前は、公取委が、違反事業者に対して、排除措置を命じるに当たっては、まず**勧告**を行い、事業者が応諾すればそのまま排除措置命令を行う（これを**勧告審決と呼んだ**）。応諾しない場合は、審判手続に移行し審決によって排除措置命令を行っていた（これを**審判審決と呼んだ**）。なお、課徴金納付命令には勧告制度がなく、審判手続を経ないで納付命令を出すことができ、これに不服がある者が、審判請求を行ったときのみ審判手続が行われ、審判手続を経て課徴金納付を命ずる審決（これを**課徴金の納付を命ずる審決**と呼

6)　TTP11協定の締結に伴い独禁法に新たに導入された手続である（2018年12月30日施行）。

んだ）が出された。ただし、排除措置命令について審判手続が行われるときは、その審判手続が終了した後でないと課徴金納付を命じることはできなかった。

⑵　平成 17 年改正法施行後

平成 17 年改正法施行後は、公取委は、勧告・審判手続を経ることなく**排除措置命令**を行い、不服のある者が審判請求を行った場合だけ**審判手続**が開始され、同命**令に対する不服審査手続としての審判**が行われることになった。また、公取委は、排除措置命令と課徴金納付命令を同時に出し、審判手続きも同一の手続で審理することができるようになった。この審決への不服申し立ては審決取消訴訟として行われ、第一審は東京高裁とされていた。

⑶　平成 25 年改正法施行後

平成 25 年改正法（平成 27 年 4 月 1 日施行）によって**審判制度が廃止**され、同年 4 月 1 日以降に事前通知があった排除措置命令・課徴金納付命令に不服がある者は、直接、**東京地方裁判所**に取消訴訟を提起することになった（行訴法 12 条、法 85 条 1 号）。

第４節　独禁法規制における違反成立要件

Guidance 1-1　独禁法違反の成立要件

独禁法違反の成立要件についての考え方は、刑法総論における犯罪成立を検討する手順や考え方（構成要件該当性判断→違法性判断→責任判断の順に要件該当を検討するもの）によく似ている。刑法をある程度勉強した者であれば、本節で述べられる説明は、刑法総論の手順や考え方の延長線で容易に理解可能である。

ただし、独禁法独自の考え方もある。例えば、①効果要件である「競争の実質的制限」、「公正競争阻害性」そして、その判断の前提となる「市場」の概念は、いずれも経済学的知見に基づくものであるので、その内容の理解には、独禁法ならではの学習が必要である。②市場への悪影響の有無・程度を認定するためには、いわゆる「**市場分析**」が不可欠であり、これも、独禁法ならではの経済学的知見や経験則を踏まえた分析手法を理解しなければならないこと（⇒第５節6）などである。

企業結合については、排除命令措置発出の判断が、事前審査として行われる点で、他の独禁法規制と異なるため、基本的には第８章において説明することにし、本節では必要な範囲で触れる程度にした。

1　行為要件と効果要件

［図表 1-7］　違反成立要件の概要

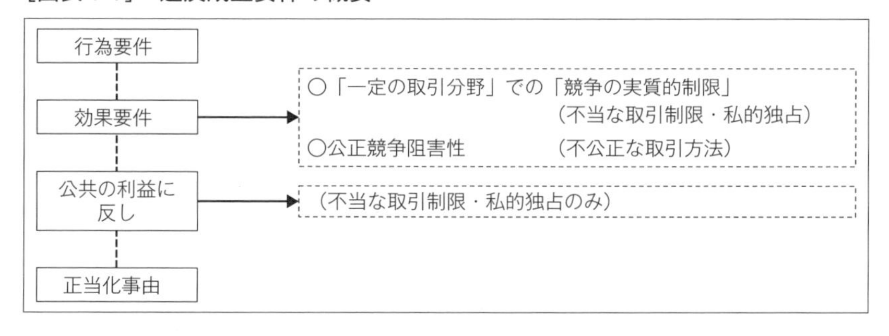

公取委の実務においては、違反の定義規定から違反成立要件を導き出し、そのうち、行為そのものに係る要件を「**行為要件**」、行為の効果に係る要件

を「**効果要件**」（**弊害要件**とも呼ぶ（白石講義26頁など））とし、各要件が備わる（充足される）ときに、違反が成立すると判断している。これは、刑事法の実務において、条文から導き出される犯罪構成要件を「行為」「結果」などに分け、実際の事実を当てはめて、すべての構成要件が充足されたときに、構成要件該当性を肯定するのと同じである。

例えば、法２条６項（不当な取引制限）では、①事業者が契約、協定その他何らの名義をもってするかを問わず、他の事業者と共同して対価を決定し、維持し、もしくは引き上げ、または数量、技術、設備もしくは取引の相手方を制限する等相互にその事業活動を拘束し、または遂行すること②によって③公共の利益に反して、一定の取引分野における競争を実質的に制限することと定義が規定され、これが違反の成立要件となるが、このうち、①が行為要件、③が効果要件である（菅久ほか19頁［品川武］参照）。

法２条９項６項（不公正な取引方法）では、「次のいずれかに該当する行為であつて、公正な競争を阻害するおそれがあるもののうち、公正取引委員会が指定するもの」と定義されているので、「公正競争を阻害するおそれがあること（公正競争阻害性）」が効果要件である。

効果要件が最終的に充足されているかの判断に当たって、「公共の利益に反し」（ただし、不当な取引制限と私的独占についてのみ規定されている）や「正当化事由」が検討され得る。

これは、刑事法の実務において、違法性判断の最終判断において、違法性阻却事由（正当事由）が検討され得るのと同様である。

2　行為要件

(1)　事業者の行為

不当な取引制限の禁止をはじめとする独禁法上の規制における禁止の宛先は「事業者」であるが、禁止に係る行為を実際に行うのは従業者個人（取締役等の役員個人も含む）であるので、個人のどのような行為が、事業者の行為として評価できるかが問題となる。

独禁法は、事業者による競争制限や競争阻害を抑止しようとするものであるから、**従業者個人が、問題となっている事業者の事業活動について影響を与えていれば足りる。独禁法違反行為は、私法上の権利義務を発生させるものではなく**、例えば、不当な取引制限における合意に関し、従業者個人の意思表示によって、事業者に法律効果が帰属するかどうかを問題にするものではない。そのため、当該従業員個人に、事業者に法律効果を帰属させる代理権や代表権、あるいは、社内における何らかの事業活動についての正式な決定権限がなくてもよい。事業者としての活動や判断に一定の影響力を与えることのできる事実上の立場・役割があればよい（⇒不当な取引制限に関する具体例については、後記第2章第3節1(3)参照）。

もちろん、従業員個人に代表権等があれば事業者の事業活動に影響を及ぼすことができると容易に評価されやすい（不公正な取引方法に関する事例であるが、問題行為が、事業者（法人）の特定の事業活動を遂行する権限を持つ担当者によって行われたこと等を理由に、それが担当者個人の判断で行われたものであったとしても、法人（事業者）が行った行為と評価されたものがある（川木秀昭＝村松聡「事件解説」公正取引845号（2021）60頁)。

(2)　行為者の主観面は問わない

独禁法は、市場における競争への弊害を除去し、競争を回復させることを目的としており、問題となる行為が市場にどのような影響を与えるかを判断基準とするもので、行為者の責任を問うものではないから、行為者の主観（故意・過失）や目的は要件にならない。この点は、刑事法とは大きく異なる点である（⇒第7章第5節5参照)。

違反類型ごとに求められる行為要件については、第2章以降の各論において詳細な説明をする。

3　効果要件の種類と内容

(1)　競争の実質的制限と公正競争阻害性

実務上、市場の「自由競争の減少・消滅」のことを「自由競争の減殺」という（⇒第1節4)。

独禁法の使命は、問題行為が、市場の**自由競争を減殺**させるなどして、**市場の競争機能に悪影響**を与えるとき、これを取り除くなどして「市場の競争機能」を回復させることである（[図表1-8] 参照)。

この市場の競争機能への悪影響が効果要件であり、独禁法の観点からみた違法性ともいえる。その種類と内容は次のとおりである。

ア　競争の実質的制限

問題となる行為によって、市場の競争機能が発揮されるために不可欠な**「自由な競争」の減殺の程度が大きくなり、その結果「市場の競争機能」を損なう**といえる場合には、悪影響（違法性）が最も大きく、**「競争を実質的に制限する」**と評価される。例えば、カルテル・入札談合などの行為が「競争を実質的に制限する」場合には、独禁法違反（不当な取引制限、私的独占）と判断され、法的措置が講じられ得る。

イ　公正競争阻害性

問題となる行為による市場の競争機能への悪影響が「競争を実質的に制限する」までは至らないが、市場の公正な競争秩序を確保する観点から、**「公正な競争を阻害するおそれ」（公正競争阻害性）**がある場合をいう。イメージ的には**「市場の競争機能」をゆがめる**との評価を受ける場合である。

公正競争阻害性の内容としては、①**自由競争を減殺させるおそれがある場合**、②**競争手段の不公正のおそれがある場合**、③**自由競争基盤の侵害のおそれがある場合**（取引における自由で自主的な判断が行われないおそれがある場合）の３つがある。これらのいずれかが充足されるときには、不公正な取引方法に該当し、法的措置が講じられ得る。なお、不公正な取引方法の

[図表 1-8] 「市場競争機能」への悪影響

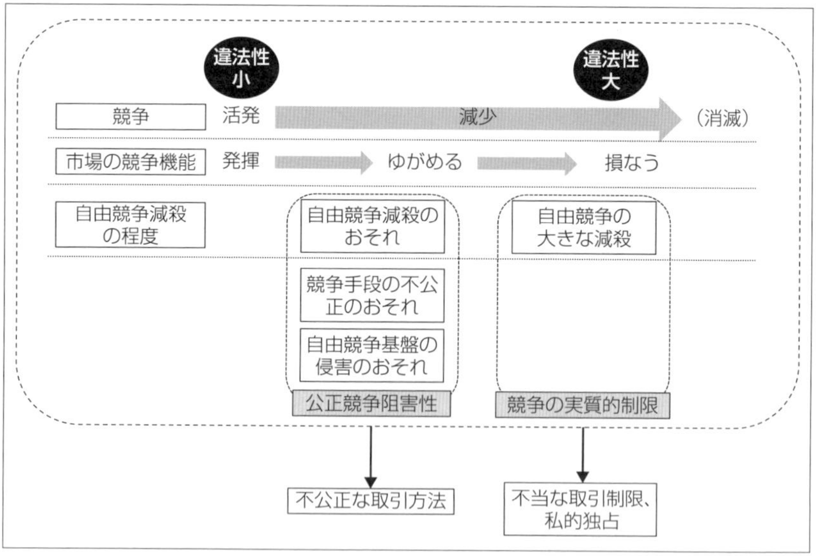

違法性 小
違法性 大
競争　活発　減少　（消滅）
市場の競争機能　発揮　ゆがめる　損なう
自由競争減殺の程度
自由競争減殺のおそれ
競争手段の不公正のおそれ
自由競争基盤の侵害のおそれ
公正競争阻害性
自由競争の大きな減殺
競争の実質的制限
不公正な取引方法
不当な取引制限、私的独占

違反類型ごとに、必要とされる公正競争阻害性の内容が決まっている。

「自由競争の減殺のおそれ」のある場合とは、競争回避または競争排除（⇒後記(2)）が生ずることにより、競争の実質的制限に至らない程度の自由競争の減殺をもたらすおそれのあることをいい、**「競争の実質的制限」の小型版**である。**「自由競争減殺のおそれ」を公正競争阻害性の内容として想定する不公正な取引方法**は、自由競争が減殺されるおそれのある行為に対して規制をすることにより、**カルテル・談合や私的独占などに関し、その萌芽的・予備的段階**を把握し規制しようとするものである[7]。

このイメージは、［図表1-8］のとおりである。

(2)　「自由競争の減殺」が起こるメカニズム

市場における自由競争が減殺し、その減殺の程度が大きくなることによって「競争の実質的制限」が生じ得る。自由競争が減殺するメカニズムとしては、①競争回避と②競争排除の2つがある。その内容は、［図表1-9］のとおりである（金井ほか独禁法11頁、28頁、32頁［泉水文雄］、266頁［川濵昇］参照）。

(3)　「自由競争減殺のおそれ」が起こるメカニズム

以下、本書では、公正競争阻害性のうち、「自由競争減殺のおそれ」をその内容とするものを**「自由競争減殺型（の）公正競争阻害性」**と呼び、不公正な取引方法のうち、自由競争減殺型の公正競争阻害性を効果要件として想定するものを**「自由競争減殺型（の）不公正な取引方法」**と呼ぶこともある。

自由競争減殺型の不公正な取引方法は、問題の行為を「競争の実質的制限」の萌芽段階・予備段階で捕捉して規制しようとするもの（ミニ版）である。

上記のとおり自由競争減殺には、競争回避と競争排除という2つのメカニズムがあることから、「自由競争減殺のおそれ」が起こるメカニズムも2つある。

流・取慣行GLは、非価格的制限行為のもたらす公正競争阻害性を**「価**

---

7)　ベーシック179頁［泉水文雄］、泉水独禁法44頁、金井ほか独禁法266頁［川濵昇］、根岸・舟田203頁参照。

[図表1-9]　自由競争減殺メカニズムの内容

競争回避	競争排除
独立した事業者の間で、互いの競争を回避し取りやめることによって競争が減少・消滅すること	事業者が、人為的な方法で既存の事業者の事業活動を継続できないようにして市場から排除したり、新規の事業者の市場への参入を阻止することによって、その市場での競争を減少させること（**競争者排除**ともいう）
典型は、価格カルテルや入札談合のほか、メーカーが小売店の再販売価格を拘束する場合。 イメージでいえば、競争しようと思えばできるライバル同士が、あえて競争を取り止めること	「競争排除」といえば、ライバルの事業活動を物理的に止めてしまうことを想像するかもしれないが、何らかの方法で、ライバルの「事業活動（新規参入）を困難にさせる」ことでも「競争排除」になる。 例えば、ライバルの製品製造に不可欠な原料を供給する原料メーカーに要請して同ライバルへの原料提供を停めさせて、原料供給ルートを止める（これを**市場閉鎖**という）ことによってライバルの事業活動を継続できない状態にすること、原価割れの廉売を長い期間行ってライバルの**顧客を略奪**することによってライバルのやる気を阻喪させ、あるいは事業継続のインセンティブを失わせることも「競争排除」になる
ほぼ同一の内容を示す用語として「**競争停止**」がある*	ほぼ同一の内容を示す用語として「**他者排除**」がある*

＊白石講義27頁など。

格維持効果が生じる場合」と「市場閉鎖効果が生じる場合」に分類しているが、ここで「価格維持効果が生じた場合」は「競争回避」のメカニズムで公正競争阻害性が生じる場合を、「市場閉鎖効果が生じた場合」は「競争排除」のメカニズムで公正競争阻害性が生じる場合を、それぞれ説明するものである（ベーシック180頁［泉水文雄］⇒第5章第1節5参照）。

(4)　私的独占と不公正な取引方法の住み分け

排除型私的独占と不公正な取引方法においては、規制の対象行為（行為要件）が共通しているものがある。排除型私的独占において規制対象となる典型的な行為（**コスト割れ供給、排他的取引、抱き合わせ、供給拒絶・差別的取扱いなど**）は、同時に、類似の行為を行為要件とする不公正な取引方法（不当廉売、排他条件付取引、抱き合わせ取引、取引拒絶・差別的取扱いなど）としても規制されるようにみえる。しかし、この場合の不公正な取引方法の規制は、前記したとおり、排除型私的独占の萌芽的・予備的段階を把握して規制しようとする関係にある（⇒第５章第１節３(2)ア(ア)）。したがって、これらの行為が、自由な競争にもたらす悪影響の程度が、競争の実質的制限まで至るものならば私的独占による規制、そこまで至らず公正競争阻害性の程度にとどまるものならば、不公正な取引方法として規制されることになる。

なお、不公正な取引方法の行為要件として想定されていない行為であっても、排除型私的独占の効果要件（排除効果）を備える場合には、私的独占として規制を受けることになる（⇒第４章第２節１(4)イ(イ)）。

４　一定の取引分野における競争の実質的制限

(1)　競争の実質的制限

ア　最高裁判例による定義

最高裁は、入札談合事案に関し、不当な取引制限（法３条）の成立要件である、一定の取引分野における「競争の実質的制限」の意義について「**市場が有する競争機能を損なうことをいい、本件基本合意のような一定の入札市場における受注調整の基本的な方法や手順等を取り決める行為によって競争制限が行われる場合には、当該取決めによって、その当事者である事業者らがその意思で当該入札市場における落札者及び落札価格をある程度自由に左右することのできる状態をもたらすことをいう**ものと解される」と判示した（最判平24・2・20〔多摩談合事件〕）。

これは独禁法の目的（前記第１節５）を踏まえたものであり、独禁法規制は、個々の取引において競争がなくなったかどうかを問題にするものでなく、市場における自由競争秩序が損なわれたかどうかを問題にするものであるという通説的な考え方（⇒前記第１節５）に沿ったものである。

別事件の最高裁判決も、価格カルテル事案に関して、上記多摩談合事件最高裁判決を引用しながら、「『一定の取引分野における競争を実質的に制限する』とは、当該取引に係る**市場が有する競争機能を損なうこと**をいうものと解される」と判示している（最判平29・12・12〔サムスンSDIマレーシア事件〕）[8)]。

イ　「市場支配力の形成・維持・強化」という定義との関係

古い時期の高裁判決は、「競争の実質的な制限」の意義について「**競争自体が減少して、特定の事業者又は事業者集団がその意思で、ある程度自由に、価格、品質、数量、その他各般の条件を左右することによつて、市場を支配することのできる状態をもたらすことをいう**」と判示していた（東京高判昭28・12・7〔東宝・新東宝事件〕。不当な取引制限に関するもの。なお、東京高判昭26・9・19〔東宝・スバル事件〕も同旨）。

学説も、この判示を踏まえ、「その意思で、ある程度自由に、価格、品質、数量、その他各般の条件を左右することによって市場を支配することができる」力を「**市場支配力**」と呼び、「競争の実質的制限」を「**市場支配力を形成・維持しまたは強化すること**」と定義しこれが通説とされてきた（泉水独禁法42頁）。近時の私的独占事案に関する最高裁判決においても、「『競争を実質的に制限すること』、すなわち市場支配力の形成、維持ないし強化という結果が生じていたものというべきである」（最判平22・12・17〔NTT東日本事件〕）と判示[9]している。

整理すれば、「競争の実質的制限」という事象は、①「（事業者らが）その意思で、当該入札市場における落札者および落札価格をある程度自由に左右することのできる状態をもたらすこと」と表現でき、多摩談合事件最高裁判決の示した②「市場の競争機能を損なう」という定義は、その事象の本質面を示したものであり、NTT東日本事件最高裁判決やその他の裁判例等が示す③「市場支配力の形成・維持・強化」などの定義は、その事象の生成メカニズムの面に焦点を当てるものと考えられ、②および③は同一の事象を異なる側面から定義するものであって、相互に補い合って使用されるべき概念と考えられる[10]。

したがって、これらの関係は、①があれば②も③も肯定でき、②と③は

---

8)　原審の高裁判決は、競争の実質的制限について、「本件のような価格カルテルの場合には、その当事者である事業者らがその意思で、当該市場における価格をある程度自由に左右することができる状態をもたらすことをいう」と判示している（東京高判平28・1・29〔ブラウン管事件（サムスンSDIマレーシア）〕）。

9)　なお、同事件の原審である東京高裁判決は「競争の実質的制限」の意義について「競争自体が減少して、特定の事業者又は事業者団体がその意思で、ある程度自由に、価格、品質、数量、その他各般の条件を左右することによって、市場を支配することができる状態を形成、維持、強化すること」をいうとしていた（東京高判平21・5・29〔NTT東日本事件〕）。

同義であると考えられ、仮に①があるといえれば③もあると考えられるのであって、①とは別に「市場支配力」の形成・維持強化があったというための格別の立証は必要ではない。

ウ　不当な取引制限、私的独占、および企業結合の各規制における「競争の実質的制限」の考え方

(ア)　カルテル・談合の場合

ハードコアカルテル[11]（⇒第5節3）としての不当な取引制限（カルテル・談合）の場合は、実効的な合意が成立していれば、原則として競争の実質的制限が肯定される（原則違法）。その合意は、事業者同士が、共同して競争を回避する内容であり、競争促進的な要素が全くないからである。

(イ)　企業結合および私的独占の場合

企業結合や私的独占の場合は、その行為自体が直ちに競争制限的だとはいえず競争促進的な効果が認められる場合も多く、競争制限効果との比較衡量をして、市場の競争機能への悪影響の程度を総合的に判断する必要があるため、競争の実質的制限の存否は、個別具体的な事件ごとに慎重に検討されている。非ハードコアカルテル（⇒第5節3）の場合も同様である。企業結合の場合の判断は、将来的に「実質的に競争を制限することとなる」かどうかという予測であり「**蓋然性**」判断で足りる。

(2)　一定の取引分野

ア　競争の実質的制限を判定する前提としての「一定の取引分野」

不当な取引制限および私的独占の規制を行うためには、**既に行われた**特定の行為によって「競争が実質的に制限された」といえなければならない。企業結合への規制を行うためには、**将来行われる**企業結合によって「競争が実質的に制限されることとなる」といえなければならない。

いずれにおいても、「競争の実質的制限」は、一定の対象範囲を特定（「**画定**」という）し、これを前提として判定される[12]。この画定される「一定の

---

10)　市場支配力という用語は、使い勝手のよいパワーワードであるが、意味するところを理解して使うことが求められる。

11)　第5節3、第2章第1節2(1)ア参照。

12)　自由競争減殺型の公正競争阻害性においても、判断の前提として「検討対象市場」を画定する必要がある。

対象範囲」のことを「一定の取引分野」[13]という（これを「**関連市場**」とか単に「**市場**」とも呼ぶこともある）。また、「一定の取引分野の画定」のことを、単に「**市場画定**」と呼ぶこともある。

イ　「一定の取引分野」を画定する方法

いずれの違反類型であっても、「一定の取引分野」を画定する目的は、この範囲を前提に「競争の実質的制限」の有無を判定することにある。しかし、公取委の実務においては、違反類型によって、「**一定の取引分野**」を画定する方法が、異なることに留意が必要である。

〔「一定の取引分野」を画定する方法〕

○**企業結合**

違法性を判定する拠り所となる具体的行為が**不存在**

⇒「一定の取引分野」＝企業結合において、競合する商品・役務に着目し、**商品・役務の範囲および地理的範囲を客観的に特定して、画定**

○**不当な取引制限、私的独占**

違法性を判定するための拠り所となる、特定の商品・役務を対象とする具体的行為が**存在**

⇒「一定の取引分野」＝**行為の対象や影響を受ける範囲を特定して、画定**

(ア)　不当な取引制限の場合（⇒詳細は、第2章第4節1）

カルテル・入札談合のような**ハードコアカルテル**（⇒第5節3、第2章第1節2(1)参照）に該当する不当な取引制限の場合、例えば商品Aの価格を○○円にしようという合意がなされるなど、違法性の判定をするための拠り所となるべき、特定の取引（商品Aの販売）に向けられた共同行為（価格引き上げの合意）が存在するし、その共同行為には通常競争促進的なものはなく、それ自体競争制限的なものである。

そのため、その共同行為が「競争の実質的制限」を有するかどうかについては、端的に当該行為の対象となる取引（商品Aの販売）とその影響の及

13)　独禁法における「一定の取引分野」とは、「同種の商品又は役務の取引をめぐっての、事業者間の競争の場あるいは競争圏」（今村独禁法入門13頁）、または「一定の供給者群と需要者群とから構成される競争圏」を意味する（根岸・舟田156頁参照）。

ぶ範囲を検討する方法によって「一定の取引分野」を画定し、その画定された範囲を前提として競争制限的効果の程度（競争の実質的制限が生じているか）を判定すれば足りる[14]。

これを支持する近時の裁判例として、例えば、ブラウン管カルテル事件（サムスンSDIマレーシア）の審決取消訴訟において東京高裁判決は「独占禁止法2条6項における『一定の取引分野』は、そこにおける競争が共同行為によって実質的に制限されているか否かを判断するために画定するものであるところ、**不当な取引制限における共同行為は、特定の取引分野における競争の実質的制限をもたらすことを目的及び内容としているのであるから、通常の場合、その共同行為が対象としている取引及びそれにより影響を受ける範囲を検討して、一定の取引分野を画定すれば足りると解される**」と判示している。

(イ)　企業結合の場合

企業結合の場合は、違法性（競争制限効果の存在）を判定するための拠り所となり得る、特定の商品・役務を対象とした具体的な行為が存在しないし、企業結合には競争促進効果も想定できるため、通常それ自体で競争を実質的に制限するとはいえない。そのため「一定の取引分野」の画定は、その企業結合に関わる会社の間において、**競合する商品・役務に着目し、基本的に「需要者にとっての代替性」の観点に立って、商品・役務範囲と地理的範囲を定めるという客観的な方法で行われ、この画定された範囲を前提にして、当該企業結合の「実質的な競争制限」の蓋然性の有無を判定する**という慎重な判定方法がとられる（⇒詳細は、第8章第4節3・4）。

(ウ)　私的独占の場合

「私的独占」においても、競争の実質的制限の判定をするための拠り所となるべき、特定の取引に向けられた排除行為や支配行為が存在する。そのため、原則として、この**行為の対象となる取引とその影響の及ぶ範囲を検討して「一定の取引分野」を画定し**、この画定された範囲を前提として競争制限的効果の程度を判定する。その場合、競争制限効果と競争促進効果の総合的な検討の必要がある。また、行為の対象となる取引とその影響の

14）　論点解説143頁［奥村豪］参照。価格協定のようなハードコアカルテルにおいては、行為の及ぶ範囲で反競争的影響が生じている蓋然性が強いため、その範囲で市場画定ができると一般に考えられるとされる（根岸・舟田155頁）。

及ぶ範囲を検討する際に、必要に応じて、需要者（または供給者）にとって取引対象商品と代替性のある商品範囲または地理的範囲がどの程度広いものかという観点も考慮することが求められる（排除型私的独占 GL 第３の１⑴⇒詳細は、第４章第３節１）。

5 「公共の利益に反して」

⑴ 問題の所在

「私的独占」と「不当な取引制限」の定義規定（法２条５項・６項）では、成立要件の１つとして「公共の利益に反して」の要件が求められている。そこで、この違反類型において、「公共の利益に反して」以外の要件が充足されているとき、どんな場合に、「公共の利益に反しない」ことを理由として違反の成立が否定されるのかが問題となる。

⑵ 最高裁判決

この点、最高裁は、「『公共の利益に反して』とは、原則としては同法（＊筆者注：独禁法）の直接の保護法益である自由競争経済秩序に反することを指すが、現に行われた行為が形式的に右に該当する場合であつても、右法益と当該行為によつて守られる利益とを比較して、『一般消費者の利益を確保するとともに、国民経済の民主的で健全な発達を促進する』という同法の究極の目的（同法１条参照）に実質的に反しないと認められる例外的な場合を右規定にいう『不当な取引制限』行為から除外する趣旨と解すべき」であると判示した（最判昭 59・2・24〔石油価格協定刑事事件〕）。

これは、形式的には効果要件を充足していても、**独禁法の究極の目的に実質的に違反しない例外的な場合には、効果要件が否定され、違反の成立が否定され得る**ことを明らかにしたものである。

違反類型がハードコアカルテルである場合についていえば、一般的に、その違反による自由競争経済秩序の侵害の程度が甚だしいので、独禁法の究極の目的に照らして実質的に違反にならないとされることは考えにくい。公取委は、価格カルテルや入札談合は原則として公共の利益に反するというべきであるから、これが公共の利益に反しないとするためには、当該違反行為によって確保・促進される一般消費者の利益の内容、国民経済の民主的で健全な発達の内容等を明らかにするとともに、当該違反行為を行うこと以外に他に取るべき手段はなかったことについて説得的に反論反証を行うべきとしている（課徴金の納付を命ずる審決平22・10・25〔郵便区分機課徴金事件〕）。

これまで「公共の利益に反し」とはいえないことを理由に、独禁法違反の成立が否定された事例もない。

(3)　競争の実質的制限との関係

通説・公取委の実務は、「公共の利益に反して」とはいえない「例外的な場合」には違反が成立しないこともあり得るとの最高裁の考え方を前提としながら、最高裁のいう「例外的な場合」かどうかの判断は「競争の実質的制限」に係る判断と別に行うのではなく、「競争の実質的制限」に係る判断の枠内において、他の利益との比較考量を行うべきものとしており、「例外的な場合」に当たるときは「競争の実質的制限」を否定すべきものとしている（菅久ほか35頁［品川武］）。

6　公正競争阻害性

公正競争阻害性は、不公正な取引方法の効果要件である。

前記3(1)イのとおり、問題となる行為が、市場の競争機能への悪影響が「競争を実質的に制限する」まで至らない場合であっても、**①自由な競争を減殺させるおそれがある場合、②競争手段の不公正のおそれがある場合、③自由競争基盤の侵害のおそれがある場合には、「市場の競争機能」がゆがめられる**と評価され、そのときは、**「公正な競争を阻害するおそれ」**（**公正競争阻害性**）があるといわれる（⇒1、第5章第1節3）。

自由競争減殺型の公正競争阻害性の判断に際しては、**「具体的行為や取引の対象・地域・態様等に応じて、当該行為に係る取引及びそれにより影響を受ける範囲を検討」した上で、総合的に考慮判断する**ものとされている（**流・取慣行GL第1部3(1)**⇒第5章第1節3）が、これは、あくまで「検討対象市場」の画定であり、「一定の取引分野」の画定ではないことに留意が必要である。

7　正当化事由

(1)　正当化事由の多義性

正当化事由という用語は多義的に使われる。①独禁法違反の成否を判断するに当たって、形式的には充足している効果要件の成立を実質的観点から否定（阻却）する例外的な事情を「正当化理由」という場合もある（根岸・舟田61頁参照）。②ある効果要件（例えば「公正競争阻害性」）の成否が問題になって、競争阻害的要素と競争促進的要素を総合して成否を検討するときに、効果要件の成立にとってマイナスの方向で機能する競争促進的要素を正当化理由ということがある。③また、例えば、安全性の確保が、市場における競争の前提を形成するという意味で、競争促進効果をもたらすことがあり得、これも正当化理由ということがある（金井ほか独禁法36頁［泉水文雄］参照）。

さらに、④正当化理由の用語を、より一般的に、競争促進的要素という意味で使う場合もある。この意味における正当化理由は、「競争の実質的な制限」「公正競争阻害性」の有無を検討する際に当然に考慮される（私的独占に関し、公取委は、「問題となる行為が、安全、健康、その他の正当な理由に基づき、一般消費者の利益を確保するとともに、国民経済の民主的で健全な発達を促進するものである場合には、例外的に、競争の実質的制限の判断に際してこのような事情が考慮されることがある」とする（排除型私的独占GL第3の2(2)オ））。

(2)　違反類型に応じた判断が必要

前記したとおり、実務上、「正当化理由」の用語は多義的に使われており、違反類型によっては、正当化理由の有無の判断が、効果要件の有無の判断と同時的に行われることも多いので、「正当化理由」を、他の効果要件から**独立的に取り扱うか、一体的に取り扱うかは、違反類型に応じて個別に考えれば足りる。**

(3)　競争秩序と無関係な事情が正当化事由になり得るか

競争の実質的制限や公正競争阻害性は、公正で自由な競争秩序維持の観点からみた評価であるので、違反行為に関し、**競争秩序維持の観点と直接**

関係のない事業上の合理性や必要性があったとしても、それだけでは、当該行為が正当化されることはない。

裁判所は、再販価格拘束事案で、粉ミルクが乳幼児の主食であり一定の価格で安定的に供給されるべきこと等を根拠とした「正当な理由」の主張を排斥したが、その理由として「『正当な理由』とは、専ら公正な競争秩序維持の見地からみた観念であつて、……競争秩序の維持とは直接関係のない事業経営上又は取引上の観点等からみて合理性ないし必要性があるにすぎない場合などは、ここにいう『正当な理由』があるとすることはできない」とした（最判昭50・7・10〔和光堂事件〕、東京高判昭46・7・17〔明治商事事件〕）。

もっとも、事業上の合理性や必要性が、競争秩序の維持と関係する場合（例えば、安全確保など競争秩序の当然の前提条件を確保しようとする場合など）には考慮され得る。すなわち、社会的に正当な目的に基づく、事業上の合理性、必要性を有する行為であるとの主張は、独禁法1条の究極の目的に照らして当該行為の目的の正当性を判断し、目的を実現する上で必要な手段であるか、より競争を制限しない適当な手段が他にないかを考慮することになる（論点解説155頁［天田弘人］、東京地判平9・4・9〔日本遊技銃協同組合事件〕参照）。

8　因果関係

行為要件によって効果要件が生じたといえることが必要とされる。

しかし、不当な取引制限について、公取委の実務では、行為要件（事業者間の事業拘束を内容とする協定）に該当すれば、同時に、本来自由に事業活動ができた事業活動が協定によって拘束されることになり、それ自体が実質的に競争制限効果を持つものと考えられ、因果関係は問題にならないと解されている。

第５節　独禁法実務に登場する用語の説明

1　事業者とは

(1)　意義

行為者が事業者か非事業者かによって、独禁法が適用されるかどうかが変わるので、「事業者」性の有無は非常に重要である。

事業者とは「商業、工業、金融業その他の事業を行う者」をいう（法２条１項）。

「事業」を行う者であればよく、営利性の有無や法人・個人の別は問わない。国や地方公共団体、事業者団体、営利追求を目的としない学校や公益法人等の公法人等が「事業」を行う場合も、独禁法上の「事業者」に該当し得る。医師や弁護士、会計士等の専門職業従事者も「事業者」に該当し得る。

(2)　雇用契約関係にあることを理由として独禁法の適用がなくなることはあるか

かつて公取委は、労働者と雇用先企業（事業者）との関係については、雇用契約関係（労働関係）にあることを理由に、独禁法の適用はないとしていたようであるが、現在は、そのようには考えていないと思われる。例えば、経済団体の加盟企業が新入社員の最高賃金を取り決める協定を結ぶとすれば、その行為は、よりよい条件を示して良い社員を獲得しようとする事業者間の競争を制限することが明らかであるので、独禁法が適用され、不当な取引制限の違反が成立し得る（泉水経済法入門 161 頁）。

また、プロ野球選手は、個人事業者である面と、球団（雇用先企業）との関係で雇用契約関係に服する労働者である面がある。球団との関係で雇用契約（労働）関係に服する面があるからといって、球団の行為に独禁法の適用がないとはいえない。球団が、移籍制限等によって、プロ野球選手の活動を制限する場合には、独禁法違反に問われ得るし、球団への違反審査も行われ得る。事業者団体についても、同様のことがいえる。

なお、その関連で、日本プロフェッショナル野球組織（球団等を構成事業者とする事業者団体）が、「新人選手が、ドラフト会議前に12球団による指名を拒否し、又はドラフト会議での交渉権を得た球団への入団を拒否し、外国球団と契約した場合、外国球団との契約が終了してから高卒選手は3年間、大卒・社会人選手は2年間、12球団は当該選手をドラフト会議で指名しない。」との申合せにより、構成事業者である12球団に対して特定の選手との選手契約を拒絶（共同の取引拒絶⇒第5章第2節2）させている（法8条5号）との疑いで、公取委が調査していたが、同組織から、改善措置を自発的に講じた旨の報告があったことから調査を終了して公表した事例がある（公取委令2・11・5公表「日本プロフェッショナル野球組織に対する独占禁止法違反被疑事件の処理について」）。

2　競争

法2条4項の1号は供給者（売り手）間の「競争関係」を、2号は需要者（買い手）間の「競争関係」をそれぞれ規定したものである。

同規定は、事業者間の個々の「競争関係」を定義したにとどまるものであり、この定義を、私的独占および不当な取引制限における「競争の実質的制限」や不公正な取引方法における「公正な競争を阻害するおそれ」の解釈に機械的に適用することは差し控えるべきと考えられている（根岸・舟田44頁、泉水独禁法36頁など）。「競争の実質的制限」や「公正な競争を阻害するおそれ」にいう「競争」は、単なる事業者間の個々の競争関係を指すのではなく、市場全体の競争機能のことを指しており、そこでは、問題の行為が市場の持つ競争機能にどのような影響を及ぼすかを問題としなければならないからである（論点解説26頁［岩下生知］）。

3　ハードコアカルテルと非ハードコアカルテル

複数の事業者が、取り決めないし申し合わせ等の方法によって、互いに自らの行動を調整する共同行為をカルテルと総称する。**ハードコアカルテルとは**、その中で、価格・産出量などの重要な競争手段を直接に制限する競争者間の共同行為であり、競争制限以外に合理的な目的がないことが外見上明らかなものをいう（泉水独禁法174頁）。例えば、入札談合や価格カルテルである。これに対し、**非ハードコアカルテル**とは、共同行為によって事業者の効率性が向上するなどの競争促進効果が期待でき、反競争性が明白とはいえないもの、例えば、ライバル企業同士が業務提携として行う共同輸送活動のようなものをいう。両者の違法性判断の枠組みは異なるので、区別する必要がある（⇒第2章第8節1）。

4　水平と垂直、垂直的制限行為と水平的制限行為、川上市場と川下市場

［図表 1-10］　垂直制限行為と水平的制限行為

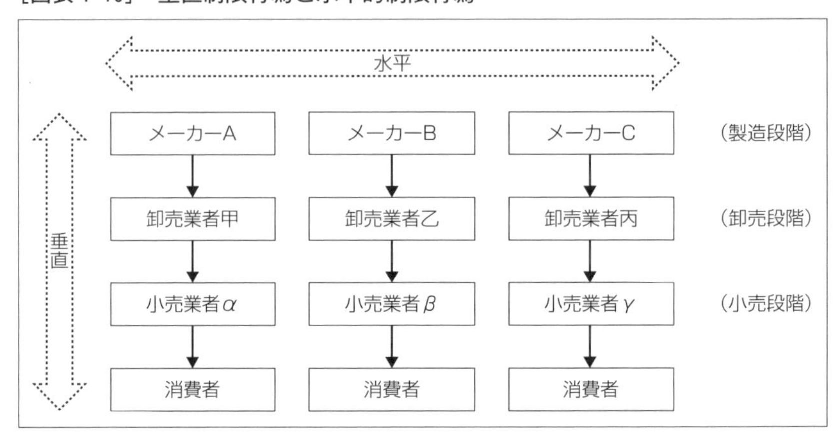

例えば、上の［図表1-10］のような商品の流通を思い浮かべれば、メーカーが商品を製造し、これが卸売業者、小売業者に流れていき、最終的に消費者に販売されるという上から下への垂直の流れになる。このように流通段階（取引段階）の異なる事業者間の取引関係を**垂直**と呼ぶ。この垂直の取引関係の中で、メーカーが、自分の商品を取り扱う流通業者から協力を得るため、様々な要求を出したり援助したりして組織化を促し、流通経路をコントロールしようとすることがあり、これを**流通系列化**と呼ぶ。このような流通系列化などのために、例えば、メーカーが卸売業者に対して、競争制限的な行為を行うことを**垂直的制限行為**と呼ぶ。この垂直の流れを川になぞらえて、メーカーと卸売業者でいうと、より上流に位置するメーカーの属する市場を**川上市場**と呼び、より下流に属する卸売業者の属する市場を**川下市場**と呼ぶことがある。これに対して、競争関係にあるメーカー同士、卸売業者同士、小売業者同士は、取引関係が水平に並ぶことになるので**水平**という。競争関係にある事業者同士による競争制限行為を**水平的**

制限行為と呼ぶ（菅久授業110頁、143頁）。

5　両面市場、直接ネットワーク効果、間接ネットワーク効果

例えば、オンライン旅行予約サービスでは、サービスを提供するプラットフォーム事業者を介し、同プラットフォームに旅行商品を供給する事業者グループと、同プラットフォームで旅行予約をする消費者グループという2つの利用者グループが存在することになる。これを**両面市場**という（**二面市場、双方向市場、多面市場**ともいわれる）。

両面市場ではネットワーク効果が働き、ネットワーク効果には直接ネットワーク効果と間接ネットワーク効果がある。直接ネットワーク効果とは、同じネットワークに属する参加者が多いほどそれだけ参加者の効用が高まる効果である。例えば、特定のオンライン旅行予約サービスを利用する消費者が増えると、消費者にとって同サービスの使い勝手がよくなることである。**間接ネットワーク効果とは**、同じネットワークに属する参加者グループが複数存在し、一方のグループの参加者が増えれば増えるほど、他方のグループの参加者の効用も高まる効果をいう。例えば、オンライン予約サービスの場合、同サービスを利用する消費者が増えると、同サービスの魅力が高まり旅行商品を提供する事業者が増え、逆に、同サービスに旅行商品を提供する事業者が増えると、消費者からみた同サービスの魅力も大きくなり、同サービスで旅行予約をする消費者が増えることである。

特に、デジタル・プラットフォームは、効率的にネットワークの規模を拡大できるので、市場分析においては、そのネットワーク効果がどのように働くか的確に判断することが必要である。

6　市場分析・牽制力・競争圧力

企業結合における「競争を実質的に制限することとなる」かどうかの判断、不当な取引制限や私的独占における「競争を実質的に制限する」かどうかの判断、自由競争減殺型の不公正な取引方法における「自由な競争を減殺するおそれ」があるかの判断に当たっては、「**市場分析**」を行う必要がある。市場分析とは、問題となる行為の有する競争制限効果の態様や程度を分析して、これによって、検討対象である市場において、「競争を実質的に制限することとなった」のか（蓋然性が生じたか）、「競争を実質的に制限

した」のか、そこまで至らなくても「自由な競争を減殺するおそれ」が生じたかを判断することである。もっと具体的にいえば、検討対象とする市場における、問題となる行為の有する競争制限効果の態様や程度とともに、問題となる行為が「競争を実質的に制限」することへの阻止要因となる**牽制力**や**競争圧力**がどの程度存在するのか、あるいは存在することが見込めるのかも分析し、判断を行うことである。

牽制力とは、他社が値上げ等すればその顧客を奪うことによって、その値上げ等を牽制する力のことをいう。値上げ等しにくくさせる**競争要因**という面に着目すれば、この力は**競争圧力**と呼ばれる。例えば、自社Aと他社Bが活発な競争関係にあるときには、他社Bが商品の値上げをしようとすれば、自社Aはこれに乗じ、当該他社Bの顧客を奪う蓋然性が大きく、そのことは当該他社Bにおける値上げを抑制する関係にあるので、A社による値上げの抑制力を「牽制力」と呼ぶが、これは競争圧力でもある。Bからみて、**新規参入**の脅威が大きい場合、**買い手**（需要者）の交渉力が大きい場合、または**代替品**の脅威が大きい場合なども、Bが値上げ等しにくくさせることなので、これを「競争圧力」と呼ぶ。競争「圧力」というと、なにか不当な行為のように思う向きがあるかもしれないが、牽制力と同様、市場における競争要因を分析するための中立的な用語である。

Column 1-2　経営学でも行われる「市場分析」

(1)　5つの競争要因

経営者の必読ビジネス書とされる**ポーター教授**の**『新訂　競争の戦略』**[15]は、競争法の学習者にとっても、企業が市場で繰り広げる競争の実態を知ることができ興味深く有意義である。

ポーター教授は、同書の中で、ある業界[16]が儲かるかどうか（平均利益率がどのくらいか）を明らかにする**業界分析のフレームワーク**として、[図表1-11]の5つの競争要因を挙げ、競争要因が強ければ強いほど、その業界の（潜在的）平均利益率は低くなるという。

15)　マイケル・ポーター『新訂　競争の戦略』（ダイヤモンド社、1995)。

16)　この「業界」は「互いに代替可能な製品を作っている会社の集団」と定義されており（ポーター・前掲注15) 19頁)、おおざっぱな意味で、競争法における「市場」と同じものを指すと考えてよいであろう。

この経営学のフレームワークで競争要因を検討する業界分析の手法が、独禁法違反が問題になる場合に、牽制力・競争圧力を検討しての市場分析を行う手法とよく似ていることは興味深い[17]。

(2)　競争戦略

ポーター教授は、企業が生き残るためには、業界の平均収益率以上を確保できなければならないとし、そのために、経営者に**競争戦略**の策定と実行を求める。

競争戦略とは「『5つの競争要因』で自社の業界の構造を分析し、業界の競争要因からうまく身を守り、自社に有利なようにその要因を動かせる位置を業界内に見つけること」であり、例えば、マーケティング革新によってブランドイメージを上げ、製品を差別化させ、垂直統合を進めたりして参入障壁を大きくすることなどが挙げられている（前掲『新訂　競争の戦略』18頁、20頁、50頁、51頁）。

これに対し、公取委などの競争法の執行当局は、**市場分析**に基づいて、事業者が行う活動が、市場に及ぼす悪影響やその可能性について判断し、競争確保のため必要な措置を講じる。

ポーター教授のいう業界分析フレームワークと公取委（競争当局）が行う市場分析の手法はよく似ているが、その目的は、かなり違うのである。

[図表1-11]　5つの競争要因

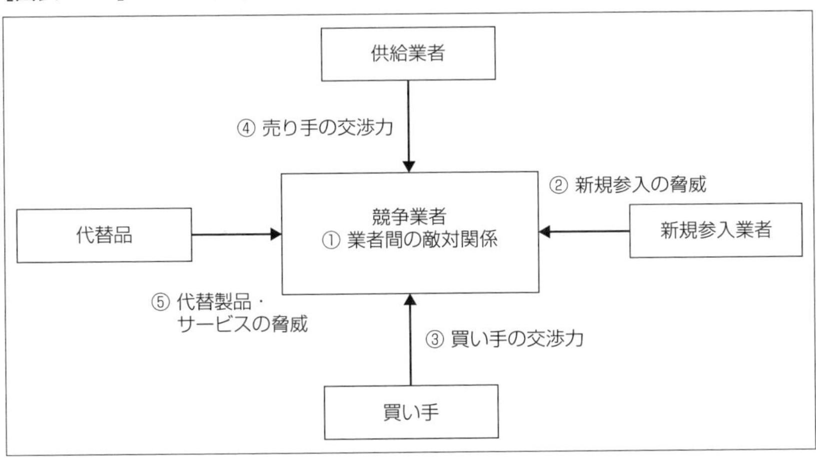

＊『新訂　競争の戦略』18頁を元に作成。川上の取引段階を上に、川下の取引段階を下に変更した。

17)　ポーター教授は産業組織論の議論を利用することによって経営戦略論を一変させたといわれている（泉田成美＝柳川隆『プラクティカル産業組織論』（有斐閣、2008）4頁）。

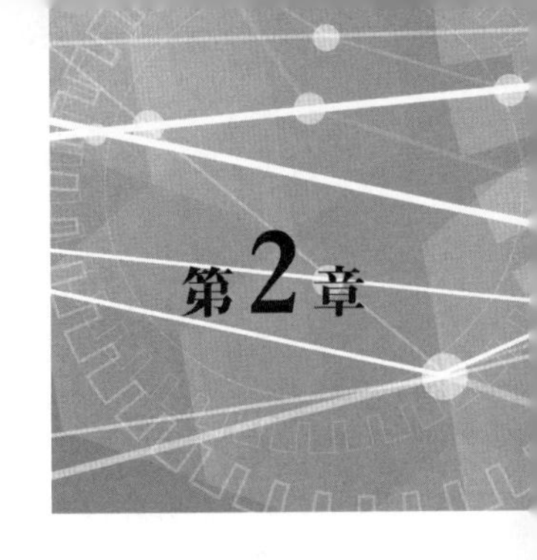

不当な取引制限

入札談合や価格カルテルなどのハードコアカルテルに当たる不当な取引制限に関する公取委の実務は、多摩談合事件最高裁判決の趣旨を踏まえ、これに沿う形で安定的に運用されている。例えば、行為要件の「共同して……相互にその事業活動を拘束」の解釈について、従来の実務では、「相互」と「拘束」を一体のものと解し、そのため拘束の「相互性」が1つの論点になり得たのが、同最高裁判決では「拘束」は「共同して」と一体のものであると解し、公取委の実務もこれに従うようになり、拘束の内容について「相互性」を過剰に考慮しなくなったように見える。なお、同判決をきっかけに、公取委の「一定の取引分野」の画定の方法について疑問が呈されたこともあったが、その後の裁判例や学説が、公取委の実務を支持したため、この点も含め、公取委の実務は安定的に行われている。

不当な取引制限に関して、実務家は、ハードコアカルテルに関する公取委実務を確実に理解することが必要だが、ハードコアカルテルなのか非ハードコアカルテルなのかという区別の基準、それが非ハードコアカルテルに該当するとした場合の違法・適法の区別の基準か問題となる共同行為（JV、コンソーシアムなどの業務提携）についても、しっかり理解を深めることが有用と思われる。

本章では、第1節から第6節までにおいて、ハードコアカルテルに該当する不当な取引制限の規範解釈や立証をめぐる論点について、公取委実務をベースとして詳しく説明している。第8節では、非ハードコアカルテルについて詳しく説明する。第7節では、官製談合に対し公取委が講じる行政上の措置について解説する（官製談合関連の刑事罰については、第7章第4節参照）。

第１節　不当な取引制限の意義

本章では、特に断らない限り、行政事件と刑事事件の両者に共通するものとして説明する。

1　不当な取引制限とは

(1)　意義

不当な取引制限とは、「複数の事業者が、合意により各自その事業活動に一定の制限を加え、それによって競争回避的機能を営む共同行為」と定義される（今村入門62頁参照）。かみ砕いて表現すれば、「**事業者がお互いに合意して競い合いをやめよう（競争を回避しよう）とすること**」であり、独禁法の条文（法２条６項）に近づけていえば、「事業者が他の事業者と共同して、価格の引き上げや生産量・販売数量を制限することなどについて他の事業者と合意して、一定の取引分野（いわゆる市場）における競争を実質的に制限すること」をいう（菅久授業20頁）。

条文にもとづく詳しい説明は、第２節以下で行う。

(2)　違反行為の主体

違反行為の主体は、事業者である。違反の主体となるべき事業者が競争事業者に限られるかどうかについては、第２節２(2)エ(イ)で説明する。

2　不当な取引制限の具体例

(1)　カルテル・入札談合

不当な取引制限の典型として価格カルテルと入札談合がある。

ア　広義のカルテル

カルテルとは、広義には、複数の事業者が、競争を回避するために、取り決めないし申し合わせ等の方法によって、互いに自らの行動を調整する共同行為を意味する。

広義のカルテルのうち、競争の実質的制限のみを目的とするもの、あるいは客観的に反競争効果が明白で、これを補うような競争促進効果ないし正当化事由を持ち得ないことが外見上明らかなものを**ハードコアカルテル**

という（⇒第1章第5節3）。一般に、カルテルといえば、特に断らない限りは、このようなハードコアカルテルを意味する（金井ほか独禁法39頁～40頁［宮井雅明］。本書でも、特に断らない限り、このようなものを指してカルテルという）。

イ　価格カルテル

ハードコアカルテルの典型が、価格カルテルである。ほとんどが現在の価格を引き上げようとする協定（一定の確定価格への値上げ、一定の確定額の値上げ、一定の比率の値上げ、目標価格の達成など）である。

価格の上限を協定する「**最高価格の協定**」は、消費者にとって有利なので違法性がないと考える人がいるかもしれない。事業者が協定して人為的に価格を決めること自体が市場の競争機能を損なうことであって許されない[1]から、これも違反になる（また、このような協定は、実際には、「そこまでは引き上げることにする」という合意である場合が多いという現実も無視できない）。

ウ　入札談合

ハードコアカルテルのもう1つの典型例が入札談合である。

入札談合とは、予め入札参加者が話し合って受注予定者を決定し、受注予定者以外の参加者は、受注予定者の提示価格よりも高い価格を提示して受注予定者が受注できるように協力する旨を合意することをいう（入札談合で予め行われる、この合意を**基本合意**という）。

入札談合では、個別の入札（発注）の前に、この基本合意（ルール）が存在し、この合意（ルール）に従って、個別の入札（発注）ごとに、受注予定者を決めるための**個別調整**や受注予定者が受注できるようするための価格連絡等が行われるのが通例である。基本合意が形成されてから個別調整が行われるようになる場合もあるが、個別調整が徐々に行われるようになるうちにそれが慣行化しこれが基本合意になる場合もある。

一回限りの発注案件において、その受注を希望する事業者間で、当該案件の受注予定者を決め、受注予定者以外の者は、受注予定者が受注できるように協力することや具体的な入札価格等を合意し、この合意に従って入札が行われることがある。この場合には、基本合意と個別調整の区別はな

1）「私的企業が恣意的に価格を支配する力を有することそれ自体が結局消費者にとり不利である」とした審決がある（審判審決昭27・4・4〔醤油価格協定事件〕）。

いが、この合意も入札談合に当たる（⇒第4節3(3)）。

エ　受注調整

公取委の実務において、イの入札談合のうち、**官発注**に対するものを「**入札談合**」とし、民間からの発注に対するものは「**受注調整**」と分類している。

民間事業者が発注者であり、見積り合わせ等の競争性のある発注方式をとる場合において、見積り合わせ等参加者が話し合い、受注すべき者を決定しその者が受注できるようにする行為を**受注調整**と呼ぶのである。

(2)　ハードコアカルテルと非ハードコアカルテルの区別

ハードコアカルテルと非ハードコアカルテルの区別については、第1章第5節3で説明したが、さらに第8節1を参照されたい。

問題の共同行為が後者に該当する場合は、前者に該当する場合に比べて、違法性判断が慎重に行われる（⇒第8節2）ので、両者の区別は実務上重要である。

(3)　拘束の態様による不当な取引制限の分類

法2条6項では、事業活動についての拘束の態様として、「対価を決定し、維持し、若しくは引き上げ、又は数量、技術、製品、設備若しくは取引の相手方を制限する」ことを挙げるが、例示でありこれに限定されるものではない。この態様ごとに、次のように分類できる。

ア　価格カルテル

前記したとおりである。

イ　数量制限カルテル

これは、事業者同士で、商品の生産数量や販売数量を制限しようとするカルテルである。価格カルテルは、市場で供給が過剰になっているときには実施が困難なことがあるため、数量制限カルテルを併行して行うことがあり、その場合、市場への影響は大きくなる。

ウ　市場シェアカルテル

例えば、同一製品を製造販売する複数のメーカーにおいて、各メーカーごとに製造する製品について毎年の市場シェアを協定するものをいう。

エ　規格カルテル

商品・サービスの規格を統一・整理するカルテルである。価格カルテルと併行して行われることがあり、その場合も市場への影響が大となる。

オ　設備制限カルテル

例えば、製造業における設備の運転日数を制限するカルテルがこれに当たる。実質的には、数量制限カルテルといえる。

カ　技術制限カルテル

既存技術による設備投資が全事業者間で一巡するまで、新技術の開発や製品化を相互に控えるという合意である。

キ　取引の相手方の制限カルテル

これは、互いに顧客獲得競争を制限するカルテルである。受注予定先の決定をする「入札談合・受注調整」、「取引先制限カルテル」および「市場分割カルテル」がある（流・取慣行 GL 第２部第１の２参照）。

㈠　取引先制限カルテル

事業者間で、既存の取引関係を尊重し相互に顧客の争奪をしないことを合意するものである。例えば、販売先の奪い合いを避けるため、他のカルテル参加者の販売先と取引することを相互に制限する内容のカルテルである。

㈡　市場分割カルテル

相互に他の事業者が既に事業活動を行っている市場に進出しないことを合意するものである。例えば、流通業者が、相互に他の事業者が既に販売活動を行っている地域で新たに販売活動を行わないとする内容のカルテルである。１つの地域に１つの事業者を指定すると、その事業者はその地域を独占することになる。１つの地域に複数の事業者を指定することもある。

市場分割カルテルは、世界の事業者が、世界市場を分割する内容の国際カルテルとなることもある（⇒CASE 11-2 マリンホース事件参照）。

ク　入札談合

入札談合は、予め受注予定者を決めるなどの合意をするので、事業者（受注希望者）間で、発注者を争奪する競争を制限するカルテルとみることができる。他方、受注予定者が入札する価格で受注できるように受注予定者の受注する価格を決めるという価格制限も伴うものなので、価格カルテルとみることもできる[2)]。

ケ　共同ボイコット

以下の Column 2-1 参照。

Column 2-1　共同ボイコット

共同ボイコットとは、例えば、ある商品について、ライバル関係にある複数の当該商品の製造業者が共同して、その商品の安売り業者を市場から排除する目的で、当該安売り業者に対する商品の供給を拒否することである。

ライバル事業者である製造業者同士の共同行為に着目すれば、不当な取引制限に該当し得る。

安売り業者に対する排除行為、それによる当該商品の小売分野での当該安売り業者に対する排除効果に着目すれば、製造業者同士の通謀による排除型私的独占に該当し得る（⇒第4章）。

行為によってもたらされる競争制限の程度が、競争の実質的制限と評価できるとき、この行為は、不当な取引制限および私的独占に該当し得る（流・取慣行 GL 第2部第2の1）。

上記行為でもたらされる競争阻害の程度が、実質的な競争制限に至らない場合であっても、公正競争阻害性があるときは、不公正な取引方法として規制されることがある（法2条9項1号、19条⇒第5章第2節2参照）。

---

2)　法7条の2第1項の課徴金納付命令発出で求められる対価要件として、入札談合の基本合意は「対価にかかるもの」に該当する（⇒第6章、第1節3(4)参照）。

第２節　不当な取引制限の成立要件

1　不当な取引制限の定義

定義規定は次のとおりである。

○法２条６項
この法律において「不当な取引制限」とは、①事業者が、②契約、協定その他何らの名義をもつてするかを問わず、③他の事業者と共同して対価を決定し、維持し、若しくは引き上げ、又は数量、技術、製品、設備若しくは取引の相手方を制限する等相互にその事業活動を拘束し、又は遂行することにより、④公共の利益に反して、⑤一定の取引分野における競争を実質的に制限することをいう。
＊筆者注：①～⑤は、筆者が付したもの。

上記条文中の②および③が行為要件、④および⑤が効果要件である。

行為要件のうち、②の実質的意味は乏しい。③の「対価を決定し、維持し、もしくは引き上げ、または数量、技術、製品、設備もしくは取引の相手方を制限する等」は態様を例示したものである。

(1)　従来の実務における行為要件の解釈

従来、この条文で定義された違反の行為要件として、

〔従来〕
(i)「他の事業者と共同して……」+「相互にその事業活動を拘束する」こと（相互拘束）
(ii)「他の事業者と共同して……」+「遂行する」こと（共同遂行）

の２つの類型があるとされ、(i)の類型を相互拘束、(ii)の類型を共同遂行と呼んでいた。

(i)の類型の違反成立を判断する場合、従来の実務では、「他の事業者と共同して」の要件を**「意思の連絡」**（ないし**「合意」**）と呼び、「相互にその事業活動を拘束する」の要件を**「相互拘束」**と呼び、それぞれの充足の有無

を検討した。行為要件に関するこの理解の下では「相互」は「拘束」を直接に修飾する関係にあるとされたため、**拘束の「内容」について「相互性」を厳格に求める考え方**も生まれた。

(2)　多摩談合事件最高裁判決における行為要件の解釈

多摩談合事件の最高裁判決（最判平24・2・20）は、同事件における基本合意について、不当な取引制限の行為要件への該当性判断をした。その際、「その事業活動を拘束し」の要件該当性については、「本件基本合意は、……各社が、話合い等によって入札における落札予定者及び落札予定価格をあらかじめ決定し、落札予定者の落札に協力するという内容の取決めであり、入札参加業者又は入札参加JVのメインとなった各社は、本来的には自由に入札価格を決めることができるはずのところを、このような取決めがされたときは、これに制約されて意思決定を行うことになるという意味において、各社の事業活動が事実上拘束される結果となることは明らかであるから、本件基本合意は、法2条6項にいう『その事業活動を拘束し』の要件を充足するものということができる。」とし、また「他の事業者と共同して……相互に」の要件該当性については、「本件基本合意の成立により、各社の間に、上記の取決めに基づいた行動をとることを互いに認識し認容して歩調を合わせるという意思の連絡が形成されたものといえるから、本件基本合意は、同項にいう『共同して…相互に』の要件も充足するものということができる。」と判示した。つまり、本件のような合意が存在し、それを遵守し合う関係にあれば、法2条6項における「意思の連絡」要件と「事業活動を拘束」の要件を共に満たすとしたのである。

同判決は、前記(i)の類型の行為要件を、「他の事業者と共同して……相互に」と「その事業活動を拘束する」ことに分解し、そのことにより、「相互に」を「意思の連絡」（「合意」）の要件に解消し、「拘束」の内容について、**過剰な「相互性」を考慮する必要がない**ものとした。これは行為要件についての判断をシンプル化したと評価できる[3)]。

3)　大久保直樹＝武田邦宣「2つの最高裁判決の意義と課題」公正取引752号（2013）15頁参照。

(3)　最高裁判決後の公取委実務

多摩談合最高裁判決後の公取委の実務では、本件のような合意（事業活動を拘束することを遵守し合う内容の合意）があるかどうかが問題とされ、そのような**合意があるといえれば、意思の連絡（「共同して……相互に」）と「拘束」が同時に認められている**（菅久授業53頁参照）。

例えば、植野興産株式会社ほか22名に対する入札談合事件（審判審決平29・6・15）は、合意が不当な取引制限に該当するかという争点について、当該合意が、受注予定者を決め、受注予定者以外の者は受注予定者がその決めた価格で受注できるように協力するという内容の取決めであるとし、「このような取決めがされたときは、これに制約されて意思決定を行うことになるという意味において、その事業活動が事実上拘束される結果となることは明らかであるから、本件合意は、独占禁止法第2条第6項にいう『その事業活動を拘束し』の要件を充足する」とし、「本件合意の成立により、30社の間に、上記の取決めに基づいた行動をとることを互いに認識し認容して歩調を合わせるという意思の連絡が形成されたものといえるから、本件合意は、同項にいう『共同して…相互に』の要件も充足する」としている。

〔多摩談合最高裁判決後の実務〕
(i)「他の事業者と共同して……相互に」+「その事業活動を拘束する」こと
(ii)「他の事業者と共同して……相互に」+「遂行する」こと（共同遂行）

なお、多摩談合事件最高裁判決後の実務でも、便宜上、「共同して……相互に……その事業活動を拘束」という上記(i)の違反の類型を「相互拘束」と呼んだり、あるいは（「相互に」が外れた）「事業活動を拘束」という行為要件を「相互拘束」と呼ぶなど、従来どおりの用法も行われることがあるので混乱しないようにしてほしい。

Guidance 2-1　合意成立の効果

合意の成立が認められれば、「拘束」も「共同して……相互に」（＝意思の連絡）も認められる。

・（事業活動を拘束する内容の）合意の成立があれば⇒事業活動が事実上拘束（拘

束）
・合意の成立があれば⇒合意の当事者間で意思の連絡が形成（共同して……相互に）

2 「共同して……相互に……拘束」と「共同して……相互に……遂行」（行為要件）

「他の事業者と共同して……相互にその事業活動を拘束し」とは、「共同して相互に事業活動を拘束する内容の合意を成立させること」をいう。前記の通り、この違反の類型を「相互拘束」ということもある。「他の事業者と共同して……相互に……遂行」することは、「共同遂行」という。

(1) 「共同して……相互に」

この要件については、従来「共同して」の要件として論じられてきたものをそのまま参照できる。

「共同して」とは、他の事業者との間で「**意思の連絡**」がなされることをいう。**「意思の連絡」のことを、公取委の実務では、「合意」と表現する。**東芝ケミカル事件差戻審判決（東京高判平７・９・25）も、「（法２条６項）にいう『共同して』に該当するというためには、複数事業者が対価を引き上げるに当たって、相互の間に『意思の連絡』があったと認められることが必要であると解される。」と判示する。

「意思の連絡」の意義について、上記東芝ケミカル事件差戻審判決は、「**複数事業者間で相互に同内容又は同種の対価の引上げを実施することを認識ないし予測し、これと歩調をそろえる意思があること**を意味し、一方の対価引上げを他方が単に認識、認容するのみでは足りないが、事業者間相互で拘束し合うことを明示して合意することまでは必要でなく、相互に他の事業者の対価の引上げ行為を認識して、暗黙のうちに認容することで足りると解するのが相当である（**黙示による『意思の連絡』**といわれるのがこれに当たる。）。」とする。

(2)　「拘束」

ア　「拘束」の意義

「その事業活動を拘束」の要件における「**拘束**」とは、自由な事業活動を制限して競争を回避しようとする内容の拘束であり、例えば、一緒に値上げをしましょうとか、価格競争をお互いにやめましょうというような、これによって競争が制限されることになるような内容の拘束を意味する。

後記オのとおり、一般に、そのような内容の合意が成立した時点で、拘束が生じたとみることができる。

イ　拘束力の程度

「拘束」における拘束力の程度は、事業活動における**自由な意思決定を事実上拘束**するものであれば足り、合意に背いたときの制裁などの履行確保手段が用意されていることは必要ではない（最判昭59・2・24〔石油価格協定刑事事件〕)。通説も、拘束性の要件を、極めて緩やかに解していたし[4)]、石油価格協定刑事事件の最高裁判決も、このような理解を踏まえたものである（最高裁調査官判例解説（昭59度）124頁［木谷明］)。

多摩談合事件最高裁判決は、入札談合における基本合意の内容は、工事の受注希望を有する者が受注予定者になり、受注希望者が複数いれば、当該受注希望者同士で話し合って受注予定者を決め、その他の者は受注予定者に協力するという抽象的なものであり、関係者の遵守状況も、そのようなルールが昔からあり、関係者がそれを認識して守っているにとどまっていたという事案であったが、最高裁は、「**本来的には自由に入札価格を決めることができるはずのところを、このような取決めがされたときは、これに制約されて意思決定を行うことになるという意味において、各社の事業活動が事実上拘束される結果となる**ことは明らかである」とし、本件基本合意は「その事業活動を拘束し」の要件を充足するとした（これに対し、同事件の審決取消訴訟の第一審である東京高裁（東京高判平22・3・19）は、「Aランクの建設業者が自由で自主的な営業活動を行うことを停止あるいは排除すること……によって、特定の建設業者が、ある程度自由に公社の発注するAランク工事の受注者あるいは受注価格を左右することができる状態に至っていることをいうものと解される」とし、「競争の実質的な制限」があったというためには、

---

4)　経済法学会編『独占禁止法講座Ⅲ（カルテル上)』（商事法務、1981）20頁［実方謙二]。

個々の事業者間における競争に向けた具体的な活動が現実的に消滅・停止することを要するかのような考え方を示していたが、同考え方は前記多摩談合事件最高裁判決によって排斥された)。

ウ　「拘束」内容の具体性の程度

「拘束」の内容としての事業活動の拘束の内容は、必ずしも具体的なものである必要はなく、競争を回避しようという内容の合意であったり、これによって競争が回避されることになるような内容の合意であればよい。例えば、価格や販売数量、販売先等について、予め一義的に定まっているわけではないが、それらを具体的に決める際には話し合い等の方法により足並みを揃えて行うということが、当事者間で予め合意されていればよい。

前記多摩談合事件でも、基本合意は、「複数の受注希望者が出てきたら、工事の関連性等の事情を勘案して希望者同士で話し合って受注予定者を決める。」といったもので、複数の受注希望者がいる場合の、受注予定者を1本に絞るための具体的なルールが決められていない、概括的なものであったが、同事件の最高裁判決は、拘束内容の具体性の程度について、この程度のものでも「拘束」に当たるとした。

エ　「拘束」内容の相互性・共通性

前記1のとおり、多摩談合事件最高裁判決後の実務では、カルテル・談合事件の行為要件に関して、もっぱら「合意（取り決め）」の有無や、その実質である「意思の連絡」の有無が論点となり、拘束の「相互性」や「共通性」の有無が問題化することは少なくなっているようである。

もっとも多摩談合事件最高裁判決までの実務でも、不当な取引制限の類型の1つである「相互拘束」（「共同して……相互にその事業活動を拘束する」こと）とは、複数の事業者が、合意により、各自その事業活動に一定の制限を加え、それによって競争回避的機能を営むことをいうとされており（今村入門62頁)、各自がその事業活動を拘束することは必要であるが、**双方の拘束の内容が同一であることや共通であることまでは不要と理解**されていた。

(ア)　一方的協力者

しかし、例えば、ある工事の入札談合における基本合意において、合意当事者のうちのある事業者（事業者甲とする）は、事業者甲の会社規模などから受注予定者になる機会がなく、他の合意当事者が受注できるよう協力することがもっぱら予定されているという場合、事業者甲は、常に事業活動への拘束を一方的に受けるだけであり、「拘束」に必要な「相互性」が欠けるとして違反の成立が争われることがあった。

多摩談合事件最高裁判決以後の実務では、行為要件の解釈上、「拘束」に「相互性」は不可欠なものではないとされるようになったが、拘束の内容が「一方的」なものである場合に、相互拘束の類型における「共同して……相互に………拘束」の行為要件を充足するかどうかはなお問題であった。

しかし、この点について、現在の公取委の実務では、**「拘束」の内容は、合意当事者が、カルテル・談合の成就のために合意された枠組み（スキーム）に従って行動することで足りる**とされ、合意を認識・認容していれば、（受注予定者が１社のみのような場合も含めて）合意の内容からみて受注の機会のない事業者であっても「共同して……相互に……拘束」（相互拘束）の要件を充足し違反行為の主体になり得ると考えられている（菅久ほか30頁［品川武］）。その考えは、CASE 2-1で明らかにされている。

CASE 2-1　東京都発注の個人防護服の入札談合事件

平成26年度と同27年度の２回、東京都が、医療関係者が身につけるガウン・マスク・手袋・ゴーグルなど一式を調達する入札が行われ、それぞれの入札において、違反事業者３社による入札談合行為が行われた。

本件の違反事業者は、各年度について、①受注予定者、受注予定者の入札価格、②受注予定者が当該入札価格で落札できるように受注予定者以外の者が協力すること（ただし、受注予定者を出した違反事業者側が、受注に係る個人防護服のうち一部の製品を、受注予定者を出さなかった違反事業者側から購入して東京都に納入し、受注予定者を出さなかった違反事業者側が利益を得られるようにすることを条件として）など、談合を行うために必要な内容をそれぞれ具体的に合意した。

（排除措置命令平29・12・12）

本件での合意は２つあり、いずれも競争入札物件１件だけを対象とした入札案件（いわゆる**一発発注案件**⇒第４節３(3)）についての合意であり、違反事業者または違反事業者が入札参加させた者のうち１社しか物件を受注することができないものであったため、本件のいずれの合意においても、違反事業者が拘束を受ける事業活動の内容は共通のものとはなっていなかった（つまり、一方的内容であった）。

本件に関する2件の排除措置命令（いずれも排除措置命令平29・12・12）は、違反事業者の事業活動の「拘束」の内容について、①自らが受注予定者とならず、または、自ら入札参加させた者が受注予定者とならなかった違反事業者（受注予定者を出さなかった側の違反事業者という）は、入札において受注予定者が受注できるようにすること、②自らが受注予定者となり、または自ら入札参加させた者が受注予定者となった違反事業者は、受注予定者を出さなかった側の違反事業者から、各入札物件で発注された個人防護服のうち一部を購入して東京都に納入することにより、受注予定者を出さなかった側の違反事業者も一定の利益を得られるようにするものであったことを各認定しており（大澤一之「事件解説」公正取引813号（2018）60頁）、拘束というためには、合意当事者（違反事業者）が、入札談合の成就のために合意された枠組み（スキーム）に従って行動することで足りるものとしている。

(イ)　違反の主体は競争事業者に限られない

「拘束」の要件該当性に関連して、**不当な取引制限の主体たる事業者が、競争事業者に限定されるか**が問題とされてきた。

かつては、「拘束」は「相互拘束」を意味し、事業活動の「相互拘束」の関係が認められるのは、同一の流通段階にあり、形式的にも競争関係にある事業者の間でのみ「相互拘束」が成立すると考えられた。そのため違反の主体となるべき事業者は、直接的な競争関係にある事業者に限られるとした裁判例もあった（東京高判昭28・3・9〔新聞販路協定事件〕）。

しかし、今日では、異なる取引段階にある（直接の競争関係にない）事業者も含めて不当な取引制限の主体となり得ると考えられている。やや古い裁判例として、異なる取引段階にあるものの実質的に競争関係にある事業者を違反の主体としたものがある（東京高判平5・12・14〔シール談合刑事事件〕）。

近時の受注調整事案で、公取委が法的措置を取った事例で、**競争関係にない事業者であっても、合意に参加し、競争回避行為において重要な役割を果たしたと考えられたものを違反行為者としたものがある**。これは、発注者からの制服の受注に関し、アドバイザリー業務のみを担当するものであり、受注を希望する事業者と競争関係にない事業者（オンワード）についても、オンワードが、受注を希望する事業者（5社）との間で、受注予定者を決め受注予定者が受注できるよう協力する旨合意し、同合意に基づき、受注予定者に対して、アドバイザーとして受注予定者が受注できるよう協力したという事案について、オンワードを違反行為者と認定している（排除措置命令・課徴金納付命令平30・7・12〔全日空発注の制服受注調整事件〕）。

このような取扱いになった理由としては、前記(ア)で述べたとおり、不当な取引制限において、事業活動の「拘束」の内容について「相互性」「共通性」が厳格に求められなくなり、合意当事者が定めた合意内容を履行することで、事業活動の「拘束」の要件が充足されると考えられるようになったことが大きく影響している。

もっとも、合意に参加した事業者が一律に違反行為者になるのではなく、例えば、合意において任された役割が極めて軽いような場合は、協力者に過ぎないとされる場合もあり得る。公取委の実務でも、このような者は、違反行為者として扱わないという常識的な処理がされていると思われる。

オ　拘束の生じる時期（合意時）

自由な事業活動を制限する内容の意思の連絡ができた時点（合意時点）で、拘束が生まれる。

前記の石油価格協定事件最高裁判決でも、多摩談合事件最高裁判決でも、（基本）合意それ自体によって、合意参加事業者の事業活動が相互に拘束される結果になり「相互にその事業活動を拘束」に該当すると判断されている。

(3)　共同遂行

条文の上では、相互拘束と並んで行為要件とされているが、行政処分の分野においては、相互拘束（合意）によって違反が成立し、拘束状態が解消されない限り違反行為が継続していると考えられ、合意に基づく合意の実施行為（遂行行為）は、継続する違反行為（相互拘束の拘束力の継続）として評価されるから、「共同遂行」の出番はない。ただし、刑事処分の分野においては、共同遂行は出番がある（⇒第7章第3節1(2)〜(6)）。

3　「公共の利益に反し、一定の取引分野における競争の実質的制限」（効果要件）

これらの効果要件については、既に概括的な説明は行っている（⇒第１章第４節）。「一定の取引分野」および「競争の実質的制限」に関し、不当な取引制限において問題となり得る実務上の問題については第４節、第５節において解説する。

4　違反行為の始期

この論点に関し、刑事事件については、特有の問題点もあるので、第７章第３節１⑴で解説する。

⑴　始期に関する実施時説と合意時説

不当な取引制限の違反の成立要件（行為要件と効果要件）がすべて備わったとき違反が成立し、そのときが違反行為の始期となる。

例えばライバル同士が、一斉に一定の幅で値上げをすることを合意し、「共同してその事業活動を相互に拘束した」という行為要件を満たしたとする。この合意の時点で「公共の利益に反し一定の取引分野における競争を実質的に制限した」という「効果要件」が充足したと考えるべき（合意時説）か、これに加えて、合意に沿った競争制限的な行動が現実に実施されなければ効果要件が満たされないと考えるべき（実施時説）かが問題となる。

実施時説とは、合意の実施が不当な取引制限の成立に不可欠であるとするものであるのに対し、**合意時説**とは、例えば、一定の取引分野において大部分ないし相当部分のシェアを占める者が共同して価格協定を結べば、そのこと自体により、市場における競争が実質的に制限されるので、合意の実施をまたず合意自体によって不当な取引制限が成立し得るとするものである。

⑵　合意時説が妥当であること

前述（⇒第１章第４節４⑴）したとおり、「競争の実質的制限」を「市場の競争機能を損なう」ことと理解するべきものとする以上、**（基本）合意があ**

れば、原則として、これによって合意当事者の事業活動のルールが競争的なものからなれ合い的なものに変わったと評価され、これは市場の競争機能が発揮される大前提が失われることなので、（基本）合意の時点で、市場の競争機能が損なわれると評価すべきことになる。

したがって、（基本）合意の成立時に、原則として、競争の実質的制限が生まれて不当な取引制限の違反が成立し、違反行為が開始する（論点解説19頁［岩下生知］同55頁、56頁［品川武］）のであり、合意時説が妥当である

実施時説は、「競争の実質的制限」が、個々の事業者間における具体的競争が現実的に消滅することを意味するという誤った前提に立つもので妥当ではない。

この点、公取委の実務家は、「お互いに合意して競い合いをやめよう、競争を回避しようとすることが不当な取引制限ということです。……特に、価格カルテル、数量制限カルテル、入札談合など（これらはハードコアカルテルと呼ばれています）は、こういう合意をすること自体が原則として違法です。」と明確に述べる（菅久授業20頁）。

⑶　最高裁判決

石油価格協定刑事事件の最高裁判決は、「合意により、公共の利益に反して、一定の取引分野における競争が実質的に制限されたものと認められるときは、独禁法89条1項1号の罪（＊筆者注：不当な取引制限の罪）は直ちに既遂に達」するとし、合意内容が実施に移されることなどは、同罪の成立に必要でないとした。これは、最高裁が、学説が対立する中で、合意時説に立つことを明示したものである（最高裁調査官判例解説（昭59度）135頁［木谷明］）。

なお、この最高裁判決は、合意があれば、無条件で違反が成立するとしているものではなく、競争の実質的制限が生じたと認められるときに違反が成立するとしていることに留意が必要である。ただし、具体的事案において、合意が実効的に維持できている以上、原則として、それは、とりもなおさず競争の実質的制限の要件も満たすことになる。

Guidance 2-2 「違反」はいつ成立するか

公取委実務では、入札談合・価格カルテルなどのハードコアカルテルにおいて、合意の成立時に、原則として、違法（一定の取引分野における競争の実質的制限あり）となり、不当な取引制限の違反が成立する、と認識・運用されている。

(4) カルテル事案と入札談合事案に当てはめると

ア　カルテル事案

カルテルにおいては、合意の実効性がない場合などを除き、事業活動の相互拘束を内容とする合意によって、原則として、「当事者である事業者らが、その意思で、当該市場における価格をある程度自由に左右することができる状態をもたらす」ことになり、合意当事者の事業活動のルールが「競争ルール」から「なれ合いルール」に切り替わると評価できるので、市場の競争機能が損なわれる。例えば、ある商品の国内製造シェアの大部分を占める複数の有力メーカーは、実効的な値上げカルテルを成立させることができると考えられるので、これらメーカーが相互に事業活動を拘束する合意をした時点で、「市場の競争機能が損なわれ」、「一定の取引分野における競争の実質的制限」が生じたと考えられ、独禁法違反が成立する。理論的には、合意成立後、合意に従ったユーザーに対する値上要請などの実施行為が行われたかどうかは、違反の成立要件ではない[5]。

イ　入札談合事案

入札談合においても、基本合意の実効性がないなどの例外的な場合を除いて、基本合意の成立によって、原則として、「当事者である事業者らが、その意思で、当該入札市場における落札者および落札価格をある程度自由に左右することができる状態がもたらされる」ことになり、事業活動のルールが「競争ルール」から「なれ合いルール」に切り替わったと評価され、基本合意の成立それ自体によって「市場の競争機能が損なわれ」、「一定の取引分野における競争の実質的制限」が生じることになり、基本合意の成

5）ただし、どの事業者も、合意に従った値上げ要請をしなかったということになれば、そもそも合意に実効性がなかったということになり、実務上は、違反の成立を疑わせることになる点に留意が必要である。

立時点で不当な取引制限が成立する。この場合、理論的には、基本合意後の入札ごとの「個別調整」の存在は違反の成立要件ではないので、個別調整がなくても違反が成立し得る。

Column 2-2　入札談合における個別調整の重要性

実務では、個別調整が行われていることを間接事実として基本合意の存在や、基本合意に実効性があることを立証する場合がしばしばある。

また、**課徴金納付命令**における課徴金額が、違反行為の影響の及んだ取引の売上額をもとに算定されることから、入札談合においては、違反当事者が落札受注した物件が、当該違反当事者の関与した個別調整の対象であったことが必要とされる。

カルテルでは、合意の後に、カルテルの対象となった商品・役務の取引があれば、これにカルテル合意の影響が及んでいると通常考えられるが、入札談合の場合は、基本合意の後に実施される個々の入札の中には、基本合意の対象とした物件の入札であっても、基本合意に基づく個別調整が行われないで実施される場合もあり、これは課徴金額の算定基礎にならないからである。例えば、基本合意への参加メンバーが１人も参加しない入札においては物件についての個別調整がそもそも存在しないし、基本合意への参加メンバーが入札に参加していたとしても、各メンバーが受注を希望して話し合いがまとまらず全メンバーが自由に入札することになった物件（いわゆる**フリー物件**）も、基本合意にもとづく個別調整が行われない場合に当たる（⇒第６章第１節３(4)ア(イ)ｂ参照）。

5　違反行為の終期

(1)　合意の拘束力が消滅する場合

独禁法の行政事件についての通説によれば、**合意が成立した後であっても、合意の拘束力が継続している限り違反行為も継続する**。当事者間で一定期間接触の機会がなかったとか、一時的に接触を避けたというだけで合意が消滅するとか、接触しなくなった当事者が合意から離脱したことになるものではない（菅久ほか46頁［品川武］）。したがって、合意の拘束力が消滅するときに違反行為が終了する。

そのような場合としては、**合意が消滅する場合**と、違反行為としては継続（合意の拘束力が継続）しながらその**一部の者が合意の当事者でなくなる**

場合（合意からの離脱）がある。

裁判例も、「『不当な取引制限』とは、……相互拘束……を違反行為とするものであるから、……違反行為の終了時期は、各事業者が当該拘束から解放されて自由に事業活動を実施することとなった時点と解すべきである。……価格カルテルについては、事業者間の合意が破棄されるか、破棄されないまでも当該合意による相互拘束が事実上消滅していると認められる特段の事情が生じるまで当該合意による相互拘束は継続するというべき」である（東京高判平22・12・10〔モディファイヤーカルテル事件〕）。

したがって、入札談合において、基本合意後における当該基本合意に基づく個別調整などは、当該基本合意の実現行為にすぎないものであり、継続する違反行為に包摂されるから、これを当初の違反行為（基本合意）とは別の「遂行行為」と構成する必要はない。

⑵　合意が消滅する場合

まず、公取委による立入検査の実施などによって**合意の拘束力が事実上消滅**する場合がある。**合意の破棄**によっても、合意の拘束力は消滅し得るが、その場合は、当事者同士がお互いに合意を破棄する意思であることを認識し合うことが必要である（ただし、不当な取引制限は、２者以上の事業者による行為を前提としているので、２者のみによる合意では、その一方が合意を破棄する意思を相手に伝えれば、当該合意は拘束力がなくなり、破棄されたことになる）。

⑶　合意からの離脱の場合

違反行為として継続しながら、つまり、合意の拘束力は継続しながら、その一部の者が合意の当事者でなくなることを「合意からの離脱」という。裁判例は「合意から離脱したことが認められるためには、離脱者が離脱の意思を参加者に対し明示的に伝達することまでは要しないが、**離脱者が自らの内心において離脱を決意したにとどまるだけでは足りず、少なくとも離脱者の行動等から他の参加者が離脱者の離脱の事実を窺い知るに十分な事情の存在が必要である**」とし、離脱の事実についての外部的徴表を必要とする（**外部的徴表説**）（東京高判平15・3・7〔岡崎管工事件〕）。

関連して、組織体である違反事業者について離脱が認められるために、組織内の役職員がどの程度の対応をすべきか問題になる。この点、公取委の立入検査の後に、経営陣が基本合意から離脱する意向を示し談合担当者に対して受注調整の取り止めを厳命したのに、談合担当者が、経営陣に内密に、違反行為を継続していた事案について、事業者の離脱を認めなかった先例がある（審判審決平21・9・16〔鋼橋上部工事談合事件〕は、「基本合意からの離脱が認められるためには、他の参加者らによって実施される受注調整行為に対して歩調をそろえるという行為からも離脱するとの意思が他の参加者に明確に認識されるような意思の表明又は行動等の存在が必要であると解すべきであり、かつ、かかる意思の表明や行動等は、当該事業者の経営トップのそれのみでは足りず、基本合意に基づいて受注調整行為を実際に担当する者……のそれにおいて認められることが必要というべきである」とした）。

なお、課徴金減免申請者の離脱の場合は、特殊な判断要素がある（⇒第6章第3節7）。

第3節　「意思の連絡」（合意）に関する実務上の問題

1　「意思の連絡」（合意）の解釈について

前記第2節2⑴のとおり、「共同して……相互に……拘束」という行為要件のうち、「共同して……相互に」は他の事業者との「**意思の連絡**」がなされることをいい、この「意思の連絡」のことを、公取委の実務では「**合意**」と表現している。

⑴　「意思の連絡」（合意）の様々な態様

ア　黙示の意思の連絡

「黙示の意思の連絡」もあり得る。当事者間で、相互に、違反行為を認識し暗黙のうちに認容して歩調をそろえる意思があればいい（東京高判平7・9・25〔東芝ケミカル事件差戻審判決〕⇒前記第2節2(1))。

イ　概括的認識

「意思の連絡」の成立のためには、意思の連絡の主体となる事業者の範囲について、合意に参加している事業者全員を正確に認識している必要はなく、市場の競争に影響を与えることができる範囲の関係事業者が合意に参加しているものと概括的に認識していれば足りる。

裁判例でも「意思の連絡における相互的認識・認容の相手方は、常に個々具体的に特定されている必要はなく、多数の合意参加者のうち一部に離脱者や途中参加者があったとしてもそれを逐一把握している必要はない。要は、各参加者に大体どの範囲のものという程度の共通認識があれば意思の連絡としては十分であり、これをもって各社が共通の認識を持つことは可能であるから、概括的認識で足りるとする本件審決に誤りはない。」と同趣旨の判示をしたものがある（東京高判平20・4・4〔元詰種子カルテル事件〕)。

ウ　順次的合意

意思の連絡の主体となる事業者が会合等で一堂に会して連絡し合う必要はない。例えば、2社ずつの会合を何度か繰り返したり、会合の参加者の1人が会合の結果を会合に参加しなかった他社に個別的に連絡するなどして、順次的な連絡を行う場合でもあっても、連絡に加わった全事業者の間で意思の連絡が成立する。

エ 第三者が連絡役となる場合

意思の連絡を行う事業者間の接触が直接行われる必要はない。例えば、これらの事業者の元従業者や、業界団体の事務局担当者といった者を介して接触が行われる場合であっても、事業者間の「意思の連絡」は肯定される(なお、行政事件では、この連絡役が事業者であり、かつ「意思の連絡」があるといえる場合に違反行為者になり得る。刑事事件においては、連絡役である自然人が、役割に応じて独禁法違反事件の共同正犯や幇助犯として処罰されることがある⇒第7章第3節1(7)参照)。

オ ハブ・アンド・スポーク型カルテル

主導的違反事業者や第三者(A社)が、他の違反事業者(B、C、D社……)それぞれと連絡を取ることによって、他の違反事業者(B、C、D社……)同士が直接連絡を取ることなく、他の違反事業者(B、C、D社……)の間で間接的なカルテル(意思の連絡)が成立することがある。A社を車輪のハブに、A社とB、C、D社……との連絡関係をスポーク(車輪の中心軸と輪をつなぐ棒)になぞらえ、ハブ・アンド・スポーク型カルテルという。この場合、ハブ役のA社だけが、カルテルの実施ルールや、カルテル参加者の範囲を具体的に知っており、スポークでつながるB、C、D社……は、ルールや参加者の詳細を知らなくても、上記ア、イ、ウからして、「意思の連絡」(ひいては「拘束」)が肯定され得る(⇒Guidance 2-1。例えば、排除措置命令平28・2・5〔東北地区ポリ塩化アルミニウム(PAC)入札談合事件〕参照)。

(2) 意思の連絡(合意)の対象となる商品・役務

ア 合意の対象

合意は、商品・役務を取り扱う事業活動を拘束することを内容とするものであるが、合意時に、当事者が、明示的に合意の対象から外した商品・役務(以下、本章では、単に「商品」ということもある)には、合意の拘束は及ばない。

違反の成立それ自体を認める当事者であっても、合意の対象に含まれるか外されているか明示されていない商品・役務について、これが合意の対象に含まれないと主張することがある。課徴金額に影響するためである(同様に、違反の成立は認めながら、課徴金の算定額を争うために、特定の商品・役務が、「一定の取引分野」に含まれないとか、課徴金算定の基礎である「当該商品又は役務」（法７条の２第１項）に含まれないと主張することがある）。

これは、問題となる商品・役務と、合意の対象として明示的に含まれる商品・役務との代替性、用途の同一性・類似性のほか、合意が行われた経緯・その目的などを総合して判断される。

イ　具体例

CASE 2-2　日本エア・リキード事件

違反事業者Ｎ社は、他の違反事業者３社と共同して、特定エアセパレートガス（エアセパレートガス（空気から製造される酸素、窒素およびアルゴン）のうち、タンクローリーによる輸送によって供給するもの（医療に用いられるものとして販売するものを除く））の販売価格を、○年○月○日出荷分から現行価格より10％を目安に引き上げる旨を合意した。

（東京高判平28・5・25）

違反事業者Ｎ社は、合意の対象は、一般産業向けにタンクローリーによって供給する液体酸素、液体窒素および液体アルゴンに限られ、①一般産業向けとはいえないエレクトロニクス産業向け及び大規模顧客向けのものは合意の対象に含まれないし②超高純度ガスである液体酸素、液体窒素、液体アルゴンも合意の対象に含まれないなどと主張した。

これに対し、東京高裁は、①につき、違反事業者において本件合意を担当した者は、一般向けのガスを取り扱う部門だけでなく、エレクトロニクス産業向けのガスを取り扱う部門や大規模顧客向けのガスを取り扱う部門で取り扱われる特定エアセパレートガスの販売価格についても影響力を行使できる立場にあったことや、本件合意を担当した者が原案を作成した特定エアセパレートガスを含むガス種の販売価格の値上げに関するプレスリリースにおいても、値上げ対象となる製品について所管による限定はされていなかったことなどから、違反事業者内部における商品についての所管の違いを強調するＮ社の主張は当を得ないとし、エレクトロニクス産業向けおよび大規模顧客向けの液体酸素、液体窒素、液体アルゴンも合意の対象に含まれるとした。

また、裁判所は、②について、超高純度ガスたる液体酸素、液体窒素、液体アルゴンが、一般のそれらと比較し、用途、製造工程、出荷・運搬方法、取引形態、価格などで異なっているとしても、本件合意の成立に当たった４社の部長級の者において超高純度ガスを特定エアセパレートガスから除外して認識していたり、異なる取引分野と認定するほどの相違であるとはいえないとして、超高純度ガスたる液体酸素、液体窒素、液体アルゴンも合意の対象に含まれるとした。

(3)　従業員個人の行為が事業者の行為と評価される場合

ア　個人のどのような行為が、事業者の行為と評価されるか

不当な取引制限の禁止をはじめとする独禁法上の規制における禁止の宛先は「事業者」であるが、実際に意思の連絡（合意）を行うのは、事業者の被用者である従業者個人なので、個人のどのような行為が、当該事業者の行為として評価できるかが問題となる。

独禁法は、事業者による競争の制限・阻害を抑止しようとするものであるから、この**従業者個人が、問題となっている事業者の事業活動について影響を与えていれば足りる**。独禁法違反行為は、私法上の権利義務を帰属等させる法律行為ではないので、個人の法律行為を他人（法人）に帰属させるための代表権がなくてもいいし、社内において、何らかの事業活動についての正式な決定権限を有する必要もない。**事業者としての活動や判断に一定の影響力を与えていればいい**（⇒第１章第４節２(1)で簡単に説明した）。

不当な取引制限に係る具体的事案について説明する。

イ　裁判例・審決例

①　同業者との会合に出席した個人が事業者において値上げを決定する権限を有していなかったという主張がなされた事案において、裁判所は、「『意思の連絡』の趣旨からすれば、会合に出席した者が、値上げについて自ら決定する権限を有している者でなければならないとはいえず、そのような会合に出席して、値上げについての情報交換をして共通認識を形成し、その結果を持ち帰ることを任されているならば、その者を通じて『意思の連絡』は行われ得るということができる」と判示する（東京高判平21・9・25〔ポリプロピレンカルテル事件〕）。

前記のとおり、個人は、問題となっている事業者の事業活動について影響を与えていれば足りるのであるから、「出席して、……その結果を持ち帰

ることを任されている」場合でなくてもよいと考えられる。例えば、正式の権限を持つ上司からその営業上の判断を普段から実質的に委ねられているような場合における当該部下や、部下が作成した営業上の方針案の相談・合議にあずかる立場にあり**最終決定権者に諮る案の作成に影響力を行使できる者**が、当該事業者の事業活動に影響を与えていれば、これらの者のした「意思の連絡」をもって事業者の意思の連絡と評価できる。

② 入札談合事件に関し、価格決定権限を持たない、事業者O社の従業者（顧問）が、談合の調整役に対して、談合への参加を申入れ、特定の個別工事について受注調整行為を行ったことが、事業者O社の「意思の連絡」に当たるか争われた事案において、裁判所は、事業者の意思決定権者ではない者が、入札談合の調整役である他社担当者との間で、自社の入札価格を他社間の受注調整に従って合意し、当該**合意が自社の入札価格の決定という事業活動に影響を及ぼした**ことが主張立証された場合には、自社と他社との間で入札談合に関する合意が存在したと認定できる旨、判示した（東京地判令元・5・9〔高速道路復旧工事入札談合事件〕）。

なお、同判決は、一般論としてではあるが「ある事業者の従業者が他の事業者と接触した結果、当該従業者が得た自らの入札価格に影響を及ぼす情報が当該従業者から事業者の意思決定権者に報告され、意思決定権者の決定ないし事業活動に影響を及ぼしたことが主張立証される必要があるとするのが相当である」と判示しており、主張立証において高いハードルを設定しているようにみえる。しかし、同判決は、上記影響の具体的立証に関しては、従業者と他の事業者との連絡状況、これを踏まえた当該従業者の属する事業者の対応などの間接事実によって、当該事業者の意思決定権者が当該事業者と他の事業者との間の情報交換等によって得た受注調整に関する情報を把握していたと認定でき、当該事業者が受注調整に沿う行動を取っていたのであれば、特段の事情のない限り、当該事業者と他の事業者の間に意思の連絡があったと認めることができるとし、さらに、同判決は「意思の連絡」に関し、「このような意思が形成されるに至った経過や動機について具体的に特定されることまでを要するものではない」としており、その立証レベルは常識的なものと考えられる。

そもそも、同判決の趣旨は、従業者が事業者の事業活動に影響を及ぼすことのできる立場にあるという事実のみでは「意思の連絡」の認定には足りず、立場がどのようなものであれ、当該従業者の行為が、事業者の意思決定権者の決定ないしは事業活動に影響を及ぼしたことが主張立証される必要があると説くものであると解される。したがって、従業者の行為が事業活動に影響を及ぼしたことが主張立証されているのであれば、必ずしも「意思決定権者への報告」や、「意思決定権者の決定への影響」が主張立証される必要はないとも考えられる（岡田直己「審決・判決評釈」公正取引826号（2019）65頁参照）。

⑷ ライバル（競争事業者）間の情報交換と「意思の連絡」

「意思の連絡」が成立するために、当事者同士、特にライバル同士のどの程度の情報のやりとりが必要かは、実体法（要件事実）の解釈としても、立証（推認）の在り方としても問題となる。まずここでは、どの程度の情報のやり取りがあれば、要件を満たすかとの実体法の解釈の問題として取り上げ、立証の問題は後記３で取り上げる。

ア ライバル間のコミュニケーションを通じての「意思の連絡」

ある商品について、ライバルが値上げをするかどうか予見できない状況（ライバルによる牽制力がある状況）であれば、事業者は値上げするかどうかを検討して、値上げをすれば自分の客をライバルに奪われるリスクがあると分かるので、価格を据え置くか値下げする選択をすることが合理的な行動になる。

しかし、「自分が値上げを選択すれば相手も値上げを選択する」と互いに予見できるような状況（ライバルの牽制力がない状況）になれば、双方ともリスクを感じることなく値上げを選択できることになる。これは、市場の競争機能が有効に発揮されるための大前提である、他の事業者の価格決定行動を予見できない状況が確保されていない状況である（⇒第１章第１節４⑴ウ）。

ライバル間のコミュニケーションを通じて、当該事業者間で互いにとることになる価格決定行動など今後の事業活動について予見が可能な状態が形成・維持・強化され、双方がそれについて認識を有しているときは、そのような認識を有していないときに比べて安心して値上げを実施することができる。この場合、**当該コミュニケーションによって、当該事業者間で価格決定などの事業活動が共同（協調）して行われることになり、市場が本来有する競争の機能が損なわれている状態が生じる**として、この事業活動の共同（協調）を引き起こした当該コミュニケーションを「意思の連絡」として評価すべきとの指摘がある[6)]。

当該コミュニケーションによって市場の競争機能が損なわれたかどうかは、慎重に評価すべきであるが、そのような評価が可能な場合であり、そのコミュニケーションを通じて、例えば、値下げをすれば直ちに相手の知るところとなること、相手に報復するだけの供給余力があること、他に競争者がいないことが互いに認識できている状況があるならば、値上げについて相互に予見し合っている状況が必然的に生じるといえる場合もあり得るから、これを「意思の連絡」と評価することもあり得る。

イ　想定事例

コミュニケーションを「意思の連絡」と評価できるかの判断に際し、当該コミュニケーションによって、事業者が相互に、どのような事業活動をどの程度予測可能になるかなどが考慮される。

① 例えば、ライバルA社とB社の間で、商品を値上げすること、値上げ幅、値上げ時期等を決議する場合は、当該コミュニケーションは「意思の連絡」に問題なく該当する。

② 例えば、会合において、ライバルA社とB社が、互いに、商品を値上げする意向と、それぞれの値上げ計画について発言したものの、全体として統一した方針を決議しなかった場合でも、A社とB社は各自が、相手の値上げ意向とその値上げ計画を認識・認容して同調する意向を示したものと認められ、これは、相手の価格決定行動を具体的に予測可能にするもので市場の競争機能を損なうといえるから「意思の

---

6) 論点解説37頁、47頁、55頁［品川武］参照。なお、法務省から公表された平成30年司法試験「経済法」問1についての「論文式試験出題の趣旨」の記述の中に、これと同趣旨と思われる記述として、競争事業者間の情報交換活動の結果として、競争事業者間で他の事業者の行動の不確実性が減少し（言い換えると、競争事業者の行動の予想が容易になることで協調行動がとりやすくなる状況を生み出し）、『相互の行動を認識・認容し、歩調を合わせることを期待し合う関係』を成立させることが、競争事業者間の単なる情報交換と意思の連絡との相違であると捉え（る）」との考え方もあり得ると記されている。

連絡」に該当する。また、同会合において、ライバルA社とB社が、値上げ意向は表明したものの、値上げ額や時期は各自が決めるとした場合であっても、各自が値上げをする意向であることは、相手の価格決定行動を具体的に予見可能にするものであり、市場の競争機能を損なうものであり、このコミュニケーションも「意思の連絡」に該当する。

③ 例えば、会合において、A社のみが、値上げ意向と値上げ予定額、値上げ予定時期を表明し「B社にも、お付き合いをお願いしたい」と発言し、ライバルB社は黙っていたものの反対しなかったという場合は、B社は、A社の具体的な値上げ計画を認識し暗黙のうちに認容し、A社は、B社が反対しなかったことから、B社において値上げを認識・認容してA社と歩調を合わせるものと察知し、A社とB社が相互に値上げについて認識、認容し、互いの具体的な価格決定行動について予見可能になったといえることが多いであろう。そのような場合には、このコミュニケーションは市場の競争機能を損なうことになり「意思の連絡」に該当することがあり得る(ただし、実際の事実認定においては、B社が黙っていたことについて、A社に同調するつもり以外の合理的な理由があるかどうかも検討されることになろう)。

ウ 意識的並行行為との違い

例えば、原料の値上げに際し、同一の原料を使って製品を作るメーカーA社とB社があり、原料の値上げに際して、メーカーA社が製品を値上げしたことが公表され、これを知ったB社が同調して同一製品をほぼ同率で値上げすることもあり得る。

これは、意識的に他と同調する行為(並行行為)はあるが意思の連絡を欠くものであって「**意識的並行行為**」と言われ、ライバル間のコミュニケーションによって認めることができる「意思の連絡」とは区別しなければならない。

また、ライバルの間で「意思の連絡」がないのに、値上げの幅やタイミングが一致するなど、外形的にみてたまたま事業活動の内容が揃うということも起こり得る。これが本当に偶然という場合は問題にならない。しかし、値上げは、利得を大きく失うリスクを有する行為であると考えられるから、通常は、意思の連絡なくして、その時期、幅、対象等の値上げの打ち出し内容が一致することは考えにくいと公取委の実務家には受け止められている（論点解説47頁［品川武］）。

(5)　私法上の契約との区別の必要性

不当な取引制限の要件である「意思の連絡」は合意と言われることがあるが、私法上の契約としての合意ではないから当事者間の申込みや承諾などの意思の合致を具体的に特定する必要はない。

(6)　合意の形成過程・成立状況の立証は不要

「意思の連絡」（合意）は、私法上の契約ではないから当事者間の申込みや承諾などの意思の合致を具体的に特定する必要はなく、競争の制限効果が問題にされる時点において成立した合意が存在しその内容が特定できていればよい。そのため、**合意の成立経緯等（日時、場所のほか動機や目的など）の特定は必ずしも必要ではなく**、違反時点において合意が存在していることがいえればよい[7)]。裁判例も、「（意思の連絡が）形成されるに至った経緯や動機について具体的に特定されることまでを要するものではない」としている（東京高判平20・4・4〔元詰種子カルテル事件〕）。

2　「意思の連絡」（合意）の推認に関する問題

関係者が合意の存在を否認するケースなどでは、様々な**間接事実（状況証拠）をもって「意思の連絡」の存在を推認する立証方法**が用いられる。

(1)　状況証拠による「意思の連絡」の推認

ア　意思の連絡がなければ起こり得ない不自然な事実の積み重ねによる推認

「意思の連絡」の存在を前提としなければ起こり得ない不自然な事実があるとき、例えば、入札について、過去の応札状況と違って、ある時期において入札参加者の大半から、上限価格に近い金額での応札があった事実、あるいは、ある特定の商品の値上げの申し出が、値上げの時期、幅、対象等の値上げの打出し内容が同業者の間で一致した事実があるときは、その

7)　東京高判平18・12・15〔大石組入札談合事件〕、論点解説39頁、40頁［品川武］参照。

ような不自然な事実の積み重ねにより意思の連絡の存在を推認することが可能である。

イ 合意の実施状況(個別調整)の積み重ねによって合意(基本合意)の存在を推認すること

入札談合においては、基本合意に基づき、個々の入札における個別調整が行われ、カルテルにおいても合意に基づいて実施行為が行われる。しかし、基本(合意)の時期が古いなどの理由で、その成立状況(日時、場所、関与人物等)を証拠によって直接立証できない場合がある。その場合には、関係者が、継続的に、一定の範囲の商品・役務を対象とした個別調整や実施行為を行っていた事実を積み上げることによって、関係人が継続的に特定の反競争的なルール等を遵守していた状況を明らかにし、関係者の間で、特定の反競争的ルールが、共通認識され遵守されていたことを立証し、これによって(基本)合意の存在を立証できる。

合意の形成過程・成立状況の立証は不要(⇒前記2(6)参照)であるから、上記の立証方法は頻繁に使われている(論点解説47頁、48頁[品川武])。

(2) ライバル間の情報交換を状況証拠とした「意思の連絡」の推認

ア 情報交換が、意思の連絡を推認させる状況証拠となる場合

ライバル間で交換される情報が、販売価格や出荷量などの取引条件に係る機微な情報(センシティブ情報)の交換である場合には、市場の競争機能を損なうようなコミュニケーションが形成される可能性が高いことなどから、そのライバル間の情報収集・情報交換は、「意思の連絡」が存在することを推認させる状況証拠となり得る(⇒後記イ)。

公取委の実務家は、「ある事業者が、競合他社から入手したいと考える情報は他社が提示する販売価格や他社の技術提案の内容等であり、それを競合他社に知られれば競合他社がそれより少しだけ有利な取引条件を提示することにより容易に取引を奪われてしまうような情報である。……競合他社との間でこのような情報収集あるいは情報交換が成立する場合、これはそのような情報を提供する側にとって、それに見合うだけのメリットがあるために行われるのであり、そのようなメリットがある場合としては、相手方からも同様の情報が入手でき、しかも互いにその情報を使って相手の裏をかくことはしないことが期待できる場合が考えられる」と述べる(論

点解説48頁、49頁［品川武］）。

イ　東芝ケミカル事件差戻審判決

事業者間の情報交換の存在をもって「意思の連絡」の存在を推認できるとするルールを明示した裁判例として有名なのは、東芝ケミカル事件差戻審判決（東京高判平7・9・25）である。

Guidance 2-3　次の３条件がそろえば「意思の連絡」を推認するというルール

①事前の　＋　②値上げ等にかかる情報交換　＋　③事後の一致した値上げ等の行動

㈠　同判決が示したルール

同判決は、「特定の事業者が、他の事業者との間で対価引上げ行為に関する情報交換をして、同一又はこれに準ずる行動に出たような場合には、右行動が他の事業者の行動と無関係に、取引市場における対価の競争に耐え得るとの独自の判断によって行われたことを示す特段の事情が認められない限り、これらの事業者の間に、協調的行動をとることを期待し合う関係があり、右の『意思の連絡』があるものと推認されるのもやむを得ないというべきである」と判示している。これは、事業者間において、**価格決定行動等に関する機微な取引条件に係る事前の情報交換が存在し、その後、情報交換に符合する行動が行われていれば、その事業者間に「意思の連絡」が存在したことが推認できる**としたものである。**三分類説**と呼ばれることがある。

㈡　推認を妨げる特段の事情

東芝ケミカル事件差戻審判決において、Guidance 2-3の３条件に該当しても「意思の連絡」が推認されない「特段の事情」というものが示されている。これは、事業者間の「意思の連絡」がなかったとしても、値上げによって顧客をライバルに奪われるリスクがないなど独自の判断が可能であるような状況があり、かつ実際に独自の判断で行われたような場合を想定していると解される。

しかし、仮に、一斉に原料が値上げされたというような事業者に共通の事情が存在したとしても、単独の値上げ行為によってライバルに顧客を奪われるリスクはなくならない。したがって事業者間の「意思の連絡」がなかったとしても、そのようなリスクがないと独自に判断できる状況が生じたといえる場合は想定しにくい。

例えば、A 社が、「値上げについてのライバルとの情報交換には参加したが、自社の値上げ方針は、原料の値上げを背景に情報交換に参加する前に自社独自に決定していたものであり、自社の値上げは情報交換とは無関係である」と主張したとする。しかし、仮に、ライバルとの情報交換の前に、A 社が独自で値上げ方針を決めたという事実があったとしても、その値上げはライバルに顧客を奪われるリスクが大きい行為であり、A 社が、値上げ方針を決めた後において、ライバルとの情報交換を通じて、他社が値上げする意向であることを知り、その時点で、改めて他社と歩調を合わせて値上げをすることに合意したのであれば、その合意の成立によって、合意がない場合に比べて、他社の行動が予見できる状態になって安心して値上げを進めることができるようになったものであり、市場が本来予定している競争の機能が制限される状態が生じたと評価でき、その合意を「意思の連絡」と認め違反の成立を肯定することができる（論点解説 47 頁、49 頁、50 頁［品川武］）。

ウ　事業者団体 GL

不当な取引制限の意思の連絡は、事業者団体の会合など同団体の情報活動の場を利用して、構成事業者である同業者同士が事業活動に関する情報交換をするときに形成されることが多い（⇒事業者団体、構成事業者の意義については、第３章第１節参照）。

公取委の「事業者団体の活動に関する独占禁止法上の指針」（以下「事業者団体 GL」という）は、事業者団体の情報活動について①同「活動を通じて、競争関係にある事業者間において、現在又は将来の事業活動に係る価格等重要な競争手段の具体的な内容に関して、相互間での予測を可能にするような効果を生ぜしめる場合」があるとし、例えば供給しまたは供給を受ける商品・役務の価格・数量の具体的な計画や見通し、顧客との取引や引き合いの個別具体的な内容、予定する設備投資の限度等、各構成事業者の現在・将来の事業活動における重要な競争手段に関係する内容の情報について、構成事業者との間で収集・提供を行い、または構成事業者の情報交換を促進することは独禁法の違反になるおそれがあるとする。さらに②「このような情報活動を通じて構成事業者間に競争制限にかかる暗黙の了解若しくは共通の意思が形成され、又はこのような情報活動が手段・方法となって競争制限活動が行われていれば、原則として違反になる。」とする（事業者団体GL第2の9(2)）。

公取委の元実務家からは、同GLの①のような情報交換が行われれた場合には、それを通じて②の「事業者間に競争制限にかかる暗黙の了解若しくは共通の意思が形成されることは避けられない」との指摘がある（上杉秋則『カルテル規制の理論と実務――法違反リスクの増大への対応』（商事法務、2009）57頁）。

公取委の実務家は、①のような情報交換が行われた場合、特に、このような情報交換が継続して行われている場合は、そのような情報交換を継続的に行っても互いに損失が生じないような基本的な合意が既に存在することを推認させるし、そのような情報交換が行われたのに特に相手の裏をかくような意思決定をしていない以上、そのような情報交換が行われたこと自体によって情報交換にとどまらない意思の連絡が存在することを推認させることになると警鐘を鳴らしている（論点解説49頁［品川武］）。

第４節　「一定の取引分野」に関する実務上の問題

第１章第４節４(2)で、「一定の取引分野」について概要的な説明をしているが、ここでは実務的な論点について詳しく解説する。

１　不当な取引制限における「一定の取引分野」の画定方法

(1)　ハードコアカルテルの場合

ア　画定方法

カルテル・入札談合のような**ハードコアカルテル**（⇒第１節２(1)ア参照）に該当する不当な取引制限の場合、違法性の判定をするための拠り所となるべき、特定の商品・役務を対象とした共同行為が存在するし、その共同行為には通常競争促進的なものはなく、それ自体競争制限的なものである。そのため、公取委の実務では、その共同行為が「競争の実質的制限」を有するかどうかについては、当該行為の対象となる取引とその影響の及ぶ範囲を検討する方法によって「一定の取引分野」を画定し、その画定された範囲を前提として競争制限的効果の程度（競争の実質的制限が生じているか）を判定すれば足りるとしている。同実務は最近の裁判例でも支持され学説も肯定的であり（経済法百選７頁［若林亜理砂］）定着している。

イ　審決例

エアセパレートガスの製造業者および販売業者による価格カルテル事件に関する審決においても、公取委はアの考え方を適用している。同審決は、「一定の取引分野」の画定に当たり、まず、**合意の対象となる取引を検討**し、「本件合意が……特定エアセパレートガスの販売価格の引上げに関するものである以上、特定エアセパレートガスの販売分野という一定の取引分野を画定」するのが相当とした上、続いて、本件**合意によって影響を受ける範囲の検討**を行い、「本件合意は、ディーラー又はグループ会社から需要者への販売価格まで制限するものではないが（違反事業者４社による特定エアセパレートガスの総販売金額の国内シェアが９割を占めていることから）、……４社の取引先に対する特定エアセパレートガスの販売価格が引き上げられると、ディーラー又はグループから需要者への販売価格にも影響を与えることは明らか」として、（審査官が）「本件における一定の取引分野を、製造業者による出荷から需要者の購入に至るまでの特定エアセパレートガスの販売分野全体としたのは相当である。」とした（審判審決平27・9・30〔日本エア・リキード事件〕）。

ウ　アの考え方が妥当であること

ア記載の画定方法が妥当な理由について、公取委の実務家は、不当な取引制限事案（多くはハードコアカルテル）では、既に特定の商品役務を対象とする具体的な競争制限行為が存在しており、その行為の対象となる商品・役務の取引や市場の実体について最も多くの知見を有する事業者が、その行為の目的に照らし行為の対象としてその商品・役務を選択している以上、この具体的な行為によって、競争が制限される範囲を画定すれば、画定された市場の外の商品・役務から競争圧力が加わるようなことは通常ないと考えられるからだという（菅久ほか40頁［品川武］、泉水独禁法215頁も同旨）。

いつもの例であるが、弁当屋の価格カルテルで、弁当屋同士が、販売している弁当のうち「売れ筋」である「鮭弁当」の販売価格について合意をした場合を想定する。「鮭弁当」の価格が上がると、弁当屋の他の種類の弁当（ノリ弁当、唐揚げ弁当など）全般の価格が上がるという実態があったとすると、違反者のカルテルが対象としているのは「鮭弁当」の販売取引であり、それによって影響を受ける範囲は、鮭弁当を含む弁当屋で販売する全種類の弁当の販売取引といえる。この範囲まで広げて合意が及ぼす影響を拾い上げれば、合意の競争制限効果を判断できると考えられるので、この範囲を「一定の取引分野」として画定することは合理的といえる。また、一般に、事業者が、価格値上げが実現しないような合意をすることはあり得ないと考えられるところ、違反者である弁当屋は、合意が影響を及ぼす範囲の内および外の市場の状況を熟知し、当該範囲の内において実効的な牽制力はなく、当該範囲の外でも実効的な競争圧力は存在しないと判断したからこそ、合意を成立させたものであり、合意が維持されているといえる。したがって、合意が成立しまたは合意が維持されている以上、通常、合意への牽制力、競争圧力は存在しないと考えられる。

エ　裁判例

この論点について、入札談合に関する刑事裁判例が、「取引の対象・地域・態様等に応じて、**違反者のした共同行為が対象としている取引及びそれに**

より影響を受ける範囲を検討し、その競争が実質的に制限される範囲を画定して『一定の取引分野』を決定するのが相当である」との判断を示しており（東京高判平5・12・14〔シール談合刑事事件〕）、以後、この判断に沿って公取委の実務が重ねられていった。

同裁判例やこれに沿った公取委の実務に対し、「一定の取引分野」の画定は、企業結合におけるそれと同様のものでなければならないとの批判があった。

これに対し、ブラウン管事件（サムスンSDIマレーシア）の審決取消訴訟で、東京高裁は「独占禁止法2条6項における『一定の取引分野』は、そこにおける競争が共同行為によって実質的に制限されているか否かを判断するために画定するものであるところ、**不当な取引制限における共同行為は、特定の取引分野における競争の実質的制限をもたらすことを目的及び内容としているのであるから、通常の場合、その共同行為が対象としている取引及びそれにより影響を受ける範囲を検討して、一定の取引分野を画定すれば足りると解される**一方、企業結合規制においては、企業結合が通常それ自体で直ちに特定の取引分野における競争を実質的に制限するとはいえない上、特定の商品又は役務を対象とした具体的な行為があるわけではないから、企業結合による市場への影響等を検討する際には、商品又は役務の代替性等の客観的な要素に基づいて一定の取引分野を画定するのが一般的となっていることに照らすと、**企業結合規制と不当な取引制限とでは性質上の違いがあることは明らかであって、両者において認定される一定の取引分野が原則として同一のものになるはずであるという原告の主張は、前提を欠く**」と明快に判示し（東京高判平28・1・29〔ブラウン管事件（サムスンSDIマレーシア）〕）、公取委の実務を支持した。

日本エア・リキード事件東京高裁判決においても、東京高裁は、「『一定の取引分野』とは、そこにおける競争が共同行為によって実質的に制限されているか否かを判断するために画定されるものであるが、価格カルテル等の不当な取引制限における共同行為は、特定の取引分野における競争の実質的制限をもたらすことを目的及び内容としていることや、行政処分の対象として必要な範囲で市場を画定するという観点からは、共同行為の対象外の商品役務との代替性や対象である商品役務の相互の代替性等について厳密な検証を行う実益は乏しいことからすれば、通常の場合には、その共同行為が対象としている取引及びそれにより影響を受ける範囲を検討して、一定の取引分野を画定すれば足りるものと解される（東京高等裁判所平成5年12月14日判決・高等裁判所刑事判例集46巻3号322頁参照）。」と判示し（東京高判平28・5・25〔日本エア・リキード事件〕）、公取委の実務を支持した。なお、東京地判令3・8・5〔アスファルト合材カルテル事件〕も同旨である。

オ　「一定の取引分野」が、実質的な競争制限判断をするための前提であること

イで述べたように、カルテル合意が影響を及ぼす範囲の内および外の状況を熟知する違反者が、合意を成立させたこと、合意を維持している以上、通常、実効的な牽制力や競争圧力は存在しないと考えられ、したがって、通常、その範囲で競争が実質的に制限されると考えられる。この通常の場合を想定して、前記のとおり東京高判平5・12・14〔シール談合刑事事件〕は、「共同行為が対象としている取引及びそれにより影響を受ける範囲を検討し、競争が実質的に制限される範囲を画定して『一定の取引分野』を決定するのが相当」としているが、近時の高裁判決（**前記サムスンSDIマレーシア事件高裁判決、日本エア・リキード事件高裁判決**）では、本来「一定の取引分野」の画定は「競争の実質的制限」を判断するための前提であるので、その点を正確に表現し、「その共同行為が対象としている取引及びそれにより影響を受ける範囲を検討して、一定の取引分野を画定すれば足りる」としたものであり、両者の基本的な考え方に相違はない。

⑵　非ハードコアカルテルの場合

競争事業者間で行われる標準化活動や規格の設定等の**非ハードコアカルテル**の場合（⇒第8節参照）も、違法性の判定をするための拠り所となるべき、特定の商品・役務を対象とした共同行為が存在するので、当該行為の対象となる取引とその影響の及ぶ範囲を特定して「一定の取引分野」を画定し、その範囲を前提として競争制限的効果の程度を判定すればよい。ただし、非ハードコアカルテルの場合は、競争促進効果と競争制限的効果を総合して、競争の実質的制限について判定を慎重に行う必要があるので、上記範囲を検討する際に、排除型私的独占の場合と同様に、必要に応じて、**需要者（または供給者）にとって対象商品・役務と代替性のある商品役務範**

囲または地理的範囲がどの程度広いものであるかという観点も考慮することが求められる。

2　合意の対象範囲と「一定の取引分野」

(1)　基本的な考え方

合意の範囲で「一定の取引分野」を画定すれば足りる。

公取委の実務は、不当な取引制限において、一定の取引分野を画定するに当たっては、前記１(1)に記載した考えに立っており、商品の代替性等からみて、例えば、もっと広い一定の取引分野を画定することも可能であるとみられるような場合であっても、違反行為者が合意した範囲を一定の取引分野として画定することで足りるとされることが多い。

(2)　代替性のない複数の商品を１つの合意の対象としていても、合意の範囲で「一定の取引部分」を画定できる場合

代替性のない複数の商品であっても、１つの合意の対象としていることを理由に、これを一括して「一定の取引分野」を画定することができる。

前記１(1)イのとおり、日本エア・リキード事件において、審決は、特定エアセパレートガス（酸素、窒素およびアルゴンの総称）の販売分野を「一定の取引分野」として画定した。しかし、酸素、窒素およびアルゴンは、それぞれ需要者が異なっており、厳密には、これらは、需要者にとっての十分な代替性が存在しないものであるため、日本エア・リキード社は審決取消訴訟において、「液化酸素、液化窒素及び液化アルゴンは、需要者を異にするので、相互の間に需要の代替性がなく、競争関係が存在しないから、これらを合わせた特定エアセパレートガスという１個の取引分野は成立し得ない」と主張した。しかし、東京高裁は、「（＊筆者注：違反をした）４社は、いずれも液化酸素、液化窒素及び液化アルゴンの製造及び販売を営む者としてその立場を共通していることに加え、証拠……によれば、平成20年度において、我が国における特定エアセパレートガス全体についても、それぞれのガス種のいずれについても、90パーセント弱の高い市場占有率を有していたことが認められるというのである。このような４社が、これらのガスの製造費用のうち大きな比率を占めている電気料金、重油価格及び軽油価格の高騰を背景に、タンクローリーによる輸送によって供給される液

化酸素、液化窒素及び液化アルゴンの販売価格を引き上げる旨の本件合意を行ったことに鑑みれば、上記各産業ガスの総称である特定エアセパレートガスの全体を一個の取引分野として画定することについて、特に不都合は見当たらない。かえって、そのように取引分野を画定することは、液化酸素、液化窒素及び液化アルゴンに共通する値上げ要因である電気料金、重油価格及び軽油価格の高騰を背景にして、いずれのガス種についても高い市場占有率を有する4社により本件合意が行われた、という本件の社会的実態に即した形で、取引の実質的制限の判断が可能になるものである。したがって、特定エアセパレートガスの販売分野という1個の取引分野は成立し得るものと解するのが相当であ（る)」として、審決による「一定の取引分野」の画定を肯定した（東京高判平28・5・25〔日本エア・リキード事件〕)。

(3)　合意と異なる範囲で「一定の取引分野」を画定できる場合

裁判所や公取委の実務では、前記のとおり、不当な取引制限においては、通常、合意の対象とする取引範囲と一定の取引分野は一致する。しかし、当該共同行為（合意）が対象としている取引およびそれによって影響を受ける範囲が検討された結果、その共同行為（合意）の対象と異なる取引範囲を、「一定の取引分野」として画定することもある。

ア　合意より狭い範囲で画定する場合

例えば、国際カルテル事件であるマリンホースカルテル事件のように、立証上の制約などから、合意より狭い範囲で画定する場合がある。この事案では、合意の対象は全世界の商品であり、合意の実効性も全体に問題なく及ぶものであったが、立証上の制約があることに加え、独禁法の保護法益は、日本における自由競争経済秩序であること、外国に所在する需要者が発注するものについては、現に、外国の競争当局が審査をしていたことなどを理由に、「一定の取引分野」を合意の範囲より狭い「日本に所在する需要者が発注するもの」とした（排除措置命令平20・2・20〔マリンホース事件〕⇒第11章第1節2(2))。

イ　合意より広い範囲で画定する場合

多摩談合事件の最高裁判決（最判平24・2・20）は、「本件基本合意は、本件対象期間中、公社発注の特定土木工事を含むAランク以上の土木工事に係る入札市場の相当部分において、事実上の拘束力をもって有効に機能し、上記の状態をもたらしていたものということができる」と判示した。これは、審決が認定した「公社発注の特定土木工事」を含むが、それよりも広い「Aランク以上の土木工事に係る入札市場」においても、本件の基本合意の影響が及んでいるためこれを「一定の取引分野」として、これを前提として競争の実質的制限を検討しこれを肯定する判断をしたものと考えられる。

これも、「具体的な行為や取引」、すなわち合意の対象となる取引を前提に、その「対象・地域・態様等に応じて」、すなわち地元業者の協力等の状況等を踏まえた上で、競争が制限されるかどうかおよびその範囲を検討しており、裁判の先例や公取委実務の考え方に沿って「一定の取引分野」を画定したものと考えられる（論点解説81頁（注16）［南雅晴］）。

3　入札談合における「一定の取引分野」の画定

(1)　単一の発注者の発注物件を対象とする場合

入札談合における共同行為（基本合意）が個々の物件ではなく、ある発注者が発注する物件全体を対象としているのであれば、合意により影響を受ける範囲は、個々の物件ではなく、当該発注者が発注する物件全体となるから、この物件全体が「一定の取引分野」となる（実務に効く232頁、233頁［多田敏明］参照）。

(2)　複数の発注者の発注物件を対象とする場合

対象が複数の発注者が発注する工事であれば、合意によって影響を受ける範囲は複数の発注者が発注する当該工事の全体であり、これが一定の取引分野として画定されることもあり得る。

(3)　1回限りの発注工事のみを対象とする場合

合意の対象が1回限りの個別の発注である場合（一発発注案件）には、合意のとおりに1回限りの個別の発注取引を「一定の取引分野」として画定できる。公取委は、受注調整事案について、1回の発注取引について「一定の取引分野」を画定し処理している（排除措置命令平29・12・12〔東京都発注の個人防護服の入札談合事件〕、排除措置命令・課徴金納付命令平30・7・12・〔全日空発注の制服受注調整事件〕、排除措置命令・課徴金納付命令平30・10・18〔ドコモショップユニフォームの受注調整事件〕など）。

行為要件として「拘束」の「相互性」が強調され、1回だけの発注取引では「相互性」に問題があることなど理由に消極説が唱えられたことがあったが、今日では、有力学者も、単発の発注工事を「一定の取引分野」として合意を認定することに問題がないと考えている8)。

4　複数の取引段階を含んで画定する場合

(1)　取引段階が異なる事業者との合意における「一定の取引分野」

官公庁による指名競争入札において、指名業者と非指名業者との間で談合の合意がなされた場合、非指名業者に係る取引まで含めて、異なる取引段階にまたがって「一定の取引分野」が画定されることがある。具体例として、いわゆるシール談合刑事事件高裁判決における一定の取引分野の画定例がある。

CASE 2-3　シール談合刑事事件

社会保険庁は、年金支払通知書貼付用シール（一度はがすと再貼付ができないもの。以下「本件シール」という）を指名競争入札の方法により、指名業者であるA～Dの4社に発注していた。被告会社は、A社、B社、C社およびE社であり、A～C社は本件シールの印刷・販売等を行う事業者、被告会社であるが指名業者ではないE社は、落札業者から仕事を受注して社会保険庁の定めた仕様に従った印刷加工の仕事を原反業者等に発注する中間業者（いわゆる仕事業者）であった。指名業者であるD社は、E社が受注・販売するビジネス・フォーム紙等を製造して同社に納入するなどの目的で設立された会社で、E社の専属工場のような存在であり、E社がD社の営業のすべてを担当していた。D社は、本件シールの入札に関する交渉等の営業活動を全面的にE社に任せることを表明し、A～Cの3社もこれを了承した。

（東京高判平5・12・14）

E社は、本件入札談合における「一定の取引分野」は、「社会保険庁から本件シールを落札・受注する」取引段階に限定されるべきであり、落札会

8)　川濵昇ほか「座談会・最近の独占禁止法違反事件をめぐって」公正取引802号（2017）15頁～17頁〔岸井大太郎、白石忠志、川濵昇〕

社から仕事を受注するE社の取引は、本件の「一定の取引分野」に含まれないと主張した。

これに対し、裁判所は、一定の取引分野画定方法に関する前記1(1)エ記載の考え方を述べた後、「この様な合意の対象とした取引及びこれによって競争の自由が制限される範囲は……社会保険庁の発注にかかる本件シールが落札業者、仕事業者、原反業者等を経て製造され、社会保険庁に納入される間の一連の取引のうち、社会保険庁から仕事業者に至るまでの間の受注・販売に関する取引であって、これを本件における『一定の取引分野』として把握すべきものであり、現に本件談合・合意によってその取引分野の競争が実質的に制限された」とし、「社会保険庁から本件シールを受注した落札業者からさらに受注する取引段階」も含めた「社会保険庁が発注する本件シールの受注・販売にかかる取引分野」を「一定の取引分野」として画定した（なお、同事件の行政事件の審決においては、「一定の取引分野」は「社会保険庁が発注する支払通知書貼付用シールの供給にかかる取引分野」として画定された。これは、社会保険庁に対して直接本件シールを供給する取引段階に範囲を限定した上で、E社がD社を手足として同取引分野における取引を行っていたと構成したもののようである。刑事事件では、別の法人格を有する会社を手足と評価することには躊躇があり、その中で、E社の取引を直接に処罰対象とするため「一定の取引分野」を複数の取引段階にまたがるものと構成する必要があったものと考えられる）。

(2)　複数の取引段階を対象範囲として画定される「一定の取引分野」

製品が、メーカーから、卸業者、小売店などの流通を経て、需要者に供給されるとき、メーカー同士が、直接の取引先に対する販売価格についてカルテル合意をした場合であっても、その競争制限効果は、当該商品の流通全体（メーカーから直接の販売先への価格のみならず、卸業者から小売店への価格、小売店から需要者への販売価格）に広がり得ることから、これらの流通全体を含めて「一定の取引分野」を画定することもあり得る。

その具体例として、前記1(1)イと2(2)で紹介した日本・エアリキード事件東京高裁判決において、裁判所は、「本件合意は、ディーラー又はグループ会社から需要者への販売価格まで制限するものではないが、（＊筆者注：違反事業者）4社による特定エアセパレートガスの総販売金額の約9割を占めているのであるから、4社の取引先に対する特定エアセパレートガスの販売価格が引き上げられれば、ディーラー又はグループ会社から需要者への販売価格にも影響を与えることは明らかである。したがって、本件審決が、本件における一定の取引分野を、製造業者による出荷から需要者の購入に至るまでの特定エアセパレートガスの販売分野全体として判断したことは相当である」とした（東京高判平28・5・25〔日本エア・リキード事件〕）。

第5節　「競争の実質的制限」に関する実務上の問題

1　「競争の実質的制限」判断の対象とその資料

行政調査の公取委実務においては、カルテル・入札談合の合意のように、競争を制限する旨の合意が成立すれば、それ以降の合意の当事者の選択は他の事業者の行動について予見し得る状態でその合意を踏まえて行われることになり、原則として、合意の時点で、市場の競争機能が損なわれ、すなわち競争の実質的制限の成立が肯定されると理解されている（論点解説63頁［品川武］⇒第2節4(2))。

合意後の実施状況、例えば、値上げカルテルにおいて、合意後に実際に値上げが実施されたかどうか、不当な利得がどれだけ増えているかといった事情は、競争の実質的制限の要件を満たしているかを判断する上での要件事実ではない。

実務における競争の実質的制限の判断に関していうと、判断の対象は、合意時点の合意の競争制限効果の程度であり、判断の資料として用いられるものは、原則として、合意時点における当事者の地位（合意当事者の合計市場シェア等）や合意に参加していない事業者（アウトサイダー）の有無・その振る舞い等（協調的かどうか）など市場の客観的状況に係る資料であるが、(基本）合意後における個別の入札・見積もり合わせにおける個別調整の状況・結果なども資料となる。例えば、受注予定者が受注している物件がどの程度存在するか、受注者の落札率、基本合意の対象となる物件のうちどの程度の物件で実際に基本合意に沿った行動が取られているか、アウトサイダーが入札参加者のうちどの程度を占めているか、アウトサイダーはどのような入札行動を取っているかなども判断の資料となる（論点解説59頁、61頁［品川武］参照)。

2　合意後も、外形的には競争が残っている場合

入札談合事案などにおいて、基本合意の後も、外形的にはライバル間で自由で自主的な営業活動が維持されているようにみえることはままあるが、これら事業者において、当該基本合意のため本来自由に行うことができる

事業活動が事実上できない状況（入札において自由に入札価格を決めることなどができないなど）がある以上は、基本合意に基づく事業活動への拘束によって「競争の実質的制限」が生じていると認めてよい。

例えば、入札談合を行っていたところ、ある工事について、他の談合仲間と自社が受注を希望をし、両者で話し合ったがまとまらないでいたところ、たまたま同時期に他の工事を受注することとなり自社の手が空かなくなったのでその工事については受注をあきらめて当該談合仲間に譲ることとした場合について、「受注をあきらめたのは事業上の理由が存在したからであり、受注における競争は残っていた」などとして、「競争の実質的制限」はなかったという主張はあり得るが、不当な取引制限においては、「市場が有する競争機能」の発揮が妨げられているかどうかが問題なのであって、談合仲間との間において談合を開始した際「お互いに協力し合っていこう」と合意した時点で「市場が有する競争機能」が損なわれ競争の実質的制限になると考えられる（論点解説19頁［岩下生知］）。

3　「合意に実効性がない」との主張について

入札談合の基本合意やカルテル合意について、「合意に実効性がない」という主張は、多義的に使われる。例えば、「従業員がカルテル合意を行った会合に参加していたが、合意には実効性はない」という主張が、どのような意味を持つのか問題になる。

(1)　「合意の拘束力が実効性」を欠くという趣旨であるもの

実務上、「合意の実効性」を争う主張として意味を持つものは、当該合意が事業者の「意思の連絡」として認められる内実を備えていることを争うもの、つまり**合意の拘束力の当事者への実効性が欠けているという主張**に限られる（論点解説62頁、63頁［品川武］参照）。そのような主張の具体例として、「合意に関与した従業員には値上げの権限がなかった」、「合意に関与した従業員が、合意内容を会社に報告しなかったので、合意内容は会社の方針に反映されなかった。」との主張が想定される。これについての考え方は既に説明した（⇒第3節1(3)）。

⑵　因果関係を争う趣旨であるもの

例えば、「合意とは無関係に会社独自に値上げ方針を決めたもので、合意は競争の実質的制限につながる実効性がない。」とする主張もあり得る。これは合意と競争の実質的な競争制限の因果関係を争う主張とも考えられるが、これが容易に肯定されにくいことは前述したとおりである（⇒第３節２⑵イ㈠）。

⑶　「競争を実質的に制限していない」という趣旨に帰着するもの

例えば、「カルテルの合意への参加者の合計市場シェアが○％以下なので、合意には実効性を欠く」などの主張は「一定の取引分野における実質的競争制限」の発生を争う主張に帰着する。

また、例えば、**「合意に従って値上げ要請をしたが、合意したとおりに値上げの結果が生じていない」として「合意の実効性」を争う場合**も、「一定の取引分野における競争制限」を争う趣旨と考えられる。

しかし、「一定の取引分野における競争制限」は、合意時において、合意の競争制限効果が、競争を実質的に制限する程度に至っているかを問題にするものであり、合意後において合意どおりの実施結果が生じたかどうかは要件ではない。仮に、違反当事者全社が値上げ要請したものの、実際の値上げがほとんど実現できなかったということがあったとしても、それは取引先の交渉力やその他の市場の諸状況によってあり得ることなので、合意時における競争の実質的制限の発生を直ちに否定すべきことにならない。これと違い、例えば、値上げ合意後において、値上げ要請をした段階で、アウトサイダーがこれに追随したことは、合意時において、アウトサイダーに協調性があり、合意の競争制限効果が高かったことを推認させるものであり立証は意味がある。入札談合事案においても、基本合意がなければ考えられない不自然な落札結果が存在すれば、合意時における競争の実質的制限の有力な立証方法になるが、このような不自然な落札結果が存在しないからといって、競争の実質的制限が直ちに否定されるものではない。

4　合意と競争の実質的制限との因果関係

法律の文言上、不当な取引制限の成立要件は、「他の事業者と共同して……相互に……拘束……『することにより』、……一定の取引分野における競争を実質的に制限すること」とされ因果関係が必要とされているようにみえる（注釈独禁法814頁［佐伯仁志］参照）。前記のとおり、不当な取引制限においては、合意が実効性のあるものである限り、原則として、合意それ自体によって競争の実質的制限制が生じる（⇒第2節4(2)）のであるから、両者の因果関係は、実際上は問題にならない。

そのため、公取委の実務家は因果関係を不要と考えているようである。しかし、例外的であるとしても、合意それ自体によって競争の実質的制限制が生じないこともあり得る以上、合意に引き続いて実質的な競争制限があったとしても、理論上は、これが合意によるものであること（因果関係）の立証が必要ということになるであろう。

第6節　正当化事由

この用語について、ある行為が、形式的に「競争の実質的制限」の要件を充足していても、独禁法の究極の目的からみて実質的に違法性を欠く例外的な事情という意味で用いられる場合や、競争促進効果という意味で用いられる場合などについて全般的に説明した（⇒第1章第4節7）。

ここでは、不当な取引制限に即して、上記の正当化事由やこれにつながり得る主張の取り扱いなどについて説明する。

1　適法な行政指導に従って行った共同行為であるとの主張

(1)　法令に具体的規定のある行政指導の場合

公取委は、**法令に助言・勧告・指導等の具体的な規定があり、これに基づいて行われる行政指導**[9]は、規定に合致した目的・内容・方法等で行われ、相手方が個々に自主的に判断して、このような行政指導に従う限り、行政指導の相手方の行為は独禁法上問題にならないと考えている（行政指導GL1(1)）。

(2)　法令に具体的規定のない行政指導の場合

法令に規定のない行政指導は独禁法上問題とされる場合があり、これに従った相手方が独禁法違反に問われるリスクがある。

最高裁は、石油価格協定刑事事件において、①**法令に規定のない行政指導が適法とされる場合がある**とした上、②**適法な行政指導に従い、事業者が協力して共同行為を行う場合には、違法性が阻却される場合がある**とする。詳しくいうと、最高裁は、①について「石油業法に直接の根拠を持たない価格に関する行政指導であつても、これを必要とする事情がある場合に、これに対処するため社会通念上相当と認められる方法によつて行われ、『一般消費者の利益を確保するとともに、国民経済の民主的で健全な発達を促進する』という独禁法の究極の目的に実質的に抵触しないものである

9)　行政機関がその任務または所管事務の範囲内において一定の行政目的を実現するため特定の者に一定の作為または不作為を求める指導、勧告、助言その他の行為であって処分に該当しないものをいう（行政指導GL「はじめに」）。

限り、これを違法とすべき理由はない。」とした上、②について「価格に関する事業者間の合意が形式的に独禁法に違反するようにみえる場合であつても、それが適法な行政指導に従い、これに協力して行われたものであるときは、その違法性が阻却されると解するのが相当である。」と判示した。

これによれば、行政指導が必要とされ、社会通念上相当と認められる方法で行われ、かつ、独禁法の究極の目的に反しない行政指導は適法とされ、この適法な行政指導に従い協力して行われた共同行為は、形式的に独禁法の不当な取引制限に該当するようにみえたとしても正当化される余地がある。

しかし、行政指導の内容が、不当な取引制限に該当するハードカルテルを指示・慫慂するものであるときは、同行政指導は独禁法の究極の目的に抵触するものであり適法なものとはいえず、これに従って行ったカルテルも正当化されない。

また、適法な行政指導を受けた事業者が、行政指導の範囲を超えてカルテルに及んだ場合も正当化される余地はない（上記事案において、行政指導は、石油価格の上限を指導するものにすぎなかったのに、被告人らは、それを踏み越えて、この上限一杯まで各社一斉に価格を引き上げる合意をしたもので、この行為は、行政指導に従ってこれに協力して行われたものとはいえないので、正当なものとはいえないとされた）。

2　発注者側からの指示により入札における競争が消滅していたとの主張

(1)　官公庁発注案件の場合

入札談合事件においては、違反事業者側から「発注機関の指示に基づき、受注しただけであり、そもそも発注者側が競争を消滅させていたもので『競争の実質的制限』は生じておらず、不当な取引制限とはならない」などと主張されることがある。

しかし、発注機関において、会計法等の法令に従い、競争入札等を実施して工事の発注や商品の調達等が行われている以上、発注機関の担当者等が、本来の競争を恣意的に消滅させることはできないし、違反事業者としても、そのような指示に従う必要はない。そして、多くの場合には、違反事業者は、自分に都合がよいことから自発的にその指示を受け入れていたといえると考えられるのであって、却ってこれは、発注者と違反事業者が一体となり競争を制限していたことを裏付けるものとも考えられ、「競争の実質的制限」が否定される理由はない（論点解説116頁～119頁［大胡勝］）。同旨の裁判例もある（東京高判平21・4・24〔ジェット燃料談合事件〕）。

(2)　民間事業者発注案件の場合

民間事業者が工事を発注する場合は、そもそも競争によらずに調達をすることは自由である。しかし、民間事業者が、いったん競争によって調達する方針を示し、競争入札や見積合わせ等の競争的な方法で発注することにした場合において、受注を希望する事業者同士が談合を行えば、不当な競争制限に該当する[10)]。

民間事業者が、いったん入札等の競争的な方法によって発注するという方針を決めた後に、**事業者自らが、受注予定者を指名して談合させ、あるいは、入札参加者が談合しているのを許容する**ことは、法律上禁止されるものでないため、その場合には、理論上、同談合行為には、独禁法が保護すべき「競争」が存在しなくなり不当な競争制限に該当しなくなることもあり得る。

しかし、事業者自身は競争による発注方針を維持しているにもかかわらず、**経営方針を変更する権限を持たない担当者が独断で、談合を指示したり談合を許容した**ときは、事業者自身が競争をやめさせるように方針変更をしたとはいえず、その場合「競争」が消滅したとは評価できないから、不当な取引制限が成立し得ることに留意が必要である（泉水経済法入門117頁参照）。

3　不当な取引制限の対象となる競争が、保護されるべき競争ではないとする主張

不当な取引制限の対象となる競争が、保護されるべき競争であることを要するか問題になることがあり、その先例として大阪バス協会カルテル事件がある。

これは、貸切バスの運賃が道路運送法上で認可された料金よりも低い料

10)　同旨、東京地判令3・3・1〔リニア中央新幹線談合刑事事件〕、「審決・評釈」公正取引855号（2022）53頁［楠茂樹］。

金（刑事罰をもって禁止されている料金）で顧客に提供されていた状態において、大阪バス協会が料金を認可料金に近づけるために運賃引き上げカルテルを行った事案であった。

同事件の審決は、「その価格協定が制限しようとしている競争が刑事法典、事業法等他の法律により刑事罰等をもって禁止されている違法な取引（典型的事例として阿片煙の取引の場合）又は違法な取引条件（例えば価格が法定の幅又は認可の幅を外れている場合）に係るものである場合に限っては、別の考慮をする必要があり、このような価格協定行為は、特段の事情のない限り、独占禁止法第2条第6項、第8条第1項第1号所定の『競争を実質的に制限すること』という構成要件に該当せず、したがって同法による排除措置命令を受ける対象とはならない」とし、大阪バス協会が認可料金以下で行った運賃引き上げカルテルは、保護に値する競争を制限するものではなく、競争の実質的制限の成立が否定されるとした（審判審決平7・7・10〔大阪バス協会事件〕）。ただし、同審決は、「特段の事情」のあるとき、例えば、「事業法等の他の法律の禁止規定の存在にもかかわらず、これと乖離する実勢価格による取引、競争が継続して平然公然として行われており……、かつ、その実勢価格による競争が、公正かつ自由な競争を促進し、もって、一般消費者の利益を確保するとともに、国民経済の民主的で健全な発達を促進する、という独占禁止法の目的の観点から、その競争を制限しようとする協定に対し同法の排除措置を命じることを容認し得る程度までに肯定的に評価される……とき」には、当該カルテルは違反と評価されるとする。

同審決については、「競争」という概念に、競争法と直接関係しない価値評価を持ち込みすぎているのではないかとの疑問が生じ得る。

同審決の先例性を肯定するとしても、これは、価格が法律に基づいて決められており、それ以外の価格での取引が刑事罰等をもって厳格に禁止されているという場合において、事業者が法律で定められている価格と異なる価格カルテルをしたという特殊な事案に限定してなされた判断であり、禁止の程度が小さい事案にまで射程は及ばないと考えられる（同旨、論点解説116頁、117頁［大胡勝］）。同審決が、上記のとおり、射程の及ばない「特段の事情」を広く認めていることからも、同審決の先例性は限定的と考えられる。

第7節　官製談合

1　意義

官公庁が発注する工事等の入札談合事件において、発注者の職員が談合当事者に予定価格を教えるなどして入札談合に関与するケースがあり、**官製談合**といわれていた。

2　法規制の経緯

入札談合を撲滅するには、発注者側の関与行為をなくすことが必要であるため、平成14年に「入札談合等関与行為の排除及び防止に関する法律」が制定され（平成15年1月6日施行）、発注者の職員に、所定の**入札談合等関与行為**があった場合、公取委が、発注機関の長に対して改善措置を求めることができるようになった。その後、平成18年には、入札談合に関与した職員の「入札等の公正を害する行為」を処罰することになり、法律名が「入札談合等関与行為の排除及防止並びに職員による入札等の公正を害すべき行為の処罰に関する法律」に改められた（平成19年3月14日施行。同法律のことを本節では「本法律」ともいう。一般に「**官製談合防止法**」あるいは「官談法」と呼ばれることもある）。

3　規制の内容

(1)　入札談合等関与行為への公取委による改善措置要請

本法律では、国、地方公共団体、または特定法人（国等）を発注者とする入札談合について、発注者の職員が、入札談合等関与行為を行ったと認めるとき、公取委は、発注機関の長に対して、その入札談合等関与行為を排除するために必要な改善措置を講じることを求めることができる（本法律3条1項・2項。なお、発注者が株式会社であっても、国または地方公共団体の出資が過半を超えれば、特定法人として本規制の対象となる）。

公取委が、入札談合（独禁法の「不当な取引制限」）の存在を認定することが前提とされており、独禁法違反の存在を認定しないまま、改善措置要請を行うことはない。

入札談合等関与行為としては、次の4つの態様の関与行為が該当する（本法律2条5項）。

① 入札談合等を行わせること（同項1号）

（例）発注者の担当者が入札に参加する事業者に入札談合を行うように指示すること

② 受注者に関する意向を予め教示・示唆すること（同項2号）

（例）具体的な入札物件について、予め発注者の担当者が受注者を指名し、希望する事業者名を示唆すること

③ 入札談合等を容易にする秘密情報を教示・示唆すること（同項3号）

（例）非公表とされている入札予定価格、入札に参加する事業者名、評価点等を教示すること

④ 入札談合等を幇助すること（同項4号）

（例）指名競争入札において、事業者からいわゆる「当て馬」事業者を指名するように依頼され、特定の事業者を入札参加者として指名することなど

改善措置を求められた発注機関の長は、必要な調査を行い、入札談合等関与行為があり、またはあったと認められるときは、必要と認める措置を講じなければならず、同時に、関与した職員が懲戒事由に該当するかについても調査すべきものとされる。

⑵ 刑事罰

本法律は、発注者の職員による入札の公正を害する行為に対して、刑事罰で臨むこととしている。（⇒第7章第4節で詳しく説明）。

第８節　非ハードコアカルテルの意義と違法性判断基準

1　ハードコアカルテルと非ハードコアカルテル

(1)　それぞれの意義

広義のカルテルおよびハードコアカルテルの意義については、第１節２(1)アで述べた。

ハードコアカルテルに該当しないライバル間の共同行為、例えば、共同開発・研究のように、事業者が単独では実行できない活動を可能にさせるなど社会的に有用であり、競争を促進する効果が想定できるものは、**非ハードコアカルテル**と呼ばれ、実際のビジネス活動においても活用されているので、後記２で説明するとおり、不当な取引制限に当たるかどうかの違法性判断は慎重に行われる。

(2)　ハードコアカルテルと非ハードコアカルテルの区別

課徴金納付命令を発出するための要件である**対価要件**は、ハードコアカルテルを課徴金の対象にする考え方に基づいて規定されたものなので（注釈独禁法153頁、154頁〔岸井大太郎〕）、この対価要件が具備されているかどうかを区別の基準にすることも可能である。すなわち、不当な取引制限に該当する行為のうち次に記載した対価要件を備えた行為がハードコアカルテルであり、不当な取引制限に該当しても対価要件を具備しない行為は、非ハードコアカルテルに当たると考える得る。

○法７条の２第１項

事業者が、不当な取引制限……であつて

①　商品若しくは役務の対価に係るもの

②　又は商品若しくは役務の供給量若しくは購入量、市場占有率若しくは取引の相手方を実質的に制限することによりその対価に影響することとなるものをしたときは、……課徴金を国庫に納付することを命じなければならない。

＊筆者注：①、②は、筆者が付したもの。

⑶　非ハードコアカルテルの種類

非ハードコアカルテルとしては、前記したライバル間の共同開発・研究のほか、ライバル間の共同行為であっても、①価格、産出量などの重要な競争手段を直接に制限するものでないものおよび②これら重要な競争手段を直接に制限するが、その共同行為には競争制限以外の合理的な目的を持つものがあり得る。①としては、例えば、次世代製品に採用される規格を共同で策定する**標準化提携**があり、②としては、例えば、競争促進などの目的で行う**業務提携**や環境基準や安全基準等の**社会公共目的で行われる自主規制等**がある（泉水経済法入門127頁）。

2　非ハードコアカルテルについての違法性判断

⑴　一般的な違法性判断

非ハードコアカルテルは、ハードコアカルテルの場合と違い、共同行為の目的が、競争促進や社会公共的目的を実現することなど正当なものである可能性があり、共同行為によって実現される競争促進効果が、共同行為によってもたらされる競争制限効果を補う可能性がある。そこで、両効果を比較衡量して、効果要件である違法性（競争の実質的制限）の有無を判断すべきである。

非ハードコアカルテルに当たる**共同行為が、合理的目的のためのもの、特に競争促進的目的のためのものである場合に、その目的達成のためのより制限的でない代替的方法がないときには、独禁法上許容され得る**（泉水経済法入門128頁参照）。

⑵　業務提携のための共同行為についての違法性判断

ア　業務提携と非ハードコアカルテルの関係

業務提携は、事業者のアライアンスのことをいう。業務提携とは、事業者が、様々な形態で、他の事業者と協力して一定の業務を遂行することをいう（公取委平成14年2月公表「業務提携と企業間競争に関する実態調査報告書」（本節では以下「業務提携公取委報告」という）参照）。業務提携は、JV（ジョイントベンチャー共同事業体又は共同出資会社）やコンソーシアム（共同体）などの形態で行われる。業務提携は、通常、コスト削減や、新商品の早期市場投入、販売先の拡大などの競争促進効果を求めて行われる、提携当事者である複数事業者による協力提携活動を意味し、これが、共同行為として行われる場合は、非ハードコアカルテルとして取り扱われる。

イ　業務提携のための共同行為の違法性判断

業務提携は、後記3記載の通り、生産提携、販売提携、購入提携、物流提携、研究開発提携、技術提携、標準化提携などに類型化される（業務提携公取委報告および公取委競争政策研究センター令和元年7月10日公表「業務提携に関する検討会報告書」。以下、本節ではこれを「業務提携検討会報告」という）。業務提携は、その内容や態様等により市場に競争促進効果を与えることも、競争制限効果を与えることもあり、競争政策の観点から、その両面を総合的に評価・判断しなければならない。

㈠　企業結合 GL の位置づけ

公取委の実務では、これまでも、業務提携案件であっても、当該提携によって複数会社の事業部門が事実上一体化されるような場合には、企業結合 GL の考え方を参照して、競争制限の有無等の検討を行っていた（平成29年度相談事例集【事例5】）。

業務提携検討会報告において、「業務提携に関する独禁法上の一般的な考え方は、提携当事者間の事業活動の一体化という企業結合に類似した観点からは、大きな枠組みとして企業結合ガイドラインの考え方を踏まえつつ、提携当事者の事業活動の一体化の程度がどこまで進むかといった業務提携特有の性質も取り入れて考えるのが適当と考えられる」とされた（同報告第5なお、同報告書第3の1も参照）。

業務提携においては、提携当事者の複数会社が事業統合をすることがあり、その場合には、事業活動が一体化されるという企業結合に類似した面もあるが、企業結合（例えば、合併）による事業統合の場合に事業活動が完全に一体化するのと違い、業務提携による統合の場合には事業活動の一体化の程度にはばらつきがあり得るし、業提携後も業務提携当事者である各会社は引き続き独立して行動することがあり得るという業務提携特有の面もある。業務提携検討会報告は、業務提携の違法性判断をするに当たっては、企業結合に類似した面と、業務提携特有の面の両方を併せて評価しなくてはならないことを確認したものと解される。

水平的な業務提携について同報告では、「業務提携による提携当事者の事業活動の一体化の程度について、提携当事者間の競争がどの程度制限されるかという観点から評価する。提携当事者間の競争が制限される場合には、これが市場全体に与える影響について、**提携当事者が一体化して行動することによる影響及び提携当事者が競争者と協調的な行動を採る可能性**の観点から評価する」とされた。

垂直的業務提携については、「業務提携による提携当事者の事業活動の一体化の程度について、閉鎖性・排他性等が生じるかという観点から評価する。提携当事者間で閉鎖性・排他性等が生じる場合には、これが市場全体に与える影響について、**市場の閉鎖性・排他性の可能性及び提携当事者が競争者と協調的な行動を採る可能性**の観点から評価する」とされた。

業務提携の中には、相手方の株式を所有する形で**共同出資会社**（⇒ Column 8-2）を設立するものがある。その提携の枠組みで行われる共同行為については、従来から、企業結合 GL の考え方が直接適用されていたが、さらに、業務提携特有の違法性判断基準も参照されることになる。

(イ)　違法性判断での考慮要素

Guidance 2-4　業務提携の違法性判断での考慮要素

○重要な競争手段についての意思決定の一体化の有無・程度
○業務の一体化の割合・製造コストの共通化の割合
○価格・生産数量等の情報共有による競争手段についての制限の可能性

業務提携における共同行為は、

① 生産、販売等の多段階で包括的に提携する場合など、業務提携の内容として、**生産数量や価格といった重要な競争手段に係る意思決定の一体化**が図られる場合には、業務提携参加事業者間で競争の余地が少なくなったり、完全になくなることもある。

② 業務提携により特定の重要な競争手段に係る意思決定の一体化が図られない場合であっても、**提携により一体化される業務の割合**が高い場合等には、参加事業者のコストが共通化し、その**コスト構造**が近づき、価格競争の余地が減少する場合など、派生的効果として競争の余地が少なくなることもあり得る。

③ 業務提携により**価格や生産数量等の情報**が**共有**される場合、これら

重要な競争手段について相互に制限することが容易になり得る（業務提携公取委報告第4の1(1)、ウ(イ))。

また、業務提携への参加や業務提携の成果の利用が当該事業を行う上で不可欠な状況において、その**参加や利用を制限**したり、業務提携により共同化する業務を、各事業者が**別途単独で実施することを制限・拘束**する等により、業務提携に参加していない事業者等の事業活動が困難となる場合には、競争制限的な効果が生じ得る（業務提携公取委報告書同箇所)。

したがって、提携当事者同士の事業活動**の一体化の程度・割合や製造コストの共通化の割合は、共同行為の独禁法上の問題点を評価・判断するに当たって重要な考慮要素となる**（例えば、平成30年度相談事例【事例8】、【事例9】)。

上記②をかみ砕くと、例えば、AB 2社間の業務提携（相互OEM⇒3(3)ア）において、競合する製品甲の生産を共同化し、関東地区でのB社の販売分についてはA社が供給し、関西地区でのA社の販売分についてはB社が供給することにした場合には、関東地区、関西地区で両社が販売する製品甲の製造コストが両社で共通化し、製品甲の販売価格のうち製造コストが相当の部分を占め、かつA社B社の製品甲市場でのシェアが約90%である事案については、A社B社の販売価格が同一水準になりやすく、競争上問題となるおそれがある（平成13年度相談事例集【事例8】参照)。

この事例に即していえば、業務提携における「業務の一体化割合」とは、共同生産の対象が競合する製品に必要な部品にとどまるのか、競合する製品甲自体にまで及ぶのかということであり、「製造コストの共通化割合」とは、部品を共同生産する場合の部品製造コストの製品コストに占める割合、または製品を共同生産する場合の販売価格に占める製品コストの割合のことである。

(3)　事業者団体GLの位置づけ

事業者団体においては、競争促進的な目的の下で、事業者団体の構成事業者による共同事業等の共同行為が行われることも多いが、その独禁法上の問題点については、事業者団体GLにおいて説明されている（⇒第3章第2節1(1)、および2ないし6参照)。

公取委の実務では、事業者による共同行為・業務提携について、事業者団体の構成事業者による共同事業と類似することを理由に、事業者団体GLの考え方（第2の11など）を踏まえて競争の実質的制限について検討が行われている（例えば平成30年度相談事例集【事例8】【事例9】など）。

3　非ハードコアカルテルの類型ごとの違法性判断

(1)　共同研究開発

複数の事業者の参加による研究開発に関する共同事業をいう（これについては、共同研究開発に関する独占禁止法上の指針（以下「共同研究開発GL」という）が独禁法上の考え方を示している）。これは、一般に、参加事業者間での技術の相互補完、研究開発における規模の経済の実現など競争促進的と評価される。

独禁法上問題が生じるのは、共同研究開発の当事者が、製品市場または技術市場いずれかの市場で競争関係にある場合で、取り決めによって、共同開発当事者相互間の競争が減少する場合や、共同研究開発への参加制限や共同研究開発の成果に関するライセンスの拒絶によってアウトサイダーの事業活動を困難にさせる場合である。

この場合、参加者の数、市場シェア、研究の性質（製品開発段階まで至らない基礎的研究段階か、製品開発段階か）、共同化の必要性、対象範囲・期間等の観点から判断する。共同研究開発へのただ乗りを防ぐために共同研究開発パートナーを限定する場合は、形式的には共同ボイコットに当たるが、この場合の取引拒絶には正当な理由があると考えられ、違法性は否定される（⇒第5章第2節2）。しかし、当該事業分野で有効な競争を行うのに不可欠な技術や施設に係る共同事業で、競争者に対し、これへのアクセスを制限することにより競争者の事業活動が著しく困難になるような場合は、例外的に問題となり得る（金井ほか独禁法96頁、98頁～99頁［宮井雅明］。なお、共同研究開発GL第1）。

(2)　情報活動（情報交換）

事業者間での各種情報を収集し、交換し、または分析を行うなどの取り決めである（問題となり得る場合について事業者団体GL第2の9参照⇒情報交換についての第3節2(2)ウ）。

(3)　共同生産・共同販売・共同購入

複数の事業者間で、生産、販売または購入を共同化することである（⇒事業者団体GL第2の11）。

一般論としては、共同行為の内容が、研究開発から、生産段階、販売段階と進むにつれ、競争単位を減少させるおそれが強まる。

なお、共同行為が、法律の規定に基づいた協同組合などの行為として行われることがあり、独禁法の適用が除外されることがある（⇒第10章第1節）。

ア　共同生産

共同生産そのものには、生産における規模の経済性の達成、新市場への参入に伴うリスクの分散等の競争促進効果があるが、その商品について市場での集中が高まる問題があるほか、共同生産に付随して販売段階における価格制限、数量制限、市場分割等が行われることによって生じる競争制限が問題となる。この場合、付随して生じる競争制限が、共同生産の目的を達成するために不可欠なものかということが問題になる。

共同生産に伴って、当該共同生産と直接関連しない製品の生産・販売に関する情報が競争当事者間で共有される問題もある。これに対しては、実効的な**ファイアーウォール**（情報を遮断する隔壁）を設定しない限り問題が残る。

共同生産の一態様として、2(2)イでも触れた**OEM供給**（自社で製造した商品に相手のブランドを付けて供給すること）がある。これについても、目的が合理的で競争促進的であるか、当該商品についての合計シェアが大きいか、当事者の生産量に占めるOEM供給の割合、有力な競合他社があるか、OEM供給された商品の価格設定や営業が供給先事業者において独自に行われるかなどを総合して、独禁法上の問題の有無が判断される。

イ　共同販売

共同販売は、交渉窓口の一本化や供給する商品に共通のブランドを付けることなどを通じ、取引費用の削減や販売促進活動における規模の経済性を実現できるなどの競争促進効果がある反面、競争者間で価格や販売量の調整を伴う場合が多く、それが市場支配的な目的で行われることもあるため、一般的に、他の共同事業と比べ、独禁法上問題とされるリスクが大きい。

そこで、**市場支配の手段としての共同販売**とそうでない共同販売を区別することが必要となるが、①積極的な販売拡張ではなく、価格の安定のみが目的になっている場合や、②参加者に対して、他の共同販売事業への参加や、独自の販売ルートへの供給を許さない場合は、市場支配の手段として共同販売が行われているものと疑われる（仮に共同販売による効率化を目的とするだけならば、参加者による他ルートを通じた供給を禁止しなくても、共同販売の利益を享受できるはずであり、他ルートでの供給を禁止することは、市場支配を意図しているものと考えられる）。その場合、共同販売のための価格や産出量の制限も、市場支配目的で行われている疑いが強くなり、独禁法上問題とされ得る。

ウ　共同購入

共同購入についても、大量一括購入による規模の経済性を実現する競争促進的なものである場合と、買い手市場における市場支配の手段として行われる競争制限的なものである場合の両者がある。①合計シェアなどからみて、当事者が買い手市場における市場支配力を行使できる地位を占めている場合、②共同購入事業の参加者が代替的な購入ルートでの購入を禁止されている場合には、その共同購入は、買い手市場における市場支配の手段として行われている疑いが高い（金井ほか独禁法108頁［宮井雅明］参照）。

⑷　自主規制等、自主認証・認定等

事業者団体が、生産・流通の合理化や消費者の利便の向上を図るために規格の標準化に係る自主的基準を設定することや、環境の保全や安全の確保等の社会公共的な目的に基づく必要性から品質に係る自主規制や自主認証・認定等の活動を行うことがある。

この「自主規制等、自主認証・認定等」の違法性判断基準に関して、①「競争手段を制限し需要者の利益を不当に害するものではないか」、②「事業者間で不当に差別的なものではないか」の判断基準に照らし、③「正当な目的に基づいて合理的に必要とされる範囲内のものか」という要素を勘案して判断されるべきであるとされている（事業団団体GL第２の７⑵）。

⑸　社会公共目的の共同行為

安全、環境保護、リサイクルなどの社会公共目的の実現のための共同行

為の違法性判断では、その社会公共目的が正当化理由となり得るかが問題となる。

この点、事業者団体において、製品の安全確保目的のための自主基準を構成事業者が共同して遵守していたことについて違法性判断が示された裁判例がある。

これは、事業者団体が、エアガンの威力とそれに使用するプラスチック製弾丸の重量に関する安全規格（本件自主基準）を設定し組合員（エアガン・プラスチック製弾丸の製造・販売業者）に遵守させ、小売店に対して、同自主基準に従わない団体非加盟事業者からの商品購入の共同取引拒絶をさせた行為が独禁法違反（法８条５号「事業者に不公正な取引方法に該当する行為をさせるようにすること」、および法８条１号）に当たるとして損害賠償請求等がなされた民事訴訟事件である。

裁判所は、本件自主基準の設定等の正当化事由に関し「本件自主基準設定の目的が、競争政策の観点から見て是認しうるものであり、かつ、基準の内容及び実施方法が右自主基準の設定目的を達成するために合理的である場合」には、違反が成立しない場合もあると判示した（東京地判平９・４・９〔日本遊戯銃協同組合事件〕。ただし、当該事案については、自主基準の目的と内容は一応合理的であるが、問題の取引拒絶は、自主基準の実施方法としては相当とはいえないとし、法８条５号・１号の各違反が成立するとした）。

Guidance 2-5　非ハードコアカルテルの正当化事由の判断基準

①　目的の正当性
②　目的達成の手段としての合理性
③　より制限的でない代替手段がないこと

この判決の示した判断基準を一般化すれば、①**共同行為の目的**が独禁法１条の目的という観点に照らし正当であり、②競争制限効果を伴う当該共同行為が**目的達成の手段として合理的**といえて、③共同行為そのものまたは共同行為に含まれる個々の手法について、**より制限的でない代替手段はないとき**、当該共同行為に正当化事由があるとされる（泉水独禁法237頁）。

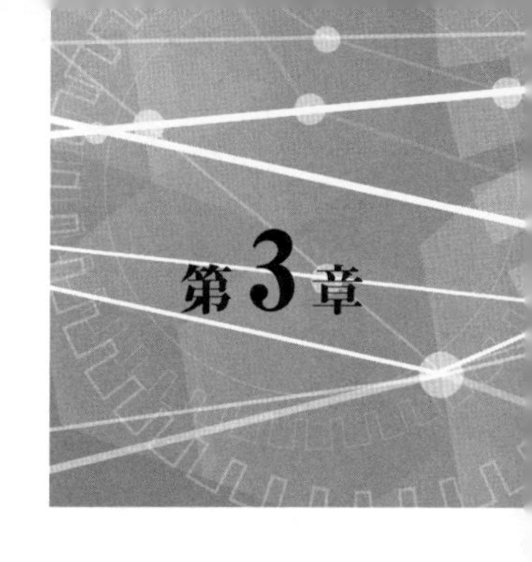

事業者団体規制

事業者団体は、ビジネス上重要で有益な役割を果たすことも多いが、しばしば競争上の問題行為を惹起することも否定できず、独禁法が、事業者団体に厳しい視線を向けるのもやむを得ないところがある。

禁止される事業者団体の行為として特徴的なものは、事業者団体が、構成事業者の既得権を守ろうとして、市場に新規参入しようとする事業者や既存のアウトサイダー事業者を排除しようする行為や、統制に従わない構成事業者を排除しようとする行為である。

本章の第1節では、事業者団体の定義や事業者団体として行う行為かどうかの判断基準を説明し、第2節では、独禁法8条の規定する禁止行為について、それぞれの成立要件について、具体例も示しながら説明する。

なお、事業者団体（特に同業社団体）内部において競争事業者同士で行われる機微情報を含むコミュニケーションは、不当な取引制限に問われる可能性が高いが、これについては、第2章第3節3⑵で説明している。

第3節は、体系的には、第5章において、不公正な取引方法の解説の一部として説明するのが妥当なのかもしれない。しかし、この規制が、事業者による「事業者団体内部での差別的取扱い等」を対象にしたものであり、事業者団体の定義やその禁止事項についての説明と合わせて、近い位置で説明した方が、分かりやすいものと考え、ここで記述することとした。

第1節　事業者団体

1　事業者団体の行為をも規制する必要性

独禁法においては、基本的に、規制の対象は事業者の行為である。

事業者団体とは「事業者としての共通の利益を増進することを主たる目的とする2以上の事業者の結合体又はその連合体」（法2条2項）と定義される。いわゆる業界団体がその典型である。例えば、○○工業会、○○事業組合といった、事業者を構成員とする組合、社団または財団などの団体や、○○連合会といった、これら団体の連合会を指す（⇒法律上の要件については、2参照）。

事業者団体は、事業者団体を構成する事業者（**構成事業者**）に提供する情報提供活動や経営指導活動など有益な活動も行っているが、他方、事業者団体がその構成事業者とは別個に独自の主体として競争制限・競争阻害行為を行うことがあり、また、その構成事業者への拘束力が強いことから競争に及ぼす潜在的危険性も大きい。

そのため、法8条は、事業者の行為とは別に、事業者団体が主体となって公正で自由な競争確保の観点から問題のある行為を行うことも禁止している。

2　事業者団体の要件

(1)　事業者団体の意義

事業者団体とは、上記したとおり、「事業者としての共通の利益を増進することを主たる目的とする2以上の事業者の結合体又はその連合体」（法2条2項）である。

小規模の事業者の相互扶助を目的とする協同組合は、事業者団体にも該当し得る。

法文上、構成事業者がライバル事業者や同業者であることは要件ではなく、業種や取引段階を異にする事業者が構成事業者であってもよい。事業者団体には法人格があることも求められていないから、いわゆる任意団体であってもよい。

事業者団体であるためには、2つ以上の事業者の継続的な組織体であり、構成事業者とは別個独立の社会的存在が認められることが必要である。このような組織体であるか否かは、名称、規約、代表者・役員、総会・理事会等の機関、従業者、独立した経理・財産、事務所の存否を総合的に勘案して判断される（注釈独禁法11頁［根岸哲］）。

「2以上の事業者の結合体又はその連合体」であっても、法2条2項ただし書により、「資本又は構成事業者の出資を有し、営利を目的として……事業を営むことを主たる目的とし、かつ、現にその事業を営んでいるもの」（例えば、事業者を株主とする株式会社）は、「事業者団体」に当たらない。それ自体が「事業者」だからである。

⑵　法2条1項後段の「みなし規定」

○法2条1項

この法律において「事業者」とは、商業、工業、金融業その他の事業を行う者をいう。事業者の利益のためにする行為を行う役員、従業員、代理人その他の者は、次項又は第3章の規定の適用については、これを事業者とみなす。

＊筆者注：法2条2項……事業者団体の定義規定
第3章の規定……事業者団体の禁止行為（法8条）など
下線は筆者が付したもの。

この**みなし規定**は、事業者団体の要件の1つである「2以上の事業者の結合体又はその連合体」の適用において、「事業者の利益のためにする行為を行う役員、従業員、代理人その他の者」を「事業者」とみなす（法2条1項後段）というものである。

例えば、各会社の役員や部課長をメンバーとする継続的な親睦会も、その所属する会社の事業者としての共通の利益を増進することを主たる目的とするものであれば、事業者団体に該当し、事業者団体としての規制を受ける。

この「みなし規定」を適用するには、この「事業者の役員、従業員、代理人その他の者」が「**事業者の利益のためにする**行為を行う」ものであることが必要である。

「事業者の利益のためにする」とは、その者の身分関係を指すのではなく、当該行為の効果が実質的に本人たる事業者に帰属する場合を指す（注釈独禁法220頁〔岸井大太郎〕）が、その団体の日常的な活動内容が事業者の利益を目指すものであることや、その団体の決定に従って、事業者の事業活動が行われたことなどによって認定されることが多いであろう。

3　事業者団体として行う行為

(1)　事業者団体の組織としての決定

ある行為について、法8条の事業者団体に対する規制を加えるためには、当該行為が事業者団体の行為といえなければならない。そのためには、**当該行為を行う旨の事業者団体の組織としての決定があり、当該行為が同決定に基づいた行われたことが必要**である。

当該行為を行う旨の事業者団体の組織としての決定は、事業者団体の正規の意思決定機関の議事を経た明示の決定のようなものに限られず、事業者団体の意思形成と認められるものであれば慣行等に基づく事実上の決定も含まれる（事業者団体GL第2(8)）。例えば、正式な意思決定機関でない内部組織の決定であっても、構成事業者により実質的に団体の決定として遵守すべきものと認識されていれば、当該団体の意思決定と解される（審判審決平7・7・10〔大阪バス協会事件〕）。

(2)　事業者団体の組織としての決定と構成事業者の共同行為が併存する場合

例えば、不当な取引制限行為が事業者団体の組織として決定を経て行われた場合であっても、同時に、その過程で、当該事業者団体を構成する事業者の共同行為（カルテル合意）が形成されることがある。刑事事件判例では、このような場合、事業者団体と各構成事業者のいずれに刑事責任を問うかは、公取委ないし検察官の合理的裁量に委ねられているとされた（最判昭59・2・24〔石油価格協定刑事事件〕）。

(3)　事業者団体が事業者として行う行為

「事業者団体」が、事業者としての性格を併せ持つことがあり得る。「事業者」の要件（法2条1項⇒第1章第5節1(1)参照）としては、「営利の目的」

は必要とされず、「なんらかの経済的利益の供給に対応し反対給付を反覆継続して受ける経済活動を行う」者であればよい（最判平元・12・14〔東京都と畜場事件〕）からである。

したがって、事業者団体自らが主体となって事業を行っているといえる場合には、当該事業者団体の当該事業に係る行為に関しては、事業者に関する規制が適用される。例えば、生コンクリートの共同販売を行う事業者団体（生コンクリート協同組合）において、取引先（生コンクリートの購入先）に対して、非組合員からの生コンクリートを購入しないように組合名で告知書を送付した事案に関し、協同組合自身が主体となって事業を行っていたと認定し、協同組合の行為を法19条違反（取引妨害。一般指定14項）とした例がある（CASE 10-3の岡山県北生コンクリート協同組合事件）。

これと違い、例えば、構成事業者である個々の生コンクリート製造業者が非組合員に対する妨害行為を主体的に行っているような事案では、構成事業者が主体となって事業を行っていると評価して、構成事業者の行為を独禁法違反としつつ、それと別個に、事業者団体に対して、構成事業者に不公正な取引方法（取引妨害）をさせるよう事業者団体の組織として決定したとして法8条5号違反とすることもあり得る。

第2節　禁止行為

○法8条

事業者団体は、次の各号のいずれかに該当する行為をしてはならない。

一　一定の取引分野における競争を実質的に制限すること。

二　第6条に規定する（*筆者注：不当な取引制限又は不公正な取引方法に該当する事項を内容とする）国際的協定又は国際的契約をすること。

三　一定の事業分野における現在又は将来の事業者の数を制限すること。

四　構成事業者（事業者団体の構成員である事業者をいう。……）の機能又は活動を不当に制限すること。

五　事業者に不公正な取引方法に該当する行為をさせるようにすること。

1　法8条の規制の全体像

(1)　事業者団体の活動類型ごとに想定される独禁法上の問題

事業者団体の種々の活動のうち、独禁法が問題にするのは、事業者間の競争を制限し阻害する活動である。

事業者が供給し、または供給を受ける商品・役務の価格・数量などの重要な競争手段を制限するような事業者団体の行為は、「市場の競争機能」に直接的な悪影響を及ぼす。新たな事業者の参入を制限し、既存の事業者を排除するような事業者団体の行為は、**事業者団体による共同ボイコット**と呼ばれ「市場の競争機能」に直接的な悪影響を及ぼし得る。

「市場の競争機能」に直接的悪影響を及ぼし得る活動類型は、事業者団体が行う**①価格制限行為**、**②数量制限行為**、**③顧客・販路の制限行為**、**④設備・技術の制限行為**、**⑤参入制限行為**であり、一定の取引分野における競争の実質的制限を充足するときは法8条1号に違反し、競争阻害の程度がそこまで至らないときでも法8条3号ないし5号に違反し得る。事業者団体が行う、**⑥種類・品質・規格等の制限行為**（自主規制等も含む）、**⑦営業の種類・内容・方法等の制限行為**に関しては、「市場の競争機能」への影響は直接的とは必ずしもいえないが、法8条3号ないし5号違反が問題となる。法8条1号違反になる場合もある（①ないし⑦については、2以下の法8条各号の説明でも触れる)。

事業者団体が行う、⑧**情報活動(当該産業に関する諸情報を収集・提供する活動)**に関していえば、構成事業者の現在・将来の事業活動における重要な競争手段に関係する内容の情報について、構成事業者間で収集・提供を行い、または構成事業者間の情報交換を促進することは、「市場の競争機能」に直接影響を及ぼす競争制限行為につながり、またこれらに伴うものとして独禁法上問題となり得る(事業者団体GL第2の9(2)⇒第2章第3節2(2)ウ参照)。

事業者団体が行う、⑨**経営指導**(構成事業者の経営上の知識等に係る相対的な不足を補うため経営上の指導を行う活動)に関しては、価格等重要な競争手段の具体的内容について目安を与える指導を行うことになれば、「市場の競争機能」に直接影響を及ぼす競争制限行為につながり、またこれらに伴うものとして独禁法上問題となり得る。

事業者団体が行う⑩**「共同販売・共同購買・共同生産」のような共同事業**(構成事業者の共同による事業活動としての性格を持つ事業)に関しては、特に、共同販売のように価格等重要な競争手段が共同事業の中で決定されるような事業の場合は、参加事業者の市場シェア等によっては、競争制限行為に当たり独禁法上問題となり得る(事業者団体GL第2(1)〜(8))。

(2)　法8条3号および4号の規制に必要な競争阻害性の程度

法8条の事業者団体への規制の中には、事業者に対する規制においては存在しない行為要件を内容とする規制(法8条3号・4号)があり、これらの規制においては、効果要件として「一定の取引分野における競争の実質的制限」が要件とされていない。

本規制の趣旨は、事業者団体は、その組織力・拘束力が強く、その行為が、事業者の行為と比べて競争に及ぼす潜在的な危険性が大きいことから、競争制限行為の防止を徹底するため、事業者の場合に比べ、競争への悪影響が低い段階での行為を幅広く禁止しようとするものである。そこで法8条3号および4号の適用においても、競争の実質的制限には至らないが競争政策上放置できない**競争制限効果があるときに規制をする趣旨**と解される(注釈独禁法204頁、206頁[和田健夫])。

2　法8条1号の規制

事業者による不当な取引制限行為等は、事業者団体の場で、事業者団体の決定として行われることが多く、事業者に対する規制とは別に、事業者団体についても規制する必要があるため本規定が設けられている（小木曽67頁）。

(1)　行為要件

行為要件は限定されず、事業者団体の行為によって「競争の実質的制限」が生じるときに、その行為を禁じることとされた。事業者団体がカルテルや入札談合等の不当な取引制限行為を決定し、構成事業者にその行為をさせ「競争の実質的制限」が生じる場合に問題になることが多い。

(2)　「公共の利益に反して」

事業者についての法2条6項違反の場合と違い、法8条違反においては「公共の利益に反して」という要件はない。しかし、最高裁の示した法2条6項の違反における「公共の利益に反して」に関する判断は「競争の実質的制限」の判断に織り込んで判断できるとされており（⇒第1章第4節5(2))、両者の効果要件に実質的な差はない。

(3)　活動類型別の検討

ア　価格制限行為

価格制限行為は、ハードコアカルテルであり、**数量制限行為**も実質は価格制限行為であるから共に法8条1号に該当して違法とされる。

イ　顧客・販路等の制限

顧客・販路等の制限は、それが広範かつ実効的に行われるときは、競争の実質的制限に結びつき、法8条1号に該当して違法とされる。

ウ　参入制限行為

前記1(1)の事業者団体の共同ボイコットに該当する場合は、法8条1号に該当する可能性がある（事業者団体による共同ボイコットにつき⇒流・取GL第2部第2の4)。例えば、遊戯銃メーカーの協同組合が、組合員の取引先である小売店に対して、アウトサイダーである遊戯銃メーカーからの商品の購入を拒絶させたことを法8条1号違反に該当するとした事例（東京地判平9・4・9〔日本遊戯銃協同組合事件〕）がある。

⑷　法的措置

法8条1号の違反に対しては、事業者団体への排除措置命令（法8条の2第1項）、構成事業者への課徴金納付命令（法8条の3）があるほか、事業者団体および行為者個人への罰則もある（法89条1項2号、95条1項1号。罰則について⇒第7章第1節1⑵参照）。

3　法8条2号の規制

国内の事業者団体に対して、例えばカルテルを内容とする国際的協定（契約）に参加すること自体を禁止する。

違反した場合、事業者団体に対し、排除措置命令がなされる。事業者団体にも罰則が科される（法90条1号、95条1項1号）。

4　法8条3号の規制

⑴　趣旨

事業者団体の組織力・拘束力を背景に、一定の事業分野において、事業者を排除等し、現在および将来の事業者の数を制限することを規制するものである。そのため「一定の取引分野における実質的な競争制限」に至っていなくても、競争政策上放置できない競争制限効果があるときに規制できるものと解され、法8条1号の予防的規定とみることもできる。なお、「一定の取引分野において競争を実質的に制限する」といえる場合は法8条1号違反となる。

⑵　一定の事業分野

取引の場ということではなく、相互に競争関係にある供給者群または需要者群のいずれか一方の事業活動の範囲（注釈独禁法204頁［和田健夫］参照）または、供給サイドからみて、特定の商品・役務を供給できる事業者の範囲をいい、需要面で代替性のない商品の供給者も含むもの（泉水独禁法41頁）と定義される。

(3)　現在および将来の事業者の数を制限すること

これは、次のアやイのような、**事業者の数を制限することにつながるような行為であり、既存の事業者を排除したり、新規参入を阻止することを意味する**。この場合、完全に市場から排除したり、新規参入が不可能・著しく困難になるという状況に至ることまでは不要である。

ア　不当な加入制限・除名

事業者団体に加入しなければ事業者において事業活動を行うことが困難な状況において、不当に、団体への事業者の加入を制限しまたは団体から事業者を除名することは、原則として違反となる[1]（事業者団体GL第2の5の5-1-3）。

例えば、医師会に加入しないで開業医となることが一般に困難な状況の下で、地区内での病院または診療所の開設を制限し、これに従わない者の医師会への入会を認めない場合はこれに該当する（勧告審決昭55・6・19〔千葉市医師会事件〕、事業者団体GL第2の5の5-1-3）。

また、事業者団体に加入しなければ事業者において事業活動を行うことが困難な状況において、加入条件に係る行為をすることが、「不当に、団体への事業者の加入を制限」することに当たるおそれがある場合には、違反となるおそれがある（事業者団体GL第2の5(1)）。例えば、医師会において医療機関の開設等を制限しこれに従わない者については入会を拒否しまたは除名すると取り決めることは、医療機関の開設等を事実上抑制する効果を有するので、法8条3号に該当するとされた（東京高判平13・2・16〔観音寺市三豊郡医師会事件〕）。

「事業者団体に加入しなければ事業活動を行うことが困難な状況」であるかどうかは、個別ケースに応じて判断されるが、例えば、上記観音寺市三豊郡医師会事件の事件のように、医師会が学校医の推薦業務を行うなど、事業活動に重要な影響のある公的業務の実施のための業務を事業者団体が委託されている場合に、その実施に際して、非構成事業者を差別的に取扱うような場合などには、その状況が肯定されよう（事業者団体GL第2の5(1)(注)）。

近時の事例としては、神奈川県LPガス協会の会員にならなければ協会

1)　これによって市場における競争を実質的に制限する場合は、法8条1項に違反する（事業者団体GL第2の5(1)）。

［図表 3-1］　観音寺市三豊郡医師会事件

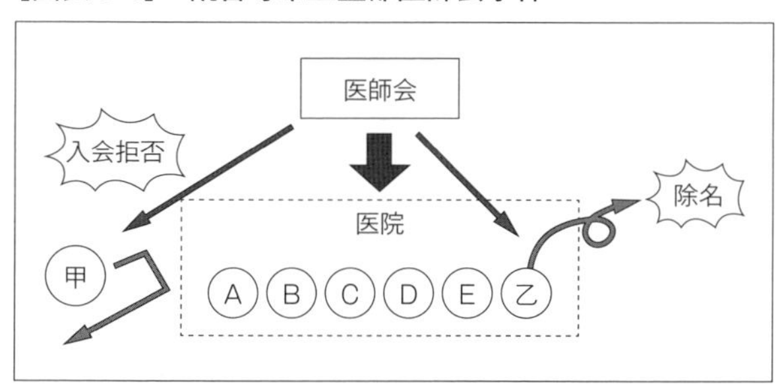

団体保険に加入できず、LPガス販売事業についての知事への登録もできないという状況の下で、同協会が、切替営業（プロパンガス既存設置業者からの切り替えを促す営業活動）を行う入会希望者の入会申込みを否決した行為について、公取委が、これを神奈川県内のLPガス販売事業に係る事業分野における現在または将来の事業者の数を制限するものとした例がある（排除措置命令平30・3・9〔神奈川県LPガス協会事件〕）。

イ　非構成事業者（アウトサイダー）への取引拒絶を手段とする場合

事業者団体が、取引先または構成事業者をして、特定の事業者（多くの場合、事業者団体の方針に反して、競争的な営業を行うアウトサイダー）との取引を拒絶または制限させることにより、事業者の数を制限する場合である。例えば、生コンクリート製造業者を構成員とする事業者団体が、間接の取引拒絶を手段として非組合員による生コン製造設備の新増設を阻止したことが、法8条3号に該当するとされた事案（同意審決昭58・9・30〔第1次滋賀県生コンクリート工業組合事件〕）がある。

5　法8条4号の規制

(1)　趣旨

法8条4号は、事業者団体の内部統制の限度を超え、構成事業者自らが決めるべき事業活動を不当に制限することへの規制であり、「一定の取引分野における実質的な競争制限」に至っていないときでも規制されるから、法8条1号の予防的規定とみることもできる。したがって、「一定分野において競争を実質的に制限する」場合には、法8条1号違反となる。

法8条4号の違反に対しては、排除措置命令と罰則がある。

(2)　構成事業者の機能または活動の不当な制限

本規制は、構成事業者の活動に対する不当な制限行為を幅広く規制しようとするものであり、競争の実質的制限には至らないが競争政策上放置できない競争制限効果があるときに「不当な制限」となり、法8条4号違反となる。

(3)　活動類型別の検討

ア　種類、品質、規格等の制限

これらの制限行為は、事業者団体による自主規制（安全・衛生、環境保全等の目的に基づいて、商品等の種類・品質・規格等に関する自主的な基準・規約等を作り、同基準等の利用・遵守を申し合わせること）、自主認証・認定（商品等が自主的な基準・規約等に適合することの認証・認定を行い、事業者にそれを証明する表示を行わせること）との関係で問題になることが多い。

自主規制等に基づいて制限が行われている事案の違法性については、問題となる自主規制等が、①競争手段を制限し需要者の利益を不当に害するものではないか、②事業者間で不当に差別的なものではないか、③社会公共的な目的など正当な目的に基づいて合理的に必要とされる範囲内のものかという各要素を勘案しつつ判断されるべきである。また自主規制等の利用・遵守や自主認証・認定等の利用は、構成事業者の任意の判断に委ねられるべきものであり、事業者団体がそれを構成事業者に強制すれば、法8条4号に該当することが多い（事業者団体GL第2の7）。

イ　営業の種類、内容、方法等の制限

これについても法8条4号に該当するかどうかは、アの考え方に従って判断すればよい。

実例としては、例えば、医師会が会員である医師の経営する病院の病床の増設・増築等を制限した事案（観音寺市三豊郡医師会事件）のほか、顧客の争奪を制限した事案（勧告審決平7・4・24〔東日本おしぼり協同組合事件〕）、広告活動を制限した事案（勧告審決平16・7・12〔三重県社会保険労務士会事件〕）などがある。

6　法8条5号の規制

(1)　趣旨

事業者団体が、事業者に不公正な取引方法に該当する行為をさせるようにすること（勧奨すること）を禁止する規制である。

事業者団体が、事業者として自ら事業を行い、その過程で不公正な取引方法を行えば、自らが名宛人となって法19条違反の規制を受ける[2)]。

これとは違い、事業者団体は、事業者への勧奨を通じて、事業者に不公正な取引方法を行わせることができ、しかも、事業者団体の強い組織力・拘束力によって、通常複数の事業者への勧奨が行われるから、より大きな競争阻害効果が生じる危険があるので、法8条5号は、このような場合も、事業者団体を名宛人として規制することにしたものである。

(2)　「不公正な取引方法」をさせる相手方たる「事業者」

この事業者は**「構成事業者」に限られない**。例えば、当該事業者団体の取引先である事業者に対して勧奨し、事業者団体またはその構成事業者に対抗するアウトサイダーに対する取引を拒否させれば、当該競争者を排除する効果を持つ。

違反に対する法的措置としては排除措置命令がある。事業者団体への罰則はない。

(3)　事例

ア　実例

法8条5号の違反事例は、アウトサイダーを排除するために行われる共同ボイコット（取引拒絶、排他条件付取引等）であることが多い。

例えば、生コン工業組合Xの組合員が製造する生コンが、生コン協同組合Aによって共同販売され、大口の取引先である建設組合Bの組合員に対しては値引き販売が行われていたところ、Xの組合員でない生コン製造業者Y社が、Bの組合員の一部に対し生コンを販売していることを知ったXが、Y社を排除する目的で、Aをして、Bの組合員に対し、Xの非組合員

2)　これを理由として、事業者団体が名宛人となって差止請求を受けることもあり得る（法24条）。

［図表3-2］　生コン工業組合事件

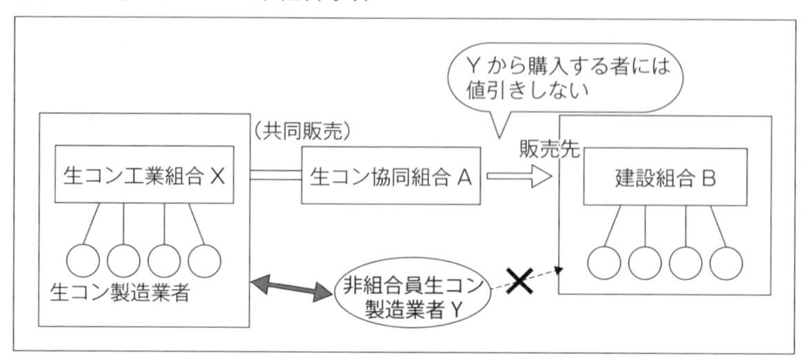

と生コンの取引をしている者には値引きをしないと通知させたという事案について、これが事業者（A）に排他条件付取引（一般指定11項）に該当する行為をさせるようにしているものであって、法8条5号に違反するとされた（勧告審決平5・11・18〔第2次滋賀県生コンクリート工業組合事件〕）。

イ　想定例

法8条5号の違反は、構成事業者のうち、事業者団体の統制に従わない反主流派を統制する手段として使われる場合もある。

［図表3-3］　競技団体想定事例

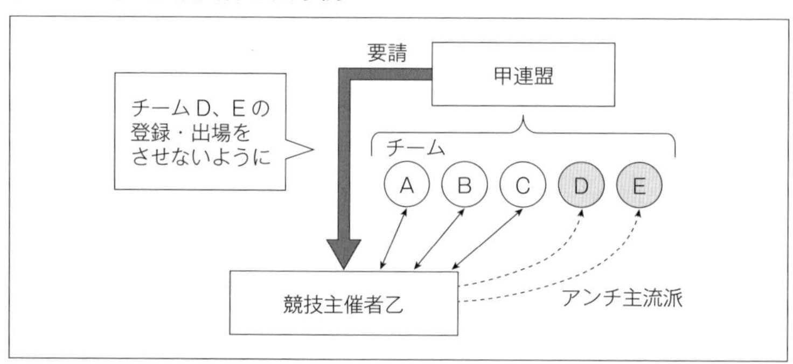

○○競技のプロチームA、B、C……は、競技主催者乙の主催する試合への出場を申し出て登録された上で、競技に参加し対価を得ている事業者とする。また、甲連盟はこれらチームを構成事業者とする事業者団体とする。

甲連盟は、役員会において、日頃から執行部の統制に従わないチームDおよびEに対する制裁として、競技主催者乙に対して、DおよびEから出場申し出があっても出場登録および競技をさせないよう要請することを決定し、その旨を乙に要請し、乙は要請に従ってＤおよびＥの登録と出場を拒絶した。

甲連盟の行為は、事業者団体として、他の事業者である乙に、ＤおよびＥとの取引拒絶（一般指定２項）をさせたもので法８条５号に該当し、これによって、Ｄ、Ｅの取引の機会が減少し、他に乙に代わり得る取引先を容易に見いだすことができなくなるときには、違反となり得る。

第３節　事業者団体における差別的取扱い等

これは、不公正な取引方法の規制である（⇒第５章第２節４）が、事業者団体や構成事業者の意義、事業者団体への規制についての説明と合わせて説明をした方が理解しやすいと考え、ここで説明する。

○一般指定５項（事業者団体における差別取扱い等）
事業者団体若しくは共同行為からある事業者を不当に排斥し、又は事業者団体の内部若しくは共同行為においてある事業者を不当に差別的に取り扱い、その事業者の事業活動を困難にさせること。

１　本規制の趣旨

⑴　本規制の対象は事業者

本規制は、あくまでも法19条の不公正な取引方法規制であり、規制の対象は、不当な排斥や差別的取扱いをした**事業者**である。また、ここで問題になる事業者団体の行為は、事業者団体が事業者として活動した場合のものである。

⑵　本規制の目的

多数の事業者で共同事業として行うことが効率性に資する金融決済のような活動があり、これに参加しないと事業活動を効率的に行えないことがあり、このような共同事業が事業者団体によってなされることも少なくない。このような共同事業から排斥されたり、差別的な取扱いを受けるときは、公正な競争に深刻な影響を与えることになるので、これに対処するために本規制が導入された（金井ほか独禁法301頁［川濱昇］）。

２　成立要件

⑴　行為要件

ア　排斥と差別的取扱い

「排斥」とは、事業者団体または共同行為から特定の事業者を排除する行為をいい、加入拒否、除名、脱退勧告が含まれる。事業者団体の内部または共同行為における「**差別的取扱い**」とは、例えば、事業者団体の構成事業者または共同行為の参加事業者のうちの特定の事業者に対し、共同事業・共同施設の利用を妨げたり、取引条件・取引の実施などについて、他の構成事業者や参加事業者に比べて過大な負担を課すことである（注釈独禁法388頁［中川寛子］）。

イ　本規制における規制の対象

規制対象は、不当な排斥や差別的取扱い（本項では、これを併せて「差別的取扱い等」ともいう）である。

共同行為における差別的取扱い等の場合は、共同行為に参加した事業者の問題行為が規制対象となる。**事業者団体の内部における差別的取扱い等**は、①事業者団体を場として行われる有力な構成事業者による差別的取扱い等の行為が問題となる場合と、②事業者団体が「事業者の立場で」行う差別的取扱い等の行為が問題となる場合がある。

①の場合は、問題行為を行った当該構成事業者が本条によって規制される。この場合、事業者団体が、構成事業者による差別的取扱い等を決定していたときは、事業者団体は、構成事業者に不公正な取引方法をさせたとして法8条5号違反として規制される。

②では、「事業者の立場」で問題行為を行った当該事業者団体は、本条の規制対象となる。なお、後記(3)の浜中村主畜農協事例では、農協（事業者団体）は、事業者団体としての性格と事業者としての性格の両面を持っているが、公取委は、問題行為を、事業者としての行為ととらえ、農協に対して本規制を行ったものである。

(2)　「事業活動を困難にさせること」および公正競争阻害性

本規制の公正競争阻害性は、一般指定4項（差別的取扱い）の場合と同じく、競争排除による自由競争減殺と考えられる（⇒第5章第2節4）が、本規制では、「事業活動を困難にさせること」が成立要件とされており、一般指定4項における公正競争阻害性が、市場閉鎖効果が発生する場合（事業活動を困難にさせるおそれが発生する場合）であるのと比べて要件が加重されている。これは、本規制が問題にする排斥等の行為が、事業者団体等の内部行為であり、私的自治の問題という面もあるため、不公正な取引方法における競争減殺のおそれのレベルよりも、一段要件を厳しくして対象を絞り込んだものである。

⑶　具体的事例

Ｈ農協が、組合員（酪農家）から出荷された生乳をすべて同農協の理事長が取締役に就任していたＡバター○○工場に販売していたところ、ある組合員が同○○工場ではなく、Ｂ乳業△△工場に販売したことを理由として、当該組合員に脱退勧告をし、当該組合員からの生乳の販売委託を受け付けず、資金の貸出しを拒否し、組合との取引に関して現金取引としたことについて、公取委は、脱退勧告を「事業者団体からの不当な排斥」であるとし、販売委託を受け付けないなどの取扱いを「事業者団体の内部における差別的取扱い」であるとし、当時の一般指定３項（現一般指定５項）に違反するとした（勧告審決昭32・3・7〔浜中村主畜農協事件〕）。

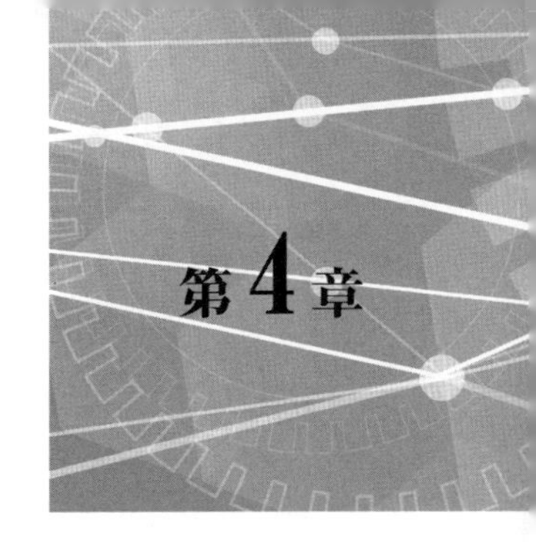

私的独占

本章では、第１節で、私的独占規制の全体像を概説し、第２節では、最高裁判決を検討しながら、排除型私的独占における重要な行為要件である「排除行為」について公取委実務・通説ベースで詳しく説明するとともに、典型的な排除行為の類型について解説する。支配型私的独占の行為要件である「支配行為」についても解説する。

第３節では、効果要件について簡単に説明する。

「私的独占」の規制については、難解そうなネーミングゆえに、とっつきにくいイメージがあるかもしれないが、行為要件は「排除」と「支配」というシンプルなものであり心配は無用である。

公取委が、私的独占（特に排除型私的独占）の規制を行うに当たっては、綿密な市場分析を踏まえ、効果要件（競争を実質的に制限しているか）該当性の検討が行われ、違反を疑われた事業者側からも、市場分析にもとづいた反論が行われるのが常である。その意味で、私的独占の規制は、独禁法（競争法）らしい規制ということができる。

第1節　私的独占規制の全体像

私的独占を定義した規定は次のとおりである。

> ○法2条5項
> ……事業者が、単独に、又は他の事業者と結合し、若しくは通謀し、その他いかなる方法をもつてするかを問わず、他の事業者の事業活動を排除し、又は支配することにより、公共の利益に反して、一定の取引分野における競争を実質的に制限することをいう。

1　私的独占規制をイメージする

(1)　定義

私的独占とは、ある事業者が、他の事業者の事業活動を「排除」または「支配」することによって「一定の取引分野で競争の実質的制限が生ずる」こと、つまり「市場の競争機能」を損なうことをいう[1)]。

(2)　排除型私的独占と支配型私的独占

私的独占のうち、他の事業者の事業活動を「**排除**」行為によって一定の取引分野における競争を実質的に制限するものを「**排除型私的独占**」と呼ぶ。他の事業者の事業活動を「**支配**」行為によって一定の取引分野における競争を実質的に制限するものを「**支配型私的独占**」と呼ぶ。

(3)　「排除」と「支配」のイメージ

「**排除**」といえば、物理的に追い出すというイメージが強いであろうが、独禁法における「排除」は、それにとどまらず、人為的な原因で他の事業者（特にライバル）の事業活動の継続を困難にしたり、新規参入を妨げることを意味する。

これは、自由競争の減殺が「競争排除」のメカニズムで生じる典型的な

1)　私的独占とは、制度上認められた独占（郵便、水道など）以外の独占という意味である（根岸・舟田77頁）。

場合であり、例えば、[図表4-1] ①のとおり、A社が豊富な資金力を背景に不当廉売を長期間続けるなどの人為的手段を用いて、ライバルB社が事業活動から利益を得られないようにして事業継続のインセンティブを失わせる場合や、[図表4-1] ②のとおり、X社が、原料メーカーC社に供給停止を要請するなどの人為的な手段によって原料供給ルートを閉鎖し、ライバルY社が事業継続できないようにする場合である（「**競争排除**」の発生メカニズム一般について⇒第1章第4節3(2)。不公正な取引方法において、競争排除のメカニズムで生じる「市場閉鎖効果が生じる場合」については⇒第1章第4節3(3)、第5章第1節5(3))。

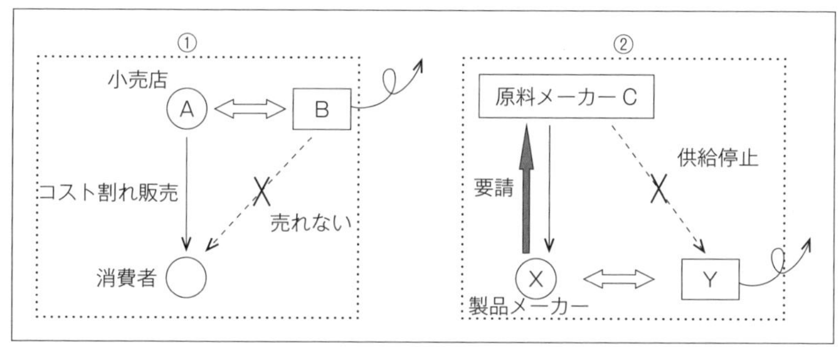

「**支配**」とは、他の事業者を直接・間接に拘束・支配し、その事業活動を自己に意思に従わせることである。人為的な手段によって当該他の事業者との競争が回避されることになる。市場における競争減殺が「競争回避」のメカニズムで生じる場合の1つである（注釈独禁法55頁［川濵昇］参照）。

(4)　行為主体である事業者に市場支配的地位が具備している必要はない

法2条5項の定義上、行為主体である事業者について**「市場支配的地位を有すること」などの要件は求められていない**。

行為主体が市場支配的地位になくても、排除行為ないし支配行為によって「一定の取引分野における競争を実質的に制限」すれば私的独占が成立する（注釈独禁法34頁［川濵昇］)。

この点、私的独占と同様の規制である、アメリカ合衆国の反トラスト法の「独占行為規制」では、主体たる事業者に「独占力」があることが必要とされ、同様の規制であるEUの「市場支配的地位の濫用」規制でも、主体たる事業者に「市場支配的地位」があることが必要とされているのと相違する。

しかし、市場の競争機能を損なうような排除や支配が可能な行為主体は、市場において大きなシェアを占める事業者と考えられ、**私的独占の主体は、市場で支配的地位にある大企業に実際上限定される**。

公取委も、問題の行為の開始後において**行為者が供給する商品のシェアが概ね50%を超える事案**であって、国民の生活に与える影響が大きいと考えられるものについて、**優先的に審査を行う**こととしている（排除型私的独占GL第1参照）。

実際にも、かつて法的に独占が認められ市場支配的地位を有していた既存事業者が、規制緩和が進み独占的地位を失っていく中で、新規参入を阻害したり、競争業者への妨害を行うことがままあり、これが「排除」による私的独占に当たるとして問題とされることがある（例えば、CASE 4-1のNTT東日本事件やCASE 4-2のジャスラック事件がそうである）。

2　私的独占の成立要件

法2条5項は、私的独占を「事業者が、単独に、又は他の事業者と結合し、若しくは通謀し、その他いかなる方法をもつてするかを問わず、他の事業者の事業活動を排除し、又は支配することにより、公共の利益に反して、一定の取引分野における競争を実質的に制限すること」と定義する。これを成立要件としてまとめると次のようになる。

①行為要件
　他の事業者の事業活動を排除しまたは支配すること
②効果要件
　一定の取引分野における競争の実質的制限
③因果関係
　①により②が生じたこと

(1)　行為要件

ア　行為主体

当然のことながら、違反の主体は事業者である。

イ　排除行為または支配行為

排除しまたは支配することとは、排除行為または支配行為のことであり、第2節で、排除行為または支配行為への該当性として詳細に説明する。

法2条5項がその法文で「単独に、又は他の事業者と結合し、若しくは通謀し、その他いかなる方法をもつてするかを問わず」としているのは、「排除行為」または「支配行為」の態様を特に限定しない趣旨であり、単独行為でも共同行為でもいい。

「通謀」は「意思の連絡のあること」を意味し、不当な取引制限における「共同して」と同義である。不当な取引制限と違い「相互」の文言はない。

「結合」は、株式取得・保有、事業譲渡、合併などの企業組織法上の結合手段全般も含む（注釈独禁法36頁［川濵昇］）。

関与する複数の事業者は、競争関係にある必要はない。競争事業者が共同して行う場合も含まれるが、その場合は、まず不当な取引制限の成否を検討すべきことになる。

ウ　他の事業者の事業活動

この「他の事業者」には、競争事業者が含まれるだけでなく、行為者と取引関係にあるが直接の競争関係にない事業者（例えば、行為者と異なる取引段階にある事業者）や行為者との間に直接の取引関係のない事業者も含まれる。

(2)　効果要件と因果関係

一定の取引分野における競争の実質的制限と因果関係の各要件については第3節で解説する。

Column 4-1　公取委による私的独占の運用について

わが国の排除型私的独占と似た規制である「独占行為」（アメリカ合衆国）や「市場支配的地位の濫用」（EU）は、彼の地において、活発に適用され、それにより市場の競争秩序が効果的に確保されている。公取委も、この流れに合わせる形で、意欲的に排除型私的独占の規制を行い、多くの事案を摘発した時期があった。その事案の１つが、CASE 4-2 のジャスラック事件であるが、同事件については、本章で紹介するように、公取委が出した排除措置命令を同じ公取委の審決が否定し、さらに、この審決の判断を高裁判決および最高裁判決（平 27・4・28）が否定するという異例の経過をたどった。その後しばらく、公取委による排除型私的独占の適用がなかったため、公取委が排除型私的独占の適用について慎重になっているのではないかとの憶測も生まれたようであるが、そうではなかったようである（マイナミ空港サービス事件　令 2・7・7 排除措置命令、令 3・2・19 課徴金納付命令、東京地判令 4・2・10)。公取委は、むしろ、上記最高裁判決が示した法律論や事実認定手法を支えにして、排除型私的独占が適用できる案件には、躊躇することなくその適用をするという、運用姿勢を取っていると思われる。

第2節　行為要件

1　排除行為とは何か

まずは、これについて、公取委の実務や学説における通説的考え方を説明し、近時の最高裁判決の考え方を検討する。

(1)　排除行為の定義

公取委は「**排除行為とは、他の事業者の事業活動の継続を困難にさせたり、新規事業者の事業開始を困難にさせたりする行為であって、一定の取引分野における競争を実質的に制限することにつながる様々な行為**をいう。」と定義する（排除型私的独占GL第2の1(1)）[2)]。学説も表現こそ異なるが、同趣旨を述べる（根岸・舟田78頁、注釈独禁法51頁［川濵昇］）。

(2)　排除行為該当性についての通説的な考え方

ア　排除の結果の発生は不要

公取委は、事業者の行為が排除行為に該当するためには、**他の事業者が現実に市場から退出させられたとか新規参入を阻止されたといった意味での結果の発生は不要であり、高い「蓋然性」があれば足りる**としている。排除型私的独占GLでは「他の事業者の事業活動が市場から完全に駆逐されたり、新規参入が完全に阻止されたりする結果が現実に発生していることまでが必要とされるわけではない。すなわち、**他の事業者の事業活動の継続を困難にさせたり、新規参入者の事業開始を困難にさせたりする蓋然性の高い行為は、排除行為に該当する**」とする（排除型私的独占GL第2の1(1)）。

学説も、同様に「排除行為」に該当するためには、排除の結果の発生は不要だとする。例えば、「問題となる行為が当該市場における競争状況の中でどのような性格を持つものかを具体的に評価して判断されるのであって、

2)　初学者にとっては、抽象的で分かりにくい定義と感じられるかもしれないが、「競争排除」というメカニズムを経て競争減殺ひいては競争制限を生じさせる典型的行為として排除行為を理解することが肝要と思われる。

実際に市場から排除されたこと、新規参入が阻止されたこと……までは要しない。」(根岸・舟田78頁)、あるいは、「被排除事業者が関連市場に及ぼしている競争的制約が緩和されることで、関連市場内の事業者が競争的制約なしに行動できることを問題にしているのである。したがって、『困難にする』とは退出を誘うことだけではなく、関連市場における事業活動の費用の人為的引き上げなどによって、他の事業者の競争的牽制が弱まれば足りることになる」とする（注釈独禁法38頁［川濵昇］)。

イ　行為の人為性が必要

㈎　正常な競争手段との区別が必要

正常な競争手段を用いてライバル企業を市場から排除する場合は私的独占には当たらない。例えば、ある企業が、画期的な新素材を発明して安くて良質な衣料を製造販売したため、技術面で遅れたライバルが市場から駆逐されたとき、新素材を用いた商品の製造販売は、明らかに当該ライバルの事業活動を排除するものであるが、独禁法上問題にならない。これは正常な競争、むしろ事業者に本来期待されるイノベーティブな競争そのものだからである。

他の事業者の事業活動を排除する蓋然性の高い行為であったとしても、これを私的独占における「排除行為」というためには、当該行為が「**正常な競争手段を逸脱するような人為性を有する行為**」であることを要する（注釈独禁法38頁［川濵昇］、ベーシック157頁［川濵昇］)。

㈏　人為性とは

「正常な競争手段の範囲を逸脱するような人為性」を有する場合とは、私的独占として問題となる行為が、品質や価格や効率性による競争（能率競争）を行うといった「正常な競争手段の範囲」に収まる行為ではなく、その範囲を逸脱するような、能率競争とは相容れない行為であることを意味する（ベーシック157頁［川濵昇］参照)。

㈐　不公正な取引方法該当行為の人為性

行為態様が、不公正な取引方法に該当する行為は、公正かつ自由な競争に反するものであるから、これを手段とする排除が、人為的・不自然な行為であることは明らかである（注釈独禁法39頁［川濵昇］)。

(3)　最高裁の示した排除行為該当性の判断基準

ア　NTT東日本事件最高裁判決

最高裁は、NTT東日本事件において排除行為該当性の判断基準を示した（最判平22・12・17）。事案は次のようなものであった。

CASE 4-1　NTT東日本事件

N社は、戸建て住宅向けの光ファイバーを用いたデータ通信サービス（FTTHサービス）を行うに当たり、電話局から加入者（ユーザー）自宅までの光ファイバーについて、ユーザー料金を設定した。

他方、新規の電気通信事業者は、電話局から加入者自宅直近まではN社の光ファイバー設備を使用（N社に接続料金を支払う）し、同所から加入者自宅までは自社光ファイバー設備を敷いてサービス提供することとした。

N社はユーザー料金を、当初は、毎月5800円、途中から毎月4500円として設定した（本件料金設定行為という）が、これは、新規の電気通信事業者がN社に支払う接続料金（毎月6328円）を下回るものだったため、新規の電気通信事業者は、N社に対抗してユーザーを獲得するために、赤字覚悟のユーザー料金を設定せざるを得なくなった。

本件料金設定行為は、独禁法に違反するか？

（最判平22・12・17）

［図表4-2］　NTT東日本事件

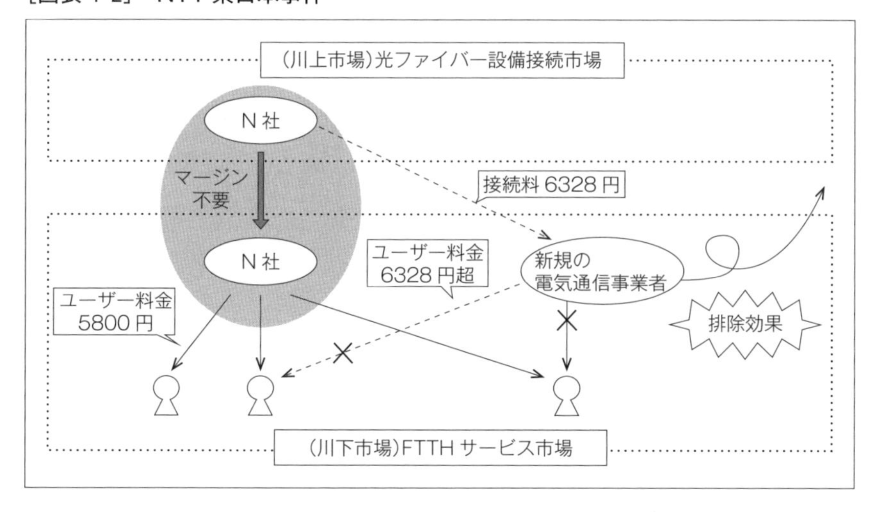

この事件において、最高裁は、排除行為該当性の判断基準として「**自らの市場支配力の形成、維持ないし強化という観点からみて正常な競争手段の範囲を逸脱するような人為性を有するもの**であり、競業者のFTTHサービス市場への参入を**著しく困難にするなどの効果**を持つものといえるか否かによって決すべきものである」と判示し、排除行為に該当するというためには、①「正常な競争手段の範囲を逸脱するような人為性を有する」ことおよび②「参入を著しく困難にするなどの効果を持つ」ことを要するとした。より一般的な要件と思われる②から先に説明する。

㋐　排除効果

最高裁判決の示した「**参入を著しく困難にするなどの効果を有する**」という要件（以下便宜上これを「**排除効果**」と呼ぶこともある）の趣旨については、前記の排除型私的独占GLが示した排除行為該当性の考え方における「（他の事業者の事業活動の継続を困難にさせたり、新規参入者の事業開始を困難にさせたりする）**蓋然性の高い**」ことと同義であり、排除の結果を要するとするものではないと解される。

マイナミ空港サービス事件の東京地裁判決（東京地判令4・2・10⇒CASE 4-5参照）でも、問題の行為について、需要者とS社（競争者）との取引を抑制する効果を持つということができること、S社にとって代替的な取引先を容易に確保することができなくなるといえることをもって排除効果を肯定している。

㋑　人為性

上記NTT東日本事件最高裁判決が示した「正常な競争手段の範囲を逸脱するような人為性」の意味は、前記⑵イで述べたとおり、「排除」が、正常な競争手段を逸脱するような、能率競争とは相容れない行為としてなされたことを意味する。

上記最高裁判決は、「自らの市場支配力の形成、維持ないし強化という観点からみて」人為的であることを要するとしている。その意味は、能率競争によらない形での競争は、一般的に、自らの市場支配力の形成・維持・強化につながるものであるという客観的な観点に立ち、問題の行為が能率競争によらない形の競争手段を用いているかどうかに着目し、人為性を判断すべきものとする趣旨と解される。

(ウ)　排除行為該当性の判断

NTT東日本最高裁判決は、本件料金設定行為が排除行為に該当するかの判断に当たって、取引の代替性、商品・役務の特性、行為の態様、行為者および競争事業者の地位、行為の継続期間等の諸要素を総合的に考慮すべきものとし[3]、その上で、最高裁は、「(NTT東日本) が、……加入者光ファイバ設備接続市場における事実上唯一の供給者としての地位を利用して、当該競業者が経済的合理性の見地から受け入れることのできない接続条件を設定し提示したもので、その単独かつ一方的な取引拒絶ないし廉売としての側面が、自らの市場支配力の形成、維持ないし強化という観点からみて正常な競争手段を逸脱するような人為性を有するものであり、当該競業者のFTTHサービス市場への参入を著しく困難にする効果を持つものといえるから、同市場における排除行為に該当するというべきである」とし、NTT東日本の本件料金設定行為が排除行為に該当すると判断した。

なお、本件料金設定行為は、「当該競業者が経済的合理性の見地から受け入れることのできない接続条件を設定し提示したもの」とされ、不公正な取引方法の行為類型としては、単独・直接の取引拒絶（一般指定2項前段）に当たると評価された。この取引拒絶は、一般には違反とされにくいのであるが、本件の通信サービス市場では、NTT東日本の有する回線網を使用しないと同サービスを提供することができないという市場の実態に着目し、そのような市場における取引拒絶は、「市場における有力な事業者……が、競争者を市場から排除するなどの独占禁止法上不当な目的を達成するための手段として、……（一定の）行為を行い、これによって取引を拒絶される事業者の通常の事業活動が困難となるおそれがある場合」（流・取慣行GL第2部第3の2⇒第5章第2節3(2)イ(イ)b）に該当し違反になり、私的独占の排除行為にも該当するとされたのである。

イ　ジャスラック事件最高裁判決

その後、最高裁は、ジャスラック事件においても、排除行為該当性を肯定する判断をした。

3)　排除型私的独占GL第2の5(2)（供給拒絶・差別的取扱い）に記載された判断要素を総合的に考慮する手法を踏まえたものであった。

CASE 4-2　ジャスラック事件

音楽著作権を有する者から委託を受け、音楽著作物の利用許諾等に係る音楽著作権の管理を営む事業者であるJ協会は、ほとんどすべての放送事業者との間で、年度ごとの放送事業収入に所定の率を乗じて得られる金額または所定の金額を放送使用料とする包括徴収（本件包括徴収）による利用許諾契約を締結し、これに基づく放送使用料の徴収をしていた（本件行為。［図表 4-3］参照）。本件行為は排除行為に該当するか。

（最判平 27・4・28）

［図表 4-3］　ジャスラック事件

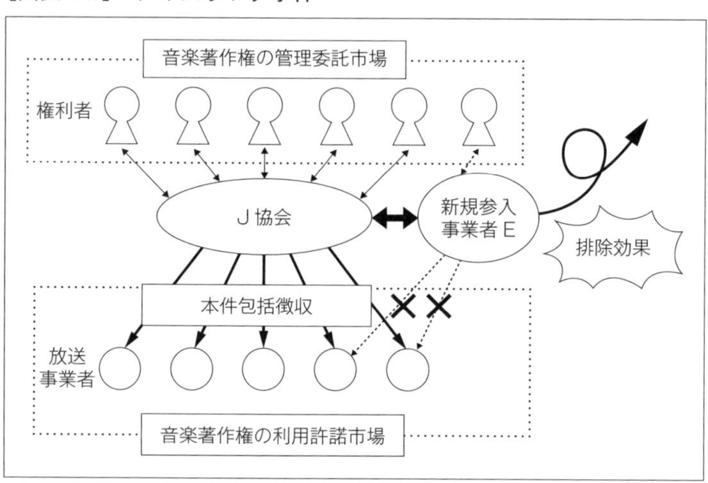

㈠　訴訟等経緯

公取委は、本件行為が排除行為に該当し私的独占に当たるとして、J協会に対して排除措置命令を出した（平 21・2・27）が、これに対し審判請求が行われ、公取委は、本件行為は排除行為に該当しないとして同命令を取り消す審判審決を行った（平 24・6・12）[4]。これに対し、新規参入事業者であるE社が東京高裁に審決取消訴訟を起こしたところ、東京高裁は、同審

4）　排除行為該当性を否定したこの審決については、「『著しく』に注目しすぎたと考えられ」最高裁判決でそれが修正されたと考えられるとの指摘がある（泉水経済法入門 176 頁）。要は、この審決では、本節1で詳述した排除行為該当性についての通説的考え方から外れた判断が行われた可能性があるということであろう。

決を取り消したので、公取委およびＪ協会の双方がこれに対して上告受理申立てを行い、これを受理した最高裁において審理が行われ、判決で上告が棄却された。

(イ)　最高裁判決

a　排除行為該当性の判断基準

ジャスラック事件最高裁判決は、排除行為該当性の判断基準について、NTT東日本事件最高裁判決を参照判例として挙げ「自らの市場支配力の形成、維持ないし強化という観点からみて**正常な競争手段の範囲を逸脱するような人為性**を有するものであり、他の管理事業者の本件市場への参入を**著しく困難にするなどの効果**を有するものといえるか否かによって決すべきものである」と判示した。

b　判断の前提となる事実

最高裁は、本件において、排除行為該当性を判断するための前提とすべき次の事実を認定した。

① Ｊ協会は、音楽著作権管理業務が自由化された2001年以後も大部分の音楽著作権につき管理の委託を受けていたため、膨大な数の楽曲を日常的に利用する放送事業者は、Ｊ協会との間で包括許諾による利用許諾契約を締結しないことはおよそ想定しがたい状況にあった。

② 放送事業者による楽曲の放送利用において、放送に利用する楽曲は基本的に代替性を有し、特定の楽曲の利用が必要とされるのはカウントダウン番組等の例外的な場合に限られていた。

③ 本件行為のような内容で利用許諾契約が締結されることにより、Ｊ協会の放送使用料の金額算定において、Ｊ協会の管理楽曲の放送利用割合[5]が反映される余地がなくなり、そのため、放送事業者において、他の管理事業者の管理楽曲を有料で利用する場合には、本件包括徴収による利用許諾契約に基づきＪ協会に対して支払う放送使用料とは別に追加の放送使用料の負担が生ずることとなり、利用した楽曲全体につき支払うべき放送使用料の総額が増加することとなる。

c　排除効果

最高裁は、本件行為が「参入を著しく困難にするなどの効果を有するも

5)　放送事業者が放送番組において利用した音楽著作物の総数に占めるＪ協会の管理楽曲の割合。

の」といえるかどうかは、諸要素[6]を総合的に考慮して判断されるべきものとした上、上記bの事実を前提とすると、「放送事業者としては、当該放送番組に適する複数の楽曲の中に参加人（＊筆者注：J協会）の管理楽曲が含まれていれば、経済合理性の観点から上記のような放送使用料の追加負担が生じない参加人の管理楽曲を選択することとなるものということができ、これにより放送事業者による他の管理事業者の管理楽曲の利用は抑制されるものということができる」とし、「その抑制の範囲がほとんど全ての放送事業者に及び、その継続期間も相当の長期間にわたるものであることなどに照らせば、他の管理事業者の本件市場への参入を著しく困難にする効果を有するものというべきである。」とし排除効果を肯定した。

d　人為性

最高裁は、審決や高裁判決での争点がもっぱら「効果を有する」要件が具備しているかどうかについてあったため、排除行為該当性のもう1つの要件である「人為性」については、本件における放送使用料およびその徴収方法の定めの内容ならびにこれらによって料金徴収方法の選択の制限や他の管理事業者の管理楽曲を放送事業者が利用することの抑制が惹起される仕組みの在り方等に照らせば、本件行為は、別異に解すべき特段の事情のない限り、自らの市場支配力の形成、維持ないし強化という観点からみて正常な競争手段の範囲を逸脱するような人為性を有するものと解するのが相当であるとし、当該「特段の事情」の有無については判決後に再開される審判において審理されるべきものとした。

なお、最高裁判決後に再開された審判は、J協会において審判請求を取り下げ審理が終結したため、最高裁の示した基準による排除行為該当性の判断は行われなかった。

(ウ)　排除行為該当性の判断

ジャスラック事件においても、最高裁は、排除行為該当性判断に当たっては、経済学上の経験則を駆使し、合理的な経済人が当該事業活動の継続や新規参入のインセンティブを失わせるものであるか否かという観点から客観的に判断すべきことを明確に示した。

---

6)　NTT東日本事件最高裁判決が排除行為該当性判断において考慮すべきものとした要素と同様のものであり、排除型私的独占GLの示した考慮要素を踏まえたものと考えられる。

この排除行為該当性の判断手法は、問題の行為によって被排除事業者の事業活動が実際に排除されたか否かという事後的な事実の立証に依拠するのではなく、その**問題行為によって合理的経済人が事業活動継続のインセンティブを失うかどうかという、経済学的な知見ないし経験則に依拠して、排除効果の有無を判断するもの**といえよう。

⑷　行為類型別の排除行為該当性

Guidance 4-1　排除型私的独占の行為要件該当性

排除型私的独占の行為要件（排除行為）に該当する行為類型のかなりの部分は、不公正な取引方法（ただし、想定される公正競争阻害性の内容が市場閉鎖効果とされるもの、例えば、不当廉売、排他条件付取引、抱き合わせ取引、供給拒絶・差別的取扱いに限られる）が対象とする行為類型と基本的に同一である[7]。

したがって、排除型私的独占における行為要件（排除行為）を理解するためには、不公正な取引方法で規制される同一の行為類型について理解することが有益と考えられるので、本章の解説とともに、第5章の該当部分の解説を併せて読んでいただきたい。

ア　排除型私的独占GLが取り上げる行為類型

排除型私的独占GLは、不公正な取引方法に該当する行為類型であって「排除行為に該当し得る」典型的な行為類型として「**商品を供給しなければ発生しない費用を下回る対価設定**」（コスト割れ供給）、「**排他的取引**」、「**抱き合わせ**」、「**供給拒絶・差別的取扱い**」の4つを取りあげ、その排除行為該当性についての判断要素等を記述している[8]。

以下、排除型私的独占GLで取り上げられている、この4つの行為類型について、該当性判断の考え方などを同GLに沿って説明する。

㋐　コスト割れ供給

効果要件が、競争の実質的制限に至らないときは、不公正な取引方法（法

---

7)　わが国では排除（支配）の手段となるもののほとんどは不公正な取引方法で捕捉でき、規制対象となる行為について私的独占の独自性は限定されているという（注釈独禁法30頁［川濵昇］）。

8)　私的独占の文脈では、不公正な取引方法における不当廉売は「商品を供給しなければ発生しない費用を下回る対価設定」（**コスト割れ供給**）と、排他条件付取引に相当する行為は「**排他的取引**」と呼ばれるが、内容的には同じである。

定不当廉売）に該当し得る（⇒第5章第3節1⑵参照）。

a　「コスト割れ供給」の行為要件

コスト割れ供給とは、「商品を供給しなければ発生しない費用を下回る対価設定」で商品を供給することである（排除型私的独占GL第2の2）。

「商品を供給しなければ発生しない費用」とは理論上「**平均回避可能費用**」に相当するものであるが（排除型私的独占GL第2の2⑴（注8））、実務的には、不公正な取引方法の法定不当廉売の要件である「**可変的性質を持つ費用**」（不当廉売GL3⑴ア㈦・㈤）と同じものになる[9]。

b　排除行為該当性

⒜　排除行為該当性

上記の行為要件に該当する行為により、「**自らと同等又はそれ以上に効率的な事業者の事業活動を困難にさせる場合**」には、当該行為は排除行為に該当する（排除型私的独占GL第2の2⑵）。

このような行為で商品を供給すれば、商品の供給が増大するにつれ損失が拡大することとなるため、特段の事情がない限り、当該行為は、経済合理性のないものであり、このような行為は、市場支配的地位の形成・維持・強化という観点からみて正常な競争手段の範囲を逸脱するような人為性を有する行為といえる。

⒝　「自らと同等又はそれ以上に効率的な事業者の効率的な事業活動を困難にさせる」かどうかの具体的判断

この判断に当たっては、排除型私的独占GL記載の各事項が総合的に考慮される（排除型私的独占GL第2の2⑵）。例えば、コスト割れ価格設定の行為者が、事業規模の大きな事業者であって他部門（商品）の販売による利益を投入して損失を補填しているような場合（いわゆるディープポケットないし**内部補助**）は、いかに効率的な事業者であっても通常の企業努力によってはこれに対抗することが困難であるから、これを認めやすくなる。また、例えば、行為者によるさらなる廉売を警戒して他の事業者が新規参入を躊躇するような効果を持つ評判が客観的に認められる場合（「評判効果」が認められる場合）も、これを認めやすくなる。

9）　一般指定6項の不当廉売に該当したとしても、私的独占の行為要件である「コスト割れ販売」に該当しないことがある。

(イ) 排他的取引

効果要件が、競争の実質的制限に至らないときは、不公正な取引方法（排他条件付取引）に該当し得る（⇒第5章第4節3参照）。

a 「排他的取引」の行為要件

「排他的取引」とは、相手方に対して、自己の競争者との取引を禁止しまたは制限することを取引の条件とする行為をいう。

b 排除行為該当性

排他的取引が、**他に代わり得る取引先を容易に見いだすことができない競争者の事業活動を困難にさせる場合**に、その行為が排除行為となる（排除型私的独占GL第2の3(1)）。

「他に代わり得る取引先を容易に見いだすことができない競争者の事業活動を困難にさせる場合」かどうかの具体的判断でも排除型私的独占GLにされた事項が総合的に考慮される（排除型私的独占GL第2の3(2)）。

c 実例

私的独占として問題になることが多いのは、大きなシェアを持つなどして市場で支配的な地位にある大手企業が、新規参入企業にシェアを奪われるかもしれないとの脅威に直面し、様々な手でこれに対抗し、新規参入企業を排除しようとする場合である。

(a) インテル事件審決

これは日本インテル社が**排他的リベート**によってライバルを駆逐した事案である。

CASE 4-3　インテル事件

日本I社が販売する米I社製のCPUは、2003年時点で、日本国内のパソコンメーカーに対するCPU総販売数量で大きなシェアを占めており（当時で約90%）、強いブランド力を有していた。日本I社のライバルとしてA社があり、A社は低価格のCPUを販売してシェアを伸ばし、2002年には、日本市場で約22%のシェアを占めるようになった。日本I社は、A社に対抗するため、2002年以降、日本のパソコンメーカー5社（合計で日本国内のCPUの総販売数量の約77%を購入）に対し、次の条件による「リベート」を導入し実施した。

① 製造販売するパソコンに搭載するCPUの数量のうち米I社製CPUの占める割合を100%とし、ライバル社製のCPUを採用しない条件で、一定額のリベートを払う

② 米I社製CPUの占める割合を90%とし、ライバル社製CPUの割合を10%に抑えることを条件として①よりは少ないが一定額のリベートを払う
③ 生産数量の比較的多いパソコンに搭載するCPUについてはライバル社製CPUを採用しないことを条件として②よりは少ないが一定額のリベートを払う

公取委は、このリベートの実施は、ライバル製CPUを採用させないようにするもので「排除行為」に該当し、私的独占が成立するとして排除措置を命じた。

（勧告審決平17・4・13）

「リベート供与」が常に独禁法上問題になるわけではないが、相手方に対して、自己の商品をどの程度取り扱っているか等を条件とすることにより、競争品の取扱いを制限する効果を有するリベートは、**排他的リベート**と呼ばれ、排他的取引と同様の機能を有し、独禁法上問題となり得る。

排他的リベートかどうかは、リベートの水準、リベートを供与する基準、リベートの累進度などを総合し、当該リベートが、取引先に対して競争品の取扱いを制限する効果があり、排他的取引と同様の機能を有するものといえるかどうかで判断される（排除型私的独占GL第2の3(3)）。

本件では、日本におけるCPUの販売市場における大きな割合を占める需要者に対して、かなり累進度の高い上記リベートを実施したものであるため、CPUの販売に係る競争者の事業活動を排除することになると考え、同リベートを排他的リベートと判断し、その実施を排除行為に該当するものとしたのである。

(b) ノーディオン事件審決

CASE 4-4　ノーディオン事件

カナダ法人N社はがんの診断薬であるモリブデン99の世界最大の供給業者であり、日本では甲、乙2社に販売しており、日本における市場占有率は100%であったところ、モリブデン99の販売量を確保する目的で、A、B両社に対し、いずれも10年間、その取得・使用・加工等するモリブデン99の全量をN社から購入する契約（全量購入契約）を結び、他のモリブデン99の製造販売業者の事業活動を排除した。

（勧告審決平10・9・3）

同事案では、N社は、特定の競争事業者をねらい打ちにしてはいないが、N社の日本市場におけるシェアが100%であること、排他的契約が長期間にわたるものであることなどから、公取委は、本件全量購入契約の締結行為が、新規参集者を排除するものであり「排除行為」に当たり「競争を実質的に制限している」として、N社に対して排除措置を命じる勧告審決を行った。

(c)　マイナミ空港サービス事件

CASE 4-5　マイナミ空港サービス事件

八尾空港での航空機の給油を1社独占で行ってきたM社は、S社が同空港に新規参入してきた際、取引先の航空事業者に対しS社と取引しないよう求め、同取引先に、S社の品質管理に問題があるとして「S社の燃料を混ぜたら、当社の給油は継続できない」などと文書で通知し、またS社から給油を受けた取引先からの給油依頼に対して、依頼に応じる条件として、同取引先に対し、「事故が起きた際に責任を求めない」との免責書面に署名を求めるなどした。公取委は、このM社の行為が排除行為に該当し「八尾空港における機上渡し給油による航空燃料の販売分野」における競争を実質的に制限するもので、独禁法（私的独占）に該当するとした。
（排除措置命令令2・7・7、課徴金納付命令令3・2・19、東京地判令4・2・10）。

特定の市場で自社が取引をしている場合、新規参入業者と取引しないよう取引相手に求める行為は、相手方の取引の機会を減少させるおそれがあるときには、不公正な取引方法の「排他条件付取引」とされることが多くある。そして、これが市場に与えるインパクトが大きいときには、これが排除型私的独占として取り上げられることもある。

本件もそのような場合であり、新規参入者S社は、他に代わり得る取引先を容易に見いだすことができないものと考えられるので、排除型私的独占の「排除行為」該当性は容易に認められる。

本件の取消訴訟における東京地裁判決では、上記文書による通知や免責書面への署名要求の排除行為該当性が肯定され、上記の排除措置命令・排除措置命令が維持された（東京地判令4・2・10）。同判決では、例えば、上記の文書による通知行為について、需要者とS社（競争者）との取引を抑制する効果を持つということができること、「S社にとって代替的な取引先を容易に確保することができなくなるといえる」ことをもって排除効果を肯定している。排除の結果が発生したことを排除行為該当性を肯定するための要件にしていないのである。

(ウ) 抱き合わせ

効果要件が、競争の実質的制限に至らないときは、不公正な取引方法（抱き合わせ販売）に該当し得る（⇒第5章第5節2参照）。

a　抱き合わせの行為要件

抱き合わせとは、例えば［図表4-4］では、事業者X社が、相手方（ユーザー）に対して、主たる商品Aの供給に併せて、従たる商品Bを購入させることをいう（排除型私的独占GL第2の4(1)）。

［図表4-4］　抱き合わせ

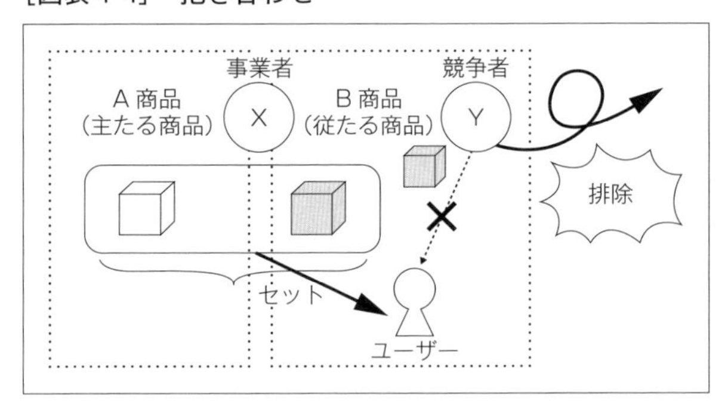

b　排除行為該当性

主たる商品Aと従たる商品Bを抱き合わせるX社の行為が、**従たる商品Bの市場において、他に代わり得る取引先を容易に見いだすことができない競争者Y社の事業活動を困難にさせるとき**、X社の行為は排除行為に該当する（排除型私的独占GL第2の4(2)）。

抱き合わせに係る排除行為該当性判断に当たっても、排除型私的独占GLに記載された事項を総合的に考慮すべきものである（排除型私的独占GL第2の4(2)）。

(エ) 供給拒絶・差別的取扱い

共同の取引拒絶（共同ボイコット）については、Column 2-1を参照。

効果要件が、実質的競争制限に至らないときは、不公正な取引方法（取引拒絶・差別的取扱い）に該当し得る（⇒第5章第2節参照）。

a　供給拒絶・差別的取扱いの行為要件

［図表4-5］の供給拒絶の想定事例で説明する。

供給元事業者（原料メーカーX社）が、川上市場において、供給先事業者（製品メーカーY社）が川下市場での事業活動を行うために必要な商品（原料）を供給している場合、供給元事業者X社が、**合理的な範囲を超えて、**当該商品（原料）の供給を拒絶したり、供給に係る当該商品の数量・内容を制限したり、供給の条件・実施について差別的な取り扱いをする行為（供給拒絶等）は、排除行為該当の要件を備える。川上市場においてその供給元事業者X社に代わる他の供給者を容易に見いだすことができない供給先事業者Y社の川下市場における事業活動を困難にさせ、川下市場における競争に悪影響を与えることがあるからである（排除型私的独占GL第2の5(1)）。

［図表4-5］　供給拒絶（想定事例）

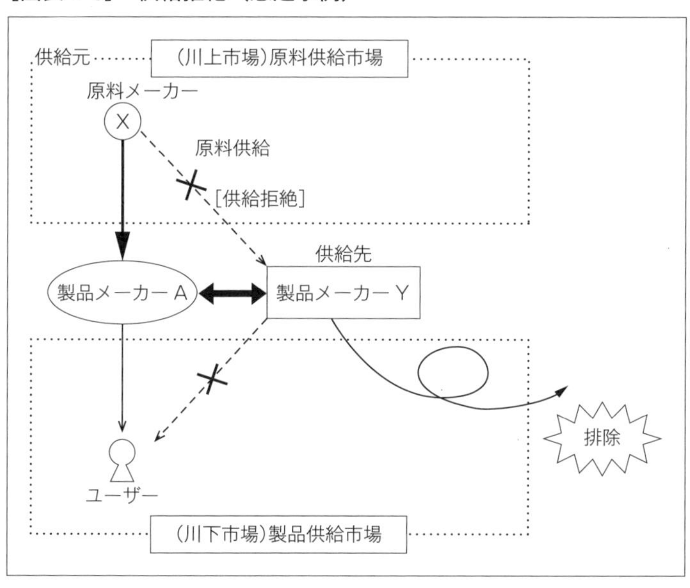

供給元事業者X社が、誰に商品を供給するか、どのような条件で商品を供給するかは、基本的に事業者の自由であるので、排除行為になり得る供給拒絶等は、被拒絶者Y社に対する排除効果が、ある程度明瞭なものに限定するのが相当である。この点、**合理的な範囲を超えて、**必要な商品の供

給を拒絶等する行為は、Y社の川下市場における事業活動を困難にさせ、川下市場における競争に悪影響を及ぼすことになり、Y社に対する排除効果がある程度明瞭といえるので、これを「排除行為」になり得る行為ということができる。

「供給先事業者が川下市場での事業活動を行うために必要な商品」とは、他の商品では代替できない必須の商品であって、供給先事業者自らが同種商品を新たに製造することが困難といえるかどうかという観点から判断される。

「合理的な範囲を超えて」いるかどうかは、供給に係る取引の内容や実績、需給関係などに照らして判断される。

なお、**供給拒絶等と同様の観点から、購入拒絶も「排除行為」になり得る**（排除型私的独占GL第2の5(1)（注18））。

b　排除行為該当性

aで述べた「供給拒絶等」の行為要件に該当する行為により、**川上市場において、行為者たる事業者に代わり得る他の供給者を容易に見いだすことができない供給先事業者の川下市場における事業活動を困難にさせる場合**（川下市場における競争に悪影響を及ぼす場合）には、かかる供給拒絶等の行為は、排除行為に該当する（排除型私的独占GL第2の5(2)）。

供給拒絶等に係る排除行為該当性判断に当たっても、基本的に、排除型私的独占GLに記載した事項を総合的に考慮する（排除型私的独占GL第2の5(2)）。

c　実例

前記CASE 4-1のNTT東日本事件最高裁判決は、取引先事業者が受け入れられない取引条件を示すことによる取引拒絶の行為類型に該当する事案について排除行為該当性が肯定されたものである。この類型に該当する事例としては、ニプロ事件（審判審決平18・6・5）がある。

CASE 4-6　ニプロ事件

A社は、注射液等の容器として使用されるアンプル用生地管のわが国唯一の製造業者であり、X社はA社から西日本における同生地管の供給を一手に受けている代理店であった。アンプル加工業者（生地管を加工してアンプルを製造し製薬会社に販売する業者）は、製薬会社が使用を望むA社製生地管を取り扱うことが必要不可欠であった。

このような状況の下、アンプル加工業者Y社は、X社を通じてA社製生地管を購入加工するほか、海外メーカーB社から生地管を輸入加工して製薬会社に販売していた。

X社は、Y社の輸入生地管の取扱いの継続または拡大を牽制し、これに対して制裁を加える目的で、①Y社に対してのみ、販売価格の引上げ、手形サイトの短縮および特別値引きの取りやめを申し入れ、②Y社が輸入している生地管と同品種のアンプル用生地管の供給を拒絶し、③Y社の生地管購入代金債務に対する担保の差入れまたは現金決済のいずれかの条件を満たさない限り生地管の取引を拒絶するとした。

（審判審決平18・6・5）

［図表4-6］　ニプロ事件

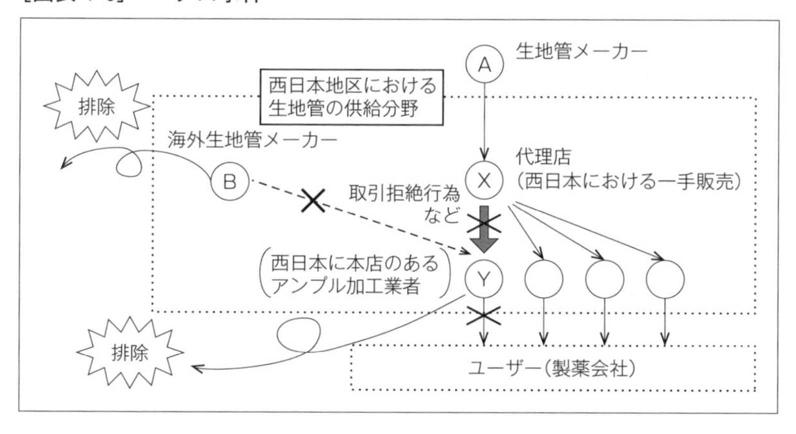

(a)　ニプロ事件審判審決の要旨

ニプロ事件審判審決では、X社のYに対する①～③の取引拒絶などの行為（本件行為）は、Y社の輸入生地管に係る事業活動を排除し、また、X社の競争者である外国の生地管製造業者B社を排除し、西日本地区における生地管の供給分野における競争を実質的に制限していたものであり、私的独占に当たるとされた（ただし、違反行為が既になくなっており、かつ「特に必要があると認めるとき」にも当たらないとして排除措置は命じられなかった）。

(b)　排除の結果が生じなかったことの評価

審決は、「排除行為」というためには事業活動の継続を困難にさせたりする蓋然性の高い行為であれば足りるとした上、問題の行為については、行為の時点で、輸入の円滑な進展が大いに阻害されると想定されたものであって、排除の客観的な蓋然性を有していたので、排除行為に該当するとの判断を正当とした。

本事案では、当初の想定とは逆に、本件行為が行われた後も、Y社の生地管輸入は継続され、輸入量が増加していたのであるが、審決は、その点につき、Y社が訴訟提起などの強い対抗措置を取ったことや公取委の勧告があったからにほかならず、目的が結果的に実現されなかったからといってX社の行為が私的独占の排除行為に該当しないということはできないとした。

またぱちんこ機製造特許プール事件（勧告審決平9・8・6）も、同じ行為類型（競争者との共同ボイコット。流・取慣行GL第2部第2の2）に該当する（⇒CASE 9-1参照）。

イ　排除型私的独占GLに示されていない行為類型

㈠　不公正な取引方法の行為類型に該当するもの

a　東洋製罐事件審決

他の事業者を支配するとともに他の事業者の事業活動を妨害して排除した事例である。

CASE 4-7　東洋製罐事件

わが国における総供給量の約56%のシェアを有する食缶製造業者であるX社が、缶詰製造原価の引下げを目的として自家消費用の食缶の製造（自家製缶）を企図する缶詰製造業者Y社に対し、これを断念させるため、①A社、B社、C社およびD社（これらのシェアをX社のシェアに加えた合計は74%となる）の事業活動を役員派遣、株式保有、契約規定等により支配し、②自らまたはA〜D社をして、Y社が自家製缶できない食缶の供給を停止し、停止させた行為により缶詰製造業者Yの自家製缶についての事業活動を排除した。

（勧告審決昭47・9・18）

審決は、①および②の行為によって、わが国における製缶の取引分野における競争を実質的に制限しているとして、私的独占の成立を認めた（①の行為は、「支配行為」に該当するとされた）。

②の行為について、Y社は、特定の食缶について自家製缶を行おうとしていたものであるからX社の実質的な競争事業者であり、X社がA～D社に食缶の提供を停止させていたことは、一般指定14項の取引妨害にも該当するものであったので、②の行為が、Y社の事業活動に対する排除行為に該当することは明らかであった。

b　有線ブロードネットワークス事件審決

競争者と競合する販売地域または顧客に限定して行う価格設定行為を排除行為とした事案である。

CASE 4-8　有線ブロードネットワークス事件

X社は国内における業務店向け音楽放送の受信契約において72%のシェアを有し、競争者であるY社は20%のシェアを有していた。X社は、Y社から短期間で大量の顧客を奪い、その音楽放送事業運営を困難にすることを企図して、Y社の商品と顧客層が重複する商品について、Y社の顧客のみを対象に、月額聴取料の無料期間を長期間としたり、最低月額聴取料を大幅に引き下げたりするなどし、Y社の音楽放送事業に係る事業活動を排除した。

（勧告審決平16・10・13）

本件は、圧倒的シェアを有するX社が、自社に唯一競争的抑制を加えていたY社に対して、Y社の顧客をターゲットにして差別的な廉売（⇒差別対価について、第5章第3節2参照）を行ってY社の競争的な牽制力をなくしたというものであり、私的独占の排除行為の典型といえる。

(イ)　不公正な取引方法に該当しない行為類型

不公正な取引方法の行為類型に該当しない行為であっても、他の事業者の事業活動を排除し得る場合は排除行為に当たり得る。

a　日本医療食協会事件審決

CASE 4-9　日本医療食協会事件

医療用食品の検定機関であるX協会が、医療用食品を販売するA社から、医療機関向け医療用食品の販売を一手に行いたいとの要請を受け、医療用食品の製造業者間および販売業者間の競争を生じさせないようにするため、医療用食品の登録品目等を限定するとともに、医療用食品の製造工場認定制度および販売業者認定制度を実施することにより、医療用食品を製造または販売しようとする新規参入事業者Yの事業活動を排除した。

（勧告審決平8・5・8）

これは、医療用食品の登録制度や製造工場認定制度を利用することによって医療用食品の製造分野における新規参入を制限し、販売業者認定制度を利用することによって医療用食品の販売分野においても新規参入を制限したことを排除行為としたものである。

本件において、X協会自身は検定機関であって他の事業者と取引をしておらず、競争関係にある事業者が存在しないため、上記行為について、拘束条件付取引（一般指定12項）や取引妨害（一般指定14項）として不公正な取引方法による規制を行うことは困難と考えられるが、私的独占の排除行為には該当するものとして処理された。

b　北海道新聞社事件審決

CASE 4-10　北海道新聞社事件

北海道の函館地区で発行される一般日刊新聞朝刊および夕刊の各総発行部数の大部分を占めるX社が、Y社の同地区への参入を妨害し、その新聞発行事業の継続を困難にさせるための対策を決定し、これに基づき函館対策と称して、①Y社に使用させない意図の下に、X社自らが使用する具体的計画がないにもかかわらず、Y社が使用すると目される複数（9つ）の新聞題字の商標登録を出願し、②A通信社に対し、Y社からのニュース配信要請に応じないよう求め、③Y社の広告集稿活動の対象と目される事業者に対し、X社の広告について大幅な割引料金等を設定し、④Bテレビ局に対して、Y社のテレビコマーシャル放映の申込みに応じないことを要請し、これら一連の行為によってY社の事業活動を排除した。

（同意審決平12・2・28）

審決は、X社による①ないし④の行為を一体のものとして私的独占の排除行為に該当するとしているが、排除行為とされた行為のうち①の行為は、X社自らが使用する計画のない新聞題字の商標登録の出願であって、Y社の事業活動への不当な妨害活動と評価できるものの、Y社（X社の競争者）とその相手方との取引に対する妨害とはいえないため、不公正な取引方法（取引妨害。一般指定14項）によって規制することは困難と考えたと推測される。審決にこの点への言及はないが、私的独占の排除行為には該当するものとされた。

2　支配行為

(1)　支配行為の意義

「支配行為」とは、「他の事業者の事業活動についての自主的な決定をできなくし、自己の意思に従わせる行為」と定義される（菅久ほか102頁［伊永大輔］。このほか根岸・舟田75頁、注釈独禁法37頁［川濵昇］参照）。

もっとも、他の事業者の事業活動を自己の意思に従わせる以上に、具体的な反競争的結果がもたらされたことまでは要しない（根岸・舟田78頁）。

具体的行為としては、具体的に相手方の意思決定を拘束し干渉する行為（**事業活動への介入行為**）と、株式保有等の会社組織上の企業結合的行為を通じて相手方の意思決定に干渉し得る地位を獲得強化する行為（**結合形成行為**）がある。後者については、企業結合規制によって規制されることが期待されるが、企業結合では捕捉できない違反があった場合などには、私的独占規制で対処することになる。

(2)　実例

ア　パラマウントベッド事件審決

CASE 4-11　パラマウントベッド事件

X社は、①東京都財務局発注の医療用ベッドの指名競争入札等に当たり、都立病院の入札事務担当者に対し、同社の医療用ベッドのみが適合できる仕様書の作成を働きかけるなどすることにより、同社の医療用ベッドのみが納入できる仕様書入札を実現して、他の医療用ベッド製造業者の事業活動を排除し、②落札予定者と落札予定価格を決め、当該入札予定者が当該入札予定価格で落札できるように、入札に参加する販売業者に対して入札すべき価格を指示し当該価格で入札させ、これら販売業者を支配した。

（勧告審決平10・3・31）

排除行為とされた①の行為は、他の事業者を排除する蓋然性のあるものであり、正常な営業活動の範囲を逸脱しているので、排除行為に該当するのは当然であろう。

支配行為とされた②の行為については、落札予定者および落札予定価格の決定はX社が独自に決めており、同決定に販売業者は一切関与しておらず販売業者同士の接触もなく、不当な取引制限の要件を充足しないため、X社の支配行為として評価されたものと考えられる。

イ　福井県経済連事件

CASE 4-12　福井県経済連事件

F県経済連は、平成23年9月ころ以降、特定共乾施設工事（F県所在の農協が施主として、県の補助事業により発注した穀物の乾燥・調製・貯蔵施設の製造請負工事等）について、施主代行者として、工事の円滑な施工、管理料の確実な収受を図るため、次の①ないし③の方法等により、受注予定者を指定するとともに、受注予定者が受注できるように、入札参加者に入札すべき価格を指示し、当該価格で入札させていた。

① 当該施設の既設業者（現在稼働している穀物の乾燥・調製・貯蔵施設のそれぞれにおいて、当該施設の建設等または保守点検等の実績を有する者）を受注予定者と決定する。

② 受注予定者に対し、ネット価格と称する受注希望価格を確認し、当該価格を踏まえて、受注予定者の入札すべき価格を決定し、受注予定者に当該価格で入札するように指示する。

③ 受注予定者の入札すべき価格を踏まえて、他の入札参加者の1回目の入札すべき価格を決定し、他の入札参加者に当該価格で入札するように指示する。

（排除措置命令平27・1・16）

F県経済連は、支配行為の対象となったすべての工事において、農協の施主代行者となり、入札参加者の選定方法を含めて入札に関与できる立場にあり、現に、同経済連は、施設工事業者に対して、様々な金銭要求等を行い、工事業者はこれに応じていた実態があった。そのため、施設工事業者は、福井県経済連の受注予定者を指定するなどの行為を受け入れるしか選択の余地はなく、当該施設工事業者の自由な意思決定が奪われていた（したがって、施設工事事業者間に合意が存在しておらず、不当な取引制限は成立しない事案であった）。

そこで、公取委は、F県経済連が、施設工事業者に対して、受注予定者や入札すべき価格等を指示し、当該価格で入札させていた行為が「支配」に該当すると判断し、排除措置を命じた。

第3節　効果要件

1　一定の取引分野

私的独占における「一定の取引分野」の画定の方法は、企業結合における場合のそれとは必ずしも同じではない。（菅久ほか104頁［伊永大輔］参照⇒第1章第4節4⑵イ(ウ)）。

前記CASE 4-6のニプロ事件は、わが国唯一の生地管メーカーA社から西日本地区におけるA社製造の生地管の一手販売を委ねられた被審人X社が、西日本地区に本店を置くアンプル加工業者に対して、A社製造の生地管を販売していたところ、同アンプル加工業者の1つであるY社に対して排除行為を行っていた事案であり、一定の取引分野として、まず「A社製造に係る生地管の西日本地区における供給分野」が画定され得る。しかし、同事案では、Y社が海外の生地管メーカーから生地管を大量に輸入取引しており、輸入生地管は、品質などの面で、需要者にとってA社製生地管と代替性があったと考えられたため、審判審決では「一定の取引分野」として、「X社及び外国の生地管メーカーを供給者とし、西日本地区に本店を置くアンプル加工業者を需要者とする西日本地区における生地管の供給分野」が画定された。

2　競争の実質的制限

⑴　意義

これは私的独占の成立要件でもあるが、一般的意義については第1章第4節4⑴を参照されたい。

⑵　排除型私的独占における「競争の実質的制限」

排除型私的独占の排除行為における競争の実質的制限は、**他の事業者の競争的抑制を消滅、緩和させることによって**、市場支配力を形成・維持・強化させるものと解される。例えば、排他的取引などのライバルの費用引き上げ事案では、対象たる他の事業者の競争的抑制を緩和できれば、競争水準を超える価格設定を行うことが可能になるので、他の事業者が駆逐されたことの立証までは必要ない（注釈独禁法68頁［川濵昇］参照）。

(3)　正当化事由

公取委は、「問題となる行為が、安全、健康、その他の正当な理由に基づき、一般消費者の利益を確保するとともに、国民経済の民主的で健全な発達を促進するものである場合には、例外的に、競争の実質的制限の判断に際してこのような事情が考慮されることがある」とし、当該行為が「競争を実質的に制限すること」に該当しないこともあるとする（排除型私的独占GL第3の2(2)オ⇒第1章第4節5参照）。

3　行為と競争の実質的制限との因果関係

行為と競争の実質的制限の間に因果関係があることが必要とされるが、通常、市場支配力を有する事業者が排除行為を行うのは、他の事業者の事業活動を困難にすれば自己の市場支配力の維持・強化に寄与するからであって、不当な人為的手段によって排除効果を及ぼしても市場における競争に悪影響がないという特段の事情がない限り、行為と競争制限との間の因果関係は認められると考えられる（菅久ほか107頁［伊永大輔］）。

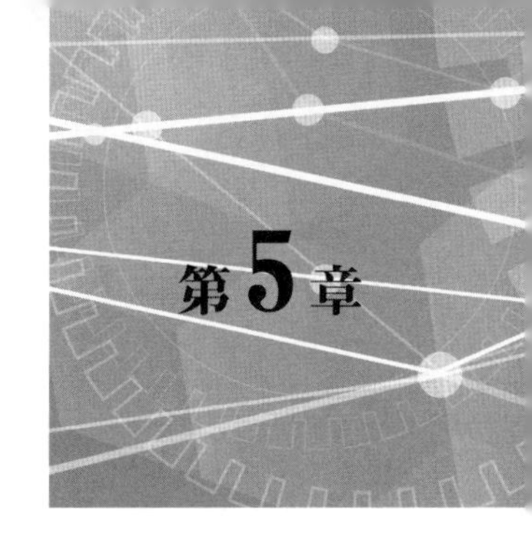

第5章

不公正な取引方法

公取委委員を退任し、弁護士になって、企業等から受けた独禁法に関する相談の大多数は、不公正な取引方法の分野に関するものだった。このことを通じ、企業関係者など独禁法の非専門家には、不公正な取引方法の規制分野について、納得感をもって、実務を統一的に理解したいとのニーズが強く存在することを再認識した。

不公正の取引方法の規制は、抽象的な文言で簡潔に記述された、20数項目程度の条文（独禁法・一般指定）を駆使して、ビジネス上の多種多様な問題行為を捕捉しようとするものであるため、条文の文言による解釈だけでなく、公取委・裁判所の先例やガイドライン等によって解釈を補充する必要が大きい。しかし、独禁法学習を始めた当時の私もそうであったが、企業関係者や学生など独禁法の非専門家のほとんどは、不公正な取引方法の規制に関して、分かりやすく、実務を原理から説き起こして統一的に説明してくれるような解説資料に接する機会が乏しかったように思われる。そのため、独禁法の非専門家は、同規制の実務を、納得感をもって、統一的に理解したいとのニーズを抱きながらも果たせず、公取委が公表する相談事例やガイドラインの結論を機械的に覚えるといった学習姿勢に陥ることが多かったのではないかと想像する。

そこで、本章では、不公正な取引方法の規制について、納得感をもって、実務を統一的に理解したいというニーズに応えるため、各論点について可能な限り各規制の背景にある原理・考え方を説明し、具体例を示しながら、統一的で分かりやすい説明をするように努めた。

第１節は、不公正な取引方法の総論部分であり、主として、公正競争阻害性の意義、種類などを説明した後、自由競争減殺型の公正競争阻害性の発生メカニズムに触れながら、判断基準を解説する。第２節から第７節までは、不公正な取引方法の各論について、想定事例などに即して、成立要件を解説する。

第1節　「不公正な取引方法」の意義

1　不公正な取引方法に対する規制

「不公正な取引方法」に対する規制とは、**公正な競争を阻害するおそれ**（**公正競争阻害性**）がある一定の行為を事業者に対して行われる規制をいう（⇒第1章第2節3）。

公正競争阻害性のある行為が行われれば、市場の競争機能がゆがむおそれがあるため、規制が行われるのである。

2　規制の対象行為

規制の対象となる行為（不公正な取引方法に該当する行為）は、法2条9項1号～5号で規定された行為（本章では「**法定5類型**」ともいう）および同項6号の委任を受け公取委の告示で指定された行為である。告示による指定には2種類あり、事業分野を問わずに一般的に適用されるものが**一般指定**であり、特定の事業分野にのみ適用されるものが**特殊指定**である[1)]。

例えば、メーカーが、マーケティングの観点から、自分の商品を取り扱う流通業者の組織化を促し、流通経路をコントロールしようとすることがある（**流通系列化**）が、メーカーが、この目的で、卸売業者に対して、再販売価格拘束（⇒第4節2）や専売店制度（⇒第4節3)、販売地域の拘束（テリトリー制⇒第4節4(3)）などの垂直的制限行為（⇒第1章第5節4）を行うことがあり、不公正な取引方法の規制の対象行為となることがある。

3　公正競争阻害性の意義

この概略については、第1章第4節3で説明しているが、本節で詳しく解説する。

---

1)　特殊指定は、現在、「大規模小売業者による納入業者との取引における特定の不公正な取引方法」、「特定荷主が物品の運送又は保管を委託する場合の特定の不公正な取引方法」、「新聞業における特定の不公正な取引方法」の3つの告示に基づいて行われている。

⑴ 意義

「不公正な取引方法」の規制をするための要件（効果要件）としては、不当な取引制限や私的独占に対する規制のように「競争の実質的な制限」の発生までは不要であるが、**公正競争を阻害するおそれ**（**公正競争阻害性**）が必要とされる。

⑵ 種類

「公正競争阻害性」は、次の３つの種類に大別される。

①	**自由競争の減殺のおそれ**	自由競争が減殺されるおそれのあるときに規制
②	**競争手段の不公正のおそれ**	競争手段が不公正であるおそれのあるときに規制
③	**自由競争基盤の侵害のおそれ**	取引における自由かつ自主的な判断ができないおそれのあるときに規制（優越的地位の濫用）

不公正な取引方法の規制を行うために、３種類すべての公正競争阻害性を満たす必要はなく、いずれかを満たせばよい。なお、以下、「自由競争の減殺のおそれ」を内容とする公正競争阻害性を便宜上、「**自由競争減殺型（の）公正競争阻害性**」と呼ぶことがある。

ア 自由競争の減殺のおそれ

㋐ 意義

「**自由競争の減殺のおそれ**」のある場合とは、競争の実質的制限に至らない程度の自由競争の減殺をもたらすおそれのあることをいい、「**競争の実質的制限」の小型版**である（⇒第１章第４節３⑴イ）。

公正競争阻害性の内容として自由競争減殺型の公正競争阻害性を想定する公正な取引方法は、「自由競争が減殺されるおそれ」のある行為に対して規制をすることにより、**カルテル・談合や私的独占などの萌芽的・予備的段階**を把握し規制しようとするものである（ベーシック179頁［泉水文雄］、金井ほか独禁法266頁［川濵昇］、根岸・舟田203頁参照）。

対象となる行為は、排除型私的独占の規制対象となる行為（排除行為）でもあり得るところ、その行為が競争にもたらす悪影響の程度が、競争の実質的制限まで至るならば排除型私的独占の規制を受け、そこまで至らず公正競争阻害性の程度にとどまるときは不公正な取引方法の規制を受ける（⇒第1章第4節3⑷）。

⑷　「自由競争の減殺のおそれ」を公正競争阻害性の内容とする違反類型

自由競争減殺のおそれを公正競争阻害性の内容として想定する違反類型は、不公正な取引方法のうち法2条9項1号～4号（取引拒絶、差別対価、不当廉売、再販価格拘束）、一般指定1項～7項（取引拒絶、差別対価、差別的取扱い、不当廉売、不当高価購入）、同10項（抱き合わせ）の一部、同11項（排他条件付取引）、同12項（拘束条件付取引）、同14項・15項（取引妨害）の一部と考えられている（ベーシック181頁［泉水文雄］）。

⑼　市場の画定（検討対象市場の画定）を行う

公取委の実務においては、自由競争減殺のおそれがあるかどうかは、違反行為により競争がどのように影響を受けるかを考えればよく、影響が及ぶ範囲を「検討対象市場」として画定すれば足りると理解されている。不当な取引制限や私的独占の問題において「競争の実質的制限」について判断をする場合のように**「一定の取引分野」を画定する必要はない**[2]。本章では、本来「検討対象市場の画定」というべきところを、便宜上「市場の画定」と呼ぶが、この点について誤解がないように留意してほしい。

流・取慣行GLも、この理解を前提に、自由競争減殺のおそれがあるかどうかは、**「具体的行為や取引の対象・地域・態様等に応じて、当該行為に係る取引及びそれにより影響を受ける範囲を検討」した上で、総合的に考慮判断する**ものとしている（流・取慣行GL第1部3⑴）。

これを、オンラインのプラットフォーム事業者の垂直的制限行為の公正競争阻害性を判断する場合に当てはめると、当該事業者により課された制限の対象や内容に応じて、例えば、当該オンラインプラットフォームを利用する事業者の取引やプラットフォーム事業者間の競争が、検討の対象と

2)　東京高判令元・11・27（〔高知県農協事件〕）は、なすの販売受託取引に対する拘束条件付取引の公正競争阻害性が問題になった事案において、当事者が、SSNIP基準（⇒第8章第4節3⑵）を援用して、消費地における卸売り市場も検討対象にすべきとの主張を排斥し、なすの販売受託取引分野を検討対象にすれば足りるとした。

なる（佐久間ほか解説41頁）。

イ 競争手段の不公正のおそれ

㈠ 意義

市場における自由な競争は価格・品質・サービスを中心とした能率競争を本位とした公正なものとして秩序づけられるべきであるから、競争手段が不公正であるときは規制を行うことができる。

競争手段の不公正とは、市場における競争が能率競争を本位として行われることを妨げるような、競争手段自体が非難に値するものであることをいう（金井ほか独禁法266頁［川濵昇］）。

㈡ 競争手段の不公正のおそれを公正競争阻害性の内容とする違反類型

不公正な取引方法のうち、競争手段の不公正のおそれを公正競争阻害性の内容とする違反類型は、一般指定8項（ぎまん的顧客誘引）のほか、同9項（不当な利益による顧客誘引）、同15項（競争会社に対する内部干渉）、同10項の一部（自己または自己の指定する事業者との取引の強制）、同14項（競争者に対する取引妨害）の一部である（ベーシック182頁［泉水文雄］）。

㈢ 市場の画定は不要

この規制は、競争方法自体を不当として規制を行うものであるから、前記アとは異なり、競争者や競争にどのような影響を及ぼしたかを具体的に立証する必要はない。

このように市場画定は不要であるが、公正競争阻害性の判断においては、競争秩序への影響を考慮する観点から、実務上、行為の相手方の数、行為の継続性・反復性などいわゆる「行為の広がり」が考慮されている。

ウ 自由競争基盤の侵害のおそれ

㈠ 意義

取引主体が取引の諾否および取引条件について自由かつ自主的に判断することによって取引が行われることが、市場の競争機能が発揮されるための前提（自由な競争の基盤）であるので、取引の相手方の自由かつ自主的な判断が妨げられるおそれがあるときに「自由な競争の基盤」が侵害されるおそれがあるとし規制を行うことができる。

㈡ 自由競争基盤の侵害のおそれを公正競争阻害性の内容とする違反類型

不公正な取引方法のうち、自由競争基盤の侵害のおそれを公正競争阻害性の内容とする違反類型は優越的地位の濫用（法2条9項5号、一般指定13項）である。

㈦　市場の画定は不要

そのため、当該行為の市場全体への影響をいちいち判断することなく規制がなされる（ベーシック182頁〔泉水文雄〕)。しかし、この規制も公的な競争秩序の観点から行うものなので、実務上、公正競争阻害性の判断に当たって、前記イ㈦で述べた「行為の広がり」を考慮している。

⑶　正当化事由

正当化事由とは、一般的には、形式的に充足している効果要件の成立を、実質的観点から否定するような例外的事情をいうが、多義的であり（⇒第1章第4節7)、第2節以下の違法類型ごとの説明において解説する。

4　成立要件として公正競争阻害性が求められる条文上の根拠

⑴　不公正な取引方法の規定の全体構造

平成21年独禁法改正後、不公正な取引方法については、法2条9項6号イ～へが、不公正な取引方法の基本的定義を規定し、それを具体化した違反類型として、法2条9項1号～5号の法定5類型と、一般指定の各項で指定された違反類型が存在することになった。

⑵　一般指定で規定する違反の場合

公正競争阻害性とは、法2条9項6号の「次のいずれかに該当する行為であつて、**公正な競争を阻害するおそれ**があるもののうち、公正取引委員会が指定するもの」における「公正な競争を阻害するおそれ」のことであり、この要件が、同号イ～へを具体化させた一般指定の各項の違反の成立に必要となることは明白である。

⑶　法2条9項1号～5号の違反（法定5類型）の場合

⑴で述べたとおり、法定5類型も、法2条9項6号に基づくものなので、違反成立のためには、同号柱書のいう「次のいずれかに該当する行為であつて、公正な競争を阻害するおそれがあるもの」を備えることが必要である。

⑷ 公正競争阻害性を意味する具体的文言

公正競争阻害性は、法２条９項１号〜５号や一般指定の各規定における具体的文言としては、各項に入っている「**正当な理由がない**」、「**不当**」、「**正常な商慣習に照らして不当**」の要件として表現されており、これらの要件該当性の判断の中で、「公正競争阻害性」の有無も判断される。

5 自由競争減殺型公正競争阻害性の違法性判断

⑴ 自由競争減殺型公正競争阻害性の成立メカニズムと違法性判断

一般に、自由競争の減殺が発生するメカニズムとして、競争回避と競争排除の２つがある。**競争回避**とは、独立した事業者の間でお互いの競争を回避し取りやめることによって競争を減殺することである。**競争排除**とは、事業者が、人為的な方法で、既存の事業者の市場での事業活動の継続を困難にさせたり、市場への新規参入を阻止して競争を減殺することであり、例えば、原価割れの不当廉売によってライバルの顧客を略奪してライバルの事業活動を困難にすることも「競争排除」に当たる（⇒第１章第４節３⑵）。

したがって、「自由競争減殺のおそれ」も、競争回避と競争排除の２つのメカニズムで発生すると考えられる。そこで自由競争減殺のおそれを内容とする「公正競争阻害性」の有無の判断（違法性判断）も、このメカニズムに照らして行うのが有効かつ合理的である。

⑵ 流・取慣行 GL への公正競争阻害性の成立メカニズムの明示

流・取慣行 GL は、公取委が、事業者や事業者団体が独禁法違反未然防止等に役立てようとの目的で、わが国の流通・取引慣行について、どのような行為が、公正で自由な競争を妨げ独禁法に違反するのかを具体的に明らかにしたものである。不公正な取引方法の違法類型の相当部分をカバーしており、違法類型ごとに、考えられる公正競争阻害性の内容や成立メカニズムを記述しており、実務上極めて有益である。

流・取慣行 GL では、垂直的制限行為のうち非価格的制限行為のもたらす公正競争阻害性の成立メカニズムを、「**市場閉鎖効果が生じる場合**」、「**価格維持効果が生じる場合**」として説明し、それぞれの効果の発生の有無を検討するなどして公正競争阻害性の有無（違法性）の判断をすべきものとした。

「市場閉鎖効果が生じる場合」は「競争排除」のメカニズムで公正競争阻害性が生じた場合であり、「価格維持効果が生じる場合」は「競争回避」のメカニズムで公正競争阻害性が生じた場合を説明したものと考えられる（ベーシック180頁［泉水文雄］⇒第1章第4節3）。

なお、流・取慣行GLで取り扱っていないが、前記(1)のとおり、**不当廉売**には、価格によって競争事業者の顧客を略奪して競争事業者を排除するという「競争排除」のメカニズムがあり、これによって自由競争減殺のおそれが生じ得る。不当廉売によって、競争事業者が、客を奪われ取引の機会が減少し排除され自由競争が減殺されるおそれが生じれば、これも「市場閉鎖効果が生じる場合」に当たる。

(3)　流・取慣行GLにおける垂直的制限についての考え方

ア　垂直的制限行為の違法性判断基準

一般に、流通（取引）段階の異なる事業者間の取引関係を「垂直」の取引関係という（⇒第1章第5節4）。

流・取慣行GLは、この「垂直」の取引関係において、事業者が取引先事業者の販売価格、取扱商品、販売地域、取引先等の制限を行う行為を**垂直的制限行為**と定義する[3]（流・取慣行GL第1部2）。

流・取慣行GLは、［図表5-1］のように、垂直的制限行為を分類し、公正競争阻害性の有無の（違法性）判断基準について説明する（流・取慣行GL第1部3(1)・(2)）。この中で、垂直的制限行為のうち非価格制限行為であって、「通常価格競争を阻害するおそれがある行為」以外の行為について、個々のケースに応じて「市場閉鎖効果が生じる場合」や「価格維持効果が生じる場合」に当たるかを判断することによって、公正競争阻害性（違法性）の判断をするものとしている。

これは、自由競争減殺のおそれを、公正競争阻害性の内容として想定する不公正な取引方法の違法性判断についての一般的基準を示したものとも理解できる。

イ　「市場閉鎖効果が生じる場合」と「価格維持効果が生じる場合」

流・取慣行GLは、それぞれの意義を以下のように説明し、公正競争阻

3）　取引段階の川上から川下に対し、または川下から川上に対して行う制限行為という趣旨である。

［図表 5-1］ 公正競争阻害性の有無の判断基準

再販売価格維持行為	流通業者の価格競争を減少・消滅させる	原則として、公正競争阻害性ありと判断
非価格制限行為	**通常、価格競争を阻害するおそれがある行為** （例）事業者が従来から直接取引している流通業者に対して、安売りをしていることを理由に出荷停止を行う行為（流・取慣行 GL 第１部第２の４⑷）	原則として、公正競争阻害性ありと判断
	それ以外の行為	個々のケースに応じて、当該行為を行う事業者の市場における地位等から、「市場閉鎖効果が生じる場合」や「価格維持効果が生じる場合」に当たるかを判断

害性の内容が、自由競争減殺型公正競争阻害性である不公正な取引方法の違法性判断基準をより明確化しようとしている（流・取慣行 GL 第１部３⑵ア・イ）。

㋐ 市場閉鎖効果が生じる場合

「市場閉鎖効果が生じる場合」とは、**競争排除によって競争減殺のおそれが生じる場合を意味する。**

流・取慣行 GL は、「『市場閉鎖効果が生じる場合』とは、非価格制限行為により、新規参入者や既存の競争者にとって、代替的な取引先を容易に確保することができなくなり、事業活動に要する費用が引き上げられる、新規参入や新商品開発等の意欲が損なわれるといった、新規参入者や既存の競争者が排除される又はこれらの取引機会が減少するような状態をもたらすおそれが生じる場合をいう」とする（流・取慣行 GL 第１部３⑵ア）。

「新規参入者や既存の競争者が排除される又はこれらの取引機会が減少するような状態をもたらすおそれが生じる場合」が「**市場閉鎖効果が生じる場合**」を意味する。「代替的な取引先を容易に確保することができなくなり、事業活動に要する費用が引き上げられる、新規参入や新商品開発等の意欲が損なわれる」との記述は、市場閉鎖効果の発生の典型的なメカニズムを表す（佐久間ほか解説 53 頁）。

例えば、メーカー甲が取引先である原材料販売会社 A をして競争メーカー乙への原材料の供給を拒絶させるという「単独の取引拒絶」ないし「排他条件的取引」においては、甲の当該行為によって、市場における競争事業者乙の調達ルートや供給ルートが閉鎖され、競争事業者乙が市場から排除されるというメカニズムによって自由競争の減殺のおそれが生じることが想定される。甲の当該行為によって、当該排除のおそれがあると認められるときには公正競争阻害性が肯定される。

どの程度の閉鎖状態におかれれば公正競争阻害性があるとされるかについては、相手方事業者の数、取引の量・金額等が重要となるが、定量的な基準を設定できるものではなく、複数の事業者が並行的に自らの競争者との取引の制限を行う場合には、自らが閉鎖する割合・数が小さくとも、競争者の取引の機会が減少し、他に代わり得る取引先を容易に見いだすことができなくなるおそれは強まる（論点解説 164 頁［天田弘人］）。

Guidance 5-1 「市場閉鎖効果が生じる場合」の 2 つのタイプ

「競争排除」には、競争事業者の販路（または原料等の調達先）を自分向けに囲い込んで排除するタイプと、不当廉売のように、純粋に価格によって競争事業者の顧客を略奪して排除するタイプがある。これによって自由競争減殺のおそれが生まれれば、いずれも「市場閉鎖効果が生じる場合」に該当する。

(イ)　価格維持効果が生じる場合

流・取慣行 GL は、「『価格維持効果が生じる場合』とは、非価格制限行為により、当該行為の相手方とその競争者間の競争が妨げられ、当該行為の相手方がその意思で価格をある程度自由に左右し、当該商品の価格を維持し又は引き上げることができるような状態をもたらすおそれが生じる場合をいう」とする。

再販売価格維持は、流通業者の価格競争を減少・消滅させることになり、原則違反とされるので、「**価格維持効果が生じる場合**」かどうかの検討は不要である。

ウ　流・取慣行 GL に明記されていない違反類型の公正競争阻害性

流・取慣行 GL に明記されていない違反類型は、自由競争減殺型公正競争阻害性が公正競争阻害性の内容となるものと考えられるが、検討対象市場の実態に即して、違反行為による影響が市場閉鎖効果か価格維持効果かなどを検討し、**流・取慣行 GL の違法判断基準を当てはめて判断すればよい**。

エ　市場における有力な事業者基準（セーフハーバー基準）

行為それ自体の反競争性の程度が弱いため、「**市場における有力なメーカー（事業者）**」が行うときでなければ、公正競争阻害性を認めることが困難であって、独禁法上問題とされない違反類型がある。**流・取慣行 GL** では、その違反類型として「自己の競争者との取引等の制限」（流・取慣行 GL 第1部第2の2⇒第4節4(7)）、「厳格な地域制限」（流・取慣行 GL 第1部第2の3(3)⇒第4節4(3)ア）、「抱き合わせ販売」（流・取慣行 GL 第1部第2の7⇒第5節2）をあげる。

これは、「**市場における有力な事業者**」が行うときに限って違反になり得るとするもので、いわゆる**セーフハーバー基準**が適用になる場合を示したものである。

「市場における有力な事業者」と認められるためには、当該市場におけるシェアが**20%以上**であることが一応の目安とされる。「当該市場」とは「制限の対象となる商品と機能・効用が同様であり、地理的条件、取引先との関係等から相互に競争関係にある商品の市場をいい、基本的には、需要者にとっての代替性という観点から判断されるが、必要に応じて供給者にとっての代替性も考慮される」とされる（流・取慣行 GL 第1部3(4)）。

6　公正競争阻害性の立証

(1)　公正競争阻害性について求められる立証のレベル

公取委は、「公正競争阻害性」を肯定するためには、公正な競争を阻害する「おそれ」があれば足りると解している。自由競争減殺型公正競争阻害性を公正競争阻害性の内容とする違反において、「市場閉鎖効果が生じる場合」に当たるというために、具体的に、競争者や新規参入者が排除されたり、その取引機会が減少するような状態が発生することを要するものではないし、「価格維持効果が生じる場合」に当たるというためにも、具体的に、当該商品の価格を維持または引き上げることができるような状態が発生することを要するものではない（流・取慣行 GL 第1部の3(2)ア・イ）。

裁判所も、公正競争阻害性の立証について「公正競争の確保を妨げる一般的抽象的な危険性があることで足りる」としている[4]。

手段の不公正さや、自由競争基盤の侵害が公正競争阻害性の内容となる違反の場合も、特に具体的に競争秩序への害を示すことなく、行為がその危険性を胚胎しているといえれば足りる。

なお、マイクロソフト事件審決（審判審決平20・9・16）は、「**自由競争の減殺のおそれ」が生じたかどうかは具体的な市場の状況の下で、当該行為がどのような影響を持ち得るかを明らかにして判断すべき**であるとする。しかし、これも、「おそれ」の立証で足りるとすることを否定するものではなく、公正競争阻害性の立証においては、問題の行為がどのような影響を持ち得るか、個別の事案に即したメカニズムを明らかにして判断するべきであることを付言しているものと解され、公取委の実務においては、競争への影響のメカニズムを明らかにした判断をするようにしているようである。

⑵　違反類型別の公正競争阻害性についての主張・立証責任・負担

公正競争阻害性は、公取委が独禁法規制をするための要件であるから、主張がされなかったり立証が失敗した場合には、公取委は規制を行うことができない。その意味で、公正競争阻害性の主張・立証責任は公取委にある。

この主張・立証責任や負担の在り方については、次のような公正競争阻害性を示す文言の書きぶりの違いによって、異なる規定がされている。

ア　公正競争阻害性が「正当な理由がないのに」と規定されている違反類型

この類型については、行為を正当化する特段の理由がない限り、公正競争阻害性が認められる（審決平20・7・24〔着うた事件〕）。この場合、違反行為の外形的事実（行為要件）の持つ公正競争阻害の危険性が一般的に大きいと考えられるため、この外形的事実の存在が立証されれば、違反者側が、

4）　東京高判令元・11・27〔高知県農業協同組合事件〕は、「不公正な取引方法の規制をするための要件としては、具体的に競争を阻害する効果が発生していることや、その高度の蓋然性があることまでは要件になっておらず、公正競争の確保を妨げる一般的抽象的な危険性があることで足りると解される。」と判示した。

これを正当化する例外的な事実を指摘しない限り、公正競争阻害性があるものと推認されるからである。

イ 「公正競争阻害性」が「不当に」、「正常な商習慣に照らして不当に」と規定されている違法類型

この類型は、個別の事情に基づいて、当該行為に公正競争阻害性が認められる場合に初めて違法となる（論点体系136頁［原悦子］）。この場合、問題の行為は、一般に独禁法上問題のある場合とない場合の区別がしにくかったり、競争促進効果がある場合が存するなどの理由から、外形的事実が立証されたからといって公正競争阻害性が推認されないため、競争阻害事情だけでなく競争促進的事情も総合して、公正競争阻害性の有無を判断しなければならないからである。

このような場合、公取委が、まず「公正競争阻害性」の存在を肯定させる程度の具体的事実を主張・立証すべき負担を負う。しかし、それ以上に、違反当事者が具体的に主張もしていない、特殊な「競争促進効果」について、公取委が先回りしてその存在を否定したり、存在を否定するための立証をするまでの必要はない（これについては、違反者が具体的主張を行わない限り、争点とされない）。

ウ 公正競争阻害性が「正常な商習慣に照らして不当に」と規定されている場合

この類型は、「不当に」と同じく、個別事情を総合判断することが必要であるが、その際、その事業分野における正常な商習慣を加味して判断されなければならない。

第２節　取引拒絶・差別的取扱い

これは、法２条９項６号イにおいて示された「不当に他の事業者を差別的に取り扱うこと」という基本的定義を根拠とし、これを具体化した違反類型である。

この不当な差別的取り扱いに取引拒絶が含まれるのは、特定の者との取引を拒絶することは、その者への差別的取り扱いの最も甚だしいものだからである（金井ほか独禁法270頁［川濵昇］）。

第３節で取りあげる差別対価は、主に不当対価取引の性格を持つが、同時に不当な差別的取扱いの性格も持つ。

1　はじめに

(1)　取引の相手方を自由に選別することは自由なビジネスの大前提

ビジネス上、個々の事業者が、自分にとって最も有利と考える相手と取引し、不利と考える相手との取引を拒否できることは、自由な競争の大前提である。

(2)　なぜ取引拒絶への規制が肯定されるか

しかし、事業者が競争事業者や取引先事業者と共同して相手方との取引を拒絶し、**新規参入者の市場への参入を妨げたり、既存の事業者を市場から排除しようとする行為**（**共同ボイコット**）は、競争が有効に行われるための前提条件となる事業者の市場への参入の自由を侵害するものなので、競争秩序上許容できず、原則として独禁法上違法となる（流・取慣行GL第２部第２の１）。

とりわけ、複数の競争事業者が共同して特定の相手方との取引を拒むこと（**共同の取引拒絶**）は、利害が対立するはずの競争事業者同士で行われることは本来あり得ないことであり、特定の相手方を市場から排除しようとする意図に基づくものと推認できる。また、特定の事業者との取引を自ら拒絶する行為（**直接の取引拒絶**）と比べ、他の事業者をして特定の事業者との取引を拒絶させる行為（**間接の取引拒絶**）は、単なる取引先選択の自由の行使を超えた人為性があるので（金井ほか独禁法273頁［川濵昇］）、他の事業者を市場から排除しようとする意図が推認でき、違法評価を受けやすい。

2　共同の取引拒絶

複数競争事業者による共同の取引拒絶のうち、共同の供給拒絶は、法２条９項１号で、共同の購入拒絶は一般指定１項で規定されている。

○法２条９項１号……課徴金の対象行為

正当な理由がないのに、競争者と共同して、次のいずれかに該当する行為をすること。

イ　ある事業者に対し、供給を拒絶し、又は供給に係る商品若しくは役務の数量若しくは内容を制限すること。

ロ　他の事業者に、ある事業者に対する供給を拒絶させ、又は供給に係る商品若しくは役務の数量若しくは内容を制限させること。

○一般指定１項（共同の購入拒絶）

正当な理由がないのに、……競争者……と共同して、次の各号のいずれかに掲げる行為をすること。

一　ある事業者から商品若しくは役務の供給を受けることを拒絶し、又は供給を受ける商品若しくは役務の数量若しくは内容を制限すること。

二　他の事業者に、ある事業者から商品若しくは役務の供給を受けることを拒絶させ、又は供給を受ける商品若しくは役務の数量若しくは内容を制限させること。

(1)　共同の供給拒絶

本項では説明の便宜上「供給取引の拒絶」を単に「取引拒絶」と表記することがある。

ア　意義

共同の供給拒絶（法２条９項１号）には、例えば、メーカーが共同して、安売り業者に商品を販売している卸売業者に対して、商品の供給を拒絶するような場合（直接の取引拒絶型）と、例えば、[図表5-2] にあるように、小売業者A、B、C……が共同して、自分らが商品を購入している卸売業者Xに要請し、甲をして安売り小売業者Yへの商品の供給を拒絶させるような場合（間接の取引拒絶型）がある。

［図表5-2］　共同の供給拒絶（間接の取引拒絶型）

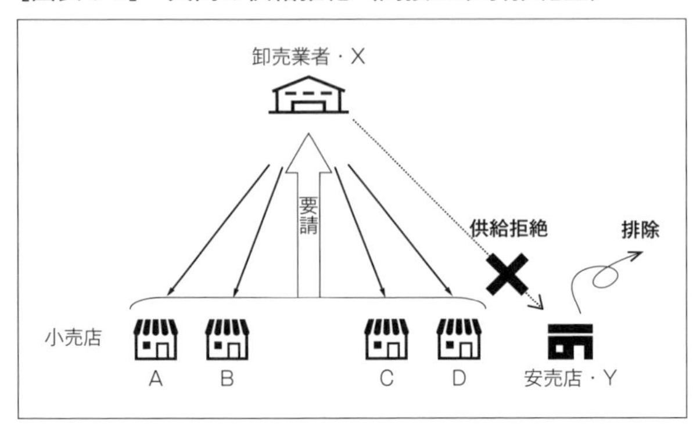

イ　成立要件

○行為要件	上記関連条文「自己と競争関係にある他の事業者……と共同して」など参照
○公正競争阻害性	自由競争の減殺のおそれ（競争排除） 原則違法（流・取慣行GL第2部第2の1）

（競争を実質的に制限する場合は、排除型私的独占の排除行為（供給拒絶）に該当⇒第4章第2節1⑷ア㈡）

㈠　行為要件

「共同して」とは、特定の事業者と取引を拒絶すること、または他の事業者に取引を拒絶させることについての**意思の連絡**があることをいう（不当な取引制限における「共同して」と同義である（東京高判平22・1・29〔着うた事件〕））。

「競争関係にある事業者と共同して」行う必要がある。

競争関係にない取引先事業者等と共同して行う取引拒絶は、本号の共同の取引拒絶に当たらず、一般指定2項の「その他の取引拒絶」（⇒後記3参照）として取り扱われる。ただし、この場合の競争関係は、潜在的な競争関係で足りる。例えば、商品のメーカーとその販売業者のように、主たる販売段階は異なっていても、販売面で競合関係が認められる場合であれば競争関係があると判断される（金井ほか独禁法277頁［川濵昇］）。

取引拒絶については、実際に契約の申込を拒否していない場合であっても、例えば、申込をしても拒否されることが明白だったので相手方が申込をしなかった場合や、申込を受けながら不合理に回答を留保している場合も「拒絶」に該当する（排除措置命令平19・6・25〔新潟タクシー共通乗車券事件〕、論点体系134頁［原悦子］）。取引拒絶には、単に取引を拒絶する場合だけでなく、取引に係る商品・役務の数量もしくは内容を制限することも含んでいる。つまり、商品・役務の供給や受け入れを完全に拒むわけではないが、その数量に限定を付けたり、内容に制限を加えること（例えば、従来品は供給するが新製品は供給しないなど）も含むものである（金井ほか独禁法271頁［川濵昇］）。

(イ)　公正競争阻害性

a　原則違法である

共同の取引拒絶は、被拒絶者の事業活動を困難にする蓋然性が高く、それを背景に被拒絶者を市場から排除したり、その者に何らかの行為を強制（しばしば反競争的な活動の強制）することを目的とするのが通例であるため、行為要件が充足すれば、原則として違反となる。特段の事情（正当事由）がない限り、公正競争阻害性が推認される（流・取慣行GL第2部第2の2(3)、金井ほか独禁法278頁［川濵昇］参照）。詳述すると、①競争者間で共同して取引を拒絶すれば、取引を拒絶される事業者は市場から撤退を余儀なくされ、または事業を縮小せざるを得ないのが通常であり、また②既存の小売業者が共同して、メーカーや卸売業者に働きかけ、ディスカウント・スーパーや革新的販売方法を取る小売業者への出荷を停止させるという形で行われることも多く、そのような行為が行われれば、本来下がるはずであった市場の価格が下がらず維持されるのが普通であるため、公正競争阻害性が事実上推認される（ベーシック189頁［泉水文雄］）。

なお、共同の取引拒絶が「一定の取引分野における競争を実質的に制限」するものと評価できるときは、不当な取引制限または排除型私的独占に該当し得る（⇒Column 2-1）。

b　公正競争阻害性がないとされる場合

(a)　「正当事由」があると認められる場合

「特段の事情がある」と認められる場合である。これが認められる場合とは、行為の目的や効果が反競争的でない場合を意味する。反競争的かどうかは、共同の取引拒絶の目的、共同拒絶者の市場における地位、客観的な排除効果（被拒絶者の側が事業活動を行う上で不利益が生じるか）、被拒絶者の数・その市場における地位などを総合的にみて判断される。

例えば、拒絶された事業者の取引機会が減少しても、他に代わり得る取引先を容易に見い出すことができる場合、例えば、競争者が多数存在している市場において、ごく少数の競争者が共同して取引を拒絶したとしても、拒否された事業者がその市場において容易に代替的な取引先を見いだすことが可能であるような場合には、公正競争阻害性は認められない。

(b) 非ハードコアカルテルに該当する場合

非ハードコアカルテル（⇒第2章第8節）に該当する共同の取引拒絶、例えば、社会公共目的の共同の取引拒絶は、外形的行為が立証できても、公正競争阻害性は推認されない。公正競争阻害性を認めるには、競争に悪影響が生じることが立証されなければならない。

安全性や環境基準など、それ自体適切な社会公共目的による自主規制を実施する方法として、一定の品質や資格基準を定め、これに合致しない事業者との取引を拒絶するようなやり方が採用されることがある。これについては、基準設定の目的が競争政策の観点から是認し得るものであり、かつ、その基準の内容および実施方法が、基準の設定目的を達成するために合理的なものであれば公正競争阻害性はないとされる場合があり得る（東京地判平9・4・9〔日本遊技銃協同組合事件〕⇒第2章第8節3(5)参照）。目的は正当でも、それを実施するために加えられる被拒絶者に対する不利益が過大である場合などは、実施方法が目的との合理的関連性を欠くとして、公正競争阻害性があるとされることもあり得る。

また、例えば、中小企業が事業効率化を図る目的で共同して流通チェーンを作る際に、一定の取引相手との取引を拒絶することは、競争促進的な面が多いが、大規模な事業者によって行われれば、被拒絶者の事業活動に不利益を生む可能性があるので、このような目的で行われる取引拒絶については、拒絶行為をする事業者の当該市場における地位、取引拒絶される商品・役務の代替的な取引先などを総合的に判断して、取引を拒絶された事業者の事業活動が困難になるとき、公正競争阻害性を認めることになる（金井ほか独禁法282頁～284頁［川濵昇］）。

(2) 共同の購入拒絶

共同の購入拒絶（一般指定1項）とは、例えば、複数の流通業者が共同して、メーカーに対して受け入れを拒絶する場合である。これまで摘発事例はない。

流・取慣行GLでは、共同の供給拒絶と共同の購入拒絶をまとめて「共同ボイコット」として取り扱っている（流・取慣行GL第2部第2）。前記の「共同の供給拒絶」についての解説は、基本的に、共同の購入拒絶にも当てはまる。

3　取引先事業者等との共同の取引拒絶および単独の取引拒絶

> ○一般指定2項（その他の取引拒絶）
> 不当に、ある事業者に対し取引を拒絶し若しくは取引に係る商品若しくは役務の数量若しくは内容を制限し、又は他の事業者にこれらに該当する行為をさせること。

一般指定2項は、法2条9項1号および一般指定1項に規定されるもの以外の取引拒絶を「その他の取引拒絶」として規定する（泉水経済法入門212頁、ベーシック193頁［泉水文雄］）。

具体的には、(1)「競争関係にない事業者との共同の取引拒絶」と(2)「単独の取引拒絶」がある。

(1) 競争関係にない取引先事業者と共同して行う取引拒絶

これは、取引先事業者との共同ボイコットといわれる。例えば、メーカーX社と流通業者A社が共同して、新規参入の流通業者Y社の新規参入を妨げるため、メーカーX社は、新規参入者Y社に対する商品の供給を拒絶し、流通業者A社は新規参入者に商品を供給するメーカーB社の商品の取扱いを拒絶する場合である（流・取慣行GL第2部第2の3(1)③は流通業者が複数の例を挙げているが、ここでは便宜上A社単独として説明する）。

行為要件は、前記2の競争事業者の共同の取引拒絶に準じて考えればよい。

競争関係にない取引先事業者と共同して行う取引拒絶は、取引を拒絶される事業者の取引の機会を奪うだけでなく、共同ボイコットに参加する事

［図表 5-3］　競争関係のない事業者との共同の取引拒絶

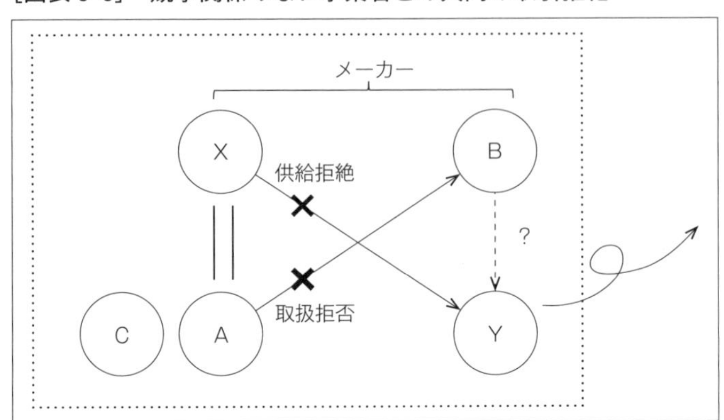

業者の取引先選択の自由をも制限するものであり、通常、公正な競争を阻害するおそれがあり、原則違反となる（佐久間ほか解説 207 頁）。なお流・取慣行 GL 第 2 部第 2 の 3⑴①ないし④に掲げられる行為は、その典型例とされる。

前記［図表 5-3］の事案の共同ボイコットでは、X 社も A 社も直接の取引拒絶を行っているので、X 社も、A 社も、一般指定 2 項前段に該当する。

仮に、共同ボイコットの態様として、A 社が X 社に対して、Y 社への取引拒絶を求めるだけで自らは取引拒絶行為をしないという場合には、X 社は一般指定 2 項前段に該当するが、A 社は、X 社に拒絶をさせている（間接の取引拒絶）ことになるので、一般指定 2 項後段に該当する。

上記事案において、共同ボイコットに加わる流通業者が複数となり、流・取慣行 GL 第 2 部第 2 の 3⑴②の事案のように、複数の流通業者 A 社と C 社と単独のメーカー X 社による共同の取引拒絶となった場合は、A 社と C 社という競争者の共同の取引拒絶（購入拒絶）に、競争者以外の者 X 社が混じっていることになるので、A 社と C 社については、一般指定 1 項、X 社については一般指定 2 項に該当する（菅久ほか 123 頁［伊永大輔］）。

⑵　単独の取引拒絶

○行為要件
①一般指定2項前段　ある事業者に対し取引を拒絶し若しくは取引に係る商品若しくは役務の数量若しくは内容を制限すること（単独・直接型）
(a)　他の独禁法違反行為の実効性確保の手段とされる場合
(b)　独禁法上不当な目的を達成する手段とされる場合
②一般指定2項後段　他の事業者に①の行為をさせること（単独・間接型）

○公正競争阻害性　　自由競争の減殺のおそれ（競争排除）
・単独・間接型　市場閉鎖効果
市場における有力な事業者の行為に限る（流・取慣行 GL 第1部第2の2⑴イ）
・単独・直接型(b)の場合 「被拒絶者の通常の事業活動が困難となるおそれがある場合」
市場における有力な事業者の行為に限る（流・取慣行 GL 第2部第3の2）
・単独・直接型(a)の場合　実効性を確保すべき他の独禁法違反が成立すればよい。
（競争を実質的に制限する場合は、排除型私的独占の排除行為（供給拒絶）に該当⇒第4章第2節1⑷ア㈤）

ア　行為要件

取引拒絶には、取引に係る商品・役務の数量もしくは内容を制限することも含むことは、前記2⑴イ㈠参照。

イ　公正競争阻害性

ここでの公正競争阻害性は自由競争減殺のおそれがあることである。例えば、取引拒絶によって新規参入業者の参入が困難になるなどすれば、公正競争阻害性が肯定される（ベーシック193頁［泉水文雄］）。

㈠　単独・間接型の場合

単独の取引拒絶であっても、間接の取引拒絶には人為的・不自然性があるので、違法性が認められやすい。

市場における有力な事業者（［図表5-4］の製品メーカーX社）が、取引先事業者（［図表5-4］の原料メーカーA社、B社……）に要請して、自己または自己と密接な関係にある事業者の競争者（同図表のY社）との取引を拒絶

［図表 5-4］　単独・間接の取引拒絶

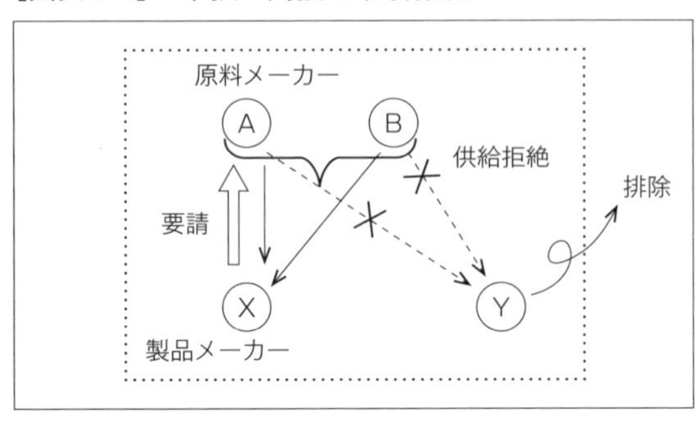

させる行為は、市場閉鎖効果が生じる場合（⇒第1節5(3)ウ）に違反とされる（流・取慣行 GL 第1部第2の2(1)イ）。

市場における有力な事業者が、ライバルを市場から排除する目的で、取引先事業者に対し自己または自己と密接な関係にある事業者の競争者と取引しないよう拘束する条件を付けて取引する行為が、排他条件付取引または拘束条件付取引（⇒後記第4節3・4）が違反になるのと同様である。

なお、被拒絶者は事業者であればよく、競争者に限らない。電気製品メーカーが、代理店等に要請して、自社製品の安売りを行う小売店に対する自社製品の販売を拒絶させることも、この違反に該当する（勧告審決平13・7・27〔松下電器産業事件〕）。

(イ)　単独・直接型の場合

単独・直接型の取引拒絶は、人為的でも不自然でもなく、取引先選択自由の行使そのものであるから、公正競争阻害性の認定は慎重になされるべきである。単独・直接の取引拒絶が公正競争阻害性を持ち、不当となるのは、次のaまたはbの場合に限られる（流・取慣行 GL 第2部第3の2)。

a　事業者が独禁法上違法な行為（再販売価格拘束、排他条件付取引など）の実効性を確保するための手段として行われるとき

例えば、メーカーが、取引先である販売業者に対し、自己の競争者と取引してはならないとの排他条件を付けて取引をするとともに、その実効性を確保するために、これに従わない販売業者との取引を拒否する場合には、その取引拒絶行為は違法となる。この場合、実効性を確保すべき排他条件付取引の公正競争阻害性が立証できるのであれば、取引拒絶行為自体の公正競争阻害性を立証する必要はない。

事業者は、新規の取引希望者に対して取引を行うかどうかは自由であるが、例えば、**事業者が従来から直接取引している流通業者に対し、その流通業者が安売りをしていることを理由に出荷停止を行う**ことは、事業者が自己の販売価格を自由に決定するという事業者の事業活動において最も基本的な事項に関与する行為であるため、通常、価格競争を阻害するおそれがあり、原則として公正競争阻害性が肯定され不公正な取引方法となる（一般指定2項または12項。流・取慣行GL第1部第2の4(4)、佐久間ほか解説137頁）。

b　市場において有力な事業者が、競争者を市場から排除するなど独禁法上不当な目的を達成する手段として行う行為であって、これによって、取引を拒絶される事業者の通常の事業活動が困難になるおそれがある場合

これが、取引拒絶者自身の事業活動に係る市場への新規参入を阻止する目的で行われる場合としては、例えば、［図表5-5］の原料メーカーX社において、原料の供給先である完成品メーカーY社がある原料αを内製化しようとしたため、これを阻止する目的で、従来X社がY社に供給しており、Y社が製造できない原料βの供給を拒絶することがあり得る。この場合には、これにより、取引を拒絶された事業者Y社の通常の事業活動が困難になるおそれがあり、Y社の完成品製造市場における公正競争阻害性（市場

［図表5-5］　単独・直接の取引拒絶

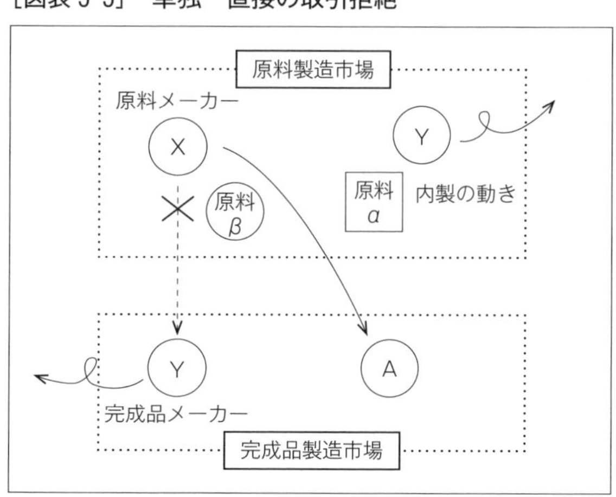

閉鎖効果）が認められる。また、この場合、X社が、Y社において原料αを内製化し原料製造市場に新規参入しようとするのを阻止しようとしたものともみることができ、原料製造市場における公正競争阻害性（市場閉鎖効果）も認められ得る。

またこれが例えば、［図表5-5］の原料メーカーX社において、自己の供給する原材料を用いて完成品を製造する自己と密接な関係にある事業者A社からみて、ライバル関係にあるY社を当該完成品市場から排除する目的で、Y社に対して従来供給していた原材料の供給を停止した場合にも、Y社の通常の事業活動が困難になるおそれがあり、Y社の完成品製造市場における公正競争阻害性が肯定され、違反となり得る。

単独・直接の取引拒絶のbの類型においては、取引拒絶に当たって、競争者を市場から排除しようとするなどの独禁法上不当な目的がなければ、仮に取引拒絶された者の不利益が大きくとも直ちに「不当」とはならないことに留意が必要である。例えば、行為者から特定ブランドの商品を継続的に供給され、当該特定ブランドの流通に特化していた流通業者が、行為者から供給が受けられなくなったとき、相手方が代替的な取引先を容易に見いだしがたく事業活動が著しく困難になることがあり得るが、その事実だけでは公正取引阻害性があることにはならない（金井ほか独禁法288頁［川濵昇］）。

単独の取引拒絶の違法性を基礎づける理論の1つとして、**エッセンシャル・ファシリティ理論（不可欠施設の法理）**がある。例えば、電話の長距離回線事業を営む事業者にとっての近距離回線網のように、それを利用することが、ある市場へのアクセスに不可欠な施設について、所用の費用が莫大であることなどから同施設を重複して作り出すことが現実的でなく、かつその施設へのアクセスを認めることが可能な場合において、アクセス拒絶を正当化する特段の事情がない限り、同施設への平等無差別なアクセスを認めるべきだとする法理である（金井ほか独禁法291頁、292頁［川濵昇］）。しかし、この法理がわが国の先例で採用されたことはない。

4　差別的取扱い

(1)　取引条件の差別的取扱い

○一般指定4項（取引条件等の差別的取扱い）
　不当に、ある事業者に対し取引の条件又は実施について有利な又は不利な取扱いをすること。

　相手方との取引におけるコストの違いや、ビジネス上の重要度等に応じて、相手方によって価格以外の取引条件、例えば、代金決済条件、リベート、販売促進費の支給条件あるいは商品の配送回数などの取り扱いを変えることは本来事業者が自由にできることである。しかし、これについても、人為的に差を付けることによって、競争事業者を市場から排除したり、差を付けられた事業者が市場で著しく不利な立場に追いやられたりする場合には、公正競争秩序維持の観点から規制すべき場合がある。
　なお、取引条件のうち価格についての差別的取り扱いは、**差別対価**（⇒第3節2）として規制される。

ア　成立要件

○行為要件　　　　　事業者に対し、同一の商品・役務の取引の条件または実施について異なった取扱いをすること
○公正競争阻害性　　自由競争の減殺のおそれ（競争排除）
　　　　　　　　　　市場閉鎖効果
（競争を実質的に制限する場合は、排除型私的独占の排除行為（差別的取扱い）に該当⇒第4章第2節1(4)ア(エ)）

(ア)　行為要件

「取引の実施」とは、取引の条件とはなっていないが、配送の順序、市場情報の提供、商品の陳列など事実上取引に関連して行われる取り扱いをいう。例えば、国産車向けの補修用ガラスの卸売り業者が、輸入品を積極的に取り扱う補修用ガラス販売業者に対し、国産ガラス（純正品を除く）の配送回数を減らすなどの差別的取り扱いをしたことが、「取引の実施」についての違法な差別的取り扱いに当たるとされた例（勧告審決平12・2・2〔オー

トグラス東日本事件〕）がある。

また、農協が、「こねぎ」の販売受託に当たり、同農協以外のルートに出荷した組合員に対し、同組合の「味一ねぎ」銘柄による販売事業や集出荷施設に係る利用事業を利用させなかった行為（ただし、無銘柄の「こねぎ」として、出荷前作業を行わない方法での共同販売は認めた）を差別的取扱いとした例（排除措置命令平 30・2・23〔大分県農協事件〕）がある。

なお、本違反類型は事業者間の取引を対象とするので、規制の対象となる取引の相手方は事業者に限られる。

(イ)　公正競争阻害性

取引条件に差が設けられていたとしても、市場に与える影響はまちまちなので「不当」かどうかの判断はケースバイケースで慎重に検討する必要があり、市場閉鎖効果が生じるような差別的取扱いに限って違法とされている（菅久ほか 132 頁［伊永大輔］）。

問題の行為によって、自己の競争事業者の事業活動が困難になるおそれがある場合（論点体系 148 頁［中野雄介］）、取引の相手方を競争上著しく有利・不利にさせる場合、再販売価格拘束など独禁法上の違法行為の実効性確保の手段や独禁法上不当な目的を達成するための手段として行われる場合には、公正競争阻害性が肯定され得る（昭和 57 年独禁報告書第２部 2.(3)）。

イ　事例

CASE 5-1　設問

メーカーが小売店に対し、そのメーカーの商品の販売数量に比例したリベートを交付することは、差別的取扱いになるか。

リベートは、事業活動上様々な目的、性質をもって活用されており、仕切り価格の修正、販売促進手段という事業活動上意義のあるものも多い。例えば、販売促進手段としてメーカーから小売店へのリベートが、そのメーカーの供給する商品の販売数量に応じて供与されるもの（数量リベート）であれば問題とならない。しかし、例えば、リベート交付事業者が、市場における有力な事業者である場合で、リベートが、小売事業者の販売する商品におけるリベート交付事業者が供給する**商品の占有率**に応じて支払われるものであったり、リベート交付事業者の供給する商品の販売量との関係において**著しい累進性**を持つものであるときには、これによって、小売業者の競争品の取扱いを制限することになり、その結果、市場閉鎖効果が生じ、不公正な取引方法に該当[5]し違法とされることもあり得る（流・取慣行GL 第１部第３参照。排他的リベートについて⇒第４章第２節１(4)ア(イ)c）。

(2)　事業者団体による差別的取り扱い等

事業者団体による差別的取り扱い等（一般指定５項）については、第３章第３節（事業者団体規制）において説明したとおりである。

5）　この場合、リベート相当額を商品価格から控除して、単位商品当たりの対価を算出することが困難なため、差別対価ではなく、差別的取扱いの規定を適用することになる。

第3節　不当廉売・差別対価等

不当廉売・差別対価等は、法2条9項6号ロの示す「不当な対価をもって取引をすること」という基本的定義を根拠・具体化した違反類型である。

1　不当廉売

○法2条9項3号……課徴金の対象行為
　正当な理由がないのに、商品又は役務をその供給に要する費用を著しく下回る対価で継続して供給することであつて、他の事業者の事業活動を困難にさせるおそれがあるもの
○一般指定6項（不当廉売）
　……不当に商品又は役務を低い対価で供給し、他の事業者の事業活動を困難にさせるおそれがあること。

平成21年の独禁法改正前は、上記の両者とも旧一般指定6項として規定されていたが、同改正によって、その一部が課徴金対象となって法律事項とされて法2条9項3号となり、残りが一般指定6項となった。

(1)　なぜ不当廉売は規制されるのか

事業者が企業努力によってコストを削減し、同じ品質の商品を競争者よりも安く販売し、競争に競り勝とうとすることは、模範的な競争である。そのような価格競争の中で、各事業者が創意工夫し、創意工夫の足りない事業者が市場から退場することは、市場メカニズムの発揮そのものであり、消費者利益にもかなう。

しかし、例えば、販売価格を仕入原価を割ったものにすることは、当該安売りをする事業者にとって、販売すればするほど赤字が増えるもので経済的に合理性がないものであり、このような価格で対抗された場合、競争事業者は、効率化（合理化やコスト改善など）の程度が当該安売り事業者と同じであったとしても、**市場から退場せざるを得なくなる**。

自由な競争の中で、効率性が劣った同業者が市場から退場することは、市場メカニズムが予定するものといえるが、効率性が同等の競争事業者を、

効率性以外の理由[6]で、市場から退場させることは、市場の競争メカニズムが想定するものでないし、むしろ市場メカニズムをゆがめ、公正な競争秩序に悪影響を及ぼす。消費者利益の観点からみても、不当な安売りによって競争事業者が市場から退場した後に、安売りした事業者が、値段をつり上げ消費者に損害をもたらすおそれもある。これが、不当廉売を、不公正な取引方法として規制する理由である（不当廉売GL2参照）。

⑵　法2条9項3号の不当廉売（法定不当廉売）の成立要件

○行為要件	・価格要件（供給に要する費用を**著しく下回る対価**＝可変的性質を持つ費用を下回る価格）
	・継続性
	・事業活動を困難にするおそれ（事業活動困難性）
○公正競争阻害性	・自由競争の減殺のおそれ（競争排除）
	・原則違法

（競争を実質的に制限する場合は、排除型私的独占の排除行為（コスト割れ供給）に該当⇒第4章第2節1⑷ア㋐）

ア　行為要件

廉売の相手方は事業者に限定されていないので、消費者に対する取引であってもよい。

㋐　価格要件「供給に要する費用を著しく下回る対価」

「法定不当廉売」は、違反行為に課徴金が課されるので、価格要件が「その供給に要する費用を**著しく下回る対価**」とされ、一般指定の不当廉売に比べて立証の要件が厳しく設定されている。

a　「供給に要する費用」とは

「供給に要する費用」とは、供給に要するすべての費用であり、**総販売原価**（仕入原価もしくは製造原価に販売費および一般管理費を加えたもの）を意味する（不当廉売GL3⑴（注2）⇒［図表5-6］参照）。

「供給に要する費用」（総販売原価）は、販売しなければ発生しない費用であり販売量が増えるのに比例して大きくなる「**可変的性質を持つ費用**」（例

6）　例えば、他の事業分野で上げた収益を投入して（内部補助）採算を度外視した安売りをすることなどである。

えば、仕入原価や仕入経費）と、販売量に関係なく固定された「**可変的性質を持たない費用**」（例えば、工場設備費、本社の一般管理費など）に大別できる。

「可変的性質を持つ費用」に該当するかどうかは、対象商品の供給量の変化に応じて増減する費用（変動費）か、対象商品の供給と密接な関連性を持つかという観点から評価して判断される（不当廉売 GL3⑴ア(エ)）。したがって、販売費・一般管理費であっても、**商品の供給と密接な関連性を持つもの**、例えば、注文の履行に必要とされる運送費や倉庫費等は、「可変的性質を持つ費用」と推認される（不当廉売 GL3⑴(エ)b⒝(iii)。［図表5-6］の※の部分）。

b　法定不当廉売では、価格要件として、供給に要する費用を「著しく下回る」ものであることが求められる理由

［図表5-6］　費用の構造と不当廉売の価格要件

<table>
<tr><td colspan="4">販売利益（相当）</td><td></td></tr>
<tr><td rowspan="4">総販売原価
（供給に要する費用）</td><td>一般管理費</td><td rowspan="2"></td><td rowspan="2">可変的性質を持たない費用</td><td rowspan="2">一般指定の不当廉売の要件に該当する対価（α）</td></tr>
<tr><td rowspan="2">販売費</td></tr>
<tr><td>※</td><td rowspan="2">可変的性質を持つ費用（供給しなければ発生しない費用）</td><td rowspan="2">法定不当廉売の要件に該当する対価（β）</td></tr>
<tr><td colspan="2">仕入原価
（仕入経費含む）
製造原価</td></tr>
</table>

⒜　可変的性質を持つ費用より低い価格で販売する場合

「可変的性質を持つ費用」とは、新たな供給の単位当たり費用を賄える価格（単価）であり、その価格で商品の販売を行えば損失をもたらさないですむという最低限度の採算水準を示す。これより低い価格で商品を販売すること（［図表5-6］の β）は、販売を行うこと自体が新たな損失をもたらすもので**合理性を欠く**ものであり、この価格で競争を仕掛けられたら、**同等に効率的な競争業者も市場から退場せざるを得なくなる**。

⒝　総販売原価を下回り、可変的性質を持つ費用を超える価格で販売する場合

商品の価格（単価）が、**総販売原価**（単位当たり）を下回っている場合（［図表5-6］の α）であっても「可変的性質を持つ費用」（単位当たり）を超える

場合は、当該商品をその価格で販売することに合理性がある場合があり得る。

例えば、一般管理費などの「可変的性質を持たない費用」は、商品が全く売れなくても一定額かかるもので、商品が全く売れない場合には、その額が赤字（収益から費用を減じたものがマイナス）になる。しかし、販売する商品の価格が「可変的性質を持つ費用」を超えるときは、その超過分で「可変的性質を持たない費用」に相当する上記赤字を埋めることができるため、当該価格での販売に合理性が認められる場合があるのである（これに対して、商品の価格が「可変的性質を持つ費用」を下回れば、その赤字を埋めるメリットもなくなり、商品を販売すればするほど損失が増えていくので、この価格で商品を販売することに合理性はない）。

また、**総販売原価**は、多額の研究開発や設備投資への支出を含めた過去の支出をもとに計算されるが、企業活動の実際では、その支出をまかなえるような価格設定ができず総販売原価を下回る価格での販売を余儀なくされることもある。

c　「可変的性質を持つ費用」を下回る価格は「供給に要する費用を著しく下回る」価格と推定される

そうすると、法定不当廉売として規制するためには、当該廉売価格が、**供給に要する費用（総販売原価）を「下回っている」だけでは足りず、「著しく下回っている」ことを要する**とするのが妥当である。

供給に要する費用を「著しく下回る」とは、自己の効率性の発揮とはいえず、同等に効率的な事業者の事業活動を困難にするおそれのあるものであり、競争事業者を市場から排除する意図なくしては経済合理性がないような低価格を意味する。

前記したとおり、「可変的性質を持つ費用」さえ回収できないような低い価格を設定することは、廉売対象商品の供給が増大するにつれ損失を拡大することであり経済合理性を欠くものである。そのため、**「可変的性質を持つ費用」を下回る価格は、「供給に要する費用を著しく下回る対価」と推定される**（不当廉売 GL3(1)(エ)a、金井ほか独禁法 305 頁、311 頁～312 頁［川濵昇］参照）。

実務上、「可変的性質を持つ費用」を下回る価格での販売であれば、法定不当廉売の価格要件を充足しているものと取り扱われる（不当廉売 GL3(1)

ア(ウ)（注3）参照）ということである。

d　「供給に要する費用」（総販売原価）の算定方法

ⓐ　旧郵政公社のゆうパック事業とそれ以外の事業（独占事業）のように、販売費や一般管理費が複数の事業部門に共通する場合に、これを各事業部門にどのように配賦すべきか問題になることがある。これについては、廉売行為者が実情に即して、合理的に選択した配賦基準を用いていると認められる場合には、当該配賦基準に基づき各事業に費用の配布を行った上で総販売原価の算定を行うのが相当である（不当廉売GL3(1)(ウ)（注2））。旧郵政公社の上記ゆうパック事業の総販売原価の算定方法が問題になった事案において、裁判所は、共通費用全額をゆうパック事業に配賦するのは合理的ではないとした（東京高判平19・11・28〔ヤマト運輸・郵政公社差止請求事件〕）。

ⓑ　内部補助を受けている場合の総販売原価の算定方法が問題になり得る。これについては、中部読売新聞社が外部（読売新聞社）から援助（記事等の提供や広告料支払いを受ける）を受けていた場合において、中部読売新聞の発刊する朝刊の原価算定が問題となった事案に関し、裁判所は「その原価を形成する要因が、そのいわゆる企業努力によるものでなく、当該事業者の場合にのみ妥当する特殊な事情によるものであるときは、これを考慮の外におき、そのような事情のない一般の独立の事業者が自らの責任において、その規模の企業を維持するため経済上通常計上すべき費目を基準しなければならない」とした（東京高決昭50・4・30高民集28巻2号174頁。読売新聞社の援助がなかったものとして、編集費等の費用、広告収入を算定しなおして原価を算定した）。

(イ)　継続性

「**継続して供給**」を要件としているのは、「可変的性質を持つ費用を下回る価格での販売」であっても、それが一時的なものであるときは、他の事業者の事業活動を困難にするおそれが乏しいことが多いことなどから、継続性がない廉売を法定不当廉売の対象から外すためである。

継続性が肯定されるためには、相当期間にわたって廉売が繰り返し行われていること、またはその蓋然性があること（例えば、現実に継続していなくても、廉売を継続することが、営業方針等から客観的に予測できること）が求められる（金井ほか独禁法314頁［川濵昇］）。また、買いだめ、まとめ買いができる商品・役務であれば、比較的短期間でも継続していると認められやすいが、ガソリンや野菜のように保存期間の問題から買いだめが困難な商品を廉売する場合には、需要者の購買状況に応じて、ある程度の期間がなければ継続性要件を満たさない場合もある（菅久ほか138頁［伊永大輔］）。

公取委の処理例として、ガソリン廉売が10日間で取り止められた事案、キャベツの1円販売が8日間で取り止められた事案について、違反を認定せず警告にとどめたものがある（警告平27・12・24〔石油製品小売業者事件〕、警告平29・9・21〔カネスエ商事・ワイストア事件〕）。

(ウ)　事業活動困難性

a　不当廉売が（法定不当廉売のみならず一般指定による不当廉売においても）、他の事業者が廉売によって何ら痛みを感じない程度のものならば反競争効果は発生しないと考えられるから、「他の事業者の事業活動を困難にするおそれ」のあることが、違反の成立要件となっている。事業活動が困難になるおそれがあればよいから、諸般の状況からそのような結果が招来される蓋然性が認められれば足りる（不当廉売GL3(2)、金井ほか独禁法315頁［川濵昇］）。

b　「他の事業者の事業活動を困難にさせる」における「他の事業者」は競争事業者に限定されない。例えば、マルエツ・ハローマート事件（勧告審決昭57・5・28）では、ライバル関係にあるスーパーマーケット同士の牛乳の値下げ合戦によって、ライバルであるスーパーマーケット相互の事業活動を困難にさせるおそれが生じたものではないが、周辺の牛乳専売店の牛乳販売の事業活動を困難にさせるおそれが生じ「事業活動困難性」の要件を充足して違反が成立するとした（［図表5-7］参照）。

［図表5-7］　競争事業者以外の事業者の事業活動を困難にさせた事例

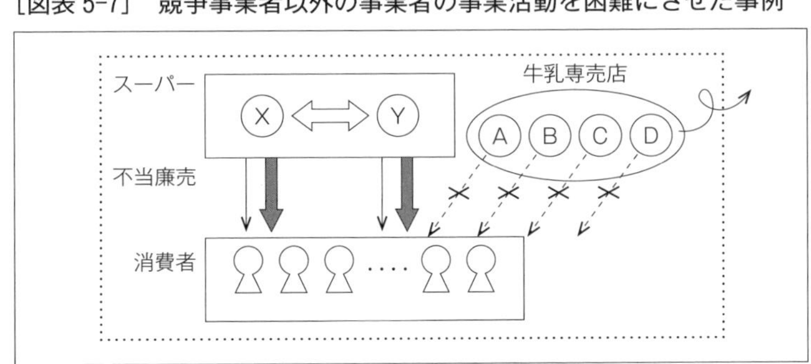

c　「他の事業者の事業活動を困難にさせるおそれ」は、不当廉売の行為要件として位置づけられ、公取委がこれを立証できないときは、「公正競争阻害性」を検討するまでもなく違反が成立しない（金井ほか独禁法315頁、321頁（注）120［川濵昇］）。

複数のガソリンスタンドが対抗的にガソリンの廉売行為を繰り返している状況の下で、特定の事業者の廉売行為のほか、同規模の廉売行為を行う事業者が相当数存在しており（ただし、当該同規模事業者の費用構造上は価格要件を欠いているため違反とはならない）、その廉売の影響も無視できないことを理由に、当該特定の事業者の廉売行為については「他の事業者の事業活動を困難にさせるおそれ」があったとは認定できないとした警告事例がある（警告平25・1・10〔ミタニ事件〕）。

イ　公正競争阻害性

法定不当廉売は「正当な理由がないのに」行われたときに違反が成立する。したがって、行為要件が備わっていれば、公正競争阻害性（違法性）が備わっていることが推認され、違反当事者は、違法性がないと言える特段の事情（正当な理由）を主張・立証しない限り、違反の成立が認められる（⇒第1節6(2)ア）。

例えば、市場環境の変化等によって、過去の支出を大きく下回る価格での販売をしないときには、かえって損失を被ることもあり、このような場合には、「**平均可変費用**」（可変的性質を持つ費用を供給量で除したもの）を下回る価格設定にも「正当な理由」があることになる。その典型例としては①流行遅れになったファッション商品のように、当該商品の市場性が失われ、仕入価格を下回っても販売する必要がある場合、②当該商品の価格の低落や再調達価格の低下があり、市場の需給関係に対応したため結果として費用から乖離した場合などである（金井ほか独禁法319頁［川濵昇］）。

(3)　一般指定6項による不当廉売の成立要件

○行為要件	・価格要件（平均総費用を下回る対価）
	・事業活動を困難にするおそれ（事業活動困難性） （※継続性は要件ではない）
○公正競争阻害性	・自由競争の減殺のおそれ（競争排除）

ア　行為要件

㋐　価格要件（「不当に……低い対価」）

可変的性質を持たない費用も含んだ総販売原価を下回る価格（[図表5-6]のα）の場合も、同等に効率的な事業者（新規参入者を含む）に脅威を与える可能性があるので規制対象となり得る（金井ほか独禁法309頁～310頁［川濱昇］）。一般指定6項違反の成立要件の「**不当に……低い対価**」には費用要件が明示されてはいないが、「供給に要する費用」すなわち「**総販売原価**」**を下回ることを要する**と解されている（東京高判平19・11・28〔ヤマト運輸・郵政公社差止請求事件〕）。

商品の単価でいうと、平均総費用（総販売原価を商品の供給量で除したもの）を下回る単価で販売しても、この価格要件を満たす。逆に、平均総費用を上回る価格であれば、そのような価格要件に当たるリスクはない。

㋑　事業活動困難性

法定不当廉売の場合と同じく、行為要件として必要と解される[7]。

これが立証できないときは、公正競争阻害性の判断をするまでもなく、違反不成立となる。

しかし、仮に、事業活動困難性の立証ができたとしても、公正競争阻害性の判断は、正当事由の有無など、他の事情も総合して行われるため、公正競争阻害性が否定されることはあり得る。

㋒　継続性は不要

継続性は行為要件ではないが、公正競争阻害性の立証のために、この立証が必要になることはあり得る。

イ　公正競争阻害性

この不当廉売は「不当に」行われたとき違反が成立する。公取委において、廉売が行われた態様などから具体的に当該廉売の「不当性」すなわち公正競争阻害性を明らかにする必要がある。正当な理由の存在を主張されたら、公取委において、それがないことを立証する必要がある（⇒第1節6⑵イ）。

平均総費用を下回るが平均可変費用（可変的性質を持つ費用を供給量で除したもの）を上回る廉売について、行為者に「有力な石油製品小売業者を排

---

7)　一般指定の不当廉売においては、「事業活動を困難にするおそれ」の判断は、公正競争阻害性判断の一環として行われるとする考えもある（金井ほか317頁［川濱昇］）。

除する意図」を認定した上で、違反の成立を認めた先例（排除措置命令平18・5・16〔濱口石油事件〕）がある。同等に効率的な他の事業者の事業上の意思決定に影響する態様での廉売行為を指し示すものとして、行為者の「**排除の目的**」が客観的に明らかになっていることは、不当性を根拠づける重要な要因となる（金井ほか独禁法322頁［川濵昇］）。

(4) 応用事例

ア　医薬品、ソフトウェア等の事業分野における安値販売

医薬品、ソフトウェア等の事業分野では、商品を製品化するまでに莫大な研究開発費用を要するが、一旦商品が開発されてしまうと、当該商品の生産・販売に要する費用（総販売原価）は極めて小さくなることがあり、その場合、かなり低い対価を設定したときであっても、一般指定6項（不当廉売）の価格要件（総販売原価割れ）を充足しない場合がある。

研究開発費のように一括して計上される費用については、廉売行為者が実情に即して合理的な期間においてその費用を回収することとしていると認められる場合には、当該全期間にわたって**費用の配賦**を行った上で、廉売対象商品の総販売原価の算定を行うものとされている（不当廉売GL3(1)ア(ウ)（注2））。しかし、その期間にその費用配賦を行ったとしても、なお総販売原価割れにならない場合がある。

また多額の研究開発費用の回収方法等については、事業者に裁量があるとも考えられる。

CASE 5-2　設問

ソフトウェアメーカーA社がセキュリティソフトを新規に販売するに当たって、10万本を無料で配布したいと考えている。これは独禁法上問題となるか。

（相談事例集平成16年度【事例10】）

この相談事例について、公取委は、直ちに独禁法違反になるものではないと回答した。その理由は、「ソフトウェアについては、開発に多額の費用を要するものの、一度開発された製品については容易かつ安価に複製・販売が可能であるところ、これらの費用の回収について、事業者は自らの判

断で様々な方法をとり得る。本件については、Ａ社は当該セキュリティソフトを無料で提供するが、その後、更新料を徴収することにより**費用を回収できると考えており、一定の合理性が認められることから、当該行為が不当に低い対価による商品の供給とまではいえない**」というものであった。

イ　公共入札における安値入札

CASE 5-3　設問

○○庁○○管理局が衛星携帯電話端末を購入するために入札を実施したところ、ある事業者が端末１台を１円で応札して落札した。これは不当廉売に該当するか。

一般指定の不当廉売であっても、商品の価格が総販売原価を下回ることが必要とされる。その検討をする場合に、具体的な取引において、どの範囲の商品が１個の取引の対象として想定されていたのか、また、その１個の取引の対象に含まれる商品全体の価格が当該商品全体の総販売原価を下回るのかが違反成否のポイントとなることがある。

問題の取引において、本体商品の取引に付随して別の商品（付随商品）の取引が行われることが、通常想定されている場合があり、その場合には、本体商品と付随商品の両者を１つの取引の対象とみて、両者の合計価格が両者の総販売原価の合計を下回るかどうかを検討して「価格要件」が充足されるかを判断することもあり得る。

上記設問と類似の実例において、公取委は、「本件入札は、衛星携帯電話の端末を対象としているものの、本件地方森林管理局が落札事業者から通信サービスを随意契約により調達することが見込まれる状況の下で行われたものと認められる」とし、この状況の下で、端末受注後複数年にわたり通信サービスを提供することで得られる事後の収入を見込んで応札価格するのであれば、端末それ自体を１円とすることも合理的な価格設定であるとし、応札した事業者については違反を認めず、審査を終えた（警告平25・4・24〔林野庁地方森林管理局発注の衛星携帯電話端末安値入札事件〕）。

この種のいわゆる「**一円入札事案**」においては、本体商品の収入に加えて付随商品による収入を見込んだ応札が許容されるかどうかの基準が問題となるが、①本件商品と付随商品との関係（本体商品を入札することによって自動的に付随商品の取引を行うことになるのか)、②入札仕様書の記載（入札仕様書に落札者との間で付随商品の取引を行うことを示す記載があるか)、③入札担当者の言動（入札担当者が、入札参加者に、落札者との間で付随商品の取引をすることを事前に説明・示唆していたか)、④過去の落札者による付随商品の随意契約締結の状況等を総合的に考慮して「本体商品の入札が付随商品を対象にしていたか」を検討するべきことになる（実務に効く232頁、233頁［多田敏明]）。

ウ　セット割引（バンドル・ディスカウント）

例えば、移動通信事業者やインターネット接続事業者が、家庭用固定通信サービスと携帯電話サービス等の移動通信をセットで販売したり、都市ガス事業者等が、家庭用電力と家庭用ガスをセットで販売することがあり、**セット割引**（バンドル・ディスカウント）と呼ばれる。

正確には、特定の事業者または提携関係にある複数の事業者（行為者）が、消費者に対して、それぞれ単独でも購入できる特定の2つ以上の商品を一括して購入する場合に適用される価格を、これらの商品をそれぞれ単独で購入する場合に適用される価格の合計額より低い水準に設定する行為をいう。

さらに詳しくいうと、①主たる商品および従たる商品の両方についてそれぞれ単独でも購入でき、一括して購入した場合には割引が提供される供給形態は混合バンドル（Mixed Bundling)、②両商品とも単独では購入できない供給形態は純粋バンドル（Pure Bundling）と整理される（Pure Bundlingは一般に「抱き合わせ」行為と呼ばれるものに対応し、独禁法上は、抱き合わせ販売（一般指定10項）として規制され得る。⇒第5節2⑵ア㈠参照)[8]。

セット割引は、法定不当廉売の要件に該当して独禁法に違反することがあり得る[9]。

その場合、一般的には、セットを構成する商品（aとb）それぞれについ

---

8)　公取委競争政策研究センター（CPRC）バンドル・ディスカウントに関する検討会「バンドル・ディスカウントに関する独占禁止法上の論点」(平成28年12月14日）注10参照。

9)　公取委・経産省「適正な電力取引についての指針」(令和4年4月1日）第2部Ⅰ2⑴①イｉ、同「適正なガス取引についての指針」(令和3年2月25日）第2部Ⅰ2⑴イ①、同「電気通信事業分野における競争の促進に関する指針」(令和4年6月30日）Ⅱ第3の3⑵ア。

て、その供給に要する費用を著しく下回る対価で供給しているかどうかによって判断する[10]。

もっとも、セット販売価格が、セットを構成する商品（aとb）の供給に要する費用の合計を下回る場合に、セット商品全体として不当廉売に該当するとの考え方もあり得る[11]。

例えば、「電気通信事業分野における競争の促進に関する指針」では、電気通信事業者が、携帯電話サービスとFTTHサービスをセット提供する想定事例において「携帯電話サービスとFTTHサービスの提供に要する費用を合算した費用を著しく下回る水準で全体の料金を設定したりすることも、不当廉売になり得る」とする[12]。

不当廉売が成立しないときであっても、セット割引が競争事業者を排除する場合があり、その場合には、抱き合わせ販売等に該当することがあり得る（⇒抱き合わせ販売に該当するバンドル・ディスカウントについては、第5節2⑵ア㈠参照）。

2　差別対価

この違反類型は、主として法2条9項6号ロ（不当対価規制）の基本的定義にもとづいて規定されているが、対価による差別は差別的な取引条件の最たるものでもあるといえるので、法2条9項6号イ（差別的取り扱い）の基本的定義も受けている。

○法2条9項2号……課徴金の対象行為

不当に、地域又は相手方により差別的な対価をもつて、商品又は役務を継続して供給することであつて、他の事業者の事業活動を困難にさせるおそれがあるもの

○一般指定3項（一般指定の差別対価）

……不当に、地域又は相手方により差別的な対価をもつて、商品若しくは役務を

10）　公取委・経産省・前掲注9）「適正な電力取引についての指針」第2部Ⅰ2⑴①イｉ（注）。同・前掲注9）「適正なガス取引についての指針」第2部Ⅰ2⑴イ①（注）。同・前掲注9）「電気通信事業分野における競争の促進に関する指針」Ⅱ第3の3⑵ア（注50）。

11）　CPRCバンドル・ディスカウントに関する検討会・前掲注8）4⑴。

12）　公取委・経産省・前掲注9）「電気通信事業分野における競争の促進に関する指針」Ⅱ第3の3⑵ア。

供給し、又はこれらの供給を受けること。

(1) 意義

差別対価とは、特定の地域や特定の取引の相手方に対しては高い価格で販売し、他の地域や取引の相手方に対しては低い価格を設定するなど、人為的に価格に差を付けて、商品・役務を提供し、または供給を受けることである。平成21年独禁法改正までは、旧一般指定3項に一括して規定されていたが、差別対価による継続的供給が課徴金の対象となったため、切り出されて法律事項とされ、その余が一般指定3項に残った。

(2) 差別対価の成立要件

○行為要件　同一の商品・役務に対して異なった価格を設定すること

	法定差別対価	一般指定の差別対価
継続性	法律上必要	不要
他の事業者の事業活動を困難にさせるおそれ	法律上必要	解釈上必要

○公正競争阻害性　自由競争の減殺のおそれ（競争排除）

ア　行為要件

(ア)　商品・役務が同一といえるかが問題となるが、物理的に完全に同一であることは必要でなく、同質同等ないし全体として実質的に同一であれば足りる（東京高決昭32・3・18〔第2次北国新聞社事件〕）。

(イ)　差別対価の相手方は事業者に限定されていない。対消費者の取引であっても対象となる。消費者に対する差別対価であっても、不当廉売と同じく、自己の競争事業者への悪影響が問題になり得るからである（金井ほか独禁法293頁［川濵昇］参照）。

(ウ)　一般指定3項の差別対価の場合は、法定差別対価と違い、規定上「他の事業活動を困難にさせるおそれ」は要件とされていないが、この要件を満たさない場合には、自由競争減殺のおそれは想定できない（ベーシック202頁［泉水文雄］、泉水経済法入門243頁、論点体系145頁［中野雄介］参照）。

イ　公正競争阻害性

㈠　不当に

対価は、本来事業者によって自由に決められるべきものであり、相手方や地域により価格が異なることはままあることであり、そのような価格決定には**合理的理由**がある場合も多いので、「不当」といえるかどうかを慎重に判断すべきである。

㈡　公正競争阻害性

公正競争阻害性の内容は、本規制が、「不当対価規制」の一環であるという点からすれば、不当廉売の場合と同様のものがあると考えられ、「不当な差別的取り扱い規制」の面もある点からすれば、取引拒絶の場合と同様のものがあるとも考えられる。

a　不当廉売と同様の公正競争阻害性が想定される場合

これは、取引相手に有利な差別対価（低価格販売）を行うことで、競争者の事業活動を困難にし、それによって自由競争の減殺のおそれを生じさせるものである。市場支配力の獲得を目指す事業者が、競争者がいる市場または新規参入が生じた市場でのみ低価格販売を行い、その競争者の事業活動を困難にすることを意図して行う地域的な差別対価が典型である。

規制を行う要件としての「対価」について、不当廉売と同じく、「原価割れ」（供給に要する費用を著しく下回る価格での供給）を必要条件とすべきとする裁判例がある（東京高判平17・5・31〔ニチガス事件〕）。これは、全国展開する有力企業が、競争業者を排除する目的で、競争業者と競合する地域・顧客に限って廉売を行った行為を違反としたものである。

これに対し、「原価割れ」になっていなくても、大きなシェアを持ち強大な競争力を有する事業者が、その力を背景にして行う場合などなど、不当な力の行使と認められる特段の事情があるときは違反が成立し得るとした裁判例もある（東京高判平17・4・27〔トーカイ事件〕）。

「不当な力の行使」の内容が判然としないので「原価割れ」を要件とするのが妥当である（同旨、金井ほか独禁法298頁［川濵昇］）。

電力取引の実務でも、電力会社の特定の需要家に対する安値設定が差別対価となるためには「供給に要する費用を著しく下回る料金」で供給することが必要とされている[13)]。

b　取引拒絶の場合と同様の公正競争阻害性が想定される場合

これは例えば、取引の相手方が取引に応じられないほどの不利益価格を付ける場合であり、「取引拒絶」（単独・直接型）の1パターンともみることができ、公正競争阻害性の内容も同様に考えてよいので、独禁法上違法とされている行為の実効性を確保するための手段とする場合に違反となる。その実例として、カルテルの実効性確保手段として差別対価が使われた事例がある（勧告審決昭55・2・7〔東洋リノリューム事件〕）。仮想例としては、メーカーが小売価格を指定したのに、この価格を守らない小売業者に対してのみ、高い価格で商品を供給した場合の自由競争減殺のおそれがこれに当たる（ベーシック207頁［泉水文雄］参照⇒第2節3(2)イ(イ)）。

3　不当高価購入

○一般指定7項（不当高価購入）
　不当に商品又は役務を高い対価で購入し、他の事業者の事業活動を困難にさせるおそれがあること。

競争事業者の原材料等の調達を困難にするような場合を想定した規制であるが、これまで適用例はない。

13)　公取委・経産省・前掲注9)「適正な電力取引について」第2部Ⅰ2(1)①イⅱ。

第４節　相手方の事業活動の拘束

本節では、再販売価格拘束、排他条件付取引および拘束条件付取引という３つの違反類型について解説する。

１　はじめに

(1)　３つの違反類型の規制の趣旨

法２条９項４号（再販売価格拘束）、一般指定 11 項（排他条件付取引）および同 12 項（拘束条件付取引）は、法２条９項６号ニの「相手方の事業活動を不当に拘束する条件をもつて取引すること」という基本的定義を根拠に規定されたものである。

独禁法が、このような規制を行うのは、「取引の対価や取引先の選択等は、当該取引当事者において経済効率を考慮し自由な判断によつて個別的に決定すべき」ものであり（最判昭 50・7・10〔和光堂事件〕参照）、当事者以外の者がこれらの事項について拘束を加えれば、良質廉価な商品・役務を提供するという形で行われるべき公正な競争を人為的に妨げるおそれがあるからである（金井ほか独禁法 324 頁［金井貴嗣］）。

［図表 5-8］　供給者（X）が、相手方（Y）と相手方の商品を購入する者（A）との取引を拘束しない場合と拘束する場合

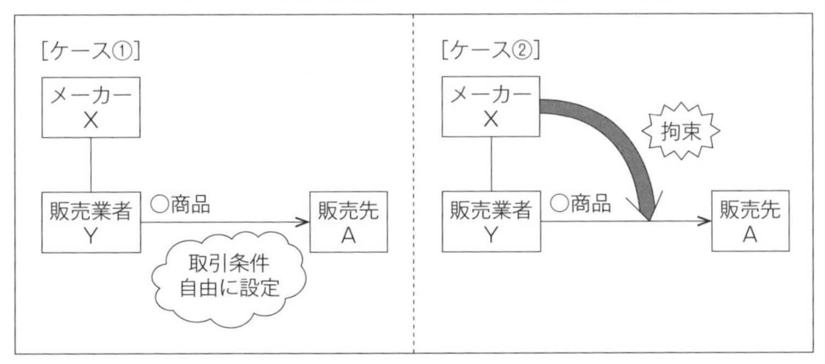

［図表 5-8］のケース①のように、メーカー X 社が、商品の卸先である販売業者 Y 社との交渉によって、X 社と Y 社との当該商品の取引条件を設定

するだけで、Y社と当該商品の販売先A社の間における当該商品の取引条件を拘束しない場合は、独禁法上問題にならない。しかし、ケース②のように、X社が、Y社とA社との間における当該商品の取引条件まで拘束する場合では、X社とA社との間での当該商品の取引条件をY社とA社が自由に設定できなくなるので、独禁法上問題になり得る。

(2)　取引の相手方の事業活動を拘束することのビジネス上の必要性と独禁法規制の理由

ビジネス上、事業者は、ライバルとの差別化を図るなどの目的で、取引相手方の事業活動を拘束することが必要になることがある。

①例えば、メーカーが、自己の供給する商品について、末端流通業者までを系列として組織化することにより、一貫したマーケッテイングを行い、商品のブランドイメージを高め、他のメーカーの商品との差別化を図ろうとする場合である（**流通系列化**）。その場合、流通系列化強化のため、メーカーが、小売業者に対して、当該メーカーの商品について、消費者への**販売価格や販売方法を拘束**しようとすることがある。

また、②メーカーが、特定の下請け業者に部品を委託加工させ、または特定の業者から原材料を納入させるに当たり、部品や原材料の品質の確保や円滑な技術の共同開発などを行う目的で、当該メーカーと特定の部品加工業者または原材料納入業者が、緊密な協力関係を維持し、長期的に継続的な取引を行うことがある（**生産系列化**）。その場合、メーカーが、部品の製造を委託している特定の部品製造業者に対し、自己の競争業者からの部品製造の委託を受けないように要請したり、特定の原材料納入業者に対し、自己の競争業者への原材料納入をしないよう要請することもある。

さらに、③メーカーが、相手方と相手方に商品・役務を供給する者との間の取引について拘束することがある。例えば、メーカーが、商品の販売店に対して、ライバルメーカーの商品を取り扱わないように求めることもある（**取引先選択の拘束**）。

これらは事業者の経営戦略上は合理的なものであり[14]、一般民事上は、契約自由の原則により有効とされる。

14)　経営戦略上、差別化を図るため、垂直統合の手法は有効とされている（マイケル・ポーター『新訂　競争の戦略』第14章（ダイヤモンド社、1995)。

しかし、競争秩序維持の観点からこれをみた場合、取引の当事者以外の者であるメーカーが、当事者において自由に決定すべき事業活動について不当に拘束を加えるとき、拘束を受けた事業者間での競争が緩和されて**価格の維持・引き上げがなされるおそれ**（価格維持効果）が生じたり、競争事業者が**流通経路や原料調達経路等を容易に確保できなくなるおそれ**（市場の閉鎖効果）が生じて、市場の自由競争を減殺するおそれが生じることがあると考えられ、そのため、独禁法による規制が必要になる。

⑶ 「拘束」の意味

ア　3つの違反類型のいずれにおいても拘束が問題となる

3つの違反類型のいずれにおいても、付された条件がどのような場合に「拘束」に該当するか問題となる。

なお、排他条件付取引（一般指定11項）では、違反行為が「相手方が競争者と取引しないことを条件として」とのみ定義されているが、「相手方が競争者と取引しない」という条件そのものが、相手方の事業活動を拘束する内容である。

イ　拘束とは

和光堂事件最高裁判決は、再販売価格拘束の事案において、「『拘束』があるというためには、必ずしもその取引条件に従うことが契約上の義務として定められていることを要せず、それに**従わない場合に経済上なんらかの不利益を伴うことにより現実にその実効性が確保されていれば足りる。**」と判示し（最判昭50・7・10〔和光堂事件〕）、何らかの人為的手段によって、流通業者の事業活動の制限について実効性が確保されていれば拘束が認められるとした。この判示内容は、同様に、取引相手方の事業活動拘束を規制する拘束条件付取引にも、排他条件付取引にも当てはまる（流・取慣行GL第1部第1の2⑶、第1部第2の1⑵）。

相手方が従うときには経済上の利益を与えることにされている場合も、それにより実効性が確保されていれば拘束に当たる[15)]。競争者と取引しないことを条件として利益を与える場合も拘束に当たるとした処理事例もあ

15)　同意審決平7・11・30〔資生堂再販事件〕。再販売価格を守った者にリベートを供与した事案。なお、流・取慣行GL第1部第3の2も、リベートを手段として要請に応じさせることが「拘束」とされることもあるとする。

る（公取委平30・5・23公表「みんなのペットオンライン株式会社に対する独占禁止法違反被疑事件の処理について」）。

また、文書・口頭を問わず、条件について合意がなされている場合も、民事上契約関係が成立し条件遵守が契約上の義務となるので「拘束」に該当する。一方が他方に優越した関係ではなく、対等の当事者の間で結ばれた合意であっても拘束に当たる。

⑷　間接の取引先事業者への拘束

拘束の相手方には、直接の取引先事業者だけでなく、間接の取引先事業者も含まれる。

公取委は、メーカーから卸業者を通じて小売業者に販売される商品に関する価格拘束は、メーカーが、直接の相手方である取引先事業者（卸売業者）を拘束して行う場合だけでなく、自らが直接に、間接の相手方である取引先事業者（小売業者）を拘束する場合も、同様に違反になるとする（流・取慣行GL第1部第1の2⑹間接の取引先事業者に対する販売価格の拘束⇒2⑵ア㋐、Case 5-4）。

排他条件付取引に関し、例えば、メーカーが卸売業者を通じて小売業者に供給している場合であっても、メーカーが直接に、間接の相手方である小売業者の事業活動を拘束しているときには、その小売業者が実質的に取引の相手方と認められ違反になる（菅久ほか155頁［伊永大輔］）。拘束条件付取引も同様に考えられる。

2　再販売価格の拘束

⑴　再販売価格拘束の意義

○法2条9項4号……課徴金の対象行為

自己の供給する商品を購入する相手方に、正当な理由がないのに、次のいずれかに掲げる拘束の条件を付けて、当該商品を供給すること。

イ　相手方に対しその販売する当該商品の販売価格を定めてこれを維持させることその他相手方の当該商品の販売価格の自由な決定を拘束すること。

ロ　相手方の販売する当該商品を購入する事業者の当該商品の販売価格を定めて相手方をして当該事業者にこれを維持させることその他相手方をして当該事業者の

当該商品の販売価格の自由な決定を拘束させること。

再販売価格の拘束とは、行為者が取引の相手方に対し、その相手方が販売する商品の販売価格を定めてこれを維持させること（法2条9項4号イ）および相手方の転売先の販売価格を定めて相手方をして同様に維持させること（同号ロ）である[16]。

再販売価格拘束が行われる理由としては、高級イメージ等で他と差別化された商品（ブランド商品）について、メーカーの影響力を行使して末端小売価格の値崩れを防止する措置を講じブランドイメージを維持しようとすることや、系列化を図るメーカーが、末端小売価格の値崩れを防止する措置を取ることによって、系列に組み込んだ末端小売業者の利益を確保し、系列化をより強固なものにしようとすることがある。

しかし、商品の価格設定は、事業者の重要な競争手段であり、販売する者の自由な意思によって決められることが、自由で公正な競争の極めて重要な前提であるから、独禁法は、販売価格を販売者以外の者が拘束することは、販売者間の競争が回避され、自由競争を減殺するおそれが明白であって、原則として許されないと考えるのである（⇒流・取慣行GL第1部の1）。

(2)　再販売価格拘束の成立要件

○行為要件	・再販売価格維持行為（法2条9項4号イおよびロ）
○公正競争阻害性	・自由競争の減殺のおそれ（競争回避）
	・原則違法

ア　行為要件

(ア)　禁止される行為

再販売価格の拘束が禁止される。具体的には、法2条9項4号イおよびロの「**再販売価格維持行為**」が禁止される。

再販売価格維持行為とは、例えば、メーカーが、自己の商品を購入する卸業者に対して、①卸業者から小売業者への販売価格（再販売価格）を指示

16)　相手方の販売価格も、相手方の転売先の販売価格も、いずれも実務上「再販売価格」という（菅久授業112頁）。

しその価格で販売するよう拘束する行為（法2条9項4号イの場合）、あるいは②自己の商品を卸業者から購入する小売業者の販売価格（消費者価格）を当該卸業者に指示し、当該卸売業者をして小売業者に当該指示価格で販売するようにさせる行為（同号ロの場合）をいう。

間接の取引先事業者に対する販売価格拘束も規制され得る（⇒1(4)）。メーカーが直接、小売店の販売価格を拘束する場合も違反になるということである。

CASE 5-4　ハーゲンダッツ・ジャパン事件

H社の次の行為は再販売価格拘束に該当するか。

H社は、自ら製造または輸入する高級アイスクリームの販売に関し、

(1)　卸売業者に対し、取引先小売業者に、H社の定めた希望小売価格で販売するよう要請させ、小売業者にその要請を受け入れさせるために、要請に応じない小売業者への出荷停止などの手段を講じ、卸売業者をして、取引先小売業者の販売価格を拘束した。

(2)　自ら、小売業者に対して、H社の定めた希望小売価格で販売するよう要請し、その要請を受け入れるようにさせるために、①セールスレディーと呼ぶ店舗巡回員などによる小売価格の調査を行い、②値引販売を実施する小売業者に対して希望小売価格での販売を要請し、③②の要請に応じない小売業者には出荷を停止し、④要請に応じるときには見返りの販売促進手段を提供するなどの手段を講じることにより、小売業者の販売価格を拘束した。

（勧告審決平9・4・25）

上記CASE 5-4の事例(1)は、直接の取引先事業者（卸売業者）をして、再販売先の小売業者の販売価格を拘束させた行為であり、法2条9項4号ロ（旧一般指定12項2号）に該当する。

事例(2)において、H社が自ら価格を拘束した先は、直接の取引先事業者を飛び越えた小売業者なので、形式的には、法2条9項4号のイにもロにも該当しないように見える。しかし、公取委は、間接の取引先事業者を相手方とした場合も法2条9項4号イの拘束に当たるとしており（⇒1(4)）、この場合も、H社自らが、間接の取引先事業者である小売業者に対し、小売業者の販売価格拘束をしたものと評価し、法2条9項4号イ（旧一般指定12項1号）に該当するとした。

(イ)　拘束とは

a　意義

前記１⑶のとおり、「拘束」があったというためには、「それに従わない場合に経済上なんらかの不利益を伴うことにより現実にその実効性が確保されてい」ることなど、行為者の人為的な手段によって条件を守ることの実効性が確保されていれば足りる（最判昭50・7・10〔和光堂事件〕）。

同様に育児用品メーカーが、商品について定めた提案価格で小売業者に販売させるため、定期調査で小売業者の販売価格を把握し、逸脱価格で販売する小売業者に提案価格で販売するように要請し、これに応じない小売業者には出荷停止するなどしていたことを拘束と認め、違反とした例がある（排除措置命令令元7・1〔アップリカ・チルドレンズプロダクツ事件〕）。

b　拘束を肯定するための考慮要素

拘束を肯定する事情として、①拘束者の地位が有力であること（高い市場シェアであることなど）、②被拘束者にとって当該商品を取り扱うことが営業上有利であること、③拘束者から出荷停止の示唆などの具体的言動があること、④実際の再販売価格が斉一化していることなどが認定されることが多い。なお、市場シェアが小さくても、被拘束者（販売業者）がメーカーと当該商品の取引をやめるわけにいかない事情がある場合は、これが「拘束」を基礎づける事実として位置づけられることもある（実務に効く160頁［植村幸也］参照）。例えば、ブランド等によって差別化が著しい商品なので、シェアが小さくても拘束の実効性が確保されるという場合である。

CASE 5-5　コールマンジャパン事件

キャンプ用品の輸入・販売業者であるＣ社が、小売業者に対して、小売業者が、甲のキャンプ用品を販売するに当たって、キャンプ用品ごとにＣ社が定める下限以上の価格とすることなどのルールに従って販売する旨の同意を得て、同ルールに従って販売するようにさせていた行為について「拘束性」を認め、再販売価格維持行為であるとした事案。

（排除措置命令平28・6・15）

上記CASE 5-5においては、「相手方の同意」の存在が拘束を認定した１つの理由になっていると考えられる。同様に、ベビーカー等のメーカーが、商品の「提案価格」を定めて小売業者に同価格で販売することを同意させていたことを違反とした例がある（排除措置命令令元7・24〔コンビ事件〕）。

(ウ)　「標準小売価格」「メーカー希望価格」「建値（たてね）」の設定

流通業者に対し、商品の価格が、単なる参考として示され、当該流通業者が強制されず、自由な価格で販売できるものであれば、独禁法上問題とされない（⇒流・取慣行 GL 第1部第1の1(2)）。

(エ)　法2条9項4号の行為要件に該当しない行為

a　相手方が「『商品』を購入する相手方」に該当しない場合

法2条9項4号は、「自己の供給する商品を購入する相手方」に対する再販売価格維持行為を規制の対象としているため、**役務の対価**を拘束する場合や、特許ライセンス契約におけるライセンサーが、ライセンシーが当該特許を実施して製造した特許製品の販売価格を拘束する場合は、規制対象にならない。また、**フランチャイズ・システム**において、本部が加盟店に対し、加盟店が本部以外から仕入れた商品の販売価格を拘束する場合も、再販売価格の拘束にはならない。これらの場合は、一般指定12項（拘束条件付取引）によって規制される。

b　委託販売の場合の受託者への価格指示

委託販売であって、受託者が、受託商品が滅失毀損した場合に善管注意義務の範囲を超えた危険負担を負うことがなく、商品の売れ残りリスクも負うことがなく（返品の自由が認められているなど）、代金債権が焦げ付いたときの貸し倒れリスクを負うこともないなど、当該**取引が、実質的に委託者の危険負担と計算において行われているといえる場合**には、受託者は独立の事業活動を行っている事業者とは評価できないから、委託者が受託者に対して販売価格を指示拘束しても違法にならない（流・取慣行 GL 第1部第1の2(7)①）。

もっとも、その取引が行われている業界において、委託販売や実質的直接販売（⇒c）が行われておらず、そのような販売方法をとることに合理的理由が見いだせない場合には、委託販売等としての例外扱いをすることは認めにくいと考えられる（実務に効く164頁［植村幸也］）。

c　メーカーと小売業者との実質的直接販売（卸売業者が単なる取り次ぎの場合）

メーカーと小売業者との間で価格交渉が行われ、卸売業者が単に取り次ぎとして機能しているにすぎない場合などは、実質的なメーカーから小売業者への直接販売であり、メーカーが卸売業者から小売業者への販売価格（卸業者への販売価格に卸売業者の手数料相当額を加えた金額）を指示しても違法にならない（⇒流・取慣行GL第1部第1の2(7)②）。

イ　公正競争阻害性

(ア)　原則違法の違反類型における「正当な理由」

a　原則違法

再販売価格拘束の公正競争阻害性については、「不当に」ではなく「正当な理由がないのに」という文言になっている上、再販売価格拘束が行われれば、流通業者間の価格競争を減少消滅させることから、通常、競争阻害効果が大きく、行為要件が充足すれば、原則として公正競争阻害性があると認められ、違法となる（⇒流・取慣行GL第1部第1の2(1)）。

b　「正当な理由」が肯定される場合

再販売価格拘束であっても、例外的に「正当な理由」が肯定され得る。しかし、公取委は、「正当な理由」が肯定される要件について、「事業者による自社製品の再販売価格の拘束によって実際に競争促進効果が生じてブランド間競争が促進され、それによって当該商品の需要が増大し、消費者の利益の増進が図られ、当該競争促進効果が、再販売価格の拘束以外のより競争阻害的でない他の方法によっては生じ得ないものである場合において、必要な範囲及び必要な期間に限り、認められる。」とかなり高いハードルを設定している（⇒流・取慣行GL第1部第1の2(2)）。

(イ)　「ブランド間競争を促進するため」が正当な理由になるか

a　ブランド内競争とブランド間競争[17]

CASE 5-6　設問

人気ブランドであるXブランドの口紅の流通経路は、Xブランドの口紅メーカーX社が問屋に販売し、問屋が末端の小売店A社、B社およびC社に販売するというものである。メーカーX社は、Xブランドの口紅の末端価格の値崩れを防ぎブランドイメージを高めるため、Xブランドの口紅を販売する小売店間の価格競争を止めさせ利益を確保させ小売店におけるXブランドの口紅の販売意欲を高めるため、末端の小売店A社、B社およびC社の消費者向け小売価格を1万

17）　金井ほか独禁法330頁〜332頁［金井貴嗣］参照。

円に設定した上、問屋に対して、問屋において、A社、B社およびC社に働きかけXブランド口紅の消費者小売価格を1万円にするようしてほしいと要請した。同要請に応じ問屋がA社、B社およびC社にその旨働きかけ、その結果、A社、B社およびC社はXブランド口紅を1万円で販売した。他方、メーカーX社のライバルであるメーカーY社が製造販売するYブランドの口紅については、再販価格拘束が行われず、末端価格はバラバラである。この状況の下、X社が、上記目的で行う再販売価格拘束行為に正当理由はあるか。

[図表5-9]　再販売価格維持行為

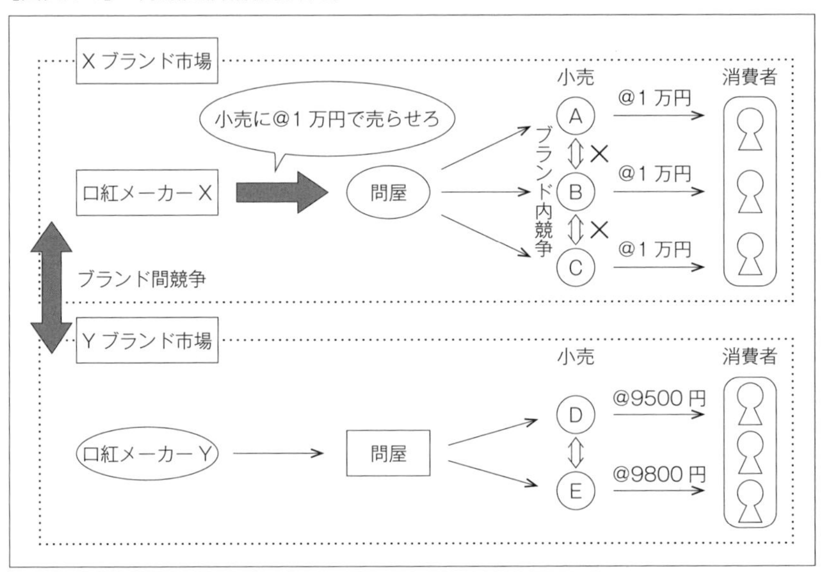

(a)　法2条9項4号イは、口紅メーカーX社が問屋に対して、その販売先A社、B社およびC社への販売価格について、例えば1本7000円で売りなさいというように、問屋の販売価格を拘束する行為を規制している。しかし、この方法だと、A社、B社およびC社は1本7000円で仕入れた口紅を消費者向けにいくらで売るか自由に決められ末端の消費者向け販売価格がバラバラになり得る。

メーカーX社が、Xブランドの口紅の末端小売価格を1万円にそろえたいときには、本件で行われたように、X社において、問屋に要請し、問屋をして、A社、B社およびC社がXブランド口紅の消費者小売価格を1万円にするよう働きかけさせて拘束させることになる。この行為を規制しようとするのが、法2条9項4号ロである。

(b)　Xブランドの口紅の販売市場で、これを取り扱う小売店の相当数に対し法2条9項4号イおよびロの再販売価格拘束が行われれば、Xブランドの口紅を取り扱う小売店間の価格競争（ブランド内競争）が回避される。

しかし、Yブランドの口紅も含めた口紅の販売市場全体をみたとき、Xブランドの口紅とYブランド口紅の間の競争（ブランド間競争）が存在し、口紅の販売市場全体での競争はなくならず、自由競争の減殺のおそれが生じないのではないかと疑問が生じる。かえって、Xブランドの口紅メーカーX社が、取扱い小売店全部の価格を拘束したことによって、メーカーX社は、末端の小売店A社、B社およびC社などに一定の利益を保証できるようになり、Xブランドの口紅を取り扱う小売店は、Xブランドを販売するための営業活動を一層頑張ってやるようになり、それゆえXブランドとそれ以外のブランドの間のブランド間競争が活発化し、競争が促進されることになるとも考えられる。

(c)　そのため、この問題に関しては、「ブランド間競争が活発であれば『正当な理由』を認めるべきである」とする議論があり得るところである。しかし、この点、公取委の実務家は、「**再販売価格の拘束は、一般に、市場の寡占化あるいは商品差別化が進んでいるなどのためブランド間競争が活発ではない場合でなければ機能しない**であろうと考えられ、こうした議論は適当でない」と指摘する（佐久間ほか解説78頁）。

(d)　育児用粉ミルクの再販売価格拘束の事案において、最高裁は、「**行為者とその競争者との間における競争関係が強化されるとしても、それが、必ずしも相手方たる当該商品の販売業者間において自由な価格競争が行われた場合と同様な経済上の効果をもたらすものでない以上、競争阻害性のあることを否定することはできない**」と判示した（最判昭50・7・10〔和光堂事件〕）。

上記したとおり、再販売価格拘束は、市場の寡占化や価格拘束の対象になる商品の差別化が進んでいる場合など限って実効的に行うことができると理解されており、最高裁も、その理解を前提にして、育児用粉ミルクについては、一度特定のブランドを選んだら他のブランドに変更することがないという、当該商品が差別化されている特性を前提とした判断を示したものと考えられる。前提となるブランドの特性を前提にすると、それまで選んでいたブランドの育児用粉ミルクが高値になったとしても、より安価な別のブランドの育児用粉ミルクに変更するとは考えにくいので、再販価格拘束によって、ブランド間競争が活発化することは考えにくい。

(e)　人気ブランドの口紅も、一般的に一度ブランドを決めたら他のブランドに変更することはない特性があると考えられ、X ブランドの口紅は、ブランドとして差別化されているので、X ブランドの口紅の価格が拘束されて高値に揃ったとしても、その利用者が他のブランドに乗り換えることは考えにくい。X 社の再販売価格拘束が実効的に行われてブランド内競争が回避されるとき、他のブランドとの間の競争が活発化することは考えにくいので、口紅市場において競争減殺のおそれが生じるということができ、公正競争阻害性を肯定できる（金井ほか独禁法 331 頁［金井貴嗣］参照）。

b　ブランド内競争減殺を上回るブランド間競争促進について判断は困難

また、再販売価格が拘束された場合のブランド内競争とブランド間競争への影響については、再販売価格拘束がブランド内競争を制限しつつブランド間競争を増進・促進することがあり得るか、あるとした場合にブランド内競争の制限による弊害とブランド間競争の促進によってもたらされる利益とを比較考量することが可能か、比較考量できるとした場合に、競争促進の利益が競争制限の弊害を上回ることがあり得るのかが問題になり得るが、いずれも判断が難しい。

(ウ)　「フリーライダー問題解消のため」は「正当な理由」になるか

「フリーライダー問題」とは、例えば、インターネット販売店が、実店舗を構えた小売業者が行う宣伝活動・営業活動によって顧客に対して商品の認知度が高められている結果にただ乗りし、自分では宣伝・営業活動せず、コストを押さえて安価で商品を売ることができる場合、このようなただ乗りが放置されれば、実店舗において自ら費用をかけた積極的な宣伝・営業が控えられることになって、本来であれば、当該商品を購入したであろう消費者が購入しなくなるという問題をいう（流・取慣行 GL 第１部３(3)ア）。

そこで、例えば、メーカーが、ある商品について、インターネット販売の小売価格を、実店舗の小売価格と同一の価格設定で拘束することについて、これによって、「フリーライダー問題」が解消できるとして、これが、

「正当な理由」に当たると主張することがあり得る。

公取委は、一般論として、前記(ア)b の要件が備われば、「フリーライダー問題の解消のため」に行う再販価格拘束に「正当な理由」が認められるとしたが（流・取慣行 GL 第1部第1の2(2)）、前述したように、その場合「正当な理由」として肯定されるためのハードルは相当に高い。

前記(イ)のとおり、和光堂事件最高裁判決は、再販売価格拘束によって促進されたブランド間競争が、ブランド内で自由な価格競争が行われたのと同様の効果が認められない限り「正当な理由」は認められないとしている（最判昭 50・7・10〔和光堂事件〕）ところ、仮に、インターネット販売の小売価格を拘束できたとした場合に、同様の効果が生まれるとは想定しにくいからである（実務に効く 159 頁［植村幸也］参照）。

(エ)　事業経営上の必要性・合理性と正当な理由

事業経営上の必要あるいは合理的というだけでは「正当な理由」があるとすることはできない（最判昭 50・7・11〔明治商事事件〕⇒第1章第4節7(3)）。

ウ　著作物再販売適用除外制度

書籍、雑誌、新聞、レコード盤、音楽用テープ、音楽用 CD（ゲームソフトは該当しない）に限って、商習慣上、再販売価格の拘束が認められてきたことから、独禁法もこれを尊重し、再販価格拘束禁止の適用除外とした（法23条4項）。

3　排他条件付取引

(1)　意義など

一般指定 12 項（拘束条件付取引）の行為のうち、市場閉鎖効果を問題とする類型の典型的行為を独立させたものが、この一般指定 11 項である（泉水独禁法 424 頁）。

ア　意義

> ○一般指定 11 項（排他条件付取引）
>
> 不当に、相手方が競争者と取引しないことを条件として当該相手方と取引し、競争者の取引の機会を減少させるおそれがあること。

「**排他条件付取引**」とは、取引の相手方に対し、自己の競争事業者と取引しないことを条件として取引をすることである。

「排他条件」とは「相手に対して、自分の競争事業者すべてとの取引を禁じ、自分とだけ取引をするよう求める条件」(「俺とだけ付き合え」条件)をいう。

相手方が自己の競争業者と取引しないことを条件とする**専売店契約**、**特約店契約**がこの典型である。

例えば、自動車メーカーがディーラーに対し、自社の自動車だけを販売することを条件として自動車を販売する専売店・特約店契約は、ディーラーに他のメーカーの自動車は販売しないとの排他条件が付されることによって、メーカーからディーラーへ技術・経営的支援が付与され、あるいは広告宣伝が統一的・効果的になされることになって、ディーラーの事業活動が効率的になり、そのことを通じて他の自動車メーカーとの間のブランド間競争が促進されるメリットが生じ得る。他方、自動車メーカーの自動車販売シェアが極めて大きいときなどに、専売店制が採用されると、流通経路が他の自動車メーカーに対して閉鎖される(市場閉鎖＝競争排除)おそれが生まれ、競争を減殺するおそれを生むデメリットもある。

イ　排他条件付取引の種類

(ア)　排他的供給取引

供給者が、需要者に対し自己の競争者から商品・役務の供給を受けないことを条件して供給取引をするものをいう。主なものとして、前記の**専売店制・特約店制のほか**、相手方が仕入れる量のすべてを自己から購入するようにさせる(＝ライバルからの購入を認めない)という**全量購入契約**がある。

流通業者の一定期間における取引額全体に占める自社商品の取引額の割合や、流通業者の店舗に展示されている商品全体に占める自社商品の展示の割合に応じてリベートを付与する**専有率リベート**は、形式的には排他条件を付しているものではないが、求められる占有率が著しく高く競争品の取り扱いを制限する機能を持つ場合には、排他条件付取引に該当し得る。

(イ)　排他的受入取引

需要者が、供給者が自己の競争者に商品・役務を供給しないことを条件として当該供給者から購入取引をするものである。主なものとして、販売業者が、特定のメーカーの製品を一手に引き受けて販売する**一手販売契約**、日本の事業者が外国事業者の製品の日本国内での販売を一手に引き受ける**輸入総代理店契約**がある。

⑵　排他条件付取引の成立要件

○行為要件	・相手方が自分の競争者と取引しないことを条件として取引をすること ・競争者の取引の機会を減少させるおそれがあること
○公正競争阻害性	・自由競争の減殺のおそれ（競争排除・市場閉鎖効果） ・市場閉鎖効果が生じる場合 ・市場における有力な事業者の行為に限る （流・取慣行GL第1部第2の2）

（競争を実質的に制限する場合は、排除型私的独占の排除行為（排他的取引）に該当⇒第4章第2節1⑷ア(イ)）

ア　行為要件

前記⑴アのとおり、「排他条件」とは「相手に対して、自分の競争事業者すべてとの取引を禁じ、自分とだけ取引をするよう求める条件」をいう。これに対し、相手に対し特定の競争事業者との取引だけを禁止する条件は後記4の「拘束条件」である。

取引先事業者をして、競争者との取引を拒絶させる（一般指定2項後段。単独・間接型の取引拒絶）方法でも、同様の効果がもたらされ得る（⇒前記第2節3⑵イ(ア)）。

「競争者の取引の機会を減少させるおそれがあること」は、行為要件として規定されているが、この要件の立証ができたとしても、正当理由の有無なども含めて公正競争阻害性の存在を立証する必要があるので、実際上、公正競争阻害性判断の中で、併せて判断することになる。

イ　公正競争阻害性

(ア)　公正競争阻害性を肯定する要件

排他条件付取引における公正競争阻害性が問題となった事案について、東洋精米機事件東京高裁判決は、「公正競争阻害性の有無は、……行為者のする**排他条件付取引によつて行為者と競争関係にある事業者の利用しうる**

流通経路がどの程度閉鎖的な状態におかれることになるかによつて決定されるべきであ（る）」、「有力な立場にある事業者がその製品について販売業者の中の相当数の者との間で排他条件付取引を行う場合には、その取引には原則的に公正競争阻害性が認められる」とし、当該事案においては、競争メーカーが代替的供給先を見いだせないことになり、その取引機会が減少することになるとして公正競争阻害性を肯定した（東京高判昭59・2・17〔東洋精米機事件〕）。

これを踏まえ、公取委は、**市場において有力な地位にある事業者**が、取引先事業者に対する自己の競争者との取引や競争品の取扱いに関する制限を行い、これによって「市場閉鎖効果が生じる場合」には、排他条件付取引に該当し違法となるとしている（流・取慣行GL第1部第2の2(1)イ）。

(イ)　有力な事業者

公正競争阻害性を肯定するためには、排他条件をもちかける事業者が、市場における有力な事業者であることを要する（⇒第1節5(3)エ）。

(ウ)　市場の画定

これについては、第1節3(2)ア(ウ)参照。

(エ)　市場閉鎖効果が生じる場合の判断

a　市場閉鎖効果が生じる場合とは

前記（第1節5(3)イ）のとおり、「**市場閉鎖効果が生じる場合**」とは、「新規参入者や既存の競争者にとって、代替的な取引先を容易に確保することができなくなり、事業活動に要する費用が引き上げられる、新規参入や新商品開発等の意欲が損なわれるといった、新規参入者や既存の競争者が排除される又はこれらの取引機会が減少するような状態をもたらすおそれが生じる場合」をいう（流・取慣行GL第1部3(2)ア）。

「**事業活動に要する費用が引き上げられる**」場合とは、例えば、有力な事業者が排他的取引条件付取引によって最も優れた流通チャネルや優れた技術を確保し、これを競争者に使わせなくし、競争者がよりコストの高い流通チャネルや技術を使わなければならなくなるような場合である（ベーシック247頁～248頁［泉水文雄］）。

b　市場閉鎖効果が生じる場合かどうかの判断方法

市場閉鎖効果が生じる場合かどうかを判断するに当たっては、「**新規参入者や既存の競争者にとって、代替的な取引先を容易に確保することがで**

きなくなること」の有無、程度を検討しなければならない。前記東洋精米機事件東京高裁判決では、「競争関係にある事業者の利用しうる流通経路がどの程度閉鎖的な状態におかれることとなるかによつて」公正競争阻害性を決定すべきであるとされた。

［図表5-10］のように、事業者X社（原料メーカー）が、原料購入者A社、B社……に対し、自己の競争者Y社からの原料購入を禁止し自己からだけ購入するべきとする全量購入契約を結んだとき、X社が当該原料供給市場から自分の競争者Y社らを締め出せる程度の多数の原料購入業者と全量購入契約を締結できれば、競争者の流通経路が閉鎖され、市場閉鎖効果が生ずることになるが、わずかの購入者としか契約ができないときは、市場閉鎖効果が生じるとはいいにくい。

［図表5-10］　全量購入契約

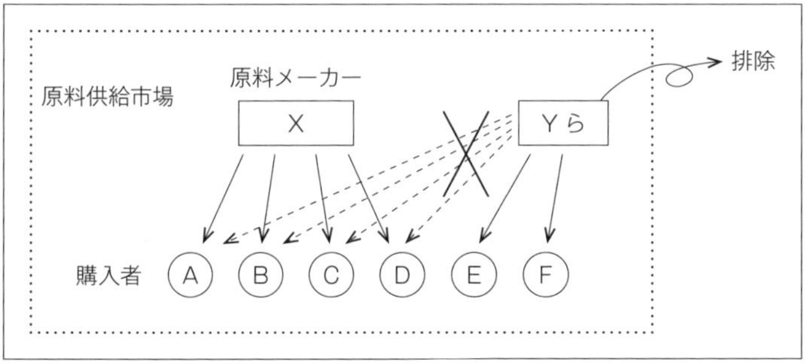

(3)　事例

ア　専売制制への変更

CASE 5-7　設問

甲地域においては、商品αを販売する小売業者のほとんどが、メーカーX社およびそのライバルのメーカーY社を含む多くのメーカーが製造する商品αを取り扱って販売していたところ、メーカーX社が小売業者に要請して専売制に変更し、小売業者にX社の商品だけを取り扱うようにさせることは、独禁法上問題となるか。

メーカーX社が、取引に排他条件を付与することによって、取引の相手方である小売業者がそれまで継続していた競争事業者Y社との取引を打ち切らざるを得なくなる場合、当該小売業者についてみれば競争事業者の取引の機会を奪うことになるが、同競争事業者Y社が、代替的な取引先をみいだすことが困難か否かは、商品αの販売市場においてX社が有力な事業者であるかどうか、商品αを販売する市場における小売業者の地位・数に依存するので、メーカーX社の本件行為について、ただちに公正競争阻害性が肯定されるものではない。

イ　特約店契約・部品の製造委託契約

CASE 5-8　設問

有力な自動車メーカーX社が、取引するすべてのディーラーに、自己の商品のみを取り扱い、競争事業者（他の自動車メーカー）の自動車を取り扱ってはならないとする条件を付け、これに応ずる場合に限って、X社の自動車を納入するとした特約店契約は、独禁法に違反するか。

メーカーX社が有力な事業者であることから「市場閉鎖効果が生じる場合」に当たり違法とされることが多いであろう。特に、既存の複数のメーカーが寡占状態にあり、これが並行して同様の専売店契約を採用している場合は、代替的な流通経路がないので、市場閉鎖効果は大きく、違反となりやすい（根岸・舟田270頁参照）。なお、現在の日本の自動車メーカーと系列ディーラーの間の契約においては、他メーカーの自動車の取扱いを禁じるという条項は入っておらず、あくまでメーカーからの要請をディーラーが自主的に受け入れている実態がほとんどであるといわれており、そうであれば、必ずしも違反にはならない。

4　拘束条件付取引

○一般指定12項（拘束条件付取引）

（再販売価格の拘束、排他条件付取引のほか）相手方とその取引の相手方との取引その他相手方の事業活動を不当に拘束する条件をつけて、当該相手方と取引すること。

⑴　はじめに

例えば、ブランド品メーカーが、商品のブランドイメージを向上させる目的で、取引の相手方に対して、相手方が小売業者であれば消費者向けの販売方法を**対面販売**に限るとしたり、相手方が卸業者であれば、卸販売先について安売り店に販売しないことを求めるなど取引の「相手方の事業活動を不当に拘束」しようとすることがあり得るが、これら拘束には、関係する事業者の事業活動を効率化するなど、競争促進効果を持つ面もある。また、例えば、部品メーカーが、完成品メーカーの要求を満たす特定の部品を製造するための専用機械や設備の設置等の特有の投資を行う必要があるとき、当該部品メーカーが当該完成品メーカーに対して、一定数量の当該部品の購入を義務付けることなどが、当該部品メーカーの投資を行う上で有効な場合、完成品メーカーへの部品購入義務付は、競争促進効果を持ち得る（流・取慣行GL第1部3⑶エ）。

拘束条件付取引は、公正競争阻害性について「不当に」と規定されているため、拘束行為があれば「原則違法」ではなく、個々の事案において、拘束の対象となる事業活動の種類や拘束の態様を総合考慮し、公正競争秩序維持の観点から「不当」といえるとき「公正競争阻害性」が肯定され、違法とされる（⇒第1節6⑵イ）。

⑵　拘束条件付取引全般について

拘束条件付取引における公正競争阻害性は、自由競争の減殺のおそれである。拘束条件付取引の態様に応じ、公正競争阻害性の内容として「価格維持効果が生じる場合」や「市場閉鎖効果が生じる場合」が想定されている。拘束条件付取引の行為のうち下記イ(イ)および⑺の「競争品の取扱いの制限」の行為は「市場閉鎖効果が生じる」場合に公正競争阻害性が認められ、他の類型の拘束条件付取引の行為は「価格維持効果が生じる」場合に公正競争阻害性が肯定される（泉水独禁法469頁）。

ア　行為要件

様々な態様の拘束がある。⑶以下で各論として詳しく説明する。

イ　公正競争阻害性

拘束条件付取引は、例えば、価格に関する広告の制限など再販売価格拘束と実質的に同視できる行為については、原則として公正競争阻害性が認められる。それ以外については、個々のケースに応じて、「価格維持効果が生じる場合」や「市場閉鎖効果が生じる場合」に公正競争阻害性が認められる（菅久ほか161頁［伊永大輔］、流・取慣行GL第1部3⑵）。

㋐　価格維持効果が生じる場合

「価格維持効果が生じる場合」の意義は、第1節5⑶イ㋑を参照されたい。

取引先事業者の販売活動を制限する行為は、通常、価格維持効果が生じる場合に公正競争阻害性が認められる（菅久ほか161頁［伊永大輔］）。販売先の制限・地域制限においては価格維持効果が生じるかどうかがもっぱら問題になる（実務に効く178頁［池田毅］）。

自動車メーカーA社が製造する自動車のディーラーの販売地域を制限することは、A社の自動車を販売するディーラー間の競争を回避させてブランド内競争を制限し競争を減殺し、ブランド間競争が弱ければさらに競争を減殺し、価格が維持されるおそれが生じる。

㋑　市場閉鎖効果が生じる場合

「市場閉鎖効果が生じる場合」の意義については、第1節5⑶イ㋐を参照されたい。

取引先事業者に対し、自己または自己と密接な関係にある事業者の商品と競争関係にある商品の取扱いを制限するよう拘束する条件を付けた取引を行う場合は、それによって「市場閉鎖効果が生じる場合」と認められ公正競争阻害性が肯定される（菅久ほか161頁［伊永大輔］。なお、流・取慣行GL第1部第2の2⑴イ）。

供給者が行う場合としては、例えば、取引先に対し、累進リベートによって競合品の取り扱いを制限する行為（勧告審決平9・8・6〔山口県経済農業協同組合連合会事件〕）などがある。需要者が行う場合としては、例えば、農協連合会が、農業機械・肥料等のメーカーに対し、自己を通して会員農協に販売する「系列ルート」を維持するため、メーカーに農協等に直接販売しないことを条件として取引する行為（勧告審決平11・3・9〔鳥取中央農業協同組合事件〕）などがある（金井ほか独禁法344頁～345頁［金井貴嗣］）。

以下、拘束条件付取引の態様別に、行為要件および公正競争阻害性を説明する。

(3) 販売地域の拘束

メーカーが流通業者に対して行う販売地域の制限のうち、「一定の地域を主たる責任地域として定め、当該地域内において、積極的な販売活動を行うことを義務付けること」を**責任地域制**といい、「店舗等の販売拠点の設置場所を一定地域内に限定したり、販売拠点の設置場所を指定すること」を**販売拠点制**という（流・取慣行GL第1部第2の3(1)）が、いずれも競争を阻害することが少なく競争上問題はない。

「責任地域制」および「販売拠点制」では、制限の対象となる販売店の地域外での販売活動は制限されておらず、地域外の顧客も、同一ブランドの販売店について複数の選択肢を持つことができ、ブランド内競争が存在し得るし、同一地域内に同一ブランドの店が複数存在すれば、相互に顧客を食い合うことになりやすいので、むしろ、責任地域性や販売拠点制によって、一定の地理的な範囲を販売店に保証して、当該販売店に当該ブランドの販売店として参加しプロモーションを行うインセンティブを作出しなければならない場合もあり、ビジネス上の合理性が認められる場合も多いと考えられるからである（実務に効く182頁［池田毅］）。

しかし、以下の販売地域の制限は、競争上問題とされる。

ア　厳格な地域制限

「厳格な地域制限」は流通業者に一定の地域を割り当て、地域外での販売を制限することである。

この場合、地域外に能動的に出て行って販売を行うことは制限される。地域外の顧客に対する積極的な営業活動を禁止するものであるので、異なる地域にある同一ブランドの販売店間の競争がなくなるし、顧客が地域外の販売店に引き合いを出すことがあまりないような商品・役務の場合には、各地域に所在する顧客に対する販売店が1つに限定される（実務に効く182頁［池田毅］）。

地域外の顧客が販売を求めてきたとき応じて受動的に販売をすることは制限されていない（［図表5-11］左図）。そのため、次の「地域外顧客への受動的販売制限」よりは、制限の程度は小さい。

公取委は、**この制限が「市場における有力な事業者」によって行われかつ、これによって「価格維持効果が生じる場合」に違法となるとする。**

違反の主体が「市場の有力な事業者」に限定されるのは、この制限の場合、あるブランドの商品について消費者が地域ごとの価格の違いをみてより安い価格で販売している地域で購入することが可能である分だけ、ブランド内競争を制限する効果が弱く、市場における有力な事業者に当たらない事業者が厳格な地域制限を行っても、通常、ブランド間競争が機能するため、価格維持効果が生じる場合に当たることはないと考えられるからである（佐久間ほか解説125頁）。

市場が寡占的であったり、ブランドごとの製品差別化が進んでいて、ブランド間競争が十分に機能しにくい状況の下で、市場において有力な事業者によって厳格な地域制限が行われると、当該ブランドの商品をめぐる価格競争が阻害され、価格維持効果が生じることになると考えられる（流・取慣行GL第1部第2の3(3)）。この制限においては、必ずしも価格維持効果があるとは限らないため、原則違法ではなく、個別的に公正競争阻害性（価格維持効果が生じる場合であること）の主張・立証が必要である。

［図表5-11］ 販売地域の制限

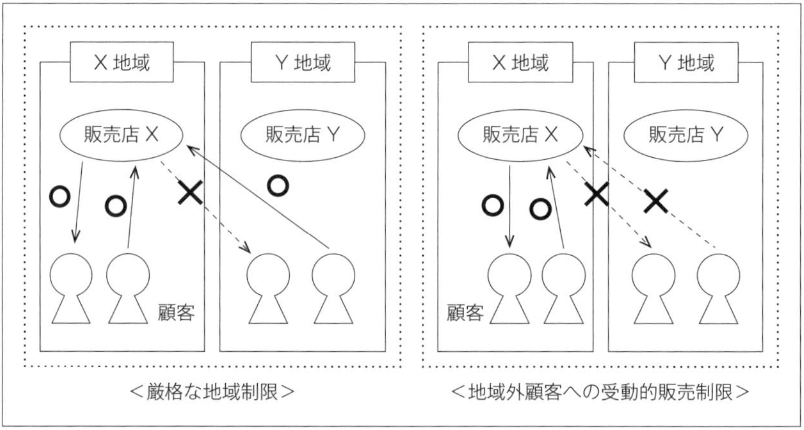

X地域　Y地域　販売店X　販売店Y　顧客

＜厳格な地域制限＞　＜地域外顧客への受動的販売制限＞

イ　地域外顧客への受動的販売制限

これは、流通業者に一定の地域を割り当てた上、地域外からの顧客からの求めに応じて行う**受動的な販売も制限する**ものであり、当該一定の地域においてはブランド内競争を制限する効果が大きい（［図表5-11］右図）。

インターネット販売において、流通業者のウェブサイトをみた顧客が当該流通業者に注文し、その結果販売につながったという場合も「受動的販売」に該当する。事業者が流通業者に一定の地域を割り当て、顧客の配達先情報等から当該顧客の住所が地域外であることが販売した場合に、当該顧客とのインターネット販売を停止させることは、地域外顧客への受動的販売の制限に該当する。

公取委は、**この制限によって「価格維持効果が生じる場合」には違法になる**とする（流・取慣行 GL 第1部第2の3⑷)）。この地域制限は、ブランド間競争が回避できないときでも行われるため、顧客に対して担当すべき販売店を厳格に定めたとしても、当該顧客に対する価格が高止まりするとは限らない（実務に効く 179 頁［池田毅］)。そのため、原則違法とはされず、公正競争阻害性（価格維持効果の発生）を個別に主張・立証する必要がある。

アに比べて行為の反競争性が大きいため、市場における有力なメーカーによって行われる場合でなくても、違法になり得る。

⑷　小売業者の販売方法の制限

事業者が小売業者に対して販売方法（販売価格、販売地域および販売先に関するものを除く）を制限することに、商品の安全性の確保、品質の保持、商標の信用の保持等、当該商品の適切な販売のための「それなりの合理的な理由」が認められ、かつ、他の小売業者に対しても同等の条件が課せられている場合には、それ自体独禁法上問題となるものではない（流・取慣行 GL 第1部第2の6⑵)）。

事業者は、自ら販売する製品・役務について、どのような質（付加的サービス、品質管理等）のものとして消費者に販売するかを決定することができるといえるところ、例えば、同じ商品・役務であっても、コストをかけブランドイメージを高めるための対面販売等の販売方法をとることも、量販店に陳列させて量をさばく販売方法をとることも、商品役務の質の決定としてメーカーに認められていると考えられるからである（実務に効く 183 頁［池田毅］)。

ア　対面販売の義務づけ

化粧品メーカーが、小売店に対して、対面販売の販売方法（顧客に対面して商品の説明を行うことを義務づけるもの）を採ることを条件としたことが拘束条件付取引として違法になるかが争われた事案について、資生堂東京販売事件最高裁判決は、「化粧品という商品の特性にかんがみれば、顧客の信頼を保持することが化粧品市場における競争力に影響することは自明のことであるから、被上告人が対面販売という販売方法を採ることには、それなりの合理性がある」とし、他の取引先とも同一の約定を結んでいること、実際にも相当多数の化粧品が対面販売により販売されていることも理由として、違法ではないとした（最判平 10・12・18〔資生堂東京販売事件〕）。

これによれば、販売方法に関する制限については、**①それなりの合理的な理由があることおよび②他の取引先に対しても同等に適用していること**の２要件が具備されれば、原則として違法とはならないと考えられる。

イ　インターネットによる販売の禁止

CASE 5-9　設問

医療器具メーカーは、自社の製品を販売する小売店に対して、製品の使用方法などを対面で説明しないと医療事故が起こる可能性があることを理由に、対面販売のみを認め、インターネットによる販売を禁止した。これは独禁法に違反するか。

［図表 5-12］　インターネット販売の禁止

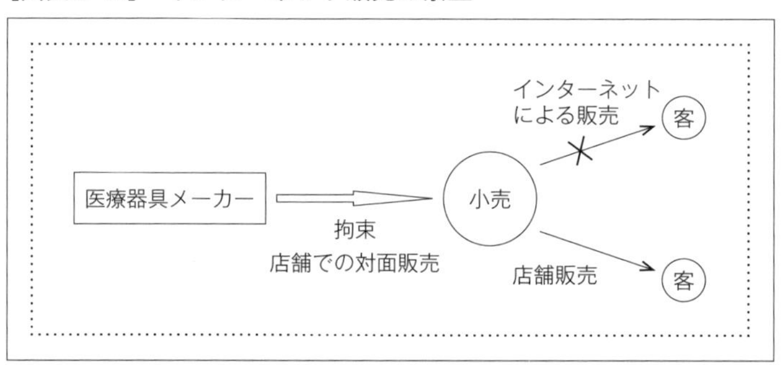

本件は、医療器具メーカーが、医療器具の安全な使い方を指導するために対面での販売が必要であることを理由としてインターネットによる販売を禁止したものである。これは、取引の対象となる商品役務の性質に着目して、実店舗における対面販売による説明が必要であることを理由にインターネット販売を制限したものであるから、販売方法の制限として整理することができ、その公正競争阻害性の判断基準（「それなりの合理性」がある

か、他の流通業者にも同様の制限をしているか）を検討し、これが肯定されるときは原則として違法にならない。

これに対し、量販店でも販売できるような商品・役務について、インターネットによる販売を制限する場合は、インターネットによる販売であろうと店舗における販売であろうと商品・役務の質にほぼ差異はなく、単に最終消費者に対する販売ルートを限定するものであり、それによりブランド内競争が制限され得るから、販売先・販売地域の制限と同様の考え方に基づき価格維持効果があるかどうかが検討されるべきと考えられる（実務に効く183頁［池田毅］）。

なお、「それなりの合理性」を肯定するに当たっては、医療器具の使用上の安全性を確保するという目的を実現するために、インターネットによる販売を全面禁止するという手段の選択は合理的だったのか、他のより競争制限的でない方法（例えば、インターネットによる購入希望者が、申込み前に、医療上の事故を防止するための分かりやすい動画による説明を必ず閲覧するような仕組みにする方法）は取り得なかったかなども検討されなければならない。

説明の義務付けを口実としたインターネット販売の禁止など、直ちに競争制限をもたらすおそれがあるものについては、販売方法の制限であるからという理由で正当化されることはない（菅久ほか164頁［伊永大輔］）。

ウ　広告・表示の方法についての拘束

メーカーまたはその販売会社等において、小売業者が、広告や店頭等で販売価格を表示する場合に、**最低価格を設定し当該価格を下回る値引き表示をしないように制限することや、価格を表示した広告そのものを禁止する制限行為**について、公取委は、そのような制限を行うことによって、「通常、価格競争が阻害されるおそれがあり、原則として不公正な取引方法に該当し、違法となる」としている（流・取慣行GL第1部第2の6(3)）。

店頭や広告での価格表示は、価格競争の重要な手段であることから、類型的に、価格を維持するおそれが発生する蓋然性が大きいと考えられるからである。原則違法の類型なので、当局において、当該行為が行われていることを主張・立証すれば、違法性が推定され、それ以上に「価格維持効果が生じる場合」であることまで具体的に明らかにする必要はない（金井ほか独禁法340頁［金井貴嗣］参照⇒第1節6(2)ア）。

(5)　選択的流通

これは、メーカーが、自社の商品を取り扱う流通業者に関して、一定の基準を設定し、当該基準を満たす流通業者に限定して商品を取り扱わせようとする場合、当該流通業者に対し、自社の商品の取り扱いを認めた流通業者以外の流通業者以外への転売を禁止することをいう。

メーカーが、一定の基準を満たす流通業者に限定して自社の商品を取り扱わせようとする行為には、競争促進効果を生じる場合があると考えられる。例えば、①事業者が、新商品について、流通業者の販売先を、高品質な商品を取り扱うという評判を有する小売店に限定することは、当該新商品が高品質であるとの評判を確保する上で有効な場合があり、②事業者が、自社商品について流通業者の販売先を一定の水準を満たしている者に限定したり、小売業者の販売方法を制限したりすることが、販売に係るサービスの統一性やサービスの質の標準化を図らせ、当該商品の顧客に対する信頼を高める上で有効な場合があり、そのような場合の当該制限行為は競争促進効果を持ち得る（流・取慣行 GL 第１部 3(3)イ・オ）。

そのため、公取委は、自社商品を取り扱う流通業者に関して、設定される基準が、当該商品の品質の保持、適切な使用の確保等、消費者の利益の観点からそれなりの合理的な理由に基づくものと認められ、かつ、当該商品の取り扱いを希望する他の流通業者に対しても同等の基準が適用される場合には、選択的流通を採用した結果として、特定の安売り業者が基準を満たさず、当該商品を取り扱うことができなかったとしても、通常問題にはならないとする（流・取慣行 GL 第１部第２の５)。

なお、安売り業者が安売りを行うことを理由に、同安売業者への販売を禁止する場合（⇒(6)ウ）とは区別する必要がある。

(6)　流通業者の販売先の制限

以下のとおり、事業者が、流通業者に対し、その取引先を特定の事業者に制限して販売活動を行わせることが問題となる場合があるが、前述の小売業者の販売方法に対する制限の場合と異なり、「それなりの合理性」を具備するだけでは許容されない。

小売業者の販売方法の制限の場合に「それなりの合理性」があれば許されるのは、メーカーは、そもそも自らが販売する製品・役務についてどのような質のものとして消費者に販売するかを決定することができると考えられるからである。これに対し、小売業者の販売先の制限は、例えば、同じ質のものとして販売する商品について、同じ量販店A社、B社、C社のうちA社にだけその販売を認めるというものであり、商品の質は変わらないのに流通経路が狭められるものであって需要者にとって不利益なものとなり得るため、自らが販売する商品について、どのような質のものとして販売するかが問題になる販売方法の制限の場合と違って、**「それなりの合理性」の具備だけでは適法化されない**と考えられる（実務に効く183頁［池田毅］）。

ア　帳合取引の義務づけ

帳合（ちょうあい）取引の義務付けとは、ある商品を製造販売するメーカー（またはその販売子会社）が卸売業者に対して、当該商品の販売先である小売業者を特定させ、小売業者が特定の卸売業者としか取引できないようにすることをいう。卸売業者を通じて、メーカーが小売業者をコントロールできるようになり、その販売を促進する面がある。

この場合、卸売業者に対して、一定の小売業者を割り当て、当該卸売業者はその小売業者としか取引できないものとするだけでなく、1つの小売業者について1つの卸売業者のみを帳合先として登録させ（**一店一帳合制**）、卸売業者は、他の卸売業者の帳合先となっている小売業者から取引の申出があっても、その申出に応じてはならないものとしているので、前述の地域外顧客への受動的販売制限（⇒(3)イ）と同様の行為と考えられ、公正競争阻害性も同様に検討されるべきである。

事業者が、卸売業者を通じて小売業者に商品を販売するとき、小売業者の当該事業者の商品の仕入れ額に応じて、小売業者に**リベートを付与**することがあるが、その場合、リベートの供与額の計算に当たって、特定の卸売業者からの仕入れ額のみを計算の基礎にすることも帳合取引の義務付けとなり得る（流・取慣行GL第1部第3の2(3)）。

公取委は、帳合取引の義務付けを原則違法とするのではなく、当該行為によって、当該商品の「価格維持効果が生じる場合」に、公正競争阻害性が肯定され違反が成立するものとする（流・取慣行GL第1部第2の4(2)、佐久間ほか解説130頁、131頁）。

イ　仲間取引（横流し）の禁止

事業者は、自己の商品の流通経路を何らかの目的を達成するために管理しようとすることがあり、その一環として、商品の転売や横流しを禁止しようとすることがある。これを「**仲間取引の禁止**」という。例えばメーカーが、安売り業者に商品が流れるのを防止するために、卸売業者には商品を取引関係のある小売業者に対してだけ販売させ、小売業者には一般消費者に対してだけ販売させ、これ以外の流通業者との取引を禁止するものである。

ゲームソフトメーカーが、卸売業者に対して、その取引先小売業者のみに販売するものとし、横流しを禁じる条件を付して、ゲームソフトを販売した事案がある。これについて、公取委審決は、「販売業者の取引先という、取引の基本となる契約当事者の選定に制限を課すものであるから、その制限の態様に照らして販売段階での競争制限に結び付きやす（い）」とした上で、違法性判断基準について、「この制限により当該商品の価格が維持されるおそれがあると認められる場合には、……拘束条件付取引に該当する」と判断した（審判審決平13・8・1〔ソニー・コンピュータエンタテインメント事件〕）。

このように、公取委は、仲間取引の禁止が、「価格維持効果を生じる場合」には拘束条件付取引となり違法となるとする（流・取慣行GL第1部第2の4(3)）。

安売り業者は、事業者から直接商品を購入できなくても、様々な流通ルートを通じて商品を入手して安売りすることが多いので、事業者が、このような安売り販売を阻止しようとするときには、例えば、卸売業者には一定の小売業者にのみ販売させ、小売業者には消費者のみに販売させるといった形で流通ルートを厳しく管理し、商品が安売り業者に流れるのを防止しようとする場合があり、このような流通ルートの厳重な管理のために行われる仲間取引の禁止は、通常、価格競争を阻害するおそれがあり、違法になり得る（佐久間ほか解説134頁参照）。

他方、ブランド間競争が機能している市場や、ブランドが差別化されているものの十分なブランド内競争が行われている市場では、横流しを禁止しようがしまいが、当該商品は競争価格で販売されることになり競争制限効果は肯定されないと考えられる（実務に効く180頁［池田毅］）。

ウ　安売り業者への販売禁止

事業者が卸売業者に対して、安売りを行うことを理由に小売業者へ販売しないようにさせることは、再販価格維持行為についての考え方（⇒前記2）に準じ、通常、価格競争を阻害するおそれがあり、原則として、拘束条件付取引またはその他の取引拒絶（一般指定2項）に該当し違法となる（流・取慣行GL第1部第2の4⑷）。

なお、事業者が従来から直接取引をしている流通業者に対して、安売りを行うことを理由に出荷停止を行うことも、通常、価格競争を阻害するおそれがあり、原則として、拘束条件付取引またはその他の取引拒絶（一般指定2項）に該当し違法となる（佐久間ほか解説137頁、流・取慣行GL第1部第2の4⑷）。

メーカーの販売禁止が安売りを行うことを理由としているものかどうかは、他の流通業者に対する対応等の取引の実態から客観的に判断される（流・取慣行GL第1部第2の4（注8））。

⑺　取引先事業者に対する自己の競争者との取引や競争品の取扱いに関する制限が、独禁法上問題になる場合

ア　具体例

CASE 5-10　高知県農業協同組合事件

T農協に所属し、同管内においてなすを栽培する組合員は、これらなすをT農協に販売委託して園芸連に出荷していた（系統出荷）ほか、商系事業者にも販売委託して市場に出荷（非系統出荷）していた。T農協は、組合員からなすの販売を受託するに際し、①非系統出荷を理由に支部園芸部から除名・出荷停止の処分を受けた者から、なすの販売を受託しないこと、②系統外出荷を行った者から、その販売金額の3.5％を系統外手数料として収受すること、③園芸連への出荷が基準未満の者から、未達成量に応じた罰金を徴収することを取り決めて実施していた。

この取り決め・実施は、独禁法に違反するか。

（東京高判令元・11・27）

本件では、T農協が、なすの受託販売取引の相手方である農協組合員に対し、なすの受託販売の競争者（商系業者）との取引を制限していたことが、

拘束条件付取引として違反になるかが問題となった。

イ　流・取慣行GLの考え方

公取委は、**事業者が、取引先事業者に対して、自己の競争者との取引や競争品の取扱いを制限する行為について**、それによって自己の競争者が取引先事業者の販売促進活動にただ乗りする状況を気にする必要がなくなり、取引先事業者を自己の商品の販売に専念させ、そこへの販売支援策を講じやすくなるなどの経営上の利点があるほか、事業者間の競争にとってプラスになる場合があるが、制限を行う事業者の市場における地位等によっては、競争阻害をもたらす可能性もあるとする（流・取慣行GL第1部第2の2⑴ア、佐久間ほか解説110頁）。

公取委は、市場における有力な事業者、例えば、市場における有力な完成品メーカーが、部品メーカーに対して、自己の競争者である完成品メーカーに部品を販売せず、または、部品の販売を制限するように要請し、その旨の同意を取り付ける場合のように、取引先事業者に対し自己または自己と密接な関係にある事業者の競争者と取引しないよう拘束する条件を付けて取引する行為などにより、市場閉鎖効果が生じる場合には、当該行為は不公正な取引方法（一般指定2項（その他の取引拒絶）、11項（排他条件付取引）または12項（拘束条件付取引））に該当し違法となるとする（流・取慣行GL第1部第2の2⑴イ）。

この行為は、**拘束条件付取引でなく、排他条件付取引や取引拒絶に該当することもあり得るが**、公正競争阻害性の考え方は共通する（⇒3⑵イ、第2節3⑵イ）。

ウ　「農業協同組合の活動に関する独占禁止法上の指針」（農協GL）の考え方

農業分野における競争阻害行為として、単位農協が、組合員に対し、農協の事業の利用を強制し、または農協と競争関係にある商系業者と組合員との直接取引（商系取引）を妨げるような事象がたびたび起こる。

これに対し、公取委は、「単位農協が、農畜産物の一部について販売事業を利用しようとしている組合員に対して、単位農協の販売事業を利用せずに販売したいと組合員が考えている農畜産物を含めて販売事業の利用を事実上余儀なくさせる場合には、組合員の自由かつ自主的な取引が阻害されるとともに、競争事業者が組合員と取引をする機会が減少することとなる。」とし、不公正な取引方法に該当し（一般指定10項、11項、12項）違法となるおそれがあるとする（農協GL第2部第2の2(1)）。違法判断において、農協の競争事業者の競争が阻害されることとともに、取引事業者である組合員の自由競争阻害[18]が考慮されている。

エ　CASE 5-10への答え

本件について、公取委は、T農協の上記取り決めおよび実施が拘束条件付取引に該当するとして排除措置命令を発出した（平29・3・29）。東京地裁判決（平31・3・28）は、公正競争阻害性の内容として、商系業者にとって取引機会が減少するような状態がもたらされるおそれ（市場閉鎖性）が生じたこととともに、事業者に系統外出荷量を抑制させる効果を及ぼし、事業者が本来自由に決定すべき取引先の選択を制約したことを挙げ、東京高裁判決もこの認定を支持し、引用している。

その取消訴訟において、東京地裁、東京高裁とも、拘束条件付取引の成立を認めた。

東京高裁は本件において市場閉鎖効果が生じたことについて「T農協は、T農協管内及びその周辺地域におけるなすの販売受託取引の市場において**有力な地位**にある……商系業者の取引先事業者であるなすの生産者（組合員）にとっては、T農協との取引関係を維持することが重要であるから、本件行為による拘束条件は、その性質上、組合員の自由な意思による系統外出荷を抑圧する効果が強く、組合員の相当数が本件行為の対象となっていることからすると、**商系業者にとって、T農協と取引している組合員に代わる取引先を確保することは容易ではなく、その取引機会を減少するおそれがあることは明らかであり、……市場閉鎖効果が生じる**ことを否定できない」と判示した（東京高判令元11・27〔高知県農業協同組合事件〕）。裁判所の判断は、前記イの流・取慣行GLの考え方およびウの農協GLの考え方を踏まえたものと考えられる。

18)　これも、自由競争減殺のおそれを内容とする公正競争阻害性である。

第5節　不当な取引誘引・抱き合わせ販売等

これは、法2条9項6号ハで示された「不当に競争者の顧客を自己と取引をするように誘引し、又は強制すること」という基本的定義を具体化したものである。

1　ぎまん的顧客誘引や不当な利益による顧客誘引

取引手段それ自体がフェアでない取引は、公正な競争秩序確保の観点から規制が必要とされる。

○一般指定8項（ぎまん的顧客誘引）
　自己が供給する商品又は役務の内容又は取引条件その他これらの取引に関する事項について、実際のもの又は競争者に係るものよりも著しく優良又は有利であると顧客に誤認させることにより、競争者の顧客を自己と取引するように不当に誘引すること。
○一般指定9項（不当な利益による顧客誘引）
　正常な商習慣に照らして不当な利益をもつて、競争者の顧客を自己と取引するように誘引すること。

(1)　行為要件

これについては、取引相手に対し、「不公正な勧誘手段を用いた取引」をする場合、例えば、誇大広告や過大な景品を勧誘手段とする販売取引が問題になるので、主として消費者向けの取引における不当表示および過大な景品付き取引として取り上げられることが多い。これは、「不当景品類及び不当表示防止法」（景品表示法）で規制され、消費者庁が所管している。

しかし、一般指定では誘引の対象は「顧客」とされ、事業者に対する誘引行為も規制対象になり、これについては、公取委において、不公正な取引方法として規制を行う。

なお、安い価格で需要者を引き付けることは、不当廉売に該当する場合を除いて、一般指定9項の「不当な利益」には当たらない（論点体系163頁［白石忠志］）。

⑵　公正競争阻害性

ア　一般指定8項および9項の公正競争阻害性は、いずれも競争手段の不公正さに求められ、不公正な競争手段を用いること自体が能率競争に反すると評価され、公正競争阻害（違法）の根拠とされる。行為要件に該当する行為が、市場における競争にいかなる影響を及ぼしたかを立証する必要はない。

実務上は、市場への影響にも配慮する観点から、「行為の広がり」（行為の相手方の数、行為の継続性・反復性など）を考慮することとされている。

イ　不当な利益による顧客誘引における公正競争阻害性は、能率競争に反することだけでなく、提供される利益の多寡または内容に競争が影響されることも含まれるから、提供される利益の内容・程度等も考慮して、公正競争阻害性を判断すべきである（金井ほか独禁法368頁～369頁［金井貴嗣］）。

2　抱き合わせ販売とその他取引強制

○一般指定10項（抱き合わせ販売等）

相手方に対し、不当に、商品又は役務の供給に併せて他の商品又は役務を自己又は自己の指定する事業者から購入させ、その他自己又は自己の指定する事業者と取引するように強制すること。

⑴　意義

一般指定10項前段は「抱き合わせ販売」を規制する。抱き合わせ販売とは、主たる商品・役務と一緒に、従たる商品・役務も抱き合わせて販売することである（根岸・舟田256頁）。

一般指定10項後段は、抱き合わせ販売以外の取引の強制を規制するものである。

⑵　抱き合わせ販売の成立要件

本節での抱き合わせ販売の説明においては、「商品・役務」を単に「商品」ともいう。

○行為要件
（前段）・主たる商品と従たる商品が別個のもの
・主たる商品の販売と抱き合わせて従たる商品を購入させること
（後段）・取引の強制
○公正競争阻害性
（前段）・従たる商品の市場における自由競争の減殺のおそれ（競争排除効果、市場閉鎖効果の生じる場合）
・主たる商品の市場における有力な事業者の行為に限る（流・取慣行GL 第1部第2の7)。
（後段）・競争手段の不公正のおそれ
（競争を実質的に制限する場合は、排除型私的独占の排除行為（抱き合わせ）に該当⇒第4章第2節1⑷ア㈦）

ア　行為要件

㈠　抱き合わせ販売

a　他の商品といえるか（2商品性）

「主たる商品」の供給に併せて「他の商品」を「従たる商品」として購入させる必要がある（一般指定10項前段）。

抱き合わす商品（**主たる商品**）からみて、抱き合わされる商品（**従たる商品**）が「他の商品」かどうか問題となる（**2商品性**）。「他の商品」というためには、それぞれが別個に取引される商品であることが必要である。その場合、通常「1つの商品」として販売されているかどうかが考慮される。靴は、通常左右セットで販売されるので、左右一組で販売しても「抱き合わせ」にはならない。

2つの商品を組み合わせて1つの商品として販売する場合には、抱き合わせにならない。2つの商品を組み合わせて「1つの商品」になるかどうかは、組み合わせによって、内容・機能が実質的に変わっているか、通常「1つの商品」として販売されているかなどを考慮して判断される。例えば、携帯電話とカメラを組み合わせ両者の機能を有する商品は、それ自体が1つの複合商品として取引されると考えられるので、これを販売しても「抱き合わせ」にはならない。また、例えば、技術的理由からA商品にB商品が必要不可欠な場合も「抱き合わせ」にはならない。しかし、複写機のリース契約に併せ、その消耗品であるトナーも購入させる場合は、そのような必要不可欠な関係にないので、別個の商品の抱き合わせとして規制対象となる。

b　「購入させる」に当たるか

「購入させる」に当たるというために、個々の顧客に対して取引強制行為があることは不要である。**ある商品の供給を受けるに際し、客観的にみて、少なからぬ顧客が他の商品の購入を余儀なくされるかどうかによって判断される**（流・取慣行GL第1部第2の7⑶）。

複数の商品を供給している事業者が、ある商品と別個の商品をセットで販売する行為を**バンドリング**（Bundling、セット販売）という。それぞれの商品が単品でも販売されるが、セットにした価格の方が、個別の商品の価格の合計よりも低い価格で設定される場合（**バンドル・ディスカウント**（**セット割引**））がある（例えば、通信会社が固定通信サービスと携帯電話サービスの両方を契約した顧客を対象に割引料金を適用する場合⇒⑶ウ、第3節1⑷ウ）。

組み合わされた商品の価格が行為者の主たる商品および従たる商品を別々に購入した場合の合計額よりも低くなるために多くの需要者が引きつけられるときは、実質的に他の商品を購入させているのと同様と解される[19)]。

セット販売の場合であっても、それぞれの商品を別々に購入する選択の自由が確保されていれば、ある商品の供給に併せて他の商品を「購入させる」には当たらない（佐久間ほか解説160頁）。

さらに、ある商品を購入した後に必要となる補完的商品に係る市場（**アフターマーケット**）において、特定の商品を購入させる行為も、抱き合わせ商品に含まれる（流・取慣行GL第1部第2の7⑶⇒後記⑶エ）。

㈠　取引強制

抱き合わせ販売以外の方法による取引強制（一般指定10項後段）とは、例えば、買い手が、売り手から商品を購入する際に、購入に抱き合わせて、自己の商品を売り手に購入させるような場合であるが、実際の適用例は少ない（論点体系164頁［宇都宮秀樹］）。

19)　排除型私的独占における「抱き合わせ取引」について排除型私的独占GL第2の4⑴が述べるところは、不公正な取引方法としての「抱き合わせ販売」にも妥当する。

イ　公正取引阻害性

「不当に」との文言上、「原則違法」という違法性判断基準ではなく、取引の競争促進効果と競争阻害効果を総合し、「不当」かどうかを個別的に判断すべきことになる（⇒第1節6(2)イ）。

「抱き合わせ販売」の公正競争阻害性の内容として、**「従たる商品市場における自由な競争が減殺されるおそれ」**という面と**「顧客の商品選択の自由を妨げるおそれのある不公正な競争手段」**という面があるが、前者を公正競争阻害性の主たる内容ととらえるのが相当である（後記CASE 5-11のマイクロソフト事件審決もそのように理解している）。

公取委は、「従たる商品市場における自由な競争が減殺されるおそれ」があるかどうかの観点からは、「（主たる商品）の市場における有力な事業者が、取引の相手方に対し、当該商品の供給に併せて他の商品（従たる商品）を購入させることによって、従たる商品の市場において市場閉鎖効果が生じる場合には……、不公正な取引方法に該当し、違法となる」とする（流・取慣行GL第1部第2の7(2)）。流・取慣行GLは、抱き合わせ行為者の主たる商品市場でのシェア（有力な事業者性）、行為の期間、対象とされる相手の数、従たる商品の市場における商品差別化の程度なども考慮して、従たる商品市場における市場閉鎖効果の発生の有無を検討するべきものとしている。

従たる商品の商品差別化が進んでいない場合には、主たる商品と従たる商品を購入しようとする需要者は、一般に、購入の際の様々な手間を考えて、主たる商品と従たる商品を別々に購入するよりも、これらを抱き合わせ販売する事業者から同時に購入することを選択すると考えられ、市場閉鎖効果が生じる可能性が高まる（佐久間ほか解説155頁）。

「顧客の商品選択の自由を妨げるおそれのある不公正な競争手段」といえるかという観点からは、「主たる商品の市場力や従たる商品の特性、抱き合わせの態様のほか……行為の広がりを総合的に考慮する」とされる（流・取慣行GL第1部第2の7(2)（注10））。その際、市場の競争に及ぼす影響などの検討は不要である。この観点から公正競争阻害性ありとして違反とされたものとして、在庫品となっている不人気のゲームソフトを一掃処分するため、人気商品であるゲームソフト（主たる商品）に抱き合わせて不人気のゲームソフト（従たる商品）を販売した事案（審判審決平4・2・28〔藤田屋事件〕）がある。

⑶　事例

ア　抱き合わせ販売（違法例①）

CASE 5-11　マイクロソフト事件

A社の次の行為は独禁法違反となるか。

パソコンソフトメーカーであるM社は、表計算ソフトについては国内シェア最大の「エクセル」を販売していたが、ワープロソフトについては、競争事業者であるJ社の「一太郎」が国内市場でトップであり、自社の「ワード」のシェアを伸ばせなかった。そこで、M社は、パソコンメーカーに働きかけ、エクセルを予めパソコンにインストールして供給する条件として、ワードも併せてインストールさせた。間もなく「ワード」はシェアを伸ばし国内市場でトップになった。

（勧告審決平10・12・14）

［図表5-13］　マイクロソフト事件

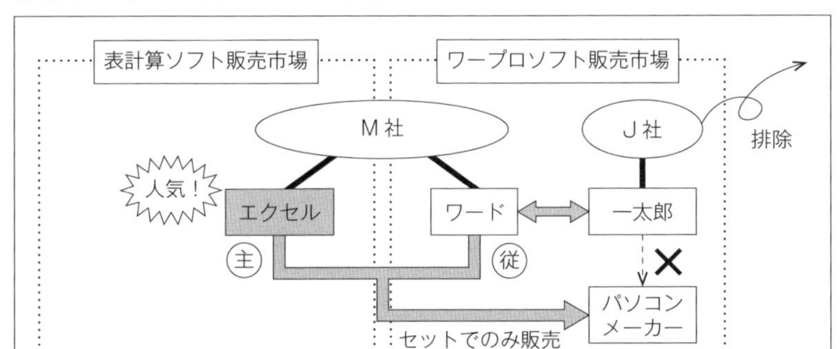

(ア)　本件は、M社（マイクロソフト社）が、自社の商品の人気をテコに、自社の取り扱う他の商品の販売を促進しようとしたことが独禁法違法とされた事例である。

人気が非常に高い商品をもっていれば、それほど人気のない新製品を抱き合わせることによって、その新製品の市場が容易に開拓できる。それを実践したM社のやり方はビジネス上は合理的で有効であったが、**公正で自由な競争の確保**という観点から問題があった。

まず、抱き合わされる商品（従たる商品）であるワープロソフトの当時の販売市場における競争をみたとき、競争事業者J社（ジャストシステム）にとって、同市場におけるJ社の商品（一太郎）の価格・性能と関係のない、別市場（表計算ソフトの販売市場）におけるM社の商品（エクセル。主たる商品）の人気によって、競争の勝敗が決められることになるもので、ワープロソフト販売市場において、人為的な理由により、J社に市場閉鎖効果が生じ自由競争の減殺のおそれが生じたとも考えられる。

また、取引の相手方（顧客）からみた場合、表計算ソフトだけを必要として購入しようとしているのに、不要なワープロソフトの購入も強制されることになるものであるから、不公正な競争手段という点でも問題となる。

(イ)　本件審決は、M社が表計算ソフト市場においてシェア1位であったことやM社と顧客との契約交渉の一連の経過から、顧客において、主たる商品（エクセル）の販売に併せて、従たる商品（ワード）の購入を余儀なくされる状況があったことを認定し「購入させ」などの行為要件が充足されているとした。また、本件審決では、行為の結果、従たる商品のシェアが伸びた事実も認定されているので、公正競争阻害性の内容としては、「従たる商品市場における自由な競争が減殺されるおそれ」の側面を重視した上でこれを肯定し違反が成立すると判断したと思われる（勧告審決平10・12・14）。

イ　抱き合わせ販売（違法例②）

CASE 5-12　東芝エレベーター事件

エレベーター本体メーカーX社の子会社であるエレベーター保守会社A社は、X社製エレベーターの保守業務につき90%のシェアを占めるとともに、X社製のエレベーターの部品を独占的に管理・供給していた。

X社製エレベーターが設置されているマンションの所有者Yが、独立系エレベーター保守会社B社に部品取替え調整工事をさせようとして、A社に対し、エレベーターの部品だけを販売してほしいと求めた。

しかし、A社は、部品の取替え調整工事は、部品販売会社自らが行うのでなければエレベーターの安全性は確保できないことを理由として「部品のみの販売はしない。A社に部品取替え調整工事を併せて注文しなければ、部品は提供しない」と回答したので、Yは部品の入手を断念した。

A社の行為は独禁法違反になるか。

（大阪高判平5・7・30）

［図表 5-14］　東芝エレベーター事件

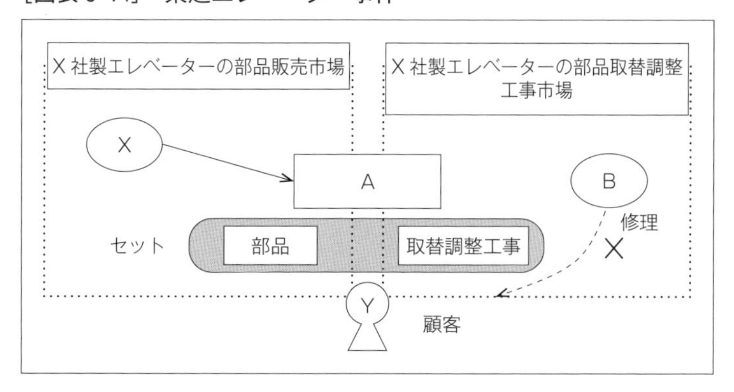

これはエレベーター本体の製造販売会社Ｘ社（東芝）の子会社であるエレベーター保守会社Ａ社の行為が民事訴訟で問題になった実例である。自社が独占的に販売する商品（Ｘ社製エレベーターの純正部品）があるときに、それをテコに、自社の事業（Ｘ社製エレベーター保守の部品取替調整工事事業）への他社の参入を妨害しようとしたとして問題となったケースであり、私人が起こした民事訴訟において、これが独禁法の「抱き合わせ販売」に該当し違法とされた（大阪高判平５・７・30〔東芝エレベーター事件〕[20]）。

同判決では、裁判所は、まず「本件各部品とその取り替え調整工事とは、それぞれ独自性を有し、独立して取引の対象とされている」として、この両方を併せて注文することを求めたＡ社の行為は、独禁法の「抱き合わせ販売」に該当するとした（なお、市場として、「Ｘ社製エレベーターの部品販売市場」と「Ｘ社製エレベーターの部品取替調整工事市場」が成立するとした）。

Ａ社は、安全性確保の目的で抱き合わせを行ったもので「不当」とはいえないと主張したが、これについて、裁判所は、不当性の判断に当たって安全性の確保も考慮すべき要因の１つであるとしたものの、本件の具体的事案においては、①独立系エレベーター保守業者にも検査資格者がいるこ

20）　同判決においては、別の独立系エレベーター保守会社Ｃ社に対するＡ社の違反も認定された。Ｃ社について、Ａ社からの部品と取替調整工事の抱き合わせ要求はなかったが、Ｃ社が保守契約を結んでいたビル所有者Ｚ名義で、Ａ社に対して、同ビルのエレベーター部品交換を含む取換調整工事を依頼した際に、Ａ社が部品の供給を行わないなどの嫌がらせをしたとの事実認定がなされ、競争者Ｃ社とその顧客Ｚとの取引を妨害したとして一般指定 14 項が適用された。

と、②独立系エレベーター保守業者も組合等において技術交流等を行っていること、③外国に輸出されたものについては、現地の保守業者が保守業務を行っていること、④他社のエレベーターの場合には、本件のような抱き合わせが行われていないことなどを理由に、「安全性確保のための必要性が明確に認められない」として本件の抱き合わせ取引の正当化事由を否定した。

裁判所は、目的が正当であっても、より制限的でない代替的手段によって、その目的が達成できたはずであると判断して、不当性を肯定したものと考えられる。

ウ　バンドル・ディスカウント（セット割引）

事業者が、ある商品と別個の商品を販売するときに、それぞれの商品は単品でも販売されるが、セットにする場合には、個別の商品の価格の合計よりも低い価格を設定する場合を「**バンドル・ディスカウント（セット割引）**」という。

これについては、まず不当廉売として規制できるかが検討される（⇒第3節1⑷ウ）が、これに該当しないとしても、有力な事業者がバンドル・ディスカウントを行うときには、従たる商品の市場で、競争事業者が排除されるおそれもあるので、この場合には**抱き合わせ販売として規制できないか**が検討され得る。

例えば、移動体電気通信事業者X社が、固定系電気通信事業者からFTTHサービス（戸建て住宅向けの光ファイバーを用いたデータ通信サービス）の卸提供を受け、自己の携帯電話サービス（主たる商品A）とFTTHサービス（従たる商品B）をセット販売する場合において、X社が当該携帯電話サービスの費用を著しく下回る水準で当該携帯電話サービスの料金を設定したともいえず、当該FTTHサービスの提供に要する費用を著しく下回る水準で当該FTTHサービスの料金を設定したともいえず、さらには、携帯電話サービスおよびFTTHサービスの提供に要する費用を合算した費用を著しく下回る水準で両サービスの料金を設定したともいえないときは、（法定）不当廉売の価格要件を充たさず、不当廉売による規制は困難である（⇒第3節1⑷ウ）。

しかし、この場合であっても、X社が市場における有力な事業者であり、商品Aと商品Bをバンドル・ディスカウントすることにより、従たる商品

Bの取引を強制しているとみることができるのであれば、抱き合わせ販売としてBの市場における自由競争減殺のおそれや競争手段の不公正を問題にできる。

なお、X社が携帯電話サービス（主たる商品A）市場で相対的に高いシェアを有する事業者であるときは、バンドル・ディスカウントでの商品AおよびBの全体での割引額α円を、従たる商品Bの価格のみから割り引いた価格を従たる商品Bの実質価格とみなし、それが当該商品Bの供給に係る費用を著しく下回り、それによって競争者乙を不当に排除するおそれが生まれるといえるときは、不当廉売として規制を行うことも考えられる[21]。

エ　アフターマーケットでの補完的商品の抱き合わせ

プリンター・メーカーが、当該プリンターに使用されるインクカートリッジやトナーカートリッジにICチップを搭載し、そこに記録される情報の書き換えを困難にしたり、プリンター本体によるICチップの制御方法を複雑にするなどして、カートリッジを再生利用できないようにする行為について、公取委は、「技術上の必要性等の合理的理由がないのに、あるいは、その必要性等の範囲を超えて」行われ、ユーザーが再生品を使用することを妨げる場合には、不公正な取引方法（抱き合わせ販売等、競争者への取引妨害）に該当するおそれがあるとしている（公取委公表「レーザープリンターに装着されるトナーカートリッジへのICチップの搭載とトナーカートリッジの再生利用に関する独占禁止法上の考え方」（平16・10・21）参照⇒(2)ア(ア)b）。

実例として、プリンター本体の設計を変更し、非純正インクカートリッジが装着されたときにエラーメッセージが表示されるようにしたことを抱き合わせ販売に該当するとして不法行為に基づく損害賠償を認めた民事訴訟事案がある（東京地判令3・9・30〔ブラザー工業事件〕）。

21）　割引総額帰属テストの考え方である。CPRCバンドル・ディスカウントに関する検討会・前掲注8）11頁。

第６節　優越的地位の濫用

ここでは法２条９項６号ホの「自己の取引上の地位を不当に利用して相手方と取引すること」という基本的定義を具体化した法２条９項５号（優越的地位の濫用）について解説する。

「取引の相手方の役員選任への不当干渉」（一般指定13項）も上記基本的定義を具体化したものであるが、近時の適用例がないので説明を割愛する。

１　優越的地位の濫用規制

○優越的地位の濫用（法２条９項５号）……課徴金の対象行為

自己の取引上の地位が相手方に優越していることを利用して、正常な商慣習に照らして不当に、次のいずれかに該当する行為をすること。

イ　継続して取引する相手方（新たに継続して取引しようとする相手方を含む。ロにおいて同じ。）に対して、当該取引に係る商品又は役務以外の商品又は役務を購入させること。

ロ　継続して取引する相手方に対して、自己のために金銭、役務その他の経済上の利益を提供させること。

ハ　①取引の相手方からの取引に係る商品の受領を拒み、取引の相手方から取引に係る商品を受領した後当該商品を当該相手方に引き取らせ、②取引の相手方に対して取引の対価の支払を遅らせ、若しくはその額を減じ、③その他取引の相手方に不利益となるように取引の条件を設定し、若しくは変更し、又は取引を実施すること。

＊筆者注：①～③は、筆者が付したもの。

優越的地位の濫用規制とは、自己の取引上の地位が相手方に優越している一方の当事者が、取引の相手方に対し、その地位を利用して、通常の当事者間ではあり得ない不利益を与えることに対し、公正な競争秩序維持の観点から規制を行うことをいう。

（なお、本節では、取引の一方当事者を単に「甲」、その取引の相手方を単に「乙」と表記することがある）。

例えば、大型デパート甲が、継続的に衣料品を納入する納入業者乙らに対し、甲の年末商戦での売上げを上げるため、甲が販売するおせちセット（単価5万円）を各自10セットずつ購入するよう要請し、乙らは不本意ではあったが、やむなく要請を受け入れたという、納入業者に対する押しつけ販売が典型である。

もし、甲と乙らが通常の取引関係にあれば、乙らの業務上多量の高価なおせちセットは不要であり、経済合理的には、甲の要請を受け入れることはないはずである。

公取委が法的措置を取った同種事案では、大型デパートは、デパート業界、小売業界でトップクラスの老舗で高い信用があり、その販売する商品を小売業者に納入する事業者にとって、同デパートは極めて有力な取引先であって、同デパートにその商品を納入している納入業者は、同デパートと納入取引を行うことを強く望んでいる状況にあるため、同デパートからその販売する商品の購入の要請を受けた納入業者は、同デパートとの納入取引を継続して行う立場上、その購入を余儀なくされていたと認定された（同意審決昭57・6・17〔三越事件〕）。

上記おせち押し付け販売事例における乙らも、甲との取引関係において、甲との取引を必要とし、甲からの不利益な要請を断れば、甲から納入取引を減らされたり停止されたりするおそれがあるという立場にあったため、同要請の受け入れを余儀なくされたと考えられる。

2　本規制における公正競争阻害性

優越的地位の濫用規制で想定される公正競争阻害性の内容は「**自由競争基盤の侵害のおそれ**」である（⇒第1節3⑵ウ）。

公取委は、その趣旨について、優越GLにおいて、「①当該取引の相手方の自由かつ自主的な判断による取引を阻害するとともに、②当該取引の相手方はその競争者との関係において競争上不利となる一方で、行為者はその競争者との関係において競争上有利となるおそれがあるものである。このような行為は、公正な競争を阻害するおそれがあることから……優越的地位の濫用として……規制される（＊著者注：①、②は著者が付したもの）」と述べる（優越GL第1の1）。

①「自由競争基盤の侵害のおそれ」が、優越的地位濫用規制における公正競争阻害性の内容であり、②は、優越的地位の濫用を不公正な取引方法

として禁止する立法の合理性の説明にとどまると解されている（注釈独禁法498頁［根岸哲］）。したがって、本規制における公正競争阻害性の判断では、取引の相手方に対して不当な不利益を加えているかという判断が中心となり、市場における競争を減殺するおそれの有無を考慮する必要はない（昭和57年独禁報告書18頁、注釈独禁法497［根岸哲］）。

3　優越的地位の濫用の成立要件

○行為要件
　ア　行為者の取引上の地位が相手方に優越していること（**優越的地位**）
　イ　取引の相手方に、法2条9項5号イ～ハ該当の行為（**不利益行為**）をすること
　ウ　（アを）利用してイが行われること
○公正競争阻害性
　自由競争基盤の侵害のおそれ

(1)　行為要件

ア　優越的地位

(ア)　定義など

自己の取引上の地位が相手方に優越しているというためには、甲が市場支配的な地位またはそれに準ずる絶対的に優越した地位にある必要はなく、取引の相手方との関係において**相対的に優越した地位**にあれば足りる。

優越的地位の定義について、優越GLは、「甲が取引先である乙に対して優越した地位にあるとは、乙にとって甲との取引の継続が困難になることが事業経営上大きな支障を来すため、甲が乙にとって著しく不利益な要請等を行っても、乙がこれを受け入れざるを得ないような場合である」としている（優越GL第2の1）。

優越的地位の濫用の違反に課徴金が課されるようになった以後に処理された違反事件についての審判としては、トイザらス事件審決[22]のほか、山陽マルナカ事件審決[23]以降の審判[24]があるが、これら審判でも、上記定義

22）　審判審決平27・6・4〔トイザらス事件〕。同審決では、山陽マルナカ事件審決（平31・2・20）より前における公取委の優越的地位の判断基準などにもとづいて事案処理がなされている。

が踏襲されている。

(イ)　山陽マルナカ事件審決以降の審決およびラルズ事件判決における判断基準

優越GLの前記定義を踏まえ、山陽マルナカ事件審決以降の優越的地位濫用に係る審決において、公取委は、優越的地位にあるといえるか否かの判断基準について、**①乙の甲に対する取引依存度、②甲の市場における地位、③乙にとっての取引先変更の可能性、④その他甲と取引することの必要性、重要性を示す具体的事実**のほか、**⑤乙が甲による不利益行為を受け入れている事実が認められる場合、これを受け入れるに至った経緯や態様等を総合的に考慮**して、乙にとって甲との取引の継続が困難になることが事業経営上大きな支障を来すため、甲が乙にとって著しく不利益な要請等を行っても、乙がこれを受け入れざるを得ないような場合であるかを判断するのが相当であるとしている。

①乙の甲に対する取引依存度とは、一般に、乙の全体の売上高における甲に対する売上高の割合の大きさ、②甲の市場における地位とは、甲の市場シェアや順位等、③乙にとっての取引先変更の可能性とは、乙が甲以外の事業者との取引を開始または拡大をする可能性等、④その他甲と取引することの必要性を示す具体的事実とは、甲の成長可能性、取引の対象となる商品・役務を取り扱うことの重要性などをいう（優越GL第2の2）。また、⑤取引関係にある甲乙間の取引をめぐる具体的な経緯や態様は、甲乙の相対的な力関係が如実に反映されるものであるから、乙が甲による不利益行為を受け入れている事実が認められる場合、これを受け入れるに至った経緯や態様等によっては、それ自体、著しく不利益な要請を行っても受け入れざるを得ないような場合にあったことをうかがわせる重要な要素となり得る。

---

23)　審判審決平31・2・20。同審決は、手続上の瑕疵を理由に取消訴訟で取り消され（東京高判令2・12・11）、確定した。しかし、同審決の考え方は、ラルズ事件審判（審判審決平31・3・25）等で踏襲されており、ラルズ事件審決は、その取消訴訟において支持された（東京高判令3・3・3）。そのため、山陽マルナカ審決の考え方は、公取委実務で生きており同実務を理解する上で参考になる。

24)　山陽マルナカ事件審決以降のものとして、審判審決平31・3・25〔ラルズ事件〕（これを支持した判決は東京高判令3・3・3〔同事件〕）、審判審決令元・10・2〔エディオン事件〕、審判審決令2・3・25〔ダイレックス事件〕がある。

ラルズ事件東京高裁判決（東京高判令3・3・3。同判決は、これに対する上告を不受理とした最決令4・5・18によって確定した）**は**、山陽マルナカ事件審決以降の上記判断基準に基づいて判断したラルズ事件審決を支持するものであり、**優越的地位の判断基準についても山陽マルナカ事件審決以降の上記の判断基準を採用している**。

(ウ)　推認における、不利益事実を受け入れている事実の評価

山陽マルナカ審決より前の公取委実務（例えば、トイザラス事件審判における判断）では、「法2条9項5号イ～ハに該当する行為を乙が受け入れている事実」を重視し、これが認められるときは、取引依存度などの要素をも総合考慮した上ではあるが、甲の優越的地位が肯定できるとしていた。

山陽マルナカ事件審決は、優越的地位の判断要素として優越GLに明記された取引依存度などの要素を判断要素としてまず検討すべきことを明確に述べ、その結果として、推認の場面において、「不当に行われる法2条9項5号イ～ハに該当する行為を乙が受け入れている事実」を従来の実務と比べ相対的に軽い位置づけにしたものと解される（土田和博「審決・判決評釈」公正取引823号（2019）39頁）。

イ　相手方に、不利益行為（法2条9項5号イ～ハの各行為）をすること

(ア)　法2条9項5号イ～ハの各行為とは

本節冒頭で条文を引用しているので参照されたい。

a　5号イ該当行為は、購入・利用の強制であり、例えば、納入業者に対して、映画の前売り券や宿泊券を購入させるような行為である。5号ロ該当行為は、例えば、協賛金などの名目で金銭の提供を要請する行為や棚卸し等の業務のために納入業者に対して従業員の派遣を要請するなどの行為である。

5号ハ前段の該当行為として、取引の対象とした商品についての「**受領拒否・返品**」や「**対価の支払遅延・減額**」がある。後段の「その他取引の相手方に不利益となるように取引の条件を設定し、若しくは変更し、又は取引を実施すること」とは、例えば、納入業者が仕入れた価格を下回る価格で納入するように一方的に指示する行為（**買いたたき**）や、コンビニチェーン本部が加盟店に対しデイリー商品の見切り販売をしないようにさせた行為（**取引の実施について不利益を与える行為**。排除措置命令平21・6・22〔セブン‐イレブン・ジャパン事件〕）などが該当する。

b　5号イおよびロの行為は外形だけでは違法性が明白とまではいえない場合があるので、「継続して取引をする相手方」に対するものに絞り込んで規制対象とされた。

5号ハの行為は、対等の当事者間の取引ではあり得ないものであって外形的に違法性が明白な場合が多いことから、単発の取引の相手方に対するものも含めて規制対象になるものとされた。

c　5号ハの行為は、行為者の一方的行為であって、相手方の受け入れ行為を余儀なくしたものかどうかは問題にならない。5号イまたはロの行為は、相手方に、商品・役務を「購入させること」あるいは、経済上の利益を「提供させること」とされている。この「購入させること」や「提供させること」に該当する場合としては、「購入」・「提供」を取引の条件とする場合や、「購入」・「提供」をしないことに対して不利益を与える場合だけでなく、「購入」・「提供」を事実上余儀なくさせていると認められる場合も含む（優越GL第4の1本文および（注8））。

(イ)　不利益行為該当性

a　意義

山陽マルナカ事件審決やラルズ事件東京高裁判決は、**問題の行為を受け入れることが、通常、納入業者にとって何ら合理性がないとき、そのような行為は、原則として不利益行為に当たるが、例外的に当該行為を納入業者が受け入れることが合理的といえる場合などの例外事由があるときは不利益行為に該当しないとする。**

例えば、ラルズ事件東京高裁判決は、従業員等派遣の要請行為について、「従業員等を派遣する条件等が不明確で、相手方にあらかじめ計算できない不利益を与える場合はもとより、従業員等を派遣する条件等があらかじめ明確であっても、その派遣等を通じて相手方が得る直接の利益等を勘案して合理的と認められる範囲を超えた負担となり、相手方に不利益を与えることとなる場合」には不利益行為に該当すると解するのが相当だとする。

b　従来の実務での考え方との関係

この「不利益行為該当性」の判断は、山陽マルナカ事件審決より前の公取委実務では「濫用行為該当性」判断として行われていたが、同事件審決以降の実務においても、判断の実質面において、従来の実務と変わるところはない。

例えば、優越GLの濫用行為該当性判断の考え方（優越GL第4）は、取引の一方当事者が行う取引の相手方に対する金銭等の提供要請などは、①提供内容等の条件について**相手方と合意することなく**、あるいは**負担額やその算出根拠、使途等を明確にすることなく要請したもの**である場合、②合意がなされたものであるとしても、提供させる金銭や労務が、取引の相手方に**直接の利益とならない場合**（例えば、労務の提供要請について、要請された労務提供が、当該納入業者の納入した商品とは無関係の商品陳列のためであれば自社の「直接の利益」につながるものではない）には、優越的地位の濫用として問題となるとしていた（優越GL第4の2⑴ア・イ及び同⑵ア・イ）。また相手方との間で結ばれる合意について「取引の相手方との十分な協議の上に当該取引の相手方が納得して合意している」ものであることが必要であるとし（優越GL第4の2⑵（注14））、合意された取引内容が客観的にみて合理性を欠くものであれば「納得して合意したか」どうかの認定が、より慎重に行われるべきものとしていた。これらの考え方は、山陽マルナカ事件審決以降の審決やラルズ事件東京高裁判決が示した不利益行為該当性判断についての考え方と整合するので、優越GLの同記述は、今後とも参照されるべきである。

なお、学説においても、不利益行為は、①**予め計算できない不利益を与える行為**（契約時には乙が計算できなかった不利益を甲が課すというもの）、②**過大な不利益を与える行為**（予め内容は明らかであったが乙にとって過大な不利益となっている場合）の2つに分類されており（白石講義205頁、206頁）、優越GLの上記考え方と整合する。

c　法2条9項5号イ～ハの外形行為が認められても不利益行為に該当しなくなる例外的場合

法2条9項5号イ～ハの外形行為があっても不利益行為に該当しなくなる例外的場合については、山陽マルナカ事件等の審決やラルズ事件高裁判決が例外事由を示しているが、これに限定されるものではなく、前記のとおり、優越GLが参照されるべきである。

例えば、大型スーマーケットが、納入業者から、特売セールへの賛助金として金銭を提供させたという形式上は5号ロに当たりそうな事案の場合であっても、当該賛助金の提供に納入業者が合意しており、当該賛助金がその納入業者の納入する商品の販売促進につながるなど、納入業者の「直接の利益」になる場合には、納入業者の不利益は合理的な範囲のものであって、優越的地位の濫用の問題とはなる行為といえず、例外的に「不利益行為」には該当しない。

一般に、行為者が取引の相手方に対して、外形上不利益な行為を行ったとしても、①行為者が、相手方の負担額やその算出根拠、使途等を明確にして要請していること、②予め不利益を受け入れることを相手方が合意していること、③不利益行為が相手方の直接の利益となることなどから、当該不利益を受け入れることが相手方にとって例外的に合理性を持つことになるような場合には、不利益行為該当性が否定され得る（優越GL第4の2(1)ア・イおよび同(2)ア・イ参照）。

(ウ)　取引の相手方

取引の相手方には消費者も含まれる。例えば、消費者が、デジタル・プラットフォーム事業者が提供するサービスを利用する際に、その**対価として自分の個人情報等を提供していると認められる場合**、消費者は「取引の相手方」に該当する[25)]。

ウ　「利用して」

優越的地位にある行為者が、相手方に対して不当に不利益を課して取引を行えば、通常「利用して」行われた行為であると認められる（優越GL第2の3）ので、行為要件のうちアとイの立証があれば、「利用して」は当然に推認されることになる。

(2)　公正競争阻害性

ア　正常な商習慣に照らして不当か

「正常な商習慣に照らして不当」かどうかは、相手に与える不利益の程度、当該取引条件が広く用いられているか、当該取引条件が予め明確にされているか、当該取引条件を相手方に要請する場面・過程、取引相手との合意・同意の有無等を考慮して総合的に判断される（⇒第1節6(2)イ）。もちろん、「正常な商習慣」については、現にある商習慣でありさえすれば内容を問わず参酌されなければならないものではなく、公正な競争秩序の観点から是

25)　公取委「デジタル・プラットフォーム事業者と個人情報等を提供する消費者との取引における優越的地位の濫用に関する独占禁止法上の考え方」2（令元・12・17公表）。

認される商習慣に限って参酌される。

イ　公正競争阻害性の認定

公正競争阻害性は、行為要件とは別の効果要件であるが、行為要件である「不利益行為」該当性判断に当たっては、実質的見地からの判断もなされ、例外的に不利益行為非該当とされることもある（前記⑴イ(ｲ)参照）ので、**不利益行為該当といえれば、通常、公正競争阻害性も肯定される。**

ウ　競争減殺のおそれの立証の必要性

本規制における公正競争阻害性の直接的内容は「自由競争の基盤が侵害のおそれ」であるから市場における競争減殺のおそれの立証は不要である。しかし、公取委実務では、不利益が一定程度以上あることや「行為の広がり」（取引の相手方の数や他に波及するおそれ等）が考慮される。

第7節　不当な取引妨害等

内部干渉（一般指定15項）は、競争関係にある会社の意思決定に干渉して、当該会社の株主や役員をして、当該会社の不利益となる行為をするようにさせる行為を規制するものであるが、詳細な解説は割愛する。

1　競争者に対する取引妨害

○一般指定14項（競争者に対する取引妨害）
自己又は自己が株主若しくは役員である会社と国内において競争関係にある他の事業者とその取引の相手方との取引について、契約の成立の阻止、契約の不履行の誘引その他いかなる方法をもつてするかを問わず、その取引を不当に妨害すること。

自由な競争がある市場では、競争者同士が、価格競争やサービス競争を仕掛けるなどし、あらゆる機会を通じて、競争者の顧客を奪い取ろうとするが、これは、競争の本質であり、正常な競争の一環でもある。しかし、競争事業者の顧客を奪い取ろうとする働きかけが、競争事業者を人為的に市場から排除しようとするものである場合や、脅迫行為を伴うなど、その手段が社会的に許容されないものである場合などには、公正な競争秩序を維持する観点から独禁法による規制がなされる。

2　不当な取引妨害の成立要件

○行為要件	競争者とその相手方の取引に対する妨害行為
○公正競争阻害性	競争手段の不公正のおそれ
	自由競争減殺のおそれ（競争排除）

⑴　行為要件

ア　妨害行為

方法は問わない。競争事業者とその取引先との取引に市場閉鎖効果などが生まれたと評価できるときに、この競争阻害効果と因果関係を持つ人為的行為を妨害行為と把握することができる[26)]。

実際上、次の①～④のような方法が主に用いられる。

① 威圧・脅迫、誹謗・中傷、物理的妨害等

② 競争者の契約の奪取

③ 取引拒絶・供給遅延

④ 協同組合等によるアウトサイダーの排除

③として、例えば、エレベーターメーカー系列のエレベーター保守工事業者が、独立系のエレベーター保守工事会社から、同エレベーターメーカーのエレベーター部品の購入注文を受けた際、手持ちの部品の納期を遅延させたことが、エレベーター保守工事市場における競争業者である独立系エレベーター保守工事会社とその顧客との取引を妨害したとされた事例がある[27]。このように、本体製品の保守修理サービス市場や消耗品販売市場などの**アフターマーケット**において、本体製品のメーカー系列の事業者が、独立系事業者の取引を妨害することがままある。

④として、協同組合が、共同事業を行うに際して、自ら事業者として、組合員以外の者（アウトサイダー）の取引を妨害することも多くある（⇒CACE 10-3 岡山県北生コンクリート協同組合事件参照）。

イ　競争者とその相手方の取引

行為者の妨害行為は「国内において競争関係にある他の事業者とその取引の相手方との取引」を対象にしたものでなければならない（⇒CACE 4-10の北海道新聞社事件は競争関係の存在が否定された）。

ここにいう「競争関係」は広く認められる余地があり、必ずしも、行為者と直接的な競争関係にあることを要さない。例えば、行為者と直接的な競争関係にある事業者から委託を受けて行為者の業務と競合する業務（電気保安業務の勧誘）を行っている場合など、実質的に競争関係にある事業者を含む[28]。

「その相手方」には、消費者も含まれる。

26） 思ってもいなかった行為が、妨害行為と疑われるリスクがあるということでもある。

27） 勧告審決平14・7・26〔三菱電機ビルテクノサービス事件〕、勧告審決平16・4・12〔東急パーキングシステムズ事件〕。

28） 東京高判平17・1・27〔日本テクノ事件〕。独禁法24条に基づく差止請求事件判決参照。

(2)　公正競争阻害性

この違反類型における公正競争阻害性には、競争手段の不公正の面と、自由競争減殺のおそれの面の2つの側面がある。

妨害行為が、X社が、子会社をして、管理楽曲の使用契約の更新を拒否する文書を競争事業者Y社に送付させ、X社自らY社の取引先（卸売業者等）に対して、Y社の通信カラオケでは、管理楽曲の一部が使えなくなると告知した行為であった事案の審決（審判審決平21・2・16〔第一興商事件〕）は、「競争手段として不公正であるとともに、当該行為により、妨害の対象となる取引に悪影響を及ぼすおそれがある」と公正競争阻害性を認定した。

ア　競争手段としての不公正

競争手段としての不公正とは、「価格・品質・サービス等の取引条件を競い合う能率競争を旨とする公正な競争秩序に悪影響をもたらす」こと（前記第一興商事件審決）とされる。妨害が、物理的妨害、威迫等の方法で行われる場合は、不公正な競争手段が用いられており、それにより、能率競争を妨げることが、公正競争阻害性の内容をなすと考えられ、市場における競争への影響を具体的に認定する必要はない（金井ほか独禁法385頁［金井貴嗣］）。

イ　自由競争減殺のおそれ

実務の実際では、自由競争の減殺のおそれが存在することも認定して、公正競争阻害性を肯定することが多い（金井ほか独禁法386頁［金井貴嗣］）。上記第一興商事件審決も、公正競争阻害性を肯定するに当たって、妨害行為が不公正な競争手段であるとともに、これによって「卸売業者等が（競争事業者）Yの通信カラオケ機器の取扱い又は使用を中止することにより、Yの通信カラオケ機器の**取引機会を減少させる蓋然性が高い**」、「当該行為により、**妨害の対象となる取引に悪影響を及ぼすおそれがある**」としており「自由競争の減殺のおそれ」を考慮している。取引妨害で想定される「自由競争の減殺のおそれ」は、妨害行為が競争者の取引の機会を奪っているといえる場合は「競争排除」であり（金井ほか独禁法385頁［金井貴嗣］）、後記(3)アのように並行輸入を阻害する行為では価格維持効果を公正競争阻害性としていると考えられる（菅久ほか189頁［伊永大輔］）。

自由競争減殺のおそれを公正競争阻害性の内容とする行為については、一般指定14項は補完規定・一般条項と位置付けられ、不公正な取引方法の他の類型の違反に該当しない場合に適用される（菅久ほか 189 頁［伊永大輔］、ベーシック 291 頁［泉水文雄］）。そのため、実務上は、他の不公正な取引方法で規制可能なものであれば、まずは、その適用を検討すべきと考えられる。

自由競争減殺のおそれがある公正競争阻害性を内容とする行為に一般指定 14 項を適用する場合は、他の不公正な取引方法で行われるのと同程度の市場分析を行うべきである（ベーシック 292 頁［泉水文雄］参照）。

(3) 事例

ア　星商事事件

CASE 5-13　星商事事件

X 社の行為は、独禁法に違反するか。

海外のブランド陶器について並行輸入を阻止する方法として、わが国の総代理店 X 社が、海外の当該ブランド陶器メーカー A 社に働きかけ、同メーカーを介し、海外の流通業者 B 社が、わが国の並行輸入業者（競争事業者）Y 社に対して当該ブランド陶器を供給することができなくした。

（勧告審決平 8・3・22）

［図表 5-15］　星商事事件

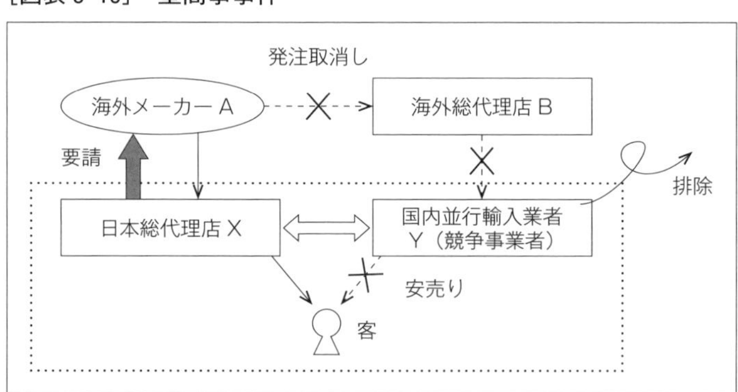

わが国総代理店 X 社の要請行為の結果、海外メーカー A 社が海外の総代理店 B 社からの商品発注を取消し、日本の並行輸入業者 Y 社がその商品を並行輸入して日本で安売りすることができなくなった事案につき、公

取委は、X社の要請行為を取引妨害と認めた（勧告審決平8・3・22〔星商事事件〕)。この事案では、X社のB社に対する要請行為と妨害を受けた国内並行輸入業者Y社との間に、事業者A社とB社の２つが挟まっているため、同要請行為を取引拒絶（一般指定２項後段）として規制することはできない。こういう場合であっても、X社の要請行為と競争事業者Y社への競争妨害との間に因果関係が認められれば、甲の行為を取引妨害として規制することが可能である。

イ　フジタ事件

CASE 5-14　フジタ事件

F社は、農林水産省が東北農政局において発注した５件の土木一式工事に係る取引において、自己と競争関係にある入札参加者である建設業者とその取引の相手方である農林水産省との取引を不当に妨害していた。

（排除措置命令平30・6・14）

東北農政局の契約方式は、一般競争入札のうち施行体制確認型総合評価落札方式（応札者は、技術提案書を提出し、技術評価点と応札価格の総合点で落札者が決まる）であった。

公取委は、この入札に関し、同局を退職しF社に再就職した同社の従業員が、同局の職員から技術提案書の添削・助言を受け、入札参加申請者の技術評価点・順位の情報の教示を受けて入札し、乙が落札したことを不当な妨害行為とした。

これは、東北農政局のOBを使って、同局から不当に情報を得て、入札のプロセスを不当に歪め、自社の入札を有利にしたという**人為的行為が存在し、これによって、自社の競争事業者が入札で不利になったとの結果（自由競争の減殺のおそれ）が存在**したことから、人為的行為を偽計による取引妨害に当たるとしたものと考えられる。

ウ　広告会社の取引妨害事件

本事案は、取引妨害が疑われた事案について、公取委が、公正競争阻害性が認められないとして違反不成立とした上で、注意を行って処理結果を公表したものである。公取委が取引妨害における公正競争阻害性をどのように考えているかを知る上で参考になる。

CACE 5-15　広告会社の取引妨害事件

広告会社X社は、令和2年4月にA社が中小企業庁から受託した持続化給付金事業の一部の業務をA社から受託し、持続化給付金事業の申請サポート会場運営事業の一部を兄弟会社を通じて、複数の事業者に委託し、これら受託事業者は受託した業務の一部を他の事業者に委託していた。

ほぼ同時期の令和2年5月、中小企業庁は、家賃支援給付金事業を発注することとなったが、同事業に対応することは困難と回答していたX社に対して、中小企業庁担当者は、家賃支援給付金事業の参考とするため、持続化給付金事業の実施方法を問い合わせてきた。X社の担当者甲は、持続化給付金事業の運営に関する同社のノウハウが同事業に関係しない事業者に流出することを心配し、委託先事業者のうち取りまとめ役2社に対して、事業者Y社が家賃支援給付金事業を受注した場合、当社の委託先事業者が、Y社から家賃支援給付金事業の申請サポート会場運営事業を受託すれば「出入禁止」とする旨（今後X社は当該委託先事業者と取引しない旨）とともに、出入り禁止発言の内容を他の委託先事業者に伝達するように指示した（本件行為）。取りまとめ2社は、メール等により、他の委託先事業者に対して、出入り禁止発言の内容を伝達した。取りまとめ2社から伝達された委託先事業者の中には、さらに自らが持続化給付金事業の申請サポート会場運営業務の一部を委託している事業者に対して出入り禁止発言の内容を伝達した者もいた。

本件行為は、独禁法違反になるか。

（注意令和2・12・17）

本件において「妨害行為」としての行為要件は、有力な事業者である広告会社X社が、家賃支援給付金事業の申請サポート会場運営業務の受託意欲を有する委託先事業者と競争事業者Y社との取引を妨害しようとしていたものと解されることから問題なく肯定できる。

Y社は明示されていないが、X社と競争関係にあることは、当然の前提になっている。

公取委は、本件行為には公正競争阻害性が認められないと判断した。

その理由について公取委は、①出入禁止発言の内容を伝達された委託先事業者の多くは家賃支援給付金事業の申請サポート会場運営業務を受託する余力がない状況等であったこと、②出入禁止の内容を伝達された委託先事業者の一部には、家賃支援給付金事業の申請サポート会場運営業務を受

［図表 5-16］　広告会社の取引妨害事件

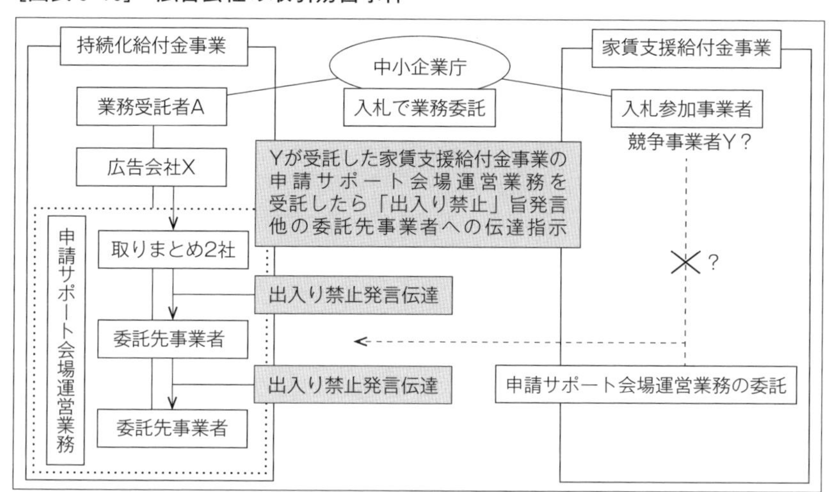

託する意欲および能力を有している者がいたが、これらの者に対しては、家賃支援給付金事業の入札参加事業者から、家賃支援給付金事業の申請サポート会場運営業務の委託の打診はなかったこと、③委託先事業者と同種の事業を営む事業者がわが国において多数存在していたことから、家賃支援給付金事業の入札参加事業者と委託先事業者との取引において、結果的には、本件行為によって特段の支障が生じたとは認められなかったからであるとしている（川木秀昭＝村松聡「事件解説」公正取引 845 号（2021）57 頁）。

①、②は、第一興商事件審決において、公正競争阻害性を「妨害の対象となる取引に悪影響を及ぼすおそれがある」かどうかとしていることを踏まえて、悪影響を及ぼす可能性について触れたとみることができよう。

③は「代替的供給先が見い出せないことになり、その取引機会が減少することとなるか」という、市場閉鎖効果の判断プロセスに言及したものであり、**公取委は、取引妨害の公正競争阻害性においても、市場閉鎖効果を考慮する**ものと考えられる。

本件行為については、委託先事業者に取引拒絶させた（一般指定２項）とか、Yから受託しないように委託先事業者の事業活動を拘束した（一般指定 12 項）と構成することも考えられるが、委託先事業者が、その委託先事業者に伝達させた行為まで含めて規制することは困難と考え、取引妨害で構成したものとも思われる。

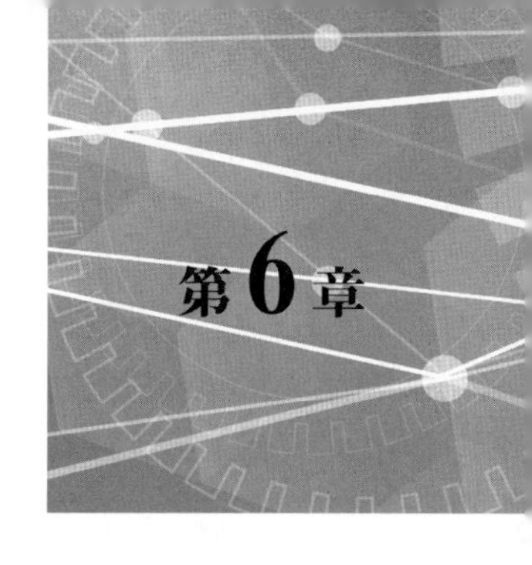

第6章 行政上の措置

令和元年独禁法改正によって課徴金制度及び課徴金減免制度が大きく変わった。

本章では、これらにつき可能な限り分かりやすく解説するよう努めた。

第1節では、排除措置命令、課徴金納付命令について詳しく説明した。課徴金の算定基礎についての改正部分の理解を確実なものにするため設問を示し、これに回答を付ける方法で丁寧な解説も行った。第2節では、行政調査手続について概要を説明した。第3節では、新たな課徴金減免制度の仕組みについて、企業が内部調査で違反を発見した場合を想定した申請フローを使いながら説明した。第4節では判別手続を、ごく簡単に紹介した。第5節は、独禁法違反に対する刑事処分・行政処分以外の制裁等について説明した。

近時の公取委のエンフォースメントにおいては、協調型解決手法が模索されている。改正された課徴金減免制度（調査協力減算制度）は、企業が違反事実を報告した後の、公取委の調査への協力の程度に応じて、当該企業への課徴金の減算率が変わるように制度設計されており、協調型解決手法の利用を企業に促す効果が期待されている。

判別手続については、本書では紙幅の関係で説明を割愛したが、同手続も含め新しい課徴金減免制度の運用動向に注目したい。

第1節　独禁法違反に対する行政上の措置

1　独禁法違反に対する措置

第1章第3節のとおり、独禁法違反があると認められる場合の措置としては、刑事訴追（⇒第7章）のほか、行政上の措置として、排除措置命令（⇒2）と課徴金納付命令（⇒3）、確約手続（⇒5）、緊急停止命令（⇒6）の措置が講じられる。違反が明白に認められないときには警告・注意（⇒7）が行われる。民事的救済やその他の措置が行われることもある（⇒第5節）。

2　排除措置命令

(1)　意義

排除措置命令とは、**違反行為について「当該行為の差止め、事業の一部の譲渡その他……違反する行為を排除するために必要な措置」を命じること**（法7条1項＝法3条、6条の違反の場合）、または**「当該行為の差止め、契約条項の削除その他当該行為を排除するために必要な措置」を命じること**（法20条1項＝法19条違反の場合）をいう。

確定した命令に従わない場合にはかなり重い刑罰が課される[1)]。

排除措置命令は、確定しなくても執行力を有し、取消訴訟の提起によっても、その効力は失われない（行訴法25条1項）。効力を停止させるため、裁判所に**執行停止の申立て**をすることができる。損害の回復の困難の程度、損害の性質・程度、処分の内容・性質を踏まえ、重大な損害を避けるための緊急の必要があるときに、執行停止が認められる（行訴法25条2項）とされるが、実際上は容易に認められない。

(2)　排除措置ができる場合

ア　違反が現存する場合

違反が現存する場合、つまり**違反が継続している場合**、排除措置を命じることができる（法7条1項、法20条1項）。

1）　行為者個人に2年以下の懲役または300万以下の罰金（法90条3号）、業務主たる事業者に3億円以下の罰金（法95条1項2号）が科される。

例えば、カルテル合意では、合意が破棄されるなどして合意の拘束力がなくなったといえるまで違反は継続し、違反が現存している（⇒第2章第2節5）。

排除措置命令の内容であるが、「(違反) 行為の差止め」としては、当該違反行為を取りやめる旨決議するとともに、その内容を他の違反者、取引先、自社従業員等に通知することが想定される。「違反行為を排除するために必要な措置」としては、違反の態様、市場の状況等に応じて様々なものが命じられているが、同一行為が繰り返されるおそれがあるときは、将来の同種の行為の禁止を命じることができるし（東京高判昭28・12・7〔東宝・新東宝事件〕)、違反の予防に必要な措置も行うことができる（東京高判昭32・12・25〔野田醤油事件〕)。

違反を現に行っている**事業者**が名宛人になる。

事業者A社が違反を継続している途中で、A社が、違反に係る事業を他の事業者B社に承継した場合、承継した事業者B社のみが名宛人になる。

イ　違反が既に終了している場合[2)]

㈠　措置ができる場合

「違反する行為が既になくなつている場合」（実務上「**既往の違反行為の場合**」という。法7条2項、20条2項）には、「**特に必要があると認めるとき**」に排除措置を命令することができる。

「特に必要があると認めるとき」とは（命令の時点で）「既に違反行為がなくなっているが、**当該違反行為が繰り返されるおそれがある場合や、当該違反行為の結果が残存しており競争秩序の回復が不十分である場合**」などをいう（東京高判平20・9・26〔ごみストーカ炉入札談合本案事件（JFEエンジニアリングほか)〕)。具体的には、違反行為の残存効果の有無、違反行為の再発可能性の有無を考慮して判断される。

カルテル・入札談合事件では、公取委が立入検査を行えば、その時点で当事者において合意を解消させて違反を終了させていることが多いが、その場合でも、例えば、①違反行為が長期にわたり継続的・恒常的に行われ、当事者間に強固な協調的関係が形成され同関係は容易に解消されないと考えられる場合、②違反行為の取りやめは公取委が立入検査を実施したこと

---

2)　論点解説第8章［荻原浩太］参照。

を契機とするものであって、違反当事者の自発的意思によるものではないと考えられる場合などには、排除措置を命じることが「特に必要があると認めるとき」に該当するとされることが多い。

公取委は、立入検査前の課徴金減免申請者に対しては、一般に排除措置を命じないことが多いが、例えば、公取委が違反を疑って従業員に対する任意の事情聴取を行い、これを契機にして内部調査が行われ、その結果として違反事実が発見され、当該違反事実に関する公取委の立入検査前に課徴金減免申請が行われたような場合には、違反事実の報告は真に自主的なものとはいえないとされ、違反行為を繰り返すおそれが肯定されて「特に必要があると認めるとき」に該当するとされ、排除措置が命じられ得る。

(イ)　措置の内容

この場合、排除措置の内容は、「**当該行為が既になくなつている旨の周知措置その他当該行為が排除されたことを確保するために必要な措置**」である（法7条2項＝法3条違反の場合、法20条2項で7条2項準用＝19条違反の場合）。

「必要な措置」としては、①その行為を取りやめたことまたは違反行為が排除されたことの確認、②その違反行為と同様の行為を再び行わないことの命令（不作為命令）および③②の実効性を確保するために必要な体制整備等を命じることが多い。

①として、違反行為を取りやめていることを相手方や従業員に通知することがある。②として、不作為命令の範囲は、原則として取りやめを命じた違反行為の範囲と同一であるが、同一の行為を繰り返さないことを命じるだけでは実効性が期待できない場合には、より広い範囲で不作為命令をすることがあり得る（菅久ほか203頁、205頁［品川武］）。③として、談合に関与した営業担当者の配置転換と一定期間同業務に従事させないことを命じ、かつそのことの取締役会決議を命じること（勧告審決平17・11・18〔鋼橋談合事件〕）や、価格の改定に関する情報交換を禁止すること（排除措置命令平23・5・26〔特定エアセパレートガス事件〕）など、違反につながる行為の禁止を命じる措置を取ることもある。

(ウ)　名宛人

違反行為をした事業者を名宛人として排除措置を命じることができる（法7条2項1号）ほか、その者が事業譲渡等により違反行為に係る事業を他の事業者に承継させたときは、当該事業譲渡等によって当該事業を承継した事業者を名宛人として排除措置を命じることができる（法７条２項２号〜４号）。

㈡　除斥期間

違反する行為がなくなった日から７年を経過したときは、排除措置命令を行うことはできない（法７条２項ただし書）[3)]。

⑶　措置の要否等の判断基準と公取委の裁量性

排除措置が必要かどうか、また、どのような内容の措置が相当かの判断については、公取委の専門的な裁量が認められる（措置の必要性について、最判平 19・4・19〔郵便区分機事件〕、排除措置の内容の相当性に関する裁量性について、東京高判平 16・4・23〔郵便区分機事件〕の差戻前高裁判決）。

⑷　排除措置内容の履行可能性

排除措置の内容は履行可能なものでなければならない。名宛人が履行可能な程度に特定されていることも必要である（東京高判昭 46・7・17〔明治商事事件〕参照）。

3　課徴金納付命令

⑴　意義

独禁法に違反する行為のうち特定の行為を行った事業者に対して、公取委は、課徴金の納付を命じなければならない（法７条の２［不当な取引制限[4)]・私的独占］、20 条の 2、20 条の 3、20 条の 4、20 条の 5、20 条の 6［不公正な取引方法］）。

公取委は、要件があれば、義務的に命令しなければならず、命令を出すかどうかについての裁量権はない。

課徴金納付命令も確定前に執行力を有するもので、名宛人に課徴金納付命令謄本が送付されることによって効力が生ずる（法 62 条２項）。取消訴訟

---

3)　令和元年独禁法改正によって、５年から７年に延長された。

4)　課徴金納付命令の対象となる違反として、法７条の２第１項には、「不当な取引制限に該当する事項を内容とする国際的協定若しくは国際的契約」も掲げられているが、本節においては、これらも含めて「不当な取引制限」として説明する。

提起によってもその効力は失われず（行訴法25条1項）、執行を停止するためには、裁判所に**執行停止の申立て**をすることができるが、その要件は厳しい（同条2項）。

課徴金が納期限までに納付されないときには、督促状によって公取委から督促がなされ、督促状に示された期限までに納付されないときは国税滞納処分の例によって**強制的に徴収され得る**（法69条）。反面、納付命令に従わない者への罰則はない。

(2)　課徴金制度の目的など

ア　課徴金制度導入の経緯と制度の目的

わが国では、課徴金制度は、まず不当な取引制限に導入され（昭和52年独禁法改正）、次いで、支配型私的独占に（平成17年独禁法改正）、さらに排除型私的独占と不公正な取引方法のうちの法定5類型にも（平成21年独禁法改正）導入された。

課徴金制度は**違反行為を防止するという行政目的を達成するために行政庁が違反事業者等に金銭的不利益を課す行政上の措置**とされ、課徴金額は違反行為による不当利得と必ずしも一致する必要はない（最判平17・9・13〔機械保険連盟料率カルテル事件〕）。

イ　対価要件など

排除型私的独占および不公正な取引方法（法定5類型）については違反行為がそのまま課徴金納付命令の対象となる（法20条の2〜20条の6）。

不当な取引制限および支配型私的独占は、すべてが課徴金納付命令の対象となるものではなく、違反行為が「**商品若しくは役務の対価に係るもの**」または「**商品若しくは役務の供給量若しくは購入量、市場占有率若しくは取引の相手方を実質的に制限することにより対価に影響することとなるもの**」に限って課徴金納付命令の対象となる（法7条の2第1項）。この要件を**対価要件**という。事業者団体が行う不当な取引制限に相当する競争制限行為についてもこれに準ずる（法8条の3）。

「対価に係るもの」とは、例えば価格カルテルのように直接的に対価を決めるものだけでなく、実質的に価格を決めるものや対価への直接的な効果を及ぼすことが明らかなもの（値引率、価格算定式等を共同して決める行為など）も該当する。入札談合も、受注予定者が入札する価格で受注できるようにする行為であり、受注予定者が受注する価格を定めている行為であるから「対価に係るもの」に該当する。

(3)　課徴金額算定の考え方

ア　概要

わが国では、違法類型ごとに、課徴金を算定するための基礎とすべき売上額等が定められ、これが「**算定基礎**」と呼ばれている。独禁法は、算定基礎に、違法類型等ごとに定めた一定率（**課徴金算定率**）を乗じた額を課徴金の額とする（法７条の２第１項、７条の９第１項・２項、法20条の２～20条の6）。

不当な取引制限と支配的私的独占の場合には、算定基礎の種類が増え、売上額等（法７条の２第１項１号・２号）に密接関連業務の対価に相当する額（法７条の２第１項３号）を加えたものに算定率を乗じた額に、違反行為に係る期間中の財産上の利益（談合金等。法７条の２第１項４号）に相当する額を加えた**合算額**が課徴金の額になる（法７条の２第１項３号・４号、７条の２第１項２号・３号、７条の９第３項）。

［図表 6-1］　不当な取引制限における課徴金額の算定方法

課徴金額は、次の式で算出される合算額

（［売上額等］＋［密接関連業務の対価額］）×算定率＋談合金等＝合算額

課徴金の**加重理由**があればその加重計算が行われる[5)]。

不当な取引制限の場合は、要件が備わる事業者には**課徴金減免**も行われ課徴金額が決まる（免除の場合は課徴金がなくなる）。

イ　上記算定に用いる各要素について

(ア)　算定基礎

算定基礎については、不当な取引制限に即し、後記(4)で詳しく説明する。

5)　令和元年独禁法改正前は、不当な取引制限について、早期に違反を止めた者の算定率を割引く早期離脱制度があったが、同改正で廃止された。

(イ) 課徴金算定率

a　違反類型別の算定率

算定率は、違反類型別に、[図表6-2]に記載のとおり定められている。

[図表6-2]　課徴金算定率

違反類型		算定率
不当な取引制限	原則	10%（法7条の2第1項）
	中小企業＊	4%（法7条の2第2項）
支配型私的独占		10%（法7条の9第1項）
排他型私的独占		6%（法7条の9第2項）
共同ボイコット 差別対価、 不当廉売 再販売格維持行為	過去10年以内に同一類型の違反を繰り返した場合	3%（法20条の2～20条の5）
優越的地位の濫用		1%（法20条の6）

＊どのような場合に中小企業に該当するかについては次のbを参照。

b　中小企業の軽減算定率

中小企業の不当な取引制限の違反については、軽減された課徴金算定率（中小企業軽減算定率）が適用される（法7条の2第2項）[6]。

[図表6-3]「中小企業」該当性の判断基準

主たる事業として営む業種	ア、イいずれかの基準を満たすものが中小企業	
	ア　資本金の額・出資の総額	イ　常時使用する従業員の数
製造業・建設業・運輸業その他	3億円以下の会社	300人以下の会社・個人
卸売業	1億円以下の会社	100人以下の会社・個人
サービス業	5000万円以下の会社	100人以下の会社・個人
小売業	5000万円以下の会社	50人以下の会社・個人

6)　令和元年独禁法改正前には、軽減算定率として業種別算定率も存在したが、令和元年改正で廃止された。

中小企業該当性の判断基準は［図表 6-3］のとおり[7)]。

令和元年独禁法改正によって、中小企業軽減算定率が適用されるのは、違反事業者およびそのすべての「子会社等」（親会社、兄弟会社を含むもの）が中小企業に該当する場合に限って適用されることになった。同一企業グループ内に１つでも中小企業に該当しない事業者が存在するときには、軽減算定率の適用がない。

㈦　課徴金の加重

a　繰返し違反による加重

⒜　一般的な繰返し違反（累犯加重）

不当な取引制限または（支配型・排除型）私的独占に係る違反行為（便宜上、「甲行為」という）について課徴金納付を命じる場合、その甲行為に係る調査開始日から遡って 10 年以内に、不当な取引制限または私的独占に係る別の違反行為（便宜上、「乙行為」という）について課徴金納付命令（確定したものに限る）を受けていた場合（課徴金免除通知を受けていた場合も含む）であって、乙行為についての課徴金納付命令の日の後に甲行為をしていたときは、甲行為に対する課徴金は 1.5 倍に加重される（［図表 6-1］の合算額が 1.5 倍になるということである。法７条の３第１項１号）。

これは、例えば、違反行為者が、乙行為について課徴金納付命令があった日の後に、甲行為を開始した場合や、乙行為についての課徴金納付命令の日の前から、乙行為と並行して甲行為を開始し、乙行為についての課徴金納付命令がなされた日の後も、甲行為を続けていたような場合である。

累犯加重が適用されるのは「当該納付命令等の日以後において当該違反行為をしていた場合に限る」（法７条の３第１項１号・２号末尾かっこ書。７条の９第３項・４項も準用）。例えば、違反行為者が、乙行為と並行して甲行為をしており、乙行為についての課徴金命令を受けた日の前に甲行為を止めていたが、同課徴金納付命令を受けた後に、その前に行っていた甲行為が発覚し、これについても課徴金納付命令を受けることになったという場合である。このような場合には、累犯加重は適用されない（令和元年独禁法改正前には、このような事例についても繰返し違反による加重がなされたが、令和元年改正により上記のかっこ書が付け加えられた）。

7)　特例が、独禁法施行令８条に規定されている。

Column 6-1　調査開始日の意義

課徴金減免に関する場合を除く、独禁法第2章（不当な取引制限、私的独占についての規定）中の「調査開始日」は、違反行為に係る事件について「処分」が最初に行われた日（処分が行われなかったときは、当該違反行為をした事業者が最初に当該違反行為について事前通知を受けた日）とされている（法2条の2第15項）。この「処分」とは、法47条第1項1号（出頭命令、審尋、報告命令）・3号（提出命令）・4号（立入検査）の処分、102条1項（臨検、捜索、差押、記録命令付差押）・2項（電気通信回線で接続している記録媒体からの複写等）・3項（電磁的記録に係る記録媒体の差押に代わる処分）を指す。

課徴金減免に関する規定（法7条の4）においては、「調査開始日」は、「処分」が最初に行われた日と定義されるが、この「処分」は、「立入検査、臨検・捜索・差押・記録命令付差押」に限定されている。

(b)　企業グループ単位での繰返し違反

違反事業者である**親会社**に対する、甲行為（違反行為）についての調査開始日から遡って10年以内にその**完全子会社**が別の違反行為（乙行為）について課徴金納付命令等を受けていた場合には、親会社の甲行為に対する課徴金について繰返し違反による累犯加重が行われる（法7条の3第1項2号）[8]。もっとも親会社の甲行為が完全子会社の乙行為と並行して行われ、乙行為についての課徴金命令を受ける日の前に、親会社が甲行為をやめていた場合には、累犯加重の適用はない（同号かっこ書）。

(c)　合併、事業譲渡または会社分割が行われた場合の繰返し違反

違反事業者（法人）X社に対する甲行為（違反行為）についての調査開始日から遡って10年以内に、X社が、別の違反行為（乙行為）によって課徴金納付命令を受けていた別の事業者（法人）Y社と合併した場合や、乙行為に係るY社の事業の全部・一部を譲り受けまたは分割により承継した場合には、X社の甲行為に対する課徴金について、繰り返し違反による加重が行われる（法7条の3第1項3号）[9]。もっとも乙行為と並行して甲行為が行われ、X社とY社との合併等までに甲行為が取り止められていた場合には、累犯加重の適用はない（同号かっこ書）。

8)　令和元年独禁法改正により新設。
9)　令和元年独禁法改正により新設。

b　**主導的役割による加重**

不当な取引制限について課徴金の納付を命じるとき、法7条の3第2項1号ないし3号のいずれかに該当し主導的役割を果たした事業者、例えば、当該違法行為を発案した者などには、課徴金を1.5倍に加重する（これも、［図表6-1］の合算額を1.5倍に加重することである。法7条の3第2項）。

令和元年独禁法改正により、主導的役割の類型として、他の事業者に対する、調査妨害行為（他の事業者に対する、資料の隠蔽もしくは仮装または虚偽の事実の報告・資料提出の要求、依頼、そそのかし）の要求等（同項3号ハ）や課徴金減免申請等を行わないことの要求等（同号ニ）が追加された。

またaとbの両方の加重理由に該当する場合、課徴金は2倍となる（同条第3項）。

㈤　**課徴金減免制度**

不当な取引制限の場合にのみ適用される。後記第3節で詳しく説明する。

㈥　**裾切り**

不当な取引制限、私的独占、不公正な取引方法いずれについても、課徴金額が100万円未満であるときは、その納付を命ずることができない（法7条の2第1項、第7条の9第1項・2項、20条の2～20条の6）。

㈦　**算定対象期間**

違反行為者の「算定対象期間」における、一定の範囲の売上額・購入額等が課徴金の算定基礎となる。

算定対象期間は、排除型私的独占・不公正な取引方法では**違反行為期間**（法2条の2第14項）であり、不当な取引制限・支配型私的独占では**実行期間**（法2条の2第13項⇒後記⑷アで詳述する）である。

算定対象期間の始期は、いずれの違反類型であっても、調査開始日から遡って**最長10年**である（法2条の2第13項、同条14項、法18条の2第1項）。

その終期は、支配型私的独占および不公正な取引方法では違反行為期間の終期であり、不当な取引制限および支配型私的独占では実行期間の終期（⇒⑷ア㈠）である。なお、調査開始日以降においても違反行為が継続された場合は、算定対象期間が10年を超えることがあり得る。

㈧　**除斥期間**

不当な取引制限・支配型私的独占については**実行期間**の終了した日から

7年を経過したとき、排除型私的独占・不公正な取引方法については違反行為期間を終了した日から7年を経過したときは、課徴金納付を命ずることができない（法7条の8第6項、7条の9第3項・4項、法20条の7）[10]。

(4) 不当な取引制限における算定基礎の具体的算定方法

本書では、算定基礎について、不当な取引制限に関してのみ解説する（他の違反類型については、菅久ほか229頁～242頁［品川武］の解説が簡明である）。

不当な取引制限における算定基礎は、大きく次の①～③がある。

④は、①の売上高等の範囲を拡大し、違反行為者の子会社等の売上額等も算定基礎にしたものである。②～④が令和元年独禁法改正で追加されたものである。

［図表6-4］　不当な取引制限における算定基礎

①　違反行為者の違反行為の実行期間における違反対象商品・役務の売上額または購入額	法7条の2第1項1号・2号
②　密接関連業務の対価に相当する額	法7条の2第1項3号
③　違反行為に係る商品等を供給しないこと等に関し得た金銭その他の財産上の利益（本節では、便宜上、これを「談合金等」と呼ぶこともある）	法7条の2第1項4号
④　違反事業者からの指示や情報に基づいて商品・役務を供給・購入した子会社等の売上額・購入額	法7条の2第1項1号・2号

ア　違反行為者の違反行為の実行期間における違反対象商品・役務の売上額または購入額（上記①の算定基礎について）

違反対象となる商品・役務の売上額等が算定基礎になることはいうまでもない。この算定基礎について規定する条文（法7条の2第1項1号・2号）では、違反対象商品・役務のことを「当該商品又は役務」と表現しているため、実務上、違反行為の対象となる商品・役務のことを「当該商品・役務」と呼ぶことも多く（審判審決平8・4・24〔中国塗料事件〕）、本書でも、以下その用法に従うこともある。

10）　令和元年独禁法改正により5年が7年に延長された。

㈠　違反行為の実行期間

a　実行期間の概念が必要な理由

不当な取引制限においては、違反が成立する時点（例えば、カルテル合意ができた時点）とそれが実施されて違反の影響を受ける売上・購入が生じる時点（例えば、カルテル合意の影響が及ぶ商品の引き渡しが行われた時点)、違反が終了する時点と違反の影響を受ける売上・購入が完了する時点がそれぞれ異なる。そのため、違反行為が行われた期間とは別に、「違反行為の実行としての事業活動が開始した日から当該違反行為の実行としての事業活動がなくなる日までの期間」を「実行期間」と定めた（これは「違反の影響を受けた売上・購入が行われた期間」を意味する)。そして、実行期間を算定対象期間とし、この期間内の「当該商品・役務」の売上額・購入額を算出し、算定基礎とする。

b　実行期間の始期と終期

「実行期間」の認定は、個々の売上額・購入額が「違反の実行としての事業活動」によって生じたものであることの立証まで求めるものではない（東京高判平15・4・25〔オーエヌポートリー課徴金事件〕)。実務上、実行期間の始期と終期は定型的な基準によって認定されている（注釈独禁法169頁［岸井大太郎］)。例えば、実行期間の開始というために、開始時における売上が違反行為の影響を受けていることを立証する必要はない。

実行期間の始期は、違反の実施としての対外活動が開始したと評価できる日のことである。例えば、値上げカルテルでは、引き上げた価格で商品が引き渡された最初の日が始期となる。また、カルテル合意において値上げ価格の適用予定日が決定され、適用予定日が取引先に明示されて値上げ要請が行われた場合は、その予定された値上げ価格適用日が始期となり、その日に実際に値上げが実現したか否かは問わない（審判審決平14・9・25〔オーエヌポートリー課徴金事件〕、審決審判平19・6・19〔日本ポリプロほか課徴金事件〕は、当該予定日以降の取引には合意の拘束力が及んでいるとした)。入札談合では、基本合意後に違反事業者が最初に基本合意の対象となる入札に参加した日が始期となることが多い。

実行期間の終期は、違反の実行としての事業活動がなくなったことが客観的に明らかになった日の前日とされる。カルテル・入札談合では、立入検査によって違反行為が終了し、違反の実行としての事業活動も終了することが多いと考えられるので、その前日が終期となる（菅久ほか227頁［品川武］）。なお、入札談合において違反行為期間中に入札が行われ、その入札に基づく最初の契約が違反行為期間の終了後に行われた場合には、当該契約締結日が実行期間の終期となる（審判審決平16・6・22〔アベ建設工業課徴金事件〕）。

(イ)「当該商品・役務」該当性

違反事業者が取り扱う具体的な商品・役務の売上げ等を「算定基礎」とするには、その商品・役務が「当該商品・役務」に該当しなければならない（法7条の2第1項）。取り扱われる商品・役務が違反行為の対象商品・役務かどうかが問題となる（この論点全般について、論点解説223頁〜241頁［中里浩］参照）。

a　カルテルにおける「当該商品・役務」該当性

公取委は、カルテル事件について、「当該商品・役務」とは「一定の取引分野における競争を実質的に制限する違反行為が行われた場合において、その対象商品の範疇に属する商品であって、違反行為による拘束を受けたものをいう」とし、「違反行為の対象商品の範疇に属する商品については、違反行為を行った事業者又は事業者団体が、明示的又は黙示的に当該行為の対象からあえて除外したこと、あるいは、これと同視し得る合理的な理由によって定型的に当該行為による拘束から除外されていることを示す特段の事情がない限り、独占禁止法第7条の2第1項にいう『当該商品』に該当し、課徴金の算定対象に含まれると推定して妨げない」とする（審判審決平11・11・10〔東京無線タクシー協同組合事件〕）。多数の裁判例も同旨である（東京高判平22・11・26〔ポリプロピレンカルテル事件（出光興産関係）〕、東京高判平22・4・23〔宮城医薬品卸カルテル・バイタルネット事件〕、東京高判平28・5・25〔日本エア・リキード事件〕も同旨）。特段の事情があるとされた例（前記課徴金納付を命ずる審決東京無線タクシー共同組合事件（オートガスのうち組合員向けの販売につき特段の事情ありとしたもの）など）もあるが、その数は多くない。

b　入札談合における「当該商品・役務」該当性

入札談合の場合は、基本合意の後に、当該基本合意の対象とした工事と同一の範疇の工事で、個別入札が実施されたものであっても、基本合意と無関係に行われる個別入札（例えば、個別調整で受注を希望する談合参加メンバーの話し合いがまとまらず自由に入札することになった入札＝フリー物件の入札）があり得る。

そのため、入札談合においては、個別入札で落札された工事が、「当該商品・役務」に該当するというためには、個別の入札が基本合意の対象とした役務と同一の範疇に属するというだけでは足りず、個別の入札ごとに、基本合意に基づいて受注予定者の決定などの個別調整（受注調整）が行われ、その結果として、当該個別入札に基本合意の拘束ないし**具体的競争制限効果**が及んでいるものといえなければならない。

この点、最高裁も「法７条の２第１項所定の課徴金の対象となる『当該…役務』とは、……**本件基本合意の対象とされた工事であって、本件基本合意に基づく受注調整等の結果、具体的な競争制限効果が発生するに至ったもの**をいうと解される」と判示している（最判平24・2・20〔多摩談合事件〕）。

入札談合事案において、個別調整（受注調整）が、通常の流れから外れた場合、例えば、受注予定者が１社に決まらないまま入札に突入して談合仲間が落札した場合とか、談合仲間以外の業者（アウトサイダー）と受注予定者との間で価格競争があったため受注予定者が落札できたものの低価格になった場合などにおいて、落札した工事に、具体的競争制限効果が生じたかどうか問題とされることがある。

(a)　二社物件

談合仲間（インサイダー）内で、個別調整（受注調整）によっても受注希望者を１社に絞りきれず、受注をなお希望する２社間で競争が行われた場合（いわゆる二社物件）について、公取委は、「本件基本合意による調整手続に上程されて受注希望者が二者に絞り込まれ、他の入札参加者（＊筆者注：23組のJV）は二者のどちらかが受注できるように基準価格以上の価格で入札したものであるから、競争単位の大幅な減少が認められるものといえ、具体的に競争制限効果が発生していることは明らか」とし、落札した工事が「当該役務」に該当し、その売上額が課徴金の算定基礎となるとした（審判審決平20・6・2〔港町管理課徴金事件〕）。

競争単位が減少することを重視する上記見解は**競争単位減少説**と呼ばれ、その後の公取委の実務において採用されている。例えば、「入札制度は、本来、すべての入札参加者が当該入札の条件に従って公正な競争を行うことを予定するものであり、入札参加者間における競争回避を内容とする合意の介入は一切許されていないのであるから、入札参加者全員の間で行われるべき競争が行われないこととなって、独立して意思決定を行う競争者が減少するということ自体に競争制限効果が認められるべきものである」との判断が示されている（審判審決平22・11・10〔ごみ焼却炉談合日立造船事件〕）。

競争単位減少説の考え方は、本来、入札においては入札参加者全員の間で競争が行われるべきところ、本来自由に入札に対応するはずの当事者の行動が人為的に拘束され、これにより本来あるべき市場の競争機能が損なわれる点に根拠があり（論点解説231頁～232頁［中里浩］）、多摩談合事件最高裁判決などが示す競争の実質的制限の定義とも整合的と思われる。

(b)　アウトサイダーや競争的なインサイダーとの間で競争が生じた外観を呈する場合

例えば、違反行為者以外のアウトサイダー甲社や、違反行為者（インサイダー）ではあるが競争的な乙社が存在する入札談合事案において、裁判所は、「原告を除く入札参加者9名中、乙社とアウトサイダーの甲社を除く7名は原告の受注に協力していたと認めることができ、なお競争制限効果が生じていたということができる」とし、さらに「入札参加者10名中、物件1～3についてはアウトサイダーの甲を除く9名の、物件4については甲社と乙社を除く8名の間で、本件基本合意の下での受注調整が行われ、これによる競争単位の減少により具体的な競争制限効果が発生したと認めることが合理的である」と判示した（東京高判平26・4・25〔奥能登談合大東建設事件〕）。

(c)　もぐり事案

個別の入札において甲社、乙社を含む談合仲間で受注調整が行われ、甲社が受注予定者に決まり、乙社は受注を希望しないと表明していたにもかかわらず、乙社は、実際の入札において、受注予定者より低い価格で入札し落札した事案（いわゆる「**もぐり事案**」）について、乙社は、個別調整（受注調整）が行われて競争単位が減少した状態、ひいてはあるべき市場メカニズムの機能が損なわれている状態を利用して落札したといえることから、この落札に係る工事にも基本合意の具体的競争制限効果が及んでおり、「当該商品・役務」に該当すると考えられる。

(d)　受注調整に自ら関与しないでその結果を利用して落札したインサイダー

甲社も乙社も入札談合の基本合意に参加していたが、乙社は、工事Ｘについて、同工事の受注を希望しかつ本命と目されていた甲社との話し合いにおいて、「工事Ｘを受注したい」の一点張りで話し合いを決裂させたものの、乙社自らは他の指名業者に入札での協力を依頼したり価格連絡をすることもなく、入札当日、甲社よりも相当に安い価格で応札し当該工事を落札受注したという事案について、裁判所は、「課徴金には当該事業者の不当な取引制限を防止するための制裁的要素があることを考慮すると、当該事業者が直接又は間接に関与した受注調整手続の結果競争制限効果が発生したことを要する」とした上、「たとえ、甲社が乙社以外の他の指名業者に自己の入札予定価格を連絡して協力を依頼し、他の指名業者がこれに応じて甲社の入札価格よりも高い価格で入札するという具体的な競争制限効果が行われ、乙社においても、そのような受注調整手続が進行しつつあることを知っていたなどの事情があるとしても、乙社が直接又は間接に関与した受注調整手続によって具体的な競争制限効果が発生するに至ったものとはいえない」として、乙社の落札した工事は「当該商品・役務」に該当しないと判示した（東京高判平16・2・20〔町田市談合土屋企業事件〕）。

これについては、個別入札における甲社の受注調整によって競争単位が現に減少しており、市場の競争機能が損なわれている状態の下、その状態を知っていた乙社が相当安い価格で応札して落札したものであるから、客観的には、その状態を利用していたとも評価できる面もあり、乙社の関与の下に具体的競争制限効果が生じたものと考える余地があるとも思われる。

c　「当該商品・役務」該当性の状況証拠による立証

入札談合事案の場合、具体的競争制限効果の発生が「当該商品・役務』該当性を肯定する要件とされるので、個別の入札について、個別調整（受注調整）によって受注予定者が決められた具体的経緯を直接証拠で立証できない場合には、当該商品・役務の立証上の困難が生じる。しかし、一定の状況証拠が立証できれば、具体的競争制限効果の発生が推認され「当該商品・役務」該当性が認められ得る。

例えば、地方公共団体が発注するストーカ炉の建設工事につき、５社によって受注調整が行われた入札談合事案において、その基本合意が、地方公共団体が発注するすべてのストーカ炉の建設工事を個別調整（受注調整）

の対象とするものであるとき、裁判所は「地方公共団体が発注するストーカ炉の建設工事であり、かつ、5社のうちいずれかが入札に参加し受注した工事については、特段の事情がない限り、本件合意に基づいて5社間で受注予定者が決定され、本件合意によって発生した自由な競争を行わないという競争制限効果が個別の工事の入札に及んでいたものと推認するのが相当である」と判示する（東京高判平24・3・2〔ごみ焼却炉談合日立造船事件〕）。

基本合意が、地方自治体の発注するすべてのストーカ炉の建設工事を対象としていたという前提条件の下では、基本合意の対象となった工事について、基本合意への参加当事者のいずれかが入札に参加してその工事を落札したという場合、通常は、その工事について、合意当事者5社が受注調整した上で受注予定者を決めた上で、受注予定者が落札したはずであるから、上記の推認は常識的で相当といえる（同旨の裁判例（東京高判平26・2・28〔岩手談合高光建設事件〕、東京高判平26・3・28〔岩手談合匠建設事件〕、東京高判平26・4・25〔奥能登談合大東建設事件〕）もある。

イ　密接関連業務の対価に相当する額

違反対象商品・役務と密接に関連する業務によって違反事業者および**完全子会社等**[11]（ただし違反行為をしてないもの）に生じた対価に相当する額

（前掲［図表6-4］②）

当該違反行為に係る商品・役務に**「密接に関連する業務」（密接関連業務）**として政令で定めるものであって、当該違反事業者および違反行為をしていない完全子会社等が行ったものの対価相当額は、当該違反事業者の課徴金額の算定基礎になる（法7条の2第1項第3号）。

「密接に関連する業務」とは、政令で「（法7条の2第1項3号の）違反行為……に係る商品又は役務の供給の全部又は一部を行わないことを条件として行う製造、販売、加工その他の商品又は役務（当該違反行為に係る商品

11）　独禁法では、**完全子会社等**とは、法人が100％の議決権を保有している他の会社（法人が当該法人の完全子会社と合算して100％の議決権を保有する場合や、他の会社が法人の完全子会社の完全子会社等である場合を含む）、**完全親会社**（会社を完全子会社とする他の会社）および**完全兄弟会社**（完全親会社が同一である他の会社）と定義されている（法2条の2第3項）。完全親会社や完全兄弟会社が含まれることに注意が必要である。

又は役務を除く。）を供給する業務……であつて、当該違反行為をした他の事業者……又はその完全子会社等のうち当該違反行為……をしていないものが当該違反行為に係る商品又は役務を供給するために必要とされるもの」と定められている（独禁法施行令6条1項）。

例えば、ある工事の入札談合の違反事業者X社（当該違反事業者）が当該工事の本命業者とならなかった見返りとして、本命業者Y社（当該違反行為をした他の事業者）から、同社が受注した当該工事の下請工事（違反行為に係る商品・役務を供給するために必要とされるもの）を請け負うことは、密接関連業務となり、その対価相当額が、違反事業者X社の課徴金額の算定基礎となる。カルテルの合意に参加した違反事業者には、違反対象商品自体の売上げがないが、同カルテルに関連して、違反対象商品の原材料の売上がある場合や、コンサルティング料を得ている場合なども該当し得る（菅久修一「座談会・令和元年独禁法改正をめぐって」公正取引828号（2019）8頁）。

ウ　違反行為に係る商品等を供給しないこと等に関し得た金銭その他の財産上の利益

> 違反対象商品・役務を供給しないこと等に関して違反事業者および**完全子会社等**（違反行為をしていないもの）が得た金銭その他の財産上の利益に相当する額
>
> （前掲［図表6-4］③）

いわゆる**談合金等**のことである。当該違反行為に係る商品・役務を他の者に供給しないこと、または他の者から当該用品役務の供給を受けないことに関し、手数料、報酬その他名目のいかんを問わず、当該事業者および当該違反行為をしていない完全子会社等が得た金銭その他の財産上の利益相当額である（法7条の2第1項4号）。

談合金等自体が不当な利得になると考えられるため、その全額が合算されて課徴金額となる。

エ　違反事業者から指示や情報に基づいて商品・役務を供給・購入した子会社等の売上額・購入額

> 違反行為者の**完全子会社等**であって違反行為を行っていないが違反行為者から指示や情報を受けて違反対象商品・役務を供給・購入したもの（**特定非違反供給子会**

社、特定非違反購入子会社等）の違反行為の実行期間における違反対象商品・役務の売上額・購入額（法7条の2第1項1号、第2条の2第7項・11項［図表6-5］参照）

（前掲［図表6-4］④）

以下、**供給取引**の場合に即して解説する（**購入取引の場合も**、供給取引の場合に準じて考えればよいが、紙幅の関係で解説は割愛する）。

㈠　独禁法の令和元年改正の趣旨

令和元年改正前法7条の2第1項の売上額は、「違反事業者」自身に係る「当該商品・役務」の売上額を意味した。

しかし、事業活動は企業グループ単位で行われることも多くあり、その過程で、例えば、違反事業者が同じ企業グループ内の販売子会社に対して、指示や情報提供を行い、その指示や提供された情報に基づいて当該販売子会社が、当該商品・役務を供給する場合があり、その場合、当該販売子会社には売上げが生じるのに、違反事業者には売上げが生じないため課徴金が課されない事態もあり得た（当該販売子会社が、違反行為をしていれば、当該販売子会社自体に課徴金を課すことはできるが、そのような認定ができない場合に問題となる）。

このような事態を想定し、令和元年独禁法改正では、違反事業者（これを甲社とする）の課徴金額の算定において、甲社自身の売上額だけでなく、その指示や情報提供に基づいて当該商品・役務の供給を行う**完全子会社等**（これを乙社とする。また、これは**特定非違反供給子会社等**にあたる）に係る当該商品・役務の売上額も、甲社の課徴金額の算定基礎になるとした（法7条の2第1項1号）。

ただし、違反事業者の企業グループ外の第三者に供給される過程で生じる企業グループ内取引の売上額と同視できる、次の①および②の売上額は、違反事業者の課徴金の算定基礎から除外される。

① 特定非違反供給子会社等が違反事業者に供給したもの（法7条の2第1項1号前段かっこ書）。

② **違反供給子会社等**または特定非違反供給子会社等が他の者に当該商品・役務を供給するために違反事業者または特定非違反供給子会社等から供給を受けたもの（法7条の2第1項1号後段かっこ書）。

［図表 6-5］　用語の定義

用語	定義
供給子会社等（法２条の２第４項）	不当な取引制限または私的独占のうち課徴金に係る違反行為をした事業者の子会社等[12]であって、当該違反行為に係る一定の取引分野において当該違反行為に係る商品・役務を供給した事業者
違反供給子会社等（法２条の２第５項）	違反事業者の供給子会社等であって、当該違反行為の一定の取引分野において当該違反行為をしたもの
非違反供給子会社等（法２条の２第６項）	違反事業者の供給子会社等であって、当該違反行為の一定の取引分野において当該違反行為をしていないもの
特定非違反供給子会社等（法２条の２第７項）	非違反供給子会社等のうち、違反事業者と**完全子会社等の関係にあるもの**であって、他の者に当該違反行為に係る商品・役務を供給することについて、当該事業者から**指示を受け、または情報を得た上で、当該指示または情報に基づき当該商品・役務を供給**したもの

ここで用いられる用語の定義は［図表 6-5］のとおりであるが、次の(イ)で想定事例に即して具体的に解説する。

(イ)　想定事例を使った解説

次の想定事例に即して、設問と回答の形式で、法７条の２第１項１号の実際の適用について解説する。

CASE 6-1　設問（想定事例）

（違反）事業者Ｘ社が、競争事業者Ａ社、Ｂ社およびＣ社と、商品αについて歩調をそろえて値上げするとのカルテル合意をした。合意の後、Ｘ社は、下図のとおり、商品αを、需要者に直接販売したほか、子会社 K1〜K3 社を通じて需要者に販売した。また、Ｘ社は、子会社 K4 社から、商品αを仕入れていた。

図の①〜⑨の売上額は、Ｘ社の課徴金額の算定基礎になるか。またＸ社以外の事業者の課徴金額の算定基礎になるか。

回答（解説）

(1)　売上額①：違反事業者であるＸ社が、直接、需要者に商品αを販売した場

12)　事業者の子会社もしくは親会社、または当該事業者と親会社が同一の他の会社（兄弟会社）をいう（法２条の２第２項）。

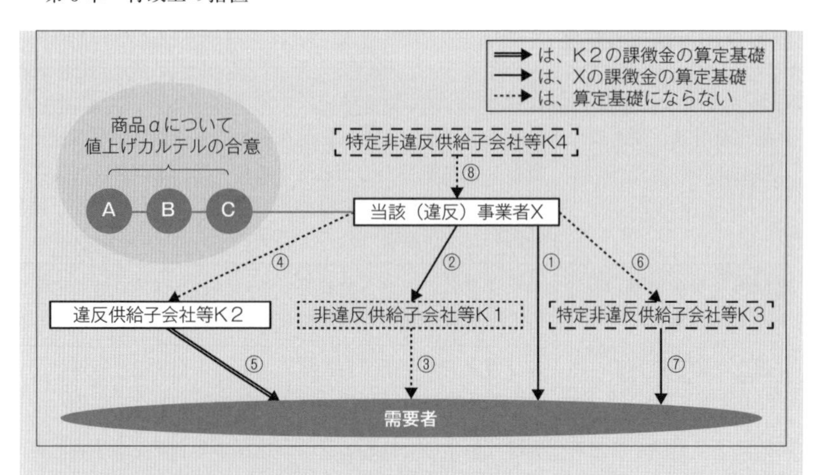

合なので、売上額①はX社の課徴金の算定基礎となる。

(2)　売上額②、③：これは、X社が、違反もしておらず事情も知らない販売子会社K1社（**非違反供給子会社等**に該当）に商品αを販売し、K1社がこれを需要者に販売した場合である。違反事業者X社のK1社への売上額②は、X社の課徴金額の算定基礎となる[13]（法7条の2第1項1号（本解説では単に「1号」という）後段の「**当該事業者……が当該事業者の供給子会社等に供給した当該商品又は役務**」に該当）。

売上額③は、誰の課徴金の算定基礎にもならない。K1社は違反事業者でないため、その売上げについて課徴金を課されることはない。K1社はX社の特定非違反供給子会社等にも該当しないから、売上げがX社の課徴金の算定基礎になることもない。

(3)　売上額④、⑤：X社の販売子会社K2社が、カルテル合意に参加するなどしていれば違反事業者となる（**違反供給子会社等**に該当）。K2社自身も課徴金を課されるので、K2社が需要者に商品αを販売した売上額⑤は、K2社の課徴金の算定基礎となる。

X社が違反供給子会社等のK2社に対して商品αを販売した売上額④は、X社の課徴金の算定基礎にはならない。これは企業グループ外の第三者（本件では需要者）に供給する過程で生じるグループ内取引によるものに該当し、X社の課徴金額の算定基礎から除外されるからである（1号後段の「当該事業者……が当該事業者の供給子会社等に供給した当該商品又は役務（**当該供**

13）　令和元年独禁法改正前は、K1社が、X社の完全子会社であるなどX社の一部門といえるような場合には、K1社への売上額をX社の算定基礎にできないのではないかとの疑義も持たれていたが、同改正で、算定基礎になることが明確化された。

給子会社等（違反供給子会社等又は特定非違反供給子会社等である場合に限る。）が他の者に当該商品又は役務を供給するために、当該事業者又は特定非違反供給子会社等から供給を受けたものを除く。)」のかっこ書内に該当)。

(4)　売上額⑥、⑦：販売子会社 K3 社が、X 社の完全子会社であり、かつ、K3 社は、カルテル合意には参加していないものの X 社から商品 α の価格の引き上げに係る指示や情報の提供を受け、同指示・情報提供に基づいて、商品 α を最終需要者に販売していた場合には、K3 社は特定非違反供給子会社等に該当し、K3 社が需要者に販売した売上額⑦は、X 社の課徴金額の算定基礎になる（1 号前段「……その特定非違反供給子会社等が供給した当該商品又は役務」)。

X 社が販売子会社 K3 社に対して販売した商品 α の売上額⑥は X 社の課徴金額の算的基礎にはならない。売上額⑥は、企業グループ外の第三者に供給する過程で生じるグループ内取引に該当し、X 社の課徴金額の算定基礎から除外されるからである（1 号後段の「当該事業者……が当該事業者の供給子会社等に供給した当該商品又は役務（当該供給子会社等（違反供給子会社等又は特定非違反供給子会社等である場合に限る。）が他の者に当該商品又は役務を供給するために、当該事業者又は特定非違反供給子会社等から供給を受けたものを除く。)」のかっこ書内に該当)。

(5)　売上額⑧：X 社が、需要者に商品 α を直接販売した場合（上図の①）において、X 社の完全子会社である商社 K4 社が、カルテル合意に参加していないものの、X 社から指示・情報提供を受けこれに基づいて、商品 α を X 社に販売（供給）していたという場合には、K4 社は特定非違反供給子会社等に該当する。この場合、K4 社が X 社に販売した売上額⑧も、X 社の課徴金の算定基礎にならない。この売上額⑧も、企業グループ外の第三者に供給する過程で生じるグループ内取引によるものに該当し、X 社の課徴金の算定基礎から除外されるからである（1 号前段「……特定非違反供給子会社等が供給した当該商品又は役務（当該事業者に当該特定非違反供給子会社等が供給したもの……を除く。)」のかっこ書内に該当)。

(5)　事業者団体の違反行為に対する課徴金納付命令

事業者団体が、不当な取引制限に相当する行為によって一定の取引分野における競争を実質的に制限した場合（法８条１号に該当する場合）には、課徴金の対象となるが、課徴金が課されるのは、事業者団体ではなく、その構成事業者である（法８条の３、７条の２第１項)。この場合の算定基礎は、個々の構成事業者に係る「当該商品・役務」の売上額となる。

(6) 課徴金納付命令に関するその他の規定

ア　引き渡し基準と契約基準

売上額・購入額の算定は、原則として、算定対象期間（不当な取引制限では、実行期間）において引き渡し提供した商品・役務の対価の額を合計し（売上額の場合）、引き渡され、提供された商品・役務の対価の額を合計する（購入額の場合）方法による（**引き渡し基準**。独禁法施行令4条1項、5条1項）。例外的に、当該算定期間において締結した契約額を合計する方法（**契約基準**）で売上額・購入額を計算する（独禁法施行令4条2項、5条2項）。

イ　課徴金の推計

違反事業者が、公取委または当該事件の調査に関する事務に従事する職員からの課徴金の計算の基礎となるべき事実に係る事実の報告または資料の提出の求めに応じなかったときは、当該違反事業者に係る違反行為期間（実行期間）のうち当該事実の報告または資料の提出が行われず課徴金の計算の基礎となるべき事実を把握することができない期間における法7条の2第1項各号に掲げる売上額等を、公取委規則で定める**合理的な方法により推計し**[14]、課徴金の納付を命令できる（不当な取引制限について法7条の2第3項。これが法7条の9第3項で私的独占に、法8条の3で事業者団体の違反に、法20条の7で不公正な取引方法に、それぞれ準用されている）。

ウ　合併・事業譲渡等による違反行為等の承継

(ア) 合併の場合

合併により消滅した法人の違反行為は、合併後の存続法人・新設法人が行った違反行為とみなされる。消滅法人が課徴金納付命令を受けた後に合併があった場合には、存続法人・新設法人が同命令を受けたものとみなされる（7条の8第3項。これは第7条の9第3項・4項、20条の7で準用される）。

(イ) 事業譲渡・会社分割の場合

違反行為を行った法人が、事業譲渡・会社分割により、1または2以上の**子会社等**[15]に違反行為に係る事業を承継させて消滅したときは、消滅した法人が行った違反行為やこの法人が受けた課徴金納付命令は、事業を承継した子会社等が行った違反行為とみなされ、同子会社等が受けた課徴金納

14）具体的には、売上額等が把握できている期間の日割平均額に算定対象期間の日数を乗じる方法である（審査規則23条の6）。

15）親会社、兄弟会社も含むものであることに要注意。

付命令とみなされる（7条の8第4項。これは第7条の9第3項・4項、20条の7で準用される）[16)]。

消滅法人が違反行為を継続中に事業承継が行われ、存続・新設法人が引き続き違反を行った場合は、存続・新設法人が行った違反部分については、存続・新設法人が課徴金納付命令を受けるのは当然のことである。事業承継前に消滅法人が行った違反部分については、本規定が適用され、当該違反部分が存続・新設法人の違反行為とみなされて、その分課徴金額が増える。

エ　罰金との調整

不当な取引制限と私的独占は、同一の事件について、同一事業者が課徴金と罰金を併せて課されることがあり得るところ、その場合には、本来の課徴金額から罰金額の２分の１を控除した課徴金が課される。

課徴金納付命令前に罰金刑が確定していた場合には、課徴金納付命令を行う段階で罰金額の２分の１を控除しなければならない（法7条の7、7条の9第3項）。

課徴金納付命令の後に、罰金刑が確定した場合には、公取委は決定で、課徴金納付命令に係る課徴金を、その課徴金額から、罰金額の２分の１を控除した額に変更しなければならない（法63条1項本文）。ただし、①課徴金納付命令に係る課徴金額が、罰金額の２分の１に相当する額を超えない場合、②変更後の課徴金の額が100万円未満となる場合には、公取委は、決定で、課徴金納付命令を取り消さなければならない（法63条1項ただし書・2項）。

4　取消訴訟

排除措置命令・課徴金納付命令を受けた事業者は、命令があったことを知った日から6ヶ月以内に、裁判所に、それらの命令の取消訴訟を提起できる（行訴法14条）。この取消訴訟は、専門性が高いことから、東京地方裁判所のみが一審の管轄裁判所となる（法85条1号）。

---

16)　令和元年独禁法改正前は、調査開始日後に行われた事業譲渡・会社分割についてのみ、このみなし規定が定められていたが、令和元年独禁法改正により、調査開始日前に行われた事業譲渡・会社分割についても同様のみなし規定が定められた。

5　確約手続

(1)　確約手続とは

公取委が独禁法の疑いのある行為について調査を開始した後に、公取委と事業者の合意によって迅速に競争上の懸念を解消して事案を解決しようとする手続をいう（法48条の2～48条の9）。

(2)　確約手続が創設された背景

複雑化する経済環境の下、創意工夫が求められる事業者の事業活動が、正常なビジネス活動の範囲に収まるか独禁法に抵触する問題を含むのか判断が難しくなっている。

このような事業活動について、公取委と事業者が合意によって協調的に問題解決を行うことにより、競争上の問題をより早期に是正し、効率的かつ効果的な独禁法の執行にも資する制度として、TTP 11協定の締結に伴い、確約手続が創設され、2018年12月30日から施行された。

(3)　確約手続の対象となる違反類型

カルテルや入札談合のようなハードコアカルテル、過去10年以内に行った違反行為と同一の違反被疑行為や、刑事告発相当の悪質かつ重大な違反被疑行為は厳格に対処すべきものなので、運用上、確約制度の対象とされない（公取委「確約手続に関する対応方針」（公取委平30・9・26公表）5）。これに対し、不公正な取引方法、私的独占については、確約制度が活用されることが期待され、実際に、同制度施行後には積極的に利用されている。

(4)　確約制度の流れ

確約制度の流れについては、［図表6-6］を参照されたい。

ア　確約手続の通知（［図表6-6］内①）

公取委は、行政調査を行う中で、事業者が独禁法違反の疑いがある行為（違反被疑行為）を行っており、これについて「確約手続により競争上の問題を解決することが公正かつ自由な競争の促進を図る上で必要がある」と認めたとき、当該事業者に確約手続の通知を行うことができる（法48条の2、48条の6）。

なお、実務の運用としては、公取委が一方的に確約手続の通知をしてくるのではなく、一定期間、事業者と公取委（担当課）との間で、確約手続に関する相談ないし協議がなされ、その結果を踏まえて、公取委が確約手続を開始することを決め、その上で、確約手続の通知を行っているようである（論点体系522頁［木村智彦］）。

［図表6-6］　確約手続の流れ

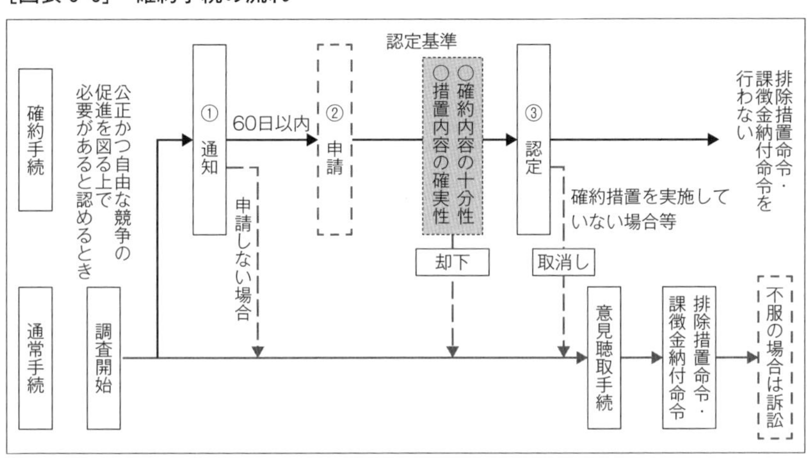

出典：公正取引員会HPをもとにして作成

イ　排除措置計画の認定の申請（［図表6-6］内②）

通知を受けた事業者が、確約手続を利用しようとするときには、確約手続通知を受けた日から60日以内に、違反被疑行為を排除するために必要な措置に関する計画（**排除措置計画**）を自ら作成し、公取委に同計画の認定を申請することができる（法48条の3第1項、48条の7第1項）[17]。

ウ　排除措置計画の認定（［図表6-6］内③）

排除措置計画の認定申請を受けた公取委は、確約計画について、㋐同計画の措置内容が違反被疑行為を排除するために十分であり（**措置内容の十分性**）、かつ㋑計画の措置内容が確実に実施されると見込まれる（**措置実施**

17）違反の疑いのある行為がなくなった場合においても、公取委は確約手続の通知をすることができ、通知を受けた事業者は、その行為が排除されたことを確保するために必要な措置に関する計画（**排除確保措置計画**）を策定、提出することができる（48条の6、48条の7）。排除措置計画と排除確保措置計画を併せて**確約契約**という。

の確実性）とき、同計画を認定する（法48条の3第3項、48条の7第3項）。

エ　排除措置計画の認定後

公取委は、排除措置計画を認定したときには、同認定が取り消されない限り、法的措置を行わない（法48条の4、48条の8）。

オ　調査の再開

確約手続通知後は、原則として調査権限は行使されない（確約手続に関する対応方針12(1)(2)）のであるが、違反被疑行為を行った事業者が、確約手続通知を受けながら、排除措置計画認定の申請をしなかった場合には、同通知前の調査が再開される（［図表6-6］内④）。

事業者が行った排除措置計画の認定申請が、認定の要件を欠くなどの理由で却下された場合（［図表6-6］内⑤）や、認定された計画が実施されなかったり、虚偽または不正の事実に基づき認定を受けたことが判明して同認定が取消された場合（［図表6-6］内⑥）にも、確約手続通知が行われる前の調査が再開される。

認定が取消された時点において除斥期間（行為終了から7年）が経過していたとしても、取消しの決定の日から2年間は、法的措置を講じることができる（法48条の5第3項・4項、48条の9第3項・4項）。

なお、認定申請を却下した場合や認定取消しの場合、認定申請に当たって申請者から提出された資料を返却することはせず、かつ、法的措置を採る上で必要となる事実の認定を行うための証拠として使用することもあり得る（確約手続に関する対応方針12(3)）。

6　緊急停止命令

公取委が独禁法違反の疑いのある行為について調査を開始してから排除措置命令が行われるまで一定の期間かかることが想定され、その間に競争秩序が回復しがたい状態になることが懸念され、かつ緊急の必要がある場合には、公取委は、裁判所に、問題となる行為を一時停止することなどを命じること（**緊急停止命令**）を求めることができる（法70条の4）。

7　警告と注意

公取委は、排除措置命令（法的措置）を行うための十分な証拠が得られず違反事実の認定ができない場合にも、警告や注意を行うことがある。

⑴　警告（行政法上の行政指導）

違反事実を認定できなくても、独禁法違反のおそれのある行為がある、またはあったと認められる場合、その行為を行う（行った）事業者・事業者団体に対して、その行為を取りやめることや、その行為を再び行わないことその他必要な事項を指示することがあり、これを実務上「警告」という（審査規則26条）。

⑵　注意

違反行為の存在を認めるに足る証拠は得られなかったが、将来的に独禁法違反につながるおそれがあると認められる場合に、独禁法違反行為が行われることを未然に防止するため、そのおそれを迅速に伝えることを、実務上「注意」と呼ぶ。

8　審査終了（打ち切り）

打ち切りとは、調査（審査）を遂げても違反の事実を認めるに至らない事件について、審査を終了することである（注釈独禁法658頁［鈴木孝之］）。

近時、公取委では、時間をかけて審査を行えば違反を認定できる可能性がある事件であっても、早急な是正と再発防止が必要で、かつ、公取委の指導によって、事業者が自発的に是正・再発防止措置を実施しまたは今後実施が見込める場合などに、それを前提として審査を打ち切ることがある。迅速で実効的な事案処理手法の１つととらえられているようである（「座談会・最近の独占禁止法違反事件をめぐって」公正取引840号（2020）15頁［山田弘審査局長］、拙稿「公取委ありのまま（第８回）」NBL1167号（2020）79頁）。

第2節　調査手続

1　独禁法の執行機関

(1)　公正取引委員会

委員長および委員4名からなる合議制の行政機関であり（法27条1項、29条1項）、内閣総理大臣の所轄に属するが（法27条2項）、委員長・委員は独立して職権を行い（法28条）、独禁法の運用について他から指揮命令を受けることがない（独立行政委員会）。事務を処理するための補助組織として事務総局（令和4年度の職員約850人）が置かれている。通常は、委員長・委員からなる合議体と補助機関である事務総局を合わせて「公正取引委員会」（公取委）と呼ぶ。

事務総局には、事務総長の下に、官房、経済取引局（取引部も含む）、審査局（犯則審査部も含む）が置かれ、地方機関として全国7カ所に地方事務所・同支所が置かれる（このほか沖縄県では、事務総局の地方事務所・同支所が行うべき業務を内閣府沖縄総合事務所公正取引室が行っている）。

公取委の業務の実際について拙稿「公取委ありのまま」（NBL1153号～1175号（2019～2020）の奇数号に連載）を参照されたい。

(2)　調査を行う部署

ア　事務総局審査局

公取委実務では調査のことを審査と呼ぶ。独禁法違反事件につき、行政処分に向けて行う調査を**行政調査**といい、**犯則事件**（⇒2(3)）につき、刑事告発に向けて行う調査を**犯則調査**という。

事務総局審査局（以下単に「審査局」とも呼ぶ）では、行政調査と犯則調査を担当する。審査局では、審査局長の下、審査部門においては、審査管理官（局次長相当）、審査長（課長相当）が部下審査官を統括・指揮して行政調査を行い、犯則審査部においては、犯則審査部長、審査長が、部下審査官を統括指揮して犯則調査を行っている。

イ　調査を行う他の部署

事務総局経済取引局（以下単に「経済取引局」とも呼ぶ）の**企業結合課**は企

業結合審査を行う（⇒第8章参照）。必要なときには、同課の職員を審査官に指定し法47条の権限を行使した審査を行うこともできる。

公取委の各部署では、経済実態等を把握するための調査を行うことがある（任意の協力を得て行われることがほとんどであるが、法40条の調査権限も認められる）。

2　違反事件調査

(1)　端緒

事件の調査開始の手がかりとなる違反行為に関する情報（端緒）としては、公取委自身が職権で収集するもの（職権探知。法45条4項）、一般からの申告（法45条1項）、課徴金減免申請における報告（⇒後記第3節参照）、中小企業庁からの措置請求（不公正な取引方法について。中小企業設置法）がある。

(2)　行政調査

ア　大きな流れ

罰則がない独禁法違反事件の調査は、審査局審査部門で行政調査として行い、排除措置命令等の行政処分を行う。

不当な取引制限などの罰則を伴う犯則事件（⇒第7章第1節）に該当する独禁法違反事件であっても、端緒段階で告発を見込まない場合は、審査部門で行政調査として調査を行い、行政処分を行う。

イ　調査権限

端緒からみて独禁法違反の行為の存在を疑うに足りる事実があると判断した場合、公取委では調査を続行するが、この調査は、法的権限を行使しないで関係者の任意の協力を得て行う場合（**任意調査**）と、法47条の調査権限を行使して行う場合（**正式審査**）がある。

法47条の調査権限には、①事件関係人（違反行為を行っていることが疑われる事業者とその事業者の役員、従業員などをいう）または参考人（取引先、競合他社等事件関係人以外の事業者とその役員・従業員などをいう）に出頭を命じて行う審尋（法47条1項1号）、②これらの者から意見や報告を徴すること（法47条1項1号）、③鑑定人に出頭を求めて行う鑑定（法47条1項2号）、④帳簿その他の物件の所持者に対して、物件の提出を命じ提出された物件を留置すること（法47条1項3号）、⑤事件関係者の営業所その他必要な場所に立ち入り検査を行うこと（立入検査。法47条1項4号）がある。同調査権限に基づく調査を妨害した場合は検査妨害の罪が成立し処罰され（法94条）、調査の実効性が確保されている（間接強制）。

法47条の権限は、審査官に指定された公取委職員が行使する（法47条2項）ので、同権限を行使する必要がある事件は、審査官を指定して審査に当たらせる（審査官指定政令。審査規則7条3項）。

法47条の権限を行使しながら、並行して、事件関係人の任意の協力を得て、事情聴取を行い供述調書を作成するなどの任意調査の手法が使われることも多い。

審尋および任意の事情聴取に関し「独占禁止法審査手続に関する指針」（公取委平22・12・25公表）によって、実施手順や留意事項などが明確化され示されている。

ウ　意見聴取手続

独禁法違反について排除措置命令・課徴金納付命令を行う場合、命令に先立つ事前手続として、意見聴取手続が行われる（法49条～60条）。

意見聴取手続では、命令の名宛人となることが見込まれる事業者に対して、予め排除措置命令書（案）および課徴金納付命令書（案）とともに、公取委が認定した事実を立証する証拠の目録が提示される。名宛人は目録に記載された証拠については閲覧等した上で、質問を行い、証拠を提出することができる。名宛人は、審査官による排除措置命令についての説明や、質問に対する審査官の回答を踏まえて行政処分に対する意見書を提出することができる。

意見聴取手続を主宰する意見聴取官は、意見聴取期日の状況を記した調書や争点を整理した報告書を公取委（委員長および4人の委員からなる会議体をいう）に提出し、公取委は、同調書や報告書を十分に参酌した上で行政処分の可否を判断する。

(3)　犯則事件と犯則調査

犯則事件とは、法89条～91条の罪に係る事件をいい（⇒第7章第1節1）、前記のとおり、犯則事件につき、刑事告発に向けて行う調査を犯則調査という。

犯則事件に該当する独禁法違反行為を対象にしても、公取委において端緒段階において告発を見込まない場合、行政調査として調査が行われる。

犯則調査については、別に説明する（⇒第７章第５節）。

第3節　課徴金減免制度

本節では、公取委令和2年9月2日公表の「調査協力減算制度の運用方針」を「運用方針」と略称する。

1　課徴金減免制度

(1)　意義と目的

課徴金減免制度とは、不当な取引制限の違反行為を行った事業者が、公取委に対して、課徴金減免申請を行って、自らの違反行為に係る事実について報告（違反行為に係る事実の報告および資料の提出）し、それが法定の要件を備えるとき、課徴金を減額・免除する制度（法7条の4、7条の5、7条の6、7条の8第1項、8条の3）をいう。外国の同種制度にならって**リニエンシー制度**とも呼ぶ。同制度は、秘匿性が強く摘発が困難とされたカルテル・入札談合などの違反行為の端緒を入手しやすくするため導入された。

(2)　調査協力減算制度の導入

従来は、課徴金減免申請の順位に応じた減免率のみが適用されていたが、令和元年改正により、この減免率に加え、事業者の協力が事件の真相の解明に資する程度に応じた減算率も適用する制度（**調査協力減算制度**）が導入された。課徴金減免制度によって、事業者が公取委の事件調査に協力するインセンティブを高め、効率的で効果的な事件の真相の解明や違反行為の排除・抑止につながることも期待されるようになった。

2　課徴金減免申請手続

［図表6-7］のフロー図の(1)〜(7)の流れに沿って、課徴金減免申請手続を説明し、その中で、調査協力減算制度についても解説する。

(1)　違反の発見　課徴金減免申請の契機

事業者は、内部調査等によって、自社において不当な取引制限違反が疑わせる事実が存在することを知り、これを契機に課徴金減免申請の検討を開始することが多い（以下本節において、「課徴金減免申請」のことを単に「減

［図表 6-7］　課徴金減免申請のフロー図

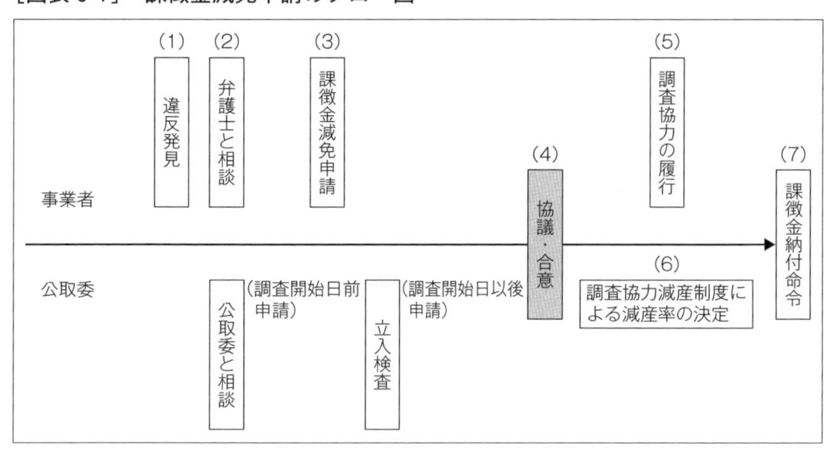

免申請」ということもある)。

⑵　減免申請の検討

事業者経営陣は、法務担当者の補助を受け、独禁法に通じた弁護士に相談し、違反が成立するかどうか等を見極め、公取委担当者にも**相談**し、減免申請をするかどうか決める。この段階での公取委への相談は、**申請前相談**と呼ばれ、事業者の法務担当者や代理人弁護士が、口頭で（事業者名を匿名とした電話でも可)、申請しようと検討中の違反事実を説明し、その時点で減免申請した場合の申請順位などを聞くこともできる。

なお、令和４年（2022年）６月１日から施行された**改正公益通報者保護法**（令和２年６月可決・公布）では、事業者の従業員等が行政機関等の外部に対して行う公益通報の保護要件が強化された。これによって、例えば、社内で独禁法違反行為が行われていることを知っている従業員が、公取委に申告（内部告発）しやすくなったことも、経営陣において、減免申請を検討するかどうかの検討において考慮されることになるであろう。

⑶　減免申請

ア　調査開始日前申請と調査開始日以後申請

令和元年独禁法改正により、減免制度の適用を受けられる**事業者数の上限**（従前は、事前・調査開始後申請を併せ最大５者）が撤廃された。これにより、例えば、立入検査開始後における減免申請を検討する際、調査協力の意欲がある事業者が、申請枠が埋まっていることを懸念する必要がなくなった。

(ア)　調査開始日前申請（単独による申請）

調査開始日前に減免申請を行おうとする事業者は、**電子メールを利用**し公取委が指定したメールアドレスに様式1号報告書を送信して提出する。減免申請の順位は様式1号報告書の**公取委のコンピュータのファイルへの記録の先後**により定められる（法第7条の4第1項・2項、課徴金の減免に係る事実の報告及び資料の提出に関する規則(以下「課徴金減免規則」という)4条)。

様式1号報告書を提出した事業者は、通知された提出期限までに、持参、書留郵便等、ファクシミリ送信、電子メール送信の方法で、公取委に「当該違反行為に係る事実の報告及び資料の提出」を様式第2号報告書で行わなければならない（同規則5条、6条、9条)。

要件が備われば、［図表6-8］の課徴金減免率に記載のとおり、**順位に応じた課徴金の減免**が行われる。

(イ)　調査開始日以後申請（単独による申請）

調査開始日以後に申請しようとする事業者は、「当該違反事実に係る事実の報告及び資料の提出」として、電子メールを利用して様式第3号報告書を送信して提出するとともに、資料を公取委に提出しなければならない(法第7条の4第3項、課徴金減免規則7条)。

様式第3号による報告書及び資料の提出期限は、調査開始日から起算して20営業日[18]（開始日算入）を経過した日である（同規則8条)。

申請順位は様式3号報告書の公取委コンピュータのファイルへの記録の先後により定められる（同規則同条2項）

要件が備われば、次の［図表6-8］の「課徴金減免率」記載のとおり、**順位に応じて**課徴金減免が行われる。

(ウ)　共同申請

申請は単独で行うものとされる。例外として、同一の企業グループ内における複数の事業者（申請時に相互に子会社等である場合）が共同で減免申請を行ったときは、一定の条件（共に違反行為をしていた期間がある場合に、

---

18)　行政機関の休日に関する法律1条1項各号に掲げる日の日数は算入しないということである。

［図表 6-8］　課徴金減免率

	申請順位	申請順位に応じた減算率等	調査協力の度合いに応じた減算率	減算率の合計
調査開始日前	1位	全額免除	—	—
	2位	20%	＋最大40%	最大60%
	3〜5位	10%		最大50%
	6位以下	5%		最大45%
調査開始日以後	最大3社*	10%	＋最大20%	最大30%
	4社目以下	5%		最大25%

＊調査開始前と合わせて5位以内である場合に限る。

その全期間（共同申請をした日から遡って10年以内の期間）において、相互に子会社等の関係にあったことなど）を備えれば、当該共同申請者には、同一の順位が割り当てられる（法7条の4第4項）。

Guidance 6-1　調査開始日前申請と調査開始日以後申請

調査開始日前申請と調査開始日以後申請のいずれかに該当するかによって、免除されるかどうかや、減算率が大きく変わる。

課徴金減免規則にいう「調査開始日」は、当該事件について立入検査等が行われた最初の日である。同一事件について行われた公取委の立入検査等の日が事業者によって異なることがあり、最初に他社に立入検査が入り、自社への立入検査が遅れて行われた場合に、公取委の調査開始を自社が知ったときには、期限を徒過していることもあり得る。しかし、期限の制度は、調査開始日を起点に客観的に決まるものなので、期限を知らなかったことは考慮されない。

調査開始日前申請になるのか開始日以後申請になるのかも、調査開始日がいつかによって客観的に決まる。例えば、同規則の様式第1号で違反事実の概要についての報告をした時点では、立入検査等が行われていなかったが、様式第2号の報告書・資料を提出する前に立入検査が行われた場合、申請全体として調査開始日以後に行われたと評価され調査開始前申請に該当しない。

イ　申請の有効要件

有効な課徴金減免申請と認められるためには、違反事業者による課徴金減免申請が、次の㋐および㋑の要件をいずれも満たさなければならない。

㋐　当該違反事実に係る事実の報告および資料の提出

a　「違反事実に係る事実の報告及び資料の提出」の意義

調査開始前申請・調査開始後申請のいずれの場合でも、課徴金減免が認められるためには、違反行為者から「当該違反事実に係る事実の報告及び資料の提出」（本節では、以下これを「**報告等**」とも呼ぶ）が行われる必要がある（法7条の4第1項1号・2項1号〜4号・3項1号・2号）。違反行為に関与した個人が知っていた情報も含め、違反行為者たる事業者であれば知り得る情報を報告等する必要がある。

b　報告等に新規性を要する場合

調査開始前の4番目以降の減免申請および調査開始後の減免申請の場合は、報告等に係る報告・資料の新規性が必要とされる（法7条の4第2項3号・3項1号）。新規性とは、その時点で公取委が把握していない情報ということである。ただし、実務運用としては、例えば、既に公取委が入手済みの資料であっても、その資料についての申請事業者またはその役職員の認識等を内容とする陳述書等は、当該要件を充足することが多いようである（論点体系266頁［内田清人］）。

c　報告等が十分になされなかった場合のリスク

違反行為をした事業者は、可能な限り包括的で実効性のある内部調査を行い、これに基づいて報告等を行うことが求められる。違反事業者が、違反事実の全体的・包括的な情報を把握していながら、故意にその提供を控え、部分的な情報だけを公取委に報告等するような場合には、当該課徴金減免申請は報告等に当たらないと判断され、課徴金減免が認められなくなるリスクがある（論点解説289頁［塚田益徳］）。

また、後記の調査協力減算制度を利用するには、公取委に対して協議の申出をする必要があるが、協議の申出ができるのは、報告等を行った事業者（**報告等事業者**（法7条の5。いわゆる5項通知を受けた事業者））に限られるため、報告等を十分に行わない事業者は、調査協力減算制度を利用できなくなるリスクが生じ得る。事業者は、違反行為に係る事実等を把握したときは、課徴金減免制度における報告等を十分に行う必要がある（運用方針3⑴参照）。

⑷　**違反行為を継続していないこと**

課徴金を減免される地位を得ながら、同時に、違反行為を継続し不当な利得を獲得し続けることは許容されないので、減免申請者に対しては、違反行為を継続しないことが要求される（法７条の４第１項〜３項）。

a　**調査開始前申請**では、**調査開始日以後において当該違反行為をしていた者でないこと**（法７条の４第１項２号・２項５号）で足りる。

もし、減免申請と同時に減免申請者に対し違反行為の停止を求めるならば、それまで継続的に違反行為に関与してきた事業者が突然違反行為を停止するという不自然な状態が生まれ、他の違反事業者において、減免申請が行われたことを察知し、証拠の湮滅、口裏合わせ等を行うおそれがあるからである。

b　**調査開始後申請**では、**報告等を行った日以後において当該違反をしていた者以外の者であること**（法７条の４第３項３号）が必要とされる。

この場合には、公取委の調査が開始されており、通常、違反行為の継続が困難となり、調査開始後申請が行われる時点では、違反行為が行われなくなっていることが多いので、減免申請日以後において、違反行為を継続しない者であることを求めても無理を強いるものとはいえない。

⑷　調査協力減算制度利用のための協議および合意

ア　協議

⑺　**報告等事業者による協議の申出**

報告等事業者とは、減免申請を行った事業者（調査開始前第１位の申請事業者を除く）であって、報告等（法７条の４第２項１号〜４号・３項１号・２号に規定されるもの）を行った事業者をいう。

報告等事業者が、公取委の調査にさらに協力する意思があり、調査協力減算制度を利用したいときには、公取委に対し、**協議の申出**を行うことができる。申出に対し、公取委は協議を行わなければならない（法７条の５第１項）。

報告等事業者は、法７条の４第５項にもとづき公取委から課徴金減免申請を受けた旨の通知（「**５項通知**」）を受けるが、報告等事業者は、５項通知を受けた日から起算して10営業日を経過するまでに、文書により、協議の申出を行うことができる（課徴金減免規則14条１項）。**協議の申出は、「５項**

通知」を受けた報告等事業者のみができる。

報告等事業者であっても、協議の申出をしない者は、申請順位に応じた課徴金減額が行われる。

Column 6-2　調査開始前１位の減免申請者に期待される調査協力

調査開始前の１位で減免申請をした事業者は、課徴金が免除されるため、調査協力減算制度の対象とはならない。しかし、公取委は、調査開始前１位の減免申請者に対して、報告等を追加して求めることができ（法第７条の４第６項）、もし同要請に応じないなどした場合には、この申請者は、失格となり課徴金減免を受けられなくなることがあり得る（法第７条の６第２号）ので、調査開始前１位の減免申請者も、調査期間を通じて、公取委の事件調査に積極的に協力することが期待される（運用方針１）。

⑷　報告等事業者と公取委の協議

報告等事業者は、公取委に対し、予定する調査協力（報告等）の内容について説明し、公取委は、報告等事業者の説明に係る調査協力（報告等）の内容を評価し、減算率を提示する。公取委と報告等当事者の間で協議がととのえば、合意に至る。

なお、協議が不調に終わった場合、公取委は、協議中の事業者の説明内容を記録していたとしても、それ自体は証拠にできない（法７条の５第７項）。

イ　合意

合意は、報告等事業者の協力の内容と減算率についてなされる。

減算率に関する合意として、減算率を特定の割合として定める合意（法７条の５第１項。本節では「**特定割合についての合意**」ともいう）と、減算率の上限と下限を定める合意（法７条の５第２項。本節では「**上限及び下限についての合意**」ともいう）がある。

⑺　「特定割合についての合意」をする場合

これは、公取委が、**課徴金減免申請における報告等の内容も含めて、合意時点までに報告等事業者が把握している事実等を評価**し、特定の割合として減算率を定め合意するものである（法７条の５第１項、運用方針３⑵イ）。

特定割合は、法定の上限割合（調査開始日前申請では40%、調査開始日以後申請では20%）の範囲内としなければならない。

減免申請の際、調査協力の余地を残すために報告・資料提供を出し惜しむ必要はない（論点体系267頁［内田清人］）。

合意されるべき、報告等事業者の調査協力の内容は次のとおりである。

［報告等事業者の調査協力の内容］

［1］　協議において、報告し提出する旨の申出を行った事実または資料を当該合意後直ちに報告し提出すること（法7条の5第1項1号イ）

［2］　減免申請に伴って行われた事実の報告および資料の提出、または、上記協議における申出に基づいて行われた事実の報告・資料の提出によって得られた事実または資料に関し、公取委の求めに応じ、事実の報告・資料の提出、公取委による検査の承諾その他の行為[19]を行うこと（法7条の5第1項1号ロ）

［3］　公取委による調査によって判明した事実に関し、公取委の求めに応じて、（追加の）事実の報告・資料の提出、公取委による検査の承諾その他の行為[20]を行うこと（法7条の5第1項1号ハ）

なお、合意には［1］および［2］を必ず盛り込まなければならない（運用方針3⑵ア）。

㈠「上限及び下限についての合意」をする場合

公取委は、報告等事業者が、事件の真相解明に資する新たな事実・資料を把握する蓋然性が高いと判断する場合[21]（合意後に、カルテル合意に関与した退職者からのヒアリング結果が得られる可能性があり同ヒアリングで核心的な供述が得られる見込みがある場合など）において、当該事実・資料の報告等に、合意後一定期間を要する事情があると認める場合には、報告等事業者に対し、協議において、減算率に関し「上限及び下限についての合意」をすることを求めることができる。

この点についての公取委の運用方針は次のとおり。

19）　例えば、報告事業者等が提出した資料の内容等に関し、公取委から求められた場合に、説明等することである。

20）　例えば、公取委による調査によって判明した事実に関して、公取委から求められた場合に説明等することである。

21）　公取委からの追加報告等の求め（第7条の5第1項第1号ロ・ハ）に応じて、報告等事業者が把握する可能性のある事実等も含めて、新たな事実等を把握する蓋然性を判断できる（運用方針3⑵イ）。

Guidance 6-2　減算率に関する合意についての公取委の運用方針

1　公取委は、通常、「上限及び下限についての合意」を求める（運用方針3(2)イ）。

「上限及び下限についての合意」は、調査期間を通じて行われた報告等事業者の協力内容を、減算率に反映できるようにするためのものであり、調査期間を通じた協力の内容が減算率に反映されることは報告等事業者にとっても有益と考えられるからである。

2　その場合、公取委は、上限として、通常、法定上限の減算率を設定する。

「上限及び下限についての合意」をする場合の下限は、「特定割合」（法7条の5第1項2号）である（同条第2項2号）。合意時に、報告等事業者が合意後にどのような事実等を把握するかを正確に判断するのは困難と考えられるため、公取委は、通常、上限として、法定上限の減算率を設定する（運用方針4）。

この場合、報告等事業者の協力内容についての合意は、以下のとおり。

［報告等事業者の協力内容についての合意］

［報告等事業者の調査協力の内容］の［1］～［3］記載の協力内容（法7条の5第1項1号イ～ハの協力内容）

に加え

［4］　新たな事実または資料を把握した場合には、直ちに当該事実または資料を公取委に報告・提出すること（法7条の5第2項1号イ）

［5］　上記の報告・提出により得られた事実・資料に関し、公取委の求めに応じて、報告・提出、検査の承諾等を行うこと（法7条の5第2項1号ロ）

この合意にも、「報告等事業者の調査協力の内容」の［1］および［2］は必ず盛り込まなければならない。

(5)　調査協力の履行

報告等事業者が当該期限までに履行しない場合には、法7条の6第7号に該当して失格となるリスクがある（⇒3）。その場合、調査協力の度合いに応じた減算だけでなく、課徴金減免申請の順位に応じた減算も適用されなくなる。

合意においては、報告等事業者の協力の内容として、公取委からの追加報告等の求めに応じること（法7条の5第1項第1号ロ・ハ）が盛り込まれると考えられるので（運用方針3(2)ア）、もし報告等事業者が継続的な調査協力に応じない場合も、合意を履行しない場合に該当し失格となり得る。

⑹　調査協力の度合いに応じた減算率の決定

ア　調査協力の度合いに応じた減算率の決定

報告等事業者が合意に係る調査協力を履行したとき、公取委は、調査協力減算制度による調査協力の度合いに応じた減算率を決定する。

㋐　特定割合についての合意がなされていた場合

公取委は、合意に係る**特定割合**を、調査協力の度合いに応じた減算率として適用する。

㋑　上限及び下限についての合意がなされていた場合

この場合、公取委は、報告事業者が実際に履行した調査協力の内容（違反事業者が合意時点までに把握していた事実等に加え、合意後に新たに把握し報告等を行った事実等）について調査協力の度合いを評価し、事件の真相解明に資する程度に応じ、合意した上限および下限の範囲内で、減算率（**評価後割合**）を決定する。

イ　調査協力の度合いの評価

調査協力の度合いの評価とは、報告等事業者が報告等した事実等が事件の真相解明に資する程度についての評価である。

㋐　事件の真相の解明に資する事項

この減算率は、「事件の真相の解明に資するものとして公正取引委員会規則で定める事項」に係る事実の内容等を考慮して判断される（法７条の５第１項柱書）。

㋑　評価方法等についての運用方針

公取委は、運用方針において、「事件の真相解明に資する程度」を評価するに当たっては、事件の真相の解明の状況を踏まえつつ、報告等事業者の調査協力の内容が、次の①～③の各要素をそれぞれ満たしているか否かを考慮する（運用方針４⑴）。

減算率（評価後割合）は、［図表6-10］のとおり、［図表6-9］の①～③の「評価における考慮要素」を満たした個数に応じた３段階（高い、中程度、低い）で定められる（運用方針４⑶）。

［図表 6-9］　事件の真相解明に資する程度の評価方法

①報告等事業者が行った報告等の内容が具体的かつ詳細であるか	具体性・詳細性
②「事件の真相の解明に資する事項」（課徴金減免規則 17 条）について網羅的であるか	網羅性
③当該報告等事業者が提出した資料により裏付けられるか	裏付け可能性

［図表 6-10］　減産率の評価方法

調査開始日前	調査開始日以後	事件の真相の解明に資する程度
40%	20%	高い（①～③すべての要素を満たす）
20%	10%	中程度（①～③の２つの要素を満たす）
10%	5%	低い（①～③のうち１つの要素を満たす）

⑺　課徴金納付命令

ア　特定割合についての合意があり、合意に基づく調査協力が実施された場合、公取委は、減免申請順位に応じた減算率に、特定割合を加えて全体の減算率を出し、これを減算前の課徴金額に乗じるなどし、納付命令に係る課徴金額を算出する（法７条の５第３項）。

イ　上限と下限を定めた合意があり、合意に基づく調査協力が実施された場合、公取委は、減免申請の順位に応じた減算率に、前記⑹ア⑷、アの手順で決定された、調査協力の度合いに応じた減算率（評価後割合）を加えて全体の減算率を出し、減算前の課徴金額にこれら減額率を乗じるなどして、納付命令に係る課徴金額を算出する（法７条の５第３項）。

3　減免失格事由

減免申請を行った事業者は、次の失格事由に該当する場合は失格する。

失格になれば減免申請順位に応じた免除・減算も、調査協力減算制度による減算も適用がなくなる（7 条の 6。以下のかっこ内条文はすべて同条の号数を指す）[22]。

22）　令和元年独禁法改正により、失格事由として⑤～⑦が追加された。

① 報告等した資料等に虚偽の内容が含まれていたこと（１号）

② 調査開始前第１順位の減免申請事業者が、公取委による法７条の４第６項の追加報告等の要求に応じず、または虚偽の報告等を行ったこと（２号）

③ 調査開始日前２位以下または調査開始日以後の減免申請事業者であって、公取委と法７条の５第１項・２項の合意をしなかった者が、公取委による法７条の４第６項の追加報告等の要求に対し、虚偽の報告等を行ったこと（３号）

④ 自らした違反行為に係る事件において、他の事業者に違反行為を強要し、または他の事業者が違反行為をやめることを妨害していたこと（４号）

⑤ 他の事業者に対し、減免申請における報告等または法７条の５第１項の協議の申出を行うことを妨害していたこと（５号）

⑥ 減免申請または７条の５第１項の協議申出・合意を行った旨を第三者に明らかにしたこと（６号）

⑦ 法７条の５第１項の合意に反して当該合意に係る行為を行わなかったこと（７号）

①および②の「虚偽」の意義については、違反行為に係る報告の実質的な内容に係るものであって、申請事業者が事実と異なることについて知っていた場合や事実と報告内容とが異なることを知り得た場合などに限って失格理由とすべき「虚偽」に該当する。

減免申請の当初から事実と異なる内容を報告していた場合のほか、減免申請当初において違反事実を認めて当該事実を報告した後に当該事実を否認する報告をし、当初の報告内容が事実であると認められる場合は、報告全体が「虚偽」に該当し失格事由ありとされ得る（審判審決令２・８・31〔三和シヤッター事件〕）。

4　合併等による事業承継に伴う減免申請資格の承継

前記（⇒第１節３(6)ウ）のとおり、合併により消滅した法人が、合併前に行った違反行為や課徴金納付命令等は、存続・新設法人が違反行為を行い、あるいは命令を受けたものとみなされる（法７条の８第３項、第７条の９第３項・４項、20条の７で準用）が、当該消滅した法人が行った当該違反行為についての課徴金減免申請等も、存続・新設法人が行ったものとみなされる（独禁法施行令 10 条１項）。

事業譲渡、会社分割により、１または２以上の子会社等に対して事業を承継させて消滅した法人が、承継前に違反行為を行い、あるいは、課徴金納付命令を受けていた場合、違反行為や課徴金納付命令は、当該事業を承継した子会社等が行い、あるいは受けたものとみなされる（法７条の８第４項、第７条の９第３項・４項、20 条の７で準用）が、当該消滅した法人が行った当該違反行為について行った課徴金減免申請も、当該事業を承継した法人が行ったものとみなされる（独禁法施行令 11 条１項）。

5　事業者団体に違反行為があった場合の課徴金減免

事業者団体が、法８条１号（不当な取引制限に相当する行為）および同条２号（不当な取引制限に該当する事項を内容とする国際的協定または国際的契約をする場合）の規定に違反する行為を行ったとき、課徴金は、事業者団体の構成事業者に対して課される（法８条の３、７条の２第１項柱書）。

この場合、一般の課徴金減免申請者の定義である「当該違反行為をした事業者のうち……当該違反行為に係る事実の報告及び資料の提出を行った者」（法７条の４第１項１号・２項各号など）を、「**違反行為をした事業者団体の構成事業者**のうち……当該違反行為に係る事実の報告及び資料の提出を行った者」と読み替えるべきものとされる（法８条の３）ので、**課徴金減免申請の順位や要件具備の有無などは、違反行為をした事業者団体の構成事業者が行った課徴金減免申請について検討判断することになる**。

6　調査開始前申請者がカルテル合意から離脱するための要件

調査開始日前にカルテルについて課徴金減免申請をした違反事業者が、カルテル合意から離脱しないまま、カルテルの対象となる取引をしたときには、課徴金額が増えるなどのリスクがある。そのため、調査開始前申請した違反事業者がカルテル合意から離脱したと認められるためにはどの程度の対応をすればいいのか問題となる（⇒一般的なカルテル合意からの離脱の要件については第２章第２節 5⑶）。

違反事業者が他の違反事業者と話し合うなどして合意を破棄して違反行為を終了させることも可能であるが、課徴金減免申請を行った者が、他の違反事業者に合意の破棄を持ちかける場合、同申請事実を第三者に伝えたと疑われることによる前記３の失格リスクがある（実務に効く29頁［内田清人］参照）。

この点、調査開始前に課徴金減免申請を行った事業者が、営業担当者に対して受注調整行為を行わないように指示し、その営業担当者が受注調整行為を取り止めた事実をもって、事業者の違反行為からの離脱が認められた先例がある（排除措置命令平24・1・19〔ワイヤーハーネス受注調整事件〕、排除措置命令平25・3・22〔自動車ランプ受注調整事件〕）。これは事業者の組織内での違反行為取りやめ指示等を、違反行為の継続を困難にさせる事情として重視したものと考えられるが、一般的には、他の違反行為者から離脱の意思を窺い知ることができる事情がない場合に、違反行為からの離脱が認められるものではない（論点解説291頁［塚田益徳］）。

第4節　判別手続

判別手続とは、公取委の行政調査手続において提出を命じられた、課徴金減免対象被疑行為に関する法的意見について事業者と弁護士の間で秘密に行われた通信の内容を記録した物件であって、適切な保管がなされていること等の要件を満たすことが確認されたものについて、審査官がその内容に接することなく事業者に還付する手続のことをいう（審査規則23条の3第1項、公取委「事業者と弁護士との間で秘密に行われた通信の内容が記載されている物件の取扱指針」第1)。本書では、紙幅の関係により、判別手続の詳細な説明を割愛する[23)]。

課徴金減免対象被疑行為とは、**不当な取引制限等の違反行為の疑いのある行為**をいう。

犯則調査手続は、判別手続の対象外である（同取扱指針（注2))。

判別手続は、令和元年法改正で導入された新たな課徴金減免・調査協力減算制度をより機能させるとともに適正手続を確保しようとの観点から、公取委の法執行の運用として導入された。

23）詳細についての公取委側からの解説として、公取委「『私的独占の禁止及び公正取引の確保に関する法律の一部を改正する法律案』の閣議決定等について」（別紙2）「事業者と弁護士との間で秘密に行われた通信の取扱いについて」（平成31・3・12公表)、公取委「事業者と弁護士との間で秘密に行われた通信の内容が記録されている物件の取扱指針」（令2・6・25公表）がある。実務的な留意点等についての解説として、公取委HPの「判別手続Q&A」や論点体系506頁～519頁［井本吉俊］が有益である。

第5節　独禁法違反に対するその他の制裁等

1　無過失損害賠償請求

これは法25条にもとづくものである。民法709条等にもとづく損害賠償請求と比べ、故意・過失の立証が不要であり、第一審管轄裁判所は東京地方裁判所のみとされる（法85条の2）が、排除命令・課徴金納付命令が確定した後でなければ、裁判上主張できない（法26条1項）。

公取委の命令が確定していないとき、または確定した命令が認定した違反期間を越えて違反を主張するときは、民法709条等の損害賠償請求を行うことになる。

2　差止請求

法19条および法8条5号違反の行為によって、その利益を侵害され、または侵害されるおそれのある者は、これにより著しい損害を生じ、または生ずるおそれのあるときは、行為者である事業者または事業者団体に対して、その侵害の停止または予防を求めることができる（法24条）。第一審裁判所は、通常の民事訴訟の管轄裁判所である地方裁判所に加え、当該管轄地方裁判所がその管轄区域内にある高等裁判所所在地の地方裁判所および東京地方裁判所である（法84条の2）。

3　その他

⑴　違約金条項

地方自治体等との請負契約等においては、談合等の不正行為への抑止効果を高めることを主たる目的として、通常、違約金条項が盛り込まれている。

⑵　指名停止

公共調達事案で、入札談合等の独禁法違反行為によって公取委から排除措置命令や課徴金納付命令が出されると、発注者である官公庁や地方自治体から指名停止処分がなされる。

(3) 営業停止

建設業法の規定に基づき、国土交通省大臣または都道府県知事から建設業の許可を受けている者について、独禁法の排除措置命令、課徴金納付命令が確定した場合、同大臣、同知事による監督処分として、30日以内の営業停止処分が行われる（建設業法28条3項）。

(4) 株主代表訴訟

株式会社が、カルテルをしたことにより課徴金を納付したり、カルテルの被害者に対して損害賠償をした場合、その金額の損害を会社が負ったとして、取締役等に株主代表訴訟が提起されることがある（会社法847条）。

(5) 住民訴訟

公共工事等の入札談合事件では、発注者である地方自治体等が自ら損害賠償請求をしない場合、当該地方自治体等の住民による住民訴訟が提起される可能性がある（地方自治法242条の2第1項4号）。入札談合を行った事業者が直接、住民訴訟の被告となることはなくなったが、訴訟告知が必要的とされており（同条7項）、企業としては、住民訴訟に参加して、積極的に反論反証をつくす必要がある場合もある（実務に効く10頁［佐藤水暁］）。

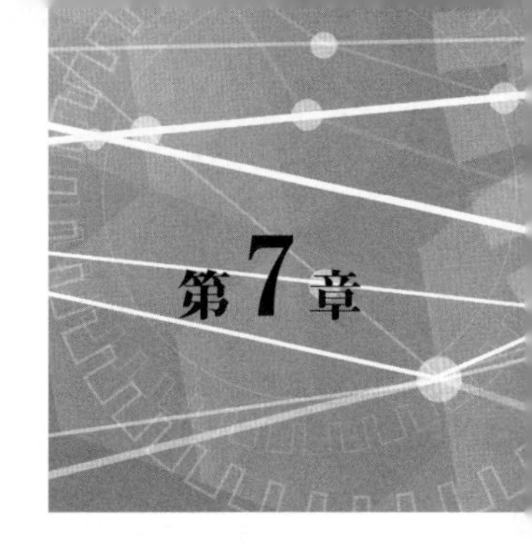

刑事訴追

これまで刑事訴追の対象になっている独禁法違反の行為は、カルテル・入札談合等のハードコアカルテルに限られる。この構成要件についての一般的な解釈や立証上の問題点については、不当な取引制限に対する行政処分に関して説明した（第２章）ところと基本的に同じである。

本章では、カルテル・入札談合に関する刑事事件特有の論点について解説するとともに、入札談合に関連した刑事事件として実務上遭遇することが多い、官製談合防止法の罰則や公契約関係競売等妨害罪の適用関係について説明する。

第１節では、独禁法の罰則のあらましを、第２節では、両罰規定や三罰制度について、第３節では、不当な取引制限に対する刑事罰に特有の概念である「共同遂行」の意義や適用について説明する。第４節では、いわゆる官製談合事案への関与者に対する官製談合防止法や刑法の適用について解説する。第５節では、犯則調査手続を解説するが、関連して刑事司法における合意制度（日本版司法取引制度）も簡単に説明した。

第1節　独禁法における罰則

1　犯則事件に該当する独禁法違反の罪

法89条～91条の罪に係る事件を犯則事件といい（法101条1項）、後記（⇒第4節1）の犯則調査手続の対象になる。次の2つがある。

(1)　禁止の名宛人が事業者であるもの

犯則事件のうち、罰則を適用する前提となる禁止規定違反において、禁止の名宛人（想定される違反主体）が事業者とされているものである。例えば、法89条1項1号（不当な取引制限の罪（カルテル・談合など）および私的独占の罪（法3条））が該当する。

(2)　禁止の名宛人が事業者団体であるもの

犯則事件のうち、罰則を適用する前提となる禁止規定違反において、禁止の名宛人（想定される違反主体）が事業者団体とされているものである。例えば、法89条1項2号（事業者団体が、一定の取引分野において競争を実質的に制限した罪（法8条1号違反））が該当する（⇒第3章第2節）。

2　犯則事件以外の独禁法違反の罪

上記1以外の独禁法違反の罪、例えば、法94条（検査妨害等の罪）違反は、犯則調査手続の対象とならない。公取委の通常の業務の過程で、違反事実の端緒を得て事実を把握し、必要があれば告発することが想定されている。

第２節　両罰規定

1　両罰規定の必要性

(1)　行政処分における違反主体と刑事処分における犯罪主体

不当な取引制限（カルテル・入札談合）に即し説明する。

排除措置命令などの行政処分においても、罰則を適用する刑事処分においても、禁止規定は法３条、定義規定は法２条６項であり、これに該当する行為が、行政処分においては違反行為とされ、刑事処分においては、これが罰則規定である法89条１項の**犯罪構成要件**に該当し**実行行為**（⇒第３節１(1)イ）とされる。

○法３条
　事業者は、私的独占又は不当な取引制限をしてはならない。

○法２条６項
　この法律において「不当な取引制限」とは、事業者が、……他の事業者と共同して……相互にその事業活動を拘束し、又は遂行することにより、公共の利益に反して、一定の取引分野における競争を実質的に制限することをいう。

○法89条１項
　次の各号のいずれかに該当するものは、５年以下の懲役又は500万円以下の罰金に処する。
　一　第３条の規定に違反して私的独占又は不当な取引制限をした者
　(略)

○法95条１項
　法人の代表者又は法人若しくは人の代理人、使用人その他の従業者が、その法人又は人の業務又は財産に関して、次の各号に掲げる規定の違反行為をしたときは、行為者を罰するほか、その法人又は人に対しても、当該各号に定める罰金刑を科する。
　一　第89条　５億円以下の罰金刑
　(略)

＊筆者注：下線は筆者による。

ア　行政処分における違反主体

行政処分において、個人事業者自身が違反行為を行った場合には、当該個人事業者が違反行為を行ったと評価されるのは当然である。

個人事業者、法人・団体たる事業者を問わず、事業者の「代表者……代理人、使用人その他の従業者」（以下「**従業者**」と総称する）が違反行為を行った場合、その行為が当該事業者の行為と評価できるとき、当該事業者が違反行為を行ったものと評価され（⇒第2章第3節1(3)）、当該事業者に対して排除措置命令等の法的措置が講じられる。

イ　刑事処分における犯罪主体

法2条6項の不当な取引制限の定義規定においても法3条の禁止規定においても、違反の主体ないし禁止の名宛人は**事業者**とされており、法89条1項1号の罰則の解釈としても、犯罪主体は事業者と解される。法89条1項1号の法定刑をみると「5年以下の懲役又は500万円以下の罰金」となっているので、法は、犯罪主体として、懲役刑の受刑能力のある**自然人（個人）を想定**していると考えられる。したがって、法89条1項1号の想定する犯罪主体は、違反行為を自ら行った自然人たる事業者（個人事業者）に限られ、法89条1項1号だけでは、個人事業者自らが違反行為をした場合しか処罰できない。つまり、個人事業者でない事業者の従業者個人が違反行為をした場合には、違反行為をした従業者個人も、当該従業者個人に事業活動を委ねていた事業者（以下「**業務主**」ともいう）も処罰できないという問題が生じる。

(2)　刑事処分における両罰規定の必要性

ア　行為者処罰規定としての法95条1項

法95条1項は、事業者（法人および個人）の従業者個人が違反行為をした場合において、当該違反行為が「その法人又は人の業務又は財産に関して」行われたときは、「行為者を罰するほか」とし、まず、行為者たる従業者個人を処罰することができるとする。この規定は、事業者の業務・財産に関して違反行為をした従業者個人を処罰できるものとする個人処罰規定である。

イ　両罰規定としての法95条1項

法95条1項は、従業者個人の違反行為が、「その法人又は人の業務又は財産に関して」行われたのであれば、当該従業者個人を罰するほか「その法人又は人に対しても、……罰金刑を科する。」としており、業務主たる事業者（法人および個人）を処罰できるとしている。一般に、犯罪の行為者本人を処罰するとともに、一定の要件の下に、その行為者と一定の関係にある他者も処罰できる規定を**両罰規定**というのであるが、法95条は両罰規定という意味を持つ。

ウ　法95条2項も同旨

法95条2項は、法人でない団体が業務主である場合に、その従業者個人が「その団体の業務又は財産に関して」違反行為をした場合につき同旨の規定を定めたものである。

エ　検査妨害（法94条）の特殊性

法94条（検査妨害）は、法47条の処分に違反して「出頭せず……虚偽の報告をした」者や、同条の「検査を拒み、妨げ、忌避した」者を処罰することとしており、犯罪主体として本来的に自然人を想定していると解される。そのため、当該行為をした**個人を処罰するときに両罰規定（法95条）の適用は不要**である。なお、業務に関し個人がこれらの行為をした場合、業務主を処罰するときは両罰規定の適用が必要である。

2　従業者の意義

法95条の「従業者」とは、業務主との間に雇用その他の契約の有無を問わず、直接または間接的にその業務主の業務に従事し、業務主の統制・監督に服する者をいう（小木曽120頁）。

3　「業務又は財産に関して」の意義

法95条を適用して、違反行為に該当する行為を行った従業者個人およびこれらに事業活動を委ねていた事業者（業務主）を処罰するためには、従業者個人の当該違反行為が「**業務又は財産に関して**」行われたものであることが必要である。

その意義に関し、当該違反行為が、従業者個人の具体的な職務に属してなくても、違反行為が客観的に業務に属していて、業務活動の一環として行われていれば「業務又は財産に関して」行われたといえる（注釈独禁法836頁［佐伯仁志］）。

4　両罰規定に関するその他の問題点

(1)　業務主処罰と従業者処罰の関係

業務主の刑事責任と従業者の刑事責任はそれぞれ別個のものであるから、業務主を起訴して従業者を起訴猶予にすることも、逆に、業務主を起訴猶予にして従業者を起訴することも可能である。

しかし、業務主の責任は従業者の違反行為を原因としてこれに随伴するものであるから、業務主を処罰するためには、違反行為者を特定し、その違反行為の内容をも特定しなければならない。したがって、従業者を起訴しないで業務主のみを起訴する場合であっても、従業者に当該違反の罪が成立することを立証しなければならない（小木曽121頁、122頁）。

従業者を処罰するためには、従業者の違反行為が構成要件に該当するものでかつ違法・有責でなければならないが、業務主を処罰する場合も、従業者の違反行為について構成要件該当、違法、有責の3要素を充足させなければならない（東京高判昭55・9・26〔石油カルテル価格協定刑事事件〕）。

(2)　公訴時効

業務主の公訴時効の起算点は、行為者である従業者の違反行為の終了時となる（最判昭35・12・21刑集14巻14号2162頁）。

不当な取引制限の罪の法定刑は、従業者個人については5年以下の懲役または500万円以下の罰金（法89条1項1号）、両罰規定適用の業務主たる法人もしくは人または団体については5億円以下の罰金とされている[1]（法95条1項1号・2項1号）。

従業者個人と業務主の各法定刑を基準とすれば、公訴時効については、従業者個人は5年、業務主は3年となるが、両者の平仄を合わせるため「（法95条）第1項又は第2項の規定により第89条の違反行為につき法人若しくは人又は団体に罰金刑を科する場合における時効の期間は、同条の罪についての時効の期間による。」と規定された（法95条4項）ことにより、業

1）平成21年独禁法改正による。

務主の公訴時効も5年となった。

(3)　業務主を処罰する場合の管轄裁判所

業務主を起訴しようという場合、その法定刑は罰金以下ではあるが、法84条の3により第一審を管轄する裁判所は地方裁判所となる。そのため100万円以下の罰金刑を科すときも略式命令手続を取ることはできない(刑訴法461条参照)。

5　三罰制度

法人の従業者が一定の罰則違反行為を行った場合、両罰規定により、当該従業者のほかに業務主たる法人も処罰されるが、これに加えて、当該法人の代表者が、当該違反行為を防止等しなかった場合には、当該代表者を処罰できる。事業者団体についても、同様の場合に、その理事等を処罰できる（三罰制度。法95条の2、95条の3)。

これを、法人についていえば、同法人の従業者に法89条1項1号などの罰則違反行為があったとき、当該法人の代表者が、**当該違反の計画を知りまたは違反行為を知りながら、故意に、当該違反の計画の防止に必要な措置を講じず、または違反行為の是正に必要な措置を講じなかった場合**、当該代表者は処罰される（つまり、法89条1項1号などの罰則の罰金刑が科される）のである。

第３節　不当な取引制限の罪の解釈上の問題点

１　不当な取引制限の罪の構成要件

不当な取引制限の定義規定（法２条６項）は、「不当な取引制限」の罪（89条）の構成要件を示すものでもある。「不当な取引制限」の罪の構成要件の解釈は、基本的に、行政処分における「不当な取引制限」の成立要件の解釈（⇒第２章第２節）と同一のものになる。

⑴　行政処分における「違反行為」と刑事処分における「実行行為」

ア　行政処分における違反行為

不当な取引制限の違反は、原則として、相互拘束（合意）の成立時に違反が成立して**違反行為の始期**となる。合意後に当該合意に基づく実施行為（カルテルの場合）や個別調整（入札談合の場合）が行われることは違反の成立要件ではない（⇒第２章第２節４参照）。

合意の拘束力が継続している限り違反行為は継続するので、合意後における当該合意に基づく実施行為や個別調整は、合意の実現行為であり、当初の合意（相互拘束）で包括評価できる。これらを評価するため別途「共同遂行」という概念は必要ない。合意の拘束力が消滅するときに違反行為が終了し、**違反行為の終期**となる（⇒第２章第２節５参照）。

イ　刑事事件における実行行為

刑事法における**実行行為**とは、構成要件該当行為とも呼ばれ、構成要件が予定する結果（構成要件的結果）を惹起する客観的な危険性が認められる行為をいう（山口厚編著『刑法総論〔第３版〕』（有斐閣、2009）50頁）。刑事事件では、犯罪の成否（**既遂の成否**）のほかに、**実行行為の着手**の有無（**未遂の成否**）や、**実行行為の終了時期**が争われ得る。

㋐　既遂時期

不当な取引制限の罪の実行行為（構成要件該当行為）は、「共同して……相互にその事業活動を拘束」する行為（相互拘束）または「共同して……遂行」する行為（共同遂行）であり、構成要件的結果は「公共の利益に反して、一定の取引分野における競争を実質的に制限する」ことである（法２条６

項）。既遂犯は、実行行為によって構成要件的結果が生じたことをもって成立するので、合意後に当該合意に基づく値上げ申出などの実施行為や入札談合の個別調整が行われることは既遂犯成立の要件ではない。

(イ)　実行行為の着手時期

刑事法では、実行行為の着手があったときに、不当な取引制限の**未遂罪**が成立する。判例（最決昭45・7・28刑集24巻7号585頁）によれば、**犯罪実現の客観的危険性を含んだ行為を開始した時期**が実行の着手時期であるから、例えば、カルテル合意のための会合が開かれ協議が開始された時点では、構成要件的結果を惹起する客観的な危険性が認められ、「相互拘束」（合意）の着手がなされたと評価でき、不当な取引制限の未遂罪（法89条２項・１項１号）が成立し得る。

(ウ)　実行行為の終了時期

合意（相互拘束）が成立した後、いつ実行行為が終了したとみるかも刑事事件特有の論点である。刑事法では、実行行為それ自体と実行行為の拘束力（影響力）は別物だととらえるため、行政処分の場合のように、合意の拘束力が継続する限り違反行為が継続すると考えることはできないからである。

この点、不当な取引制限の罪を「状態犯」と「継続犯」のいずれとみるかで結論が変わる。

a　継続犯説

継続犯説は、不当な取引制限の罪を継続犯[2)]とみて、相互拘束（合意）が成立（＝既遂の成立）した後も実行行為が継続するとみる考えであり、違反行為が成立した後も拘束力が解消されない限り、違反行為は継続するという行政処分の考え方と類似する。

しかし、カルテル・入札談合の合意の成立後も、合意の拘束力が残存することは事実であるが、競争制限的な行為が日々新たに行われているとまではいい難くこれを継続犯と評価するのは難しい。カルテル・入札談合事件においては、合意成立時に関与する行為者個人と合意後の合意の実施行為時や個別調整行為時の行為者個人とは入れ替わることも多く、このような事態までも含めて包括評価する継続犯は想定し難い。そのため、継続犯

2）　継続犯とは、法益侵害とともに構成要件に該当する実行行為が継続する場合をいう（西田刑法総論90頁）。

説には理論上の難点があるとされる（法学教室220号128頁［佐伯仁志］、最高裁調査官判例解説（平17度）607頁［山田耕司］、ジュリスト1167号（1999）101頁［芝原邦爾］など）。

b　状態犯説

状態犯説は、不当な取引制限の罪を状態犯とみて[3]、相互拘束（合意）の成立（＝既遂の成立）によって実行行為が終了するとみる考え方である。

カルテル・入札談合においては、合意の後もその拘束力が継続し、法益侵害の状態（競争が制限された状態）が継続するものの、当事者が競争制限的な行為を新たに行ったとまでは評価できないから、状態犯と考えるのが妥当と解される。

⑵　入札談合において、「相互拘束」のほかに「共同遂行」をも実行行為とみることが妥当なこと

不当な取引制限の構成要件（法2条6項）において、構成要件が予定する行為（構成要件的行為）として「共同して……相互にその事業活動を拘束」の類型（この行為要件の類型を便宜的に「**相互拘束**」と呼ぶ）のほかに「共同して……遂行」の類型（この行為要件の類型を便宜「**共同遂行**」と呼ぶ）が、文言として明記されており、条文解釈として、「相互拘束」とともに「共同遂行」も不当な取引制限の罪の実行行為であることは否定できない[4]。

入札談合については、「相互拘束」という実行行為以外に「共同遂行」という実行行為を認めることが妥当である。

仮に、入札談合を継続犯とみれば、基本合意の成立後も、基本合意の拘束力が続く限り実行行為が継続し、当該合意を実現するための個別調整行為があったとしても、それは実行行為そのものとして評価され、これを別途「共同遂行」として評価すべき余地は乏しいことになるが、継続犯説は理論上難点があり採用できない。

他方、入札談合を状態犯とみれば、基本合意が成立し既遂に達すれば実行行為（相互拘束）は終了する。しかし、基本合意の後、その基本合意に基づいて、**個々の入札において個別調整する行為は、違反当事者同士でさら**

3)　**状態犯**とは、結果発生とともに犯罪は既遂に達し、あとは法益侵害の状態が続いているものをいう（西田刑法総論90頁）。

4)　相互拘束、共同遂行という用語につき、第2章第2節1⑴・⑵を要参照。

なる交渉等が行われ、新たな競争制限的な事態を引き起こしているとも見られるものであって、別個の実行行為である「共同遂行」に該当する[5]と評価することは妥当である。

(3)　入札談合において、「相互拘束」のほか「共同遂行」をも実行行為として認めるべき実務上の必要性

刑事処分においては、入札談合に関し、「相互拘束」のほかに、「共同遂行」という実行行為を認めるべき実務上の必要性がある。

入札談合案件においては、基本合意の成立がはるか昔であるため、その合意が形成された具体的状況を明らかにできず、公取委の調査時点では、合意の結果作られたルールが存在し、これが当事者によって認識され遵守されているだけということもあり、以下の問題が生じるからである[6]。

ア　公訴時効に関する問題

行政処分では、違反行為の終了時から、法的措置についての**除斥期間**（7年）が開始するが、前記したとおり、合意の拘束力が継続している限り違反行為も継続すると解されるため、合意にもとづく個別調整が継続して実施されている限り違反行為は終了せず、除斥期間も開始しないので、特段の問題が生じない。

刑事処分の場合、不当な取引制限の罪の公訴時効期間は5年（刑訴法250条2項5号）であり[7]、「時効、は**犯罪行為が終つた**時から進行する」（刑訴法253条1項）[8]ところ、入札談合の罪を継続犯とみることができるとすれば、上記の行政処分の場合と同じく、公取委の臨検などの直接強制処分によっ

---

5)　なお、カルテルの場合は、例えば、価格値上げカルテル合意の後、その合意内容に沿って取引先に値上げ要請をするようなことは新たに競争制限的な事態をもたらすものではなく、単なる合意の実現にすぎないので「共同遂行」とまではいえないと考えられる。

6)　カルテルの場合は、市場環境の変化に合わせてカルテルの合意の内容を修正させることも多く、このような状況になることは少ないように思われる。また、このような基本合意の修正の合意は、新たな相互拘束行為ととらえることが可能な場合も多い（例えば、最判昭59・2・24〔石油価格協定刑事事件〕）。

7)　平成21年の独禁法改正により懲役刑が引き上げられるまで、公訴時効期間は3年であった。

8)　結果を伴うべき犯罪（例えば、殺人）は、その結果発生のときから時効期間を起算するし、包括一罪の場合は、その最終の犯罪行為が終わったときから時効期間が起算される（最判昭31・8・3刑集10巻8号1202頁）。

て基本合意が事実上解消されたといえる時期まで実行行為が継続し、その時点で実行行為が終了し公訴時効期間が起算されると考えられるため、特段の問題は生じないのであるが、継続犯説には理論上の難点があることは前記のとおりである。

入札談合の罪を状態犯とみれば、基本合意の成立の時点で（不当な取引制限の罪の）既遂犯が成立することで実行行為も終了し、その時点から、公訴時効期間（5年間）が進行する。そのため、古い時期に基本合意がなされた事案については、現に、当該基本合意に基づく個別調整が行われていたとしても、犯罪の実行行為である基本合意について公訴時効が完成しており摘発できないという不都合な結論になることがあり得る。このような結論を避けるため、合意後において、基本合意に基づいて行われた個別調整行為を、当初の合意（相互拘束）とは別個の実行行為である「共同遂行」と評価すべき実務上の必要性が高い。

イ　行為者が入れ替わった場合の問題

行政処分においては、「事業者」の違反行為が問題とされるので、違反行為を担当する「従業者個人」が随時入れ替わることも当然に想定され、事業者の同一性に変更が生じない限り、特段の問題にはならない。

しかし、刑事事件においては、個人事業者本人が犯罪行為を行う場合は別であるが、事業者の業務に関して犯罪行為を行った従業者個人に犯罪が成立し、それを前提として、両罰規定を適用して事業者の犯罪の成否が問題とされる。例えば、入札談合の基本合意に関与した従業者と、その後、同基本合意に基づいて個別調整に関与した従業者が入れ替わった場合には、それぞれの従業者について犯罪の成否、ひいては業務主たる事業者の犯罪の成否が問題となる。

不当な取引制限の罪を継続犯とみれば、基本合意とその後の同基本合意に基づく個別調整は一個の継続した実行行為であるから、関与した従業者が入れ替わったときには、それぞれが関与した行為について、行為者としての刑事責任が問われ[9]、また、それぞれについて事業者も、両罰規定により刑事責任を問われる。

しかし、前述のように不当な取引制限の罪は状態犯とみるのが相当であ

9)　監禁罪において、監禁の途中離脱者は離脱前の行為について、途中参加者は参加後の行為について、それぞれ刑事責任が問われるのと同様である。

り、その場合、基本合意が成立した時点で不当な取引制限の罪は既遂に達し実行行為も終了している。そのため、基本合意に関与せず個別調整段階ではじめて談合に関与した従業者に対しては刑事責任を問うことはできないし、これについて事業者（業務主）の刑事責任も問えない。この事態を避けるためには、基本合意後、基本合意に基づいて行われた個別調整を「共同遂行」という別の実行行為とみて、これに関与した従業者についても刑事責任を問い、またその関係でも事業者（業務主）に犯罪の成立を認めることができるようにする必要がある。

(4)　入札談合について「共同遂行」の実行行為性を肯定する刑事裁判・刑事捜査実務

入札談合に関する刑事裁判例では、「不当な取引制限の罪は、事業者間の相互拘束行為が実行行為に当たるだけではなく、その相互拘束行為に基づく遂行行為も別個の実行行為に当たると解される」と判示され、「共同遂行」が「相互拘束」とは別の実行行為として認められている（東京高判平19・9・21〔鋼橋工事入札談合刑事事件〕、なお、同判決は、同旨の先例として、東京高判平16・3・24〔防衛庁石油製品入札談合刑事談合事件〕および東京高判平9・12・24〔第1次水道メーター談合事件〕を引用している）。

上記鋼橋工事入札談合刑事事件東京高裁判決においては、相互拘束行為は、幹事会社など一定の者が受注予定会社を決定するとともに、当該受注予定会社が受注できるような価格等で入札を行う旨を合意することであり、相互拘束の合意成立の時点で不当な取引制限の罪が成立するとされ、共同遂行行為は、相互拘束の合意に従って受注予定会社を決定することであり、その決定を行った時点で、不当な取引制限の罪が別個に成立するとされた[10)]。

このように刑事裁判実務およびこれを踏まえて行われている捜査実務においては、基本合意（相互拘束）に基づいて行われる個別調整も、法2条6項の「共同して……遂行」（共同遂行）に該当し、「相互拘束」とは別の、不当な取引制限の実行行為であると解されている[11)]。

10)　同東京高裁判決は、相互拘束行為がされ、その後これに基づく遂行行為がされた場合には、不当な取引制限の罪の包括一罪が成立するとした。

11)　この実務は今後変わることはないとみられている（経済法百選59頁［佐伯仁志］）。

⑸ 「共同遂行」について

ア 「共同遂行」と「相互拘束」の関係

「共同遂行」を実行行為として認めた裁判例では、犯罪事実として、基本合意（相互拘束行為）とともに、「これに基づく」共同遂行行為を認定している。

従来の実務においても、共同遂行を実行行為として告発・起訴するときには、同時に、その共同遂行のルール等を決めた基本合意（相互拘束）をも実行行為に含めて告発・起訴している。「共同遂行」を実行行為として事件の処理をするときには、同時に、当該共同遂行のルール等を決めた合意（相互拘束）が行われたことを立証する必要があるということである。

なお、合意の対象が１回限りの個別発注である場合（いわゆる一発発注案件）[12]においては、１回だけの発注について行われる個別調整の中で、受注予定者の決定等の意思の連絡が行われるので、個別調整自体が相互拘束行為と評価され得るのであり、別途基本合意の立証は不要となると考えられる。

イ 「共同遂行」の考えを使わない解決

「共同遂行」の考えを使わず、**事実認定レベル**で、妥当な結論を導こうとする実務の運用もあり得る。

基本合意の成立から相当期間が経過した時点で、個別調整が行われた事案について、その個別調整の場において、基本合意に参加していた事業者の担当者が、従来の基本合意の内容を再確認した事実をもって、関係事業者の間で新たな基本合意ができたと認定し、この時点で新たに「相互拘束」の実行行為がなされたと認定することがある（最決平17・11・21〔防衛庁石油製品入札談合刑事事件〕など）。

12）行政事件においては、一発発注事案を摘発して法的措置を講じている（⇒第２章第４節３⑶）。

(6)　入札談合の個別調整で担当者の入替わりがある場合における違反の成立関係

CASE 7-1　設問

入札談合において、基本合意（相互拘束）が成立し、この基本合意に基づいて、複数の入札で個別調整（個別調整A、個別調整B……）がなされたが、違反会社内部において、当初の個別調整Aを担当した従業員と、次の個別調整Bを担当した従業員に変更がある場合、従業員の責任を問うためには、どのような事実が立証されるべきか。

従業者の処罰のためにはもちろん、事業者を処罰するためにも、前提として従業者個人の関与状況が明らかにされる必要がある。

そのためには、基本合意（**相互拘束**）と個別調整（**共同遂行**）のそれぞれについて関与した従業者個人を特定し、基本合意、個別調整が行われたそれぞれの場面における意思の連絡状況が明らかにされる必要がある。

また、個別調整（共同遂行）は、基本合意に基づいて行われたものであることを要するから、個別調整A、個別調整Bに関与した従業者から、基本合意の内容を前任者から引き継ぐなどして認識しこれを守っていたことなどが確認される必要もある。さらに、関与者交替時の会合等において、基本ルールの内容の再確認や手直しがなされた場合などは、新たな相互拘束行為といえないかどうかも検討される必要がある。

(7)　刑法総論の共犯規定の適用

不当な取引制限の構成要件（法2条6項）は、違反当事者による共同行為（相互拘束を内容とする合意）犯罪現象に着目し、これ自体を処罰対象として規定しているから、暴力行為等処罰に関する法律1条の共同暴行罪について実行行為者を処罰する場合に刑法60条などの共犯規定の適用を必要としないのと同様に、不当な取引制限の違反当事者による共同行為を処罰するときも刑法の共犯規定の適用は不要である。

しかし、違反当事者の従業者以外の者（例えば、談合のまとめ役や発注者関係者）が、共同行為に加功し**身分なき者の共犯**として刑事責任を問われる場合には、共犯規定が適用される[13]。例えば、発注者側に幇助犯の成立を認めた事例（東京高判平8・5・31〔下水道事業団事件〕）や発注者側に共同正犯の成立を認めた事例（東京地判平19・11・1〔緑資源機構刑事事件〕、東京高判平19・12・7〔道路公団鋼橋工事談合刑事事件〕）などがある[14]（なお、行政事件においては、アドバイザリー業務のみを担当する者が合意に参加した場合に、これを違反行為者とした例（排除措置命令・課徴金納付命令平30・7・12〔全日空発注の制服受注調整事件〕）もあるなど、違反事業者の主体となるべき事業者の範囲が広がっている（⇒第2章第2節2(2)エ(イ)）ことから、刑事事件においても、これらの事業者の従業者が、身分を有する者として共同正犯とされる場合があり得る）。

違反事業者（被告会社）内部でも、行為者たる従業者個人と業務主たる事業者の間は両罰規定の適用される関係にあって共犯規定は適用されないが、1つの違反事業者の従業者同士で共謀が行われている場合には共犯規定の適用が必要である（小木曽66頁）。

刑事事件の実務では、そのような場合、公訴事実には「被告人は、その所属する被告会社の他の従業者らと共謀の上」などと記載され適用法条として刑法60条が挙げられる。他社の従業者との共同行為については、「共同して」で評価されるから刑法60条の適用は不要であり、「○社の従業者○と……合意し、同合意に従っていた」などと共同行為の具体的内容が記載されている。

2　刑事事件における「一定の取引分野における競争の実質的制限」に関する問題

カルテル・談合における「一定の取引分野分野における競争の実質的制限」の意義・立証に関する問題についての考え方、例えば「合意の実効性」が争われる場合や「競争が存在しない」との主張があった場合の考え方などについては、行政処分に関して述べた第2章の解説を参照されたい（⇒第2章第5節3(1)、第6節2）。

13）　小木曽65頁、66頁。なお、職業的に談合の仲介を行っている談合屋などの場合は、共同行為者よりも刑事処罰の必要性が強い場合がある（小木曽56頁）。

14）　現在においては、発注者側関係者による加功は官製談合防止法8条違反として処罰できる場合もあり得る。

3　合意の後に行われる合意の実施状況（実現状況）を立証する意義

合意後の合意の実施行為（実現行為）は、通常の場合、不当な取引制限の既遂の成立要件ではない。

行政処分においては、合意後の実施状況等を**状況証拠として使い**、基本合意の存在を推認させるという立証方法が活用されることも多い（⇒第２章第３節３）が、刑事事件では、立証のハードルは高いから、これらの状況証拠のみによって（基本）合意の存在を推認させるという立証手法は取られにくい。しかし、例えば、価格の値上げ合意後において、値上げ要請をした段階で、アウトサイダーがこれに追随した事実は、合意時の競争制限効果が高かったことを推認させるものであり、その立証に意味がある（⇒第２章第５節３(3)）。

第4節　官製談合防止法の罰則

官製談合防止法（「入札談合等関与行為の排除及び防止並びに職員による入札等の公正を害すべき行為の処罰に関する法律」本節では、「官談法」ともいう）は、発注者職員の入札談合関与行為への公取委による改善措置要請（⇒第2章7節3）に加え、発注者の職員による「入札等の公正を害すべき行為」を処罰する。

1　発注者の職員による「入札等の公正を害すべき行為」

○官製談防止法8条

職員が、その所属する国等が入札等[15]により行う売買、賃借、請負その他の契約の締結に関し、その職務に反し、事業者その他の者に談合を唆すこと、事業者その他の者に予定価格その他の入札等に関する秘密を教示すること又はその他の方法により、当該入札等の公正を害すべき行為を行ったときは、5年以下の懲役又は250万円以下の罰金に処する。

(1)　犯罪の主体

「職務に反（す）」ることを要するので、発注者たる国等の現職職員の行為のみが犯罪となり、退職者や発注者たる国等の議員の行為は罪に問われない。

(2)　入札の公正を害すべき行為

「入札の公正を害すべき行為」とは、次のものをいう。公取委の改善措置の対象となる入札談合等関与行為（⇒第2章第7節3(1)）に重なるが、これに限定されない。

①　談合をそそのかす行為

例えば、事業者ごとの年間受注目標額を提示し、事業者にその目標を達

15）「入札等」とは、「国、地方団体又は特定法人（以下「国等」という。）が、入札、競り売りその他競争により相手方を選定する方法」である（官談法2条4項）。契約方法が、一般競争入札、指名競争入札、競争性のある随意契約である場合が対象となる。

成するように調整を指示することがこれに当たる。

② 予定価格など入札についての秘密事項を教える行為

例えば、本来公開していない予定価格の漏洩、本来公開していない指名業者の名称、総合評価落札方式における入札参加業者の技術評価点等の漏洩がこれに当たる。また、事業者から示された積算金額に対し、予定価格が当該積算金額に比して高額（または低額）であることを教示することも含まれる。

③ 「その他の方法により、当該入札等の公正を害すべき行為」

ここでは、入札等が公正かつ自由な競争によって行われることを阻害するおそれのある行為を広く対象にしていると解されるので、前記の入札談合関与行為の中の受注者に関する意向を教示・示唆すること（官談法2条5項2号）[16]、「入札談合等を幇助すること」（同項4号）も含まれ得る。

(3) 入札談合の存在が認定できなくても処罰できる

官談法8条は、独禁法の不当な取引制限該当行為（入札談合など）の存在を前提にしておらず、独禁法違反の存在が認定されない場合でも、入札等の公正を害すべき行為があれば犯罪が成立し得る。

同罰則については、公取委の告発が、訴追要件になっていないので、検察官や警察官が、公取委の調査とは独立に捜査を行うことができる。

2 発注者の職員による「入札等の公正を害すべき行為」に関与した入札参加希望事業者の従業員の刑事責任

(1) 公契約関係競売等妨害罪の責任

官談法8条の罰則が直接対象とする行為は、発注担当者の「公正を害すべき行為」である。

これに入札参加希望事業者の従業員が関与した場合は、その関与行為が「偽計又は威力を用いて、公の競売又は入札で契約を締結するためのもの

16） 発注者の担当者が、受注者を予め指名した行為（官談法2条5項2号）については、その指名の結果、指名された事業者が確実に受注できるようにするため、入札参加事業者が事実上入札談合を行わざるを得なくなったといえる場合には、入札談合等関与行為の「入札談合等を行わせること」（同項1号）にも該当し得る（菅久ほか57頁［品川武］）ので、官談法8条適用の場面でも「談合をそそのかす行為」に該当し得る。

の公正を害すべき行為」に該当するときは、公契約関係競売等妨害（刑法96条の6第1項。3年以下の懲役・250万円以下の罰金、またはその併科）に問われ得る。

もっとも、関与行為が「偽計を用い」に当たる必要があるため、実務の運用としては、発注者担当者から「予定価格の内報」を受けて応札する行為などに限定されるものと考えられる。

⑵　官製談合防止法8条違反の共犯の責任

発注担当者の「公正を害すべき行為」に、入札参加希望者の従業員が関与した場合に、発注担当者の犯した官製談合防止法8条違反の罪の共同正犯や幇助犯（刑法60条、62条）等の共犯者としての刑事責任を負う可能性もある。

例えば、発注担当者が「今回の物件は、おたくの会社に受注してもらいたいので、他社から適宜見積書を集めてくれますか」などと、入札参加業者の役職員に、談合の準備行為をするように示唆し、役職員がこれに応じて、準備行為をする場合には、発注者の指示に従って準備したこと自体が、発注者担当者の「入札等の公正を害すべき行為」を共同して行うことまたはこれを幇助することに該当するとも考えられるので、官製談合防止法8条の罰則違反の共犯としての刑事責任を負う可能性がある。

第５節　独禁法違反刑事事件の調査・捜査手続

1　犯則調査手続

⑴　犯則調査の対象になる独禁法違反事件

犯則事件（⇒第１節１参照）に該当する独禁法違反行為が存在すると認められ、端緒段階において、告発を見込む場合は、公取委の審査局犯則審査部が、刑事訴訟手続に準じた犯則調査手続によって調査を進める[17]。

⑵　調査権限

犯則調査手続においては、任意の協力を得て、犯則嫌疑者[18]または参考人に対して、質問、所持物件等の検査、任意提出・遺留物件の領置などができ（法110条）、裁判官の令状を得て、臨検[19]・捜索・差押えなどの直接強制処分を行うことができる（法102条１項）。さらに、裁判官の令状を得て、事業者の下にある電子ファイル等の電磁的記録を証拠として収集するため、記録命令付差押え（法102条１項）、電子通信回線に接続している記録媒体からの複写（法102条２項）、電磁的記録に係る記録媒体の差押えに代わる処分（法103条の3）もできる[20]。ただし、公取委には逮捕権限はない。犯則調査を行うことのできるのは、公取委審査局犯則審査部の職員のうちから指定された公取委職員に限られる（法101条１項、犯則規則２条）。

⑶　行政処分との併科主義

犯則事件に該当する違反行為について、告発するに足りる証拠が収集できれば、公取委は、犯則嫌疑者を検事総長に告発し、刑事訴追を求める。

事業者が起訴され刑罰が科される場合であっても、これとは別に、公取

17）　犯則事件以外の独禁法上の罰則（例えば、法94条の検査妨害）については、告発に向けて調査をする場合であっても、犯則調査として行うことはできない。

18）　違反（犯則）を犯したと嫌疑をかけられている者（自然人）を犯則嫌疑者と呼ぶ。嫌疑をかけられている会社を嫌疑会社と呼ぶこともある。

19）　犯則事件を調査するために、調査を担当する職員が現場に臨み検査することをいう。

20）　令元年独禁法改正法によって認められた。

委においては、当該独禁法違反に関して、行政調査を行い、違反事業者に対し、排除措置命令・課徴金納付命令の行政処分を行う（**併科主義**）。

2　告発

(1)　検察官への告発

独禁法上の罰則に係る事件のうち、犯則事件（⇒第１節１参照）は、犯則調査手続による調査を経て、公取委において犯則の心証を得たとき検事総長に告発される（法 74 条１項）。

また、犯則事件以外の独禁法上の罪に係る事件（⇒第１節２参照）も、犯罪があると思料するときは、検事総長に告発される（法 74 条２項）。

検察官への告発は、検察官の捜査の端緒となり、刑事訴追に向けた重要な契機になる。

(2)　告発と訴訟条件

独禁法違反刑事事件に関し、公取委の告発には訴訟条件たる告発とそうでない告発の違いがある。

ア　訴訟条件たる告発

(ア)　**犯則事件**については、公取委の告発が訴訟条件であり（法 96 条１項。**専属告発制度**）、公取委には告発義務がある（法 74 条１項「犯則の心証を得たときは、……告発しなければならない。」）が、公取委の専門機関性に照らし、公取委には告発するかしないかの**裁量権**がある。

(イ)　公取委からの告発は、検事総長のみが受理権限を持つ（法 74 条１項）。

独禁法違反事件の場合は検事総長に対して行うことになっている（司法警察員への告発も不可である）。受理後、告発に係る事件は、最高検察庁から捜査・処理すべき地方検察庁等（⇒後記３参照）に移送される。

公取委から告発がなされた事件を、不起訴にしたとき、検事総長は、その旨・理由を内閣総理大臣に報告する義務がある（法 74 条３項）。

イ　訴訟条件でない告発

犯則事件以外の独禁法違反事件（⇒第１節２参照。例えば、検査妨害。法 94 条）については公取委の告発は訴訟条件ではない。しかし、公取委が告発しない限り、検察が端緒を得ることは困難であり、刑事訴追は事実上行われないことになる。公取委には告発義務がある（法 74 条２項「違反する犯罪があると思料するときは、……告発しなければならない。」が、この点も、公取委に裁量権があると解される。この場合も、訴訟条件ある告発の場合と同様に、告発は検事総長のみが受理し、検察が告発を受けた事件を不起訴にするとき、内閣総理大臣への報告が義務付けられる（法74条2項・3項）。

3　捜査を行う検察庁

犯則事件については、その事件について土地管轄のある地方裁判所が第1審の管轄裁判所であり（法84条の3）、検察庁法によりこの地方裁判所に対応する検察庁が捜査を行うこととされている（検察庁法5条）。

特例として、東京地方裁判所は、全国どこで発生した犯則事件についても第1審管轄裁判所とされ（法85条）、これに対応する東京地方検察庁は、全国どこで発生した犯則事件についても捜査を行うことができる。また、高等裁判所の管轄区域内の地方裁判所に管轄が認められる場合には、この高裁の所在する地方裁判所も第1審管轄裁判所になる（法84条の4）ので、対応する高等検察庁所在地の地方検察庁も捜査を行うことができる。

犯則事件につき法人と個人が被疑者となり、そのうち法人だけが起訴される場合がある。法人の法定刑は罰金しかないので、通常は、簡易裁判所が管轄することになるが、独禁法では、犯則事件については、この場合も地方裁判所が第1審裁判所になる（法84条の3）。法人のみが被疑者となる犯則事件では、捜査を担当する検察庁も、当該地方裁判所に対応する地方検察庁となる。

4　犯則調査の実務

(1)　犯則調査手続で着手するかどうかの振り分け基準

法律上、「（犯則）事件を調査するため必要があるとき」に犯則調査を行うことができると規定される（法101条1項）。

この点、公取委は、「独占禁止法違反に対する刑事告発及び犯則事件の調査に関する公正取引委員会の方針」（以下「告発等方針」という）を公表し、次のとおり、積極的に告発を行うべき事案の類型を示し、また、積極的に告発を行うべき上記事案に該当すると疑うに足りる相当の理由がある場合に犯則調査を行うべきとする。

〔告発等方針〕

○積極的に告発を行う事案
① 一定の取引分野における競争を実質的に制限する価格カルテル、供給量制限カルテル、市場分割協定、入札談合、共同ボイコット、私的独占その他の違反行為であって、国民生活に広範な影響を及ぼすと考えられる悪質かつ重大な事案
② 違反を反復して行っている事業者・業界、排除措置に従わない事業者等に係る違反行為のうち、公正取引委員会の行う行政処分によっては独占禁止法の目的が達成できないと考えられる事案
○犯則調査手続の対象とする事案
積極的に告発を行うとされる上記事案に該当すると疑うに足りる相当の理由のある独占禁止法被疑事件について行う。

積極的に告発を行う事案の類型のうち①の「国民生活に広範な影響を及ぼすと考えられる悪質かつ重大な事案」とは、例えば、市場規模や関与事業者の市場シェアが大きい事案である。また、工事費の原資が税金である公共発注工事の入札談合は、その直接的被害者は納税者たる国民ということになる。そもそも、入札談合は、公共発注工事の入札という公の制度を無意味化するものと考えられるので、対象の工事額の総額がさほど大きくなくても、国民生活に広範な影響を及ぼすと考えることもできる。

②は、例えば、公取委の排除措置命令の宛名となった事業者が同命令を守らないときは、もはや刑事訴追しかないので告発するということである。

①②の類型の事案に該当すると疑うに足りる相当の理由がある場合とは、端的にいうと**告発が見込まれる場合**ということであり、その場合、犯則調査が行われることになる[21)]。

21) 近時の告発事例の中では、公取委が、東海旅客鉄道株式会社が発注する中央新幹線に係る建設工事の指名競争見積参加業者を、不当な取引制限の疑いで告発した事案（告発平30・3・23）は、①の類型に該当し、独立行政法人地域医療機能推進機構が発注する医薬品の入札参加事業者を不当な取引制限の疑いで告発した事案（告発令2・12・9）は、違反事業者が、過去に談合によって排除措置命令等を受けていた事情があったようであるので、②の類型にも該当するように思われる。

(2)　行政調査手続で調査していた事件を途中で犯則調査手続に切り替えることはできるか

例えば、小規模価格カルテルだと考えて行政調査を開始したら、全国的な大規模価格カルテルであることが分かる明確な客観証拠が発見されたような場合は、事件について告発処理が妥当であると評価し直すしかなく、その場合、事件を犯則調査手続に切り替える必要性が高く、法も、このような場合には切り替えを認めていると考えられる。犯則規則4条4項は、行政調査中の事件を犯則調査相当と思料したときに、犯則審査部門に端緒として提供されることがあり得ることを前提にした規定と考えられる。

なお、犯則調査手続で調査していた事件を、途中から行政調査手続に切り替えることは、刑事事件の捜査に準じた厳格な手続で得られた証拠を行政調査で使うということであり、当事者の権利保障面からも実際面からも問題はない。

(3)　課徴金減免申請と告発

前記「告発等方針」において、公取委の調査開始前に最初に課徴金減免申請を行った事業者（⇒第6章第3節2参照）の役員・従業員等であって当該事業者と同等に評価すべき事情が認められる者については、公取委は告発を行わないこととしている[22)]。

5　犯則事件の調査・捜査上の留意点

(1)　故意の立証が必要

不当な取引制限の罪は**故意犯**であり、**行為者（自然人）の故意**（行為者が構成要件該当行為を認識しながら行ったこと）の立証が不可欠である。

(2)　要求される立証のレベルが高い

刑事捜査において要求される立証レベルは「合理的な疑いを容れない程

---

22)　法務省刑事局長が国会において「検察官において、その訴追裁量権の行使に当たり、専属告発権限を有する公正取引委員会があえて告発を行わなかったという事実を十分考慮することになると考えられます」と答弁（平17・3・11衆議院経済産業委員会）し、公取委が告発しない、事前第1順位の課徴金減免申請をした事業者等に対しては、検察官も運用上、刑事訴追を差し控えることが明らかにされている。

度」であり、かなり高いものである。

(3)　伝聞法則への配慮が必要

犯則調査では、刑事事件の立証における伝聞証拠の原則的禁止の法則[23]（伝聞法則）への配慮が必要である。

(4)　事業者と行為者個人（従業者）との利益相反関係への留意が必要

犯則調査においては、事業者だけでなく行為者個人も刑事訴追される可能性があり、公取委や検察官の調査・捜査への協力をめぐっては、事業者と行為者（従業者。従業員・役員）個人との間で、利益相反の関係になることがある。そのような場合には、行為者個人にも事業者とは別に代理人弁護士または弁護人を選任することが必要な場合がある。

6　合意制度（日本版司法取引制度）への対応

(1)　制度の趣旨

平成28年の刑事訴訟法改正で、「証拠収集等への協力及び訴追に関する合意制度」（以下「合意制度」という。いわゆる「日本版司法取引制度」である）が新設され平成30年6月から施行された。

これは、特定の対象犯罪（特定犯罪）に係る被疑者・被告人が、特定犯罪に係る「他人の刑事事件」に関する検察官の捜査・訴追に協力するのと引き換えに、検察官において、当該被疑者・被告人の被疑事件・被告事件について不起訴処分や求刑の軽減等を合意できる制度である（刑訴法350条の2など）。

(2)　合意および合意のための協議

合意制度において重要なことは、検察官との合意および合意に至るまでの協議の手続においては、被疑者・被告人が、常に弁護人のアドバイスを

23）供述者の供述は、法廷において、反対尋問のテストを受けない限り証拠として使えないという刑事訴訟法上の原則である。捜査・調査実務に即していうと、捜査・調査段階で作成された供述書や供述調書は、刑事裁判では、被告人側の同意がない限り、原則として、書面としては証拠にできないということである（刑訴法320条1項などを参照）。

受けながら検察官と対応すべきこととれている点である。

⑶　独禁法違反刑事事件と合意制度

特定犯罪には、贈収賄などの財政経済犯罪等が規定され、この中に独禁法違反事件の罪も含まれる（刑訴法350条の２第２項３号、平成30年３月22日政令51号）。

「他人の刑事事件」に関して捜査等に協力することが必要とされる。

「他人の刑事事件」には、自己が関与していない全くの「他人の刑事事件」だけでなく、自己が共犯等となっている「他人の刑事事件」も含まれる。

例えば、［図表7-1］のＸ社の従業員Ａが、上司である役員Ｂと共謀し、Ｙ、Ｚ社の担当従業員Ｃ、Ｄとの間で価格カルテルを行っていた事案で、Ａが、検察官に対して当該犯罪を立証するための証拠を提供したいという場合は、共犯者Ｂという「他人の刑事事件」に関する協力であるとともに、当該価格カルテルを共同して行うＣおよびＤという「他人の刑事事件」に関する協力でもあるので、「合意制度」を利用できる。

また、会社等の法人たる事業者も、両罰規定があれば被疑者・被告人となり得るところ、独禁法の不当な取引制限の罪にも両罰規定が存在するので、これが適用される場合の法人たるＸ社も合意制度を利用することができる。

［図表7-1］「他人の刑事事件」の捜査協力

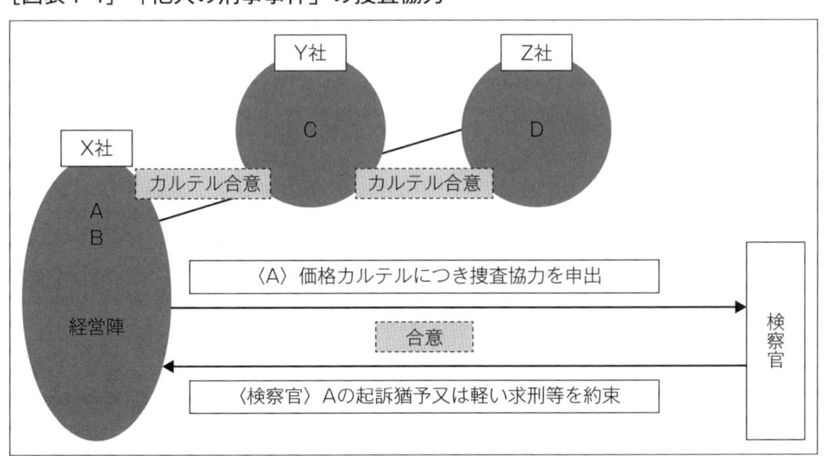

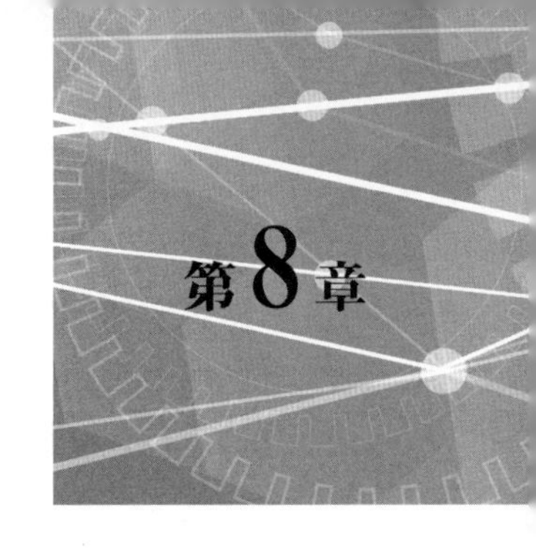

第8章

企業結合

企業結合案件における公取委との対応は、企業の法務部員やビジネスローヤーが活躍する場面である。そこでは、企業の代理人弁護士等と当局担当者の間で当該案件に関する、独禁法上の懸念の有無・程度や問題解消措置の内容などをめぐり喧々諤々の議論が行われている。その議論の前提として、参加者の間で、企業結合審査についての標準的な考え方が共有されている。

具体的には、公取委が企業結合 GL として取りまとめている審査についての考え方、特に「市場分析」についての考え方が共有されているのである。企業結合審査ないし市場分析についての考え方は、国際的に収れんし標準化されているが、企業結合 GL も、このような国際標準に沿ったものである。

このような企業結合審査についての標準的考え方を深く理解するには、企業結合 GL を片手に、公取委が毎年度公表する「主要な企業結合事例」を熟読するのが最も効果的であろう。しかし、これら公表事例や GL はそれなりに難解であり、企業結合審査の考え方について、ある程度の知識がない者がその内容を的確に読み解くことは難しい。

本章は、「企業結合審査入門」であり、入門レベルの読者が、「主要な企業結合事例」のような公取委の公表資料をひととおり理解できるレベルまで到達できるようにすることを目指して、企業結合審査に関する公取委の考え方を、公取委の審査の手順に沿って、できるだけ分かりやすく解説していく。

第 1 節は、企業結合に対する独禁法規制の概要と、企業結合規制に関して用いられる用語について説明し、第 2 節から第 7 節までは、審査手順のフローに沿って、具体例を使いながら、企業結合審査の考え方や市場分析についての考え方をかみくだいて解説する。第 8 節は、企業結合審査手続などについて簡単な説明をする。

第1節　企業結合規制の概要

1　企業結合規制とは何か

(1)　企業結合とは

複数の会社[1]を結合させ、その事業活動を一定程度または完全に一体化させることを企業結合という[2]。典型は合併や企業買収であり、M&A（Mergers & Acquisitions）と呼ばれる。

(2)　企業結合規制の内容と規制の理由

株式取得・所有（株式保有）、役員兼任、合併、分割、共同株式移転、事業譲受け等の独禁法で想定される類型の企業結合によって、複数の会社が一定程度または完全に一体化して事業活動を行う関係になる場合がある。これを「**結合関係**」が形成・維持・強化されるという。

このうち例えば合併の場合は、それによって合併の当事会社の事業活動は完全に一体化するが、他社の株式取得の場合は、事業活動の一体化の程度はまちまちであり、一体化（結合関係）が形成・維持・強化されないこともあり得る。

企業結合によって、市場に一社独占の状態が生じるなどして市場の競争機能が損なわれることとなる場合もあり得る。例えば、激しく競争していたシェア60％の会社とシェア40％の会社が合併する場合であるが、このような場合、他からの牽制力ないし競争圧力が有効に働かない限り、当該合併によって、市場の競争機能は損なわれることになると考えられる。

このように独禁法で想定される**企業結合が、一定の取引分野における競争を実質的に制限することとなる場合には、当該企業結合は禁止される**（排除措置命令が出される。法10条）。

---

1)　株式会社、合名会社、合資会社、合同会社（会社法2条1号）および外国会社のほか、特定目的会社（資産の流動化に関する法律2条3項）も指す（深町ほか企業結合35頁）。

2)　企業結合規制においては、規制の対象は会社である。例外的に、会社以外の事業者は、会社の株式の取得・保有などの禁止規制（法14条）の対象となる。

また、役員兼任と会社以外の者による企業結合を除く企業結合については、一定の要件に該当する場合、事前届出が義務づけられる。

以上をまとめて、競争を制限することとなる企業結合を禁止し、一定の企業結合には事前に届出を義務付ける規制を**企業結合規制**という[3)]。

2　規制の対象となり得る企業結合

企業結合規制の対象になり得る企業結合の類型として、独禁法において次のものが規定されている。

(1)　合併

合併とは、2以上の会社が合一して1つの会社になることである（法15条）。

合併により消滅する会社の権利義務の全部を合併後存在する会社に承継させる吸収合併（会社法2条27号）と、合併する2つ以上の会社がいずれも消滅し、その権利義務のすべてを合併により新たに設立する会社に承継させる新設合併（会社法2条28号）がある。

(2)　株式の取得または所有

これは、会社または会社以外の者が、他の会社の株式を取得し、または所有することである（法10条、14条[4)]）。厳密にいえば、株式取得とは、株式を新たに所有することであり、株式所有とは継続的に株式を所有していることであるが、企業結合審査で問題になるのは、主に株式取得の場合なので、本書では、以下、特に断らない限り、株式取得または株式所有のことを総称して「**株式取得**」と呼ぶことにする。

---

3)　これとは別に、不公正な取引方法による企業結合も禁止されている（株式取得（法10条1項、14条）、役員兼任（法13条2項）、合併（法15条1項2号）、分割（法15条の2第1項2号）、共同株式移転（法15条の3第1項2号）、事業譲受け等（法16条1項））。

4)　独禁法では、株式については「所有」という用語が使われ（法10条1項）、議決権については「保有」という用語が使われている（法11条1項）。しかし、株式取得と株式所有を併せて示すときに「株式保有」という用例もある（企業結合GLはじめに）。

⑶　事業譲受け

事業譲受けとは、会社が他の会社の事業の全部又は重要部分を他に譲渡することをいう（法16条）。

⑷　役員兼任

これは、会社の役員又は従業員が他の会社の役員の地位を兼任することである（法13条）。

⑸　共同新設分割と吸収分割

この規制は法15条の2にもとづくものである。

会社分割とは、会社（分割会社。株式会社または合同会社）が事業に関して有する権利義務の全部または一部を他の会社に承継させる行為である。分割会社の権利義務を既存の他の会社に承継させる**吸収分割**（会社法2条29号）と、新たに設立する会社に承継させる**新設分割**（会社法2条30項）がある。新設分割には、複数の会社が分割会社となって、共同して分割新設会社を設立する**共同新設分割**（会社法762条2項）も認められている[5)]。

⑹　共同株式移転

この規制は法15条の3にもとづくものである。

株式移転とは、1または2以上の株式会社A（など）が、その発行済み株式の全部を、新たに設立する株式会社Bに取得させることである（会社法2条32号）。株式移転により、B社が成立すると同時に、A社（など）の株式がB社に移転する効果が生じ（会社法774条1項）、株式移転の対価として、A社（など）の株主は、B社の株式の交付を受けるので、株式移転後は、A社（など）の株主は、B社の株主となる。

このように株式移転は、対象の株式会社を、新たに設立する株式会社の100％子会社にする組織再編行為である。

株式移転には、単独の株式移転と共同株式移転があるが、**共同株式移転のみが企業結合審査の対象になる**[6)]。

単独の「株式移転」は、単独の株式会社が、その発行済み株式の全部を

5)　**単独の新設分割**は、甲社の事業の全部又は一部を新設する会社に取得させるものであり、共同新設分割や吸収分割と違って、他の既存会社への影響がないため、企業結合規制の対象とはされない。

新設する株式会社に取得させる場合であるが、他の既存会社への影響がないため、企業結合規制の対象とされない。

3　企業結合審査で用いられる重要な用語の説明

(1)　当事会社

企業結合の類型にかかわらず、企業結合を行う会社のことを、**当事会社**という。

(2)　企業結合集団

企業結合集団とは、これに属する会社同士が、親会社・子会社の関係のように強固な結合関係で結びつけられている集団のことをいう。

独禁法上、企業結合集団は、「会社及び当該会社の子会社並びに当該会社の親会社であつて他の会社の子会社でないもの及び当該親会社の子会社（当該会社及び当該会社の子会社を除く。）から成る集団」と定義される（法10条2項）。

すなわちこれは、株式取得会社がその企業グループの最終親会社であれば、その子会社がすべて企業結合集団に含まれることとなる。また、株式取得会社に親会社がいるような場合は、その企業グループの最終親会社まで遡り、最終親会社と株式取得会社も含めた子会社すべてが企業結合集団に含まれるという意味である（菅久ほか265頁［原田郁］）。

Column 8-1　子会社、親会社とは

株式取得による企業結合に関し、次のような定義が定められている（なお、私的独占・不当な取引制限に関しては、「子会社」、「子会社等」の定義が、別途定められている（法2条の2第2項））。

6)　**株式交換**は、株式会社Aが、その発行済み株式の全部を既存の他の株式会社または合同会社Bに取得させることである（会社法2条31号）。株式交換も、株式移転と同様に、株式会社Aを、株式会社Bの100％子会社にする行為であるが、その場合、株式交換それ自体を企業結合規制の対象としなくても、A社の株式をB社に取得させる行為を「**株式取得**」ととらえて企業結合審査の対象とすることができるため、「株式交換」自体は企業結合審査の対象とされない。

⑴　子会社

「**子会社**」とは「会社がその総株主の議決権の過半数を有する株式会社」のほか「会社がその経営を支配している会社等として公正取引委員会規則で定めるもの」をいい（法10条6項）、公取委の規則では「**会社が他の会社等の財務及び事業の方針の決定を支配している**場合における当該他の会社等」をいう（届出規則2条の9第1項）。

⑵　親会社

「**親会社**」とは、「会社等の経営を支配している会社として公正取引委員会規則で定めるもの」をいい（法10条7項）、公取委規則では「会社が同項（＊著者注：法10条7項）に規定する**会社等の財務及び事業の方針の決定を支配している場合における当該会社**」をいう（届出規則2条の9第2項）。

「財務及び事業の方針の決定を支配している場合」とは、①他の会社等の議決権の総数に対する自己（その子会社も含む）の計算において所有している議決権の数の割合が50%を超えている場合（届出規則2条の9第3項1号）、②他の会社等の議決権の総数に対する自己（その子会社も含む）の計算において所有している議決権の数の割合が50%以下かつ40%以上であり、かつ他の会社等の取締役会その他これに準ずる機関の構成員の総数に対する自己（その子会社も含む）の役員等の数の割合が50%を超えている場合（届出規則2条の9第3項2号ロ）などが想定されている。

以上を例示すれば、当事会社の一方をA社としたとき、A社の株式の過半数を所有しているX社は、A社の**親会社**に該当し、これに対してA社は**子会社**の関係になる。またA社の株式を過半数所有しているX社（A社の親会社）の株式を過半数所有するY社（A社の親会社の親会社）も、A社にとって親会社に該当する。A社の親会社であって、その上にもはや親会社がないものを**最終親会社**という。

⑶　当事会社グループ、当事会社と既に結合関係が形成されている会社グループ

会社間の結合関係には、例えば、一方の会社が他方の会社に対し、親会社・子会社関係にならない程度の出資をすることによって事業方針等に影響を与えることが可能になる場合のように、緩やかな結合関係にとどまるものもある。

企業結合審査の実務においては、審査対象となる企業結合によって、この**緩やかな結合関係も含め、結合関係が形成・強化・維持されることになるすべての会社**を総称して**当事会社グループ**といい、その事業活動について、当該企業結合の及ぼす影響が検討される（企業結合GL第2）。

他方、企業結合審査の実務においては、審査対象の企業結合が行われる前に、**当事会社と既に結合関係が形成されている企業集団**を「○○会社グループ」として取り扱うことがある（企業結合 GL 第2参照）。

公取委の公表文では、例えば、「○○株式会社と既に結合関係が形成されている企業の集団を『○○グループ』といい、△△株式会社と既に結合関係が形成されている企業の集団を『△△グループ』という。また、『○○グループ』および『△△グループ』を併せて『当事会社グループ』という。」などと表現されている。

(4)　HHI（ハーフィンダール・ハーシュマン指数）とその増分

「HHI（ハーフィンダール・ハーシュマン指数）」や「HHI の増分」とは、どんなことを意味するのか。どのように計算されるのか。

ア　HHI（ハーフィンダール・ハーシュマン指数）とは

特定市場における各事業者の市場シェアの2乗をすべて合計したもので、市場集中度（上位企業に生産販売等が集中している程度）を示す指数である。市場シェア上位事業者のシェアを単純に並べるよりも、集中の程度がより明らかになる。

イ　HHI の増分とは

企業結合の前後で HHI の数字がどのくらい増えるかということである。問題となる企業結合のインパクトの大きさを示す数字である。

CASE 8-1　想定事例

同一市場で競争関係にある A～E 社の合併前のシェアは下の表の「企業結合前のシェア」記載のとおりであったとして、(ア)D 社と E 社が合併した場合、(イ)C 社と D 社が合併した場合のそれぞれの HHI および HHI 増分を計算せよ。

	A	B	C	D	E	HHI	HHI 増分
企業結合前のシェア	35%	30%	20%	10%	5%	2650[*1]	
（ア）D と E が合併した場合	35%	30%	20%	15%		2750[*2]	100[*3]
（イ）C と D が合併した場合	35%	30%	30%		5%	3050	400[*3]

＊1 の算定方法：35×35＋30×30＋20×20＋10×10＋5×5＝2650

＊2 の算定方法：35×35＋30×30＋20×20＋15×15＝2750

＊3 HHI の増分：企業結合前の当事会社 D の市場シェアが a%、E の市場シェアが b%で、企業結合したとき、HHI の増分は、$(a+b)^2-(a^2+b^2)=2ab$ で計算できる。（ア）の場合の HHI 増分は、2×10×5＝100 であり、（イ）の場合は、2×20×10＝400 である。

第2節　企業結合審査の全体の流れ

1　企業結合審査

(1)　意義

公取委が企業結合規制を行うため、個別の企業結合が一定の取引分野における競争を実質的に制限することとなるかどうか調査・検討し判断することを企業結合審査という（⇒企業結合審査手続の流れについては後記第3節以下）。

2　企業結合審査における検討事項と検討手順

(1)　企業結合審査のフローチャート

企業結合審査で検討される事項および検討の手順は［図表8-1］のフローチャートのとおりである。

［図表8-1］　企業結合審査での検討事項および手順についてのフローチャート

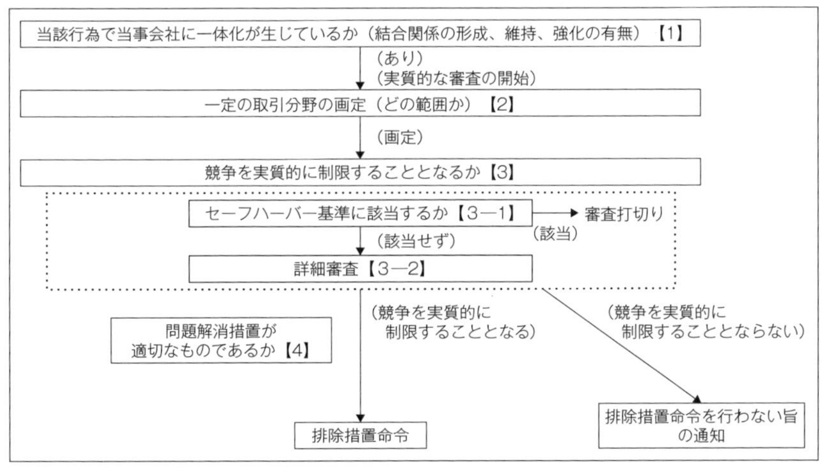

＊企業結合ガイドライン添付の「企業結合審査のフローチャート」をもとに作成。

(2)　初歩的事例による企業結合審査の全体の流れについての説明

［図表8-1］のフローチャートをながめながら、初歩的事例であるCASE 8-2の事例を一読し、独禁法上どのようなことが問題とされ、それがどの

ような手順でどのように審査されるのかを想像してもらいたい。大ざっぱでいいのでイメージを持っていただければ，第3節以下の解説の理解が容易になるであろう。

第3節以下では，この企業結合審査のフローチャートが示す順序で検討事項について説明する。

CASE 8-2　設問（弁当販売会社の株式取得事例）

甲会社内で，弁当販売事業をしているのはA社（販売シェア50%），B社（シェア10%），C社（シェア40%）の3社であり，活発に競争をしていた。A社が，B社の株式の80%を取得する買収計画を立てたが，同買収計画については，公取委は，どのような順序でどのような審査をするのであろうか。

なお，甲会社内では，D社がサンドイッチを販売していた。甲会社は，郊外にあり，会社内の周辺には弁当を販売する弁当店やコンビニエンスストアはない。自動車を使って15分の距離に，弁当販売会社E社があり，弁当を販売している。

Guidance 8-1　一覧図の作成

独禁法が問題になる事案では，事案の概要を一覧図にして検討することをお薦めする。特に企業結合事案では，検討対象となる商品・役務が多数あり得るし，取引や取引段階等も複雑に存在することが多いので，問題となり得る商品・役務の供給者・需要者，取引の範囲・内容等が一見して把握できるよう，一覧図を作成して検討を行うことが有益である。CASE 8-2については，後記のような一覧図が作成できるであろう。

（設問への一応の解答）

前記フローチャートの【1】～【4】の順で，各検討事項を検討すると，次のような解答になるであろう。

【1】一体化（結合関係）の検討

株式取得の場合は，その内容によっては結合関係が生じないことがあるため検討が必要になる。A社によるB社の全株式の過半（80%）を取得するもので，両会社を一体化するものであり，結合関係を形成するものなので，企業結合審査の対象になる。

【2】一定の取引分野の検討

第1章第4節4⑵イ㈠で簡略に述べたように，企業結合における「一定の取引分野」は，基本的に需要者にとっての代替性の観点から，商品・役務範囲と地理的範

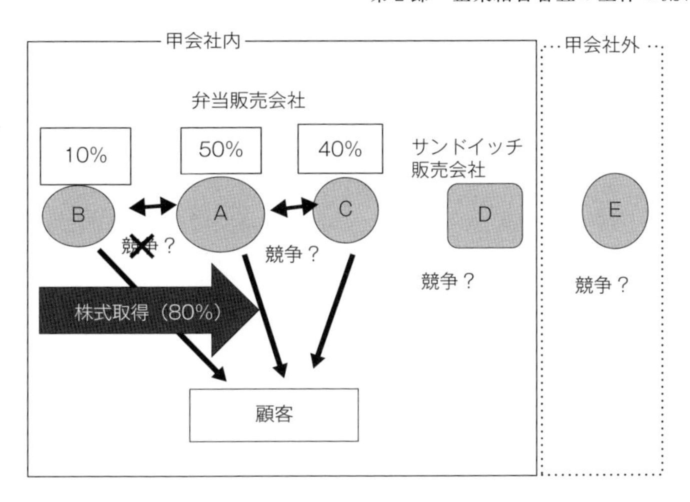

囲を定める方法で画定される（⇒詳細は第４節３）ので、顧客が、弁当を値上げされたとき、弁当に代替してサンドイッチを購入する実態があるのであれば、商品・役務範囲としては、サンドイッチも含めることになり、競争を実質的に制限することになるかを検討するに当たって、サンドイッチ販売会社Ｄ社も牽制力として考慮されることになる。

地理的範囲については、甲会社が都会の中心にあるならば、顧客（甲会社の社員）は、出入りの弁当販売会社の弁当が気に入らないときは、会社の外に出て別の弁当店やコンビニエンスストアで弁当を買うこともありえるので、「一定の取引分野（競争が行われる場＝市場）」を、甲会社内に限定することはできない。しかし、設問では、車で15分も離れたところの弁当会社Ｅ社を、顧客が代替的に利用するとは考えられないので、Ｅ社の弁当店が所在する地域まで地理的範囲を広げて検討する必要はない。

【３－１】セーフハーバー基準に該当するかの検討

本件の株式取得は、弁当販売事業を行う競争事業者同士によるものであり、水平型企業結合に当たる。本株式取得後のHHIは5200、HHIの増分は1000となり（計算方法については、第１節３⑷参照）、セーフハーバー基準に該当しない（⇒第５節３⑵）ため、詳細審査に移行され、詳細な市場分析が行われる。

【３－２】詳細審査

当該企業結合が、競争を実質的に制限することとなるかどうかが検討される。その場合、競争単位として残るＣ社（甲会社内の弁当販売シェア40%）の協調的行動による競争の実質的制限が生じないか（⇒後記第５節３⑷）も検討する必要がある。その上で、Ｃ社が相当な牽制力として機能することや、商品・役務範囲に含まれるかは別として、サンドイッチ店Ｄ社もそれなりの牽制力になる可能性があることが確認できれば、それらの事情が考慮される。

【４】問題解消措置

詳細審査の結果、本株式取得が、競争を実質的に制限することとなると判断されたとしても、Ａ社、Ｂ社（当事会社）が、競争上の懸念を解消するための一定の適切な措置（問題解消措置。実際には考えにくいが、例えば、弁当製造設備の一部譲渡など）を講じることを提案し、公取委が、それが適切なものと認めるときは、問題解消措置の実施を条件に当該企業結合が許される。

第３節　結合関係（一体化が生じているか）の検討

1　結合関係の有無と審査

(1)　結合関係とは

企業結合審査の実務では、問題になる企業結合が独禁法で規定される企業結合の類型に該当することが確認できたら、次に、**当該企業結合によって、当事会社が一定程度または完全に一体化するかどうかを検討する**（[図表8-1] の**フローチャート【1】の検討事項**）。一定程度または完全な一体化とは、**結合関係が形成・維持・強化**することを意味するので、ここでは、結合関係の形成・維持・強化の有無の検討をすると表現することもできる。

「結合関係の形成」とは、企業結合により結合関係が存在しない状態から存在する状態に変化すること、「結合関係の強化」とは、元々弱い結合状態が存在していたが、企業結合により、一層強固な結合関係が形成されること、「結合関係の維持」とは、もともと結合関係が存在しており、それが引き続き同じ状態で存在し続けることをいう（深町ほか企業結合 31 頁）。

(2)　結合関係の有無と審査

当事会社の間でおよそ結合関係の形成・維持・強化（＝一体化）がない場合には、その企業結合による市場構造の変化は想定できないから、市場への影響について検討するまでもなく、問題なしと判断する[7)]。

当事会社間に結合関係が形成・維持・強化すると認められるとき初めて、次の検討段階に進み、当該企業結合の市場への影響、すなわち一定の取引分野における競争を実質的に制限することとなるか否かを判断する。

2　株式取得の場合の結合関係

(1)　結合関係の有無は、もっぱら株式取得の場合に問題となる

合併の場合は、当事会社が完全に一体化するもので、結合関係が形成・

---

7)　これは、企業結合の実質的な審査に入る前に「門前払い」されるかどうかという問題であり、実質審査の対象になるとして、審査段階に進み、簡略な検討によって、競争の実質的制限がないとする「セーフハーバー」の問題と区別する必要がある。

維持・強化することは明らかであるが、株式取得の場合は、株式取得会社が、当該株式取得によって株式発行会社（被取得会社）に対する支配権をどの程度獲得できるのかが一様でない（両者の一体化の程度が一様でない）。結合関係の形成・維持・強化の有無が問題になるのは、もっぱら株式取得による企業結合の場合である。

(2)　企業結合 GL の考え方

どのような株式取得が結合関係を形成・維持・強化することになるのか等につき、公取委では、企業結合 GL において、次のとおりの考え方を示している（企業結合 GL 第1の1(1)）。

〔株式取得と結合関係についての企業結合 GL の考え方〕

○株式取得によって「結合関係」が形成・維持・強化されると考えられ、審査の対象となる場合

① 株式発行会社の総株主の議決権に占める、株式取得後の取得会社の属する企業結合集団全体の議決権の所有割合が50％超であるとき

または

② 株式発行会社の総株主の議決権に占める、取得後の取得会社の属する企業結合集団全体の議決権の所有割合が20％超であり、かつ当該割合の順位が単独で1位となるとき（＊著者注：1位かどうかは、企業結合集団単位でみる）

○株式取得によって結合関係が形成・維持・強化されないと考えられ、審査対象とならない場合

③ 株式発行会社の総株主の議決権に占める、取得会社単独での議決権所有割合が10％以下か、または、その単独での議決権所有割合の順位が4位以下のとき（＊著者注：公取委実務では企業結合集団の議決権保有比率も参照する）

○株式取得によって結合関係が形成・維持・強化されるかどうか、ひいては審査対象となるかケースバイケースの場合

④ この中間（単独の所有割合が10％超、かつ単独順位が3位以上）にある場合は、結合関係が生じるかどうかはケースバイケースである

例えば、役員兼任があるか、業務提携契約を締結しているか、取引関係があるかなどを総合して経営の意思決定が独立して行われているか判断し、独立し

て事業が営まれていると認められれば結合関係は否定される

(3) 株式取得会社の属する企業結合集団としての支配力を検討する必要があること

ア　必要性

X社がY社の株式を取得する場合、取得後のX社単独でのY社株の所有割合や単独でのその順位だけではなく、上記企業結合GL①、②（企業結合GL第1の1(1)ア・イ）が述べるように、取得後におけるX社の所属する**企業結合集団全体としてのY社株の保有割合等を**検討しなければならない。

問題となる株式取得によって被取得会社Y社の支配権をどの程度獲得できるかは、取得会社X社の属する企業結合集団（⇒第1節3(2)）に属するすべての会社が被取得会社に対して持つ支配権も勘案する必要があるからである。

イ　想定事例

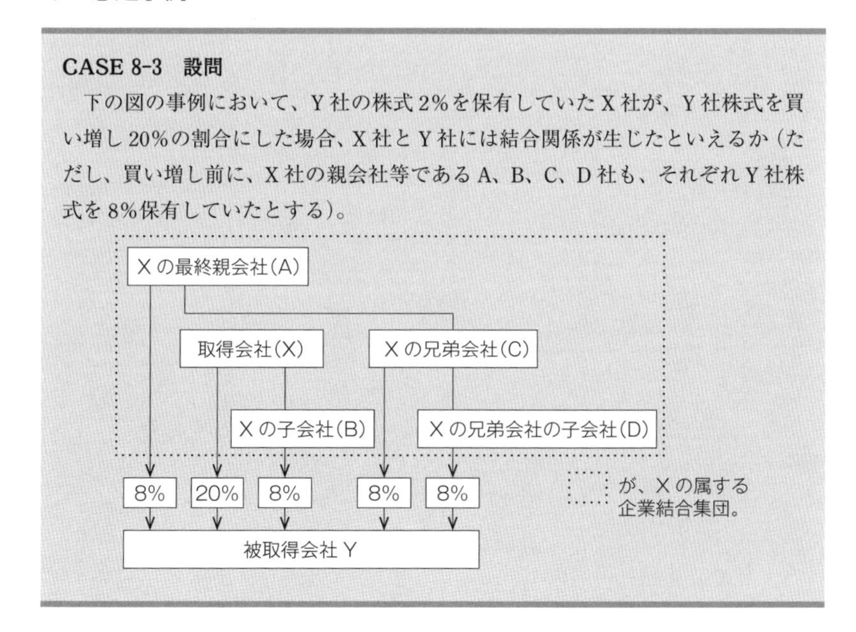

X社の属する企業結合集団の範囲には、X社の最終親会社A社まで遡り、

A社とA社の子会社すべて（X社も含む）が含まれる。上記設問では、X社単独だと本件株式取得後の議決権は20%にとどまるが、X社の属する企業結合集団全体でみると、本件株式取得前において、Y社の議決権の34%が保有されていたので、本件株式取得によって、X社の属する企業結合集団全体の議決権の所有割合は52%となり、企業結合GLの上記①により、本件株式取得により当事会社（XおよびY）間の結合関係が形成・維持・強化されると考えられるので、本件株式取得は企業結合審査の対象となる[8)]。

8）　菅久ほか269頁の事例を参考にした。

第4節　一定の取引分野の画定

企業結合によって当事会社間に結合関係の形成・維持・強化があると認められると、実質的な企業結合審査が開始される。この段階以降は、問題となる企業結合によって「一定の取引分野における競争を実質的に制限することとなる」かどうかを実質的に審査検討することになる。これが、［図表8-1］のフローチャートの【2】以降の段階である。

1　「一定の取引分野」画定の意義

「一定の取引分野」とは、企業結合により競争が制限されることになるか否かを判断するための範囲を示すものであり（企業結合GL第2の1）、商品・役務範囲と地理的範囲として画定される。「一定の取引分野」は、企業結合審査における判断・検討のための前提である（⇒第1章第4節4(2)）。

2　当事会社と既に結合関係にある会社が取り扱う商品・役務も検討する必要性

(1)　当事会社が競合して取り扱っている商品・役務について検討すべきこと

「一定の取引分野」を画定するためには、当事会社が、競合して扱っている商品・役務の範囲（商品・役務範囲）と、その事業が行われている場所（地理的範囲）を出発点として検討を始める（⇒後記3）。

なお、これは水平型企業結合を想定した検討について述べるものであり、公取委の実務上は、同時に、垂直型・混合型企業結合を想定した検討も行っており、その場合の検討の視点はこれに限定されない。

(2)　当事会社と既に結合関係を形成しているすべての会社の取扱う商品・役務も検討すべきこと

実質審査の段階においては、問題となる企業結合によって、**当事会社グループ**（審査対象となる企業結合によって、結合関係が形成・強化・維持されることになる会社を総称したもの⇒第1節3(3)）の事業活動に関連する市場における競争に及ぼす悪影響についても審査・検討することが必要である（企業結合GL第2)。したがって当事会社と既に結合関係を形成している会社がある場合は、そのような会社の事業活動も検討し、企業結合実現後、当事会社グループ内において競合するすべての商品・役務を取り出し、それを出発点として「一定の取引分野」を画定し、当事会社グループの事業活動での競争への影響の有無・程度を検討する必要がある[9]。

例えば、[図表8-2]がX社によるY社の全株式取得事案だとした場合、当事会社X社と同Y社の間で競合する商品・役務を取り上げるだけでなく、X社およびY社（いずれについても既に結合関係を形成している会社も含む）が取り扱うすべての商品・役務をも検討し、当事会社グループ内で競合する商品・役務をリストアップし、審査を行わなければならない。

もし、当事会社X社が商品甲を製造販売し、当事会社Y社は商品甲を製造販売していなかったとしても、Y社と結合関係を持つZ社（子会社）が商品甲を製造販売しているならば、当事会社グループ内で、商品甲の製造販売が競合することになるので、商品甲を商品範囲として一定の取引分野を画定し、当該株式取得がその競争に与える影響を判断する。

なお、[図表8-2]において、Y社の親会社は、本件株式取得実施後は、当事会社グループから外れるので、Y社の親会社自体が取り扱う商品・役務が、X社やこれと結合関係を形成している会社の商品・役務と競合したとしても、これを商品・役務範囲に含める必要はない。

[図表8-2]　当事会社グループと企業結合

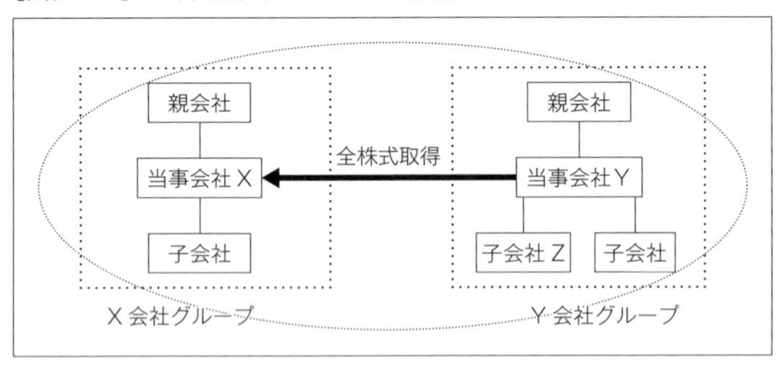

9)　企業結合GLでは、実質審査の場面において、当事会社とは、「企業結合を行う一方の会社に、当該会社とその時点で結合関係が形成されているすべての会社を加えた会社群を指す」ものという（企業結合GL第2)。

3　「一定の取引分野」画定の考え方と手順

一定の取引分野は、以下の考え方や手順に沿って画定される。

(1)　画定の基本的考え方

商品・役務範囲および地理的範囲に関し、基本的には、**需要者にとっての代替性**の観点から判断され[10]、必要に応じて、**供給者にとっての代替性**の観点も考慮される。

ア　需要者にとっての代替性

独占企業である商品Aの供給者が、商品Aを値上げしたと仮定したときに、顧客（需要者）が、他の商品や地域に購入先をシフトするため値上げが奏功しない（値上げしても需要が減少して利益にならないので値上げできない）といえるかを検討すべきである。需要者の選択肢が、他の商品または他の地域に代替する可能性の程度を検討すべきということである。

イ　供給者にとっての代替性

独占企業である商品Aの供給者が、商品Aを値上げしたと仮定したとき、従来、その独占企業と競合していなかった商品Bの供給者が、追加的費用をほとんどかけずに生産ラインを切り替え、商品Aを供給するようになることによって値上げが奏功しなくなることがあり得るかについても、必要に応じて、検討すべきということである。

(2)　具体的な画定手順

「一定の取引分野」は、まず商品・役務範囲を仮想的独占基準の考え方に基づいて画定[11]し、次に、地理的範囲を画定するが、その具体的手順を説明する。

ア　商品・役務範囲

(ア)　仮想的独占者基準

まず、上記した**需要者にとっての代替性**、すなわち、需要者からみた商

10）本書では、供給取引を前提に解説しているが、**購入取引**（購入をめぐって競争がある取引）の場合には、基本的に「供給者にとっての代替性」を考えることになる。

11）地理的範囲は、取引される商品・役務が決まっていることを前提に、当該商品・役務の特性、輸送費用等をも含め検討されて画定されるのが通常だからである。

品役務の効用等の同種性の観点から、用途、価格・数量の動き、需要者の認識・行動等を考慮して画定される。必要に応じて、**供給者にとっての代替性**という観点からも考慮される。

手順として、当事会社またはこれと既に結合関係を形成している会社が取扱い、当事会社グループ内で競合し得る商品・役務のそれぞれを、暫定的な商品・役務範囲とし、供給者が独占企業だったと仮定し、小幅ではあるが、実質的かつ一時的でない値上げ（SSNIP：スニップ。small but significant and non-transitory increase in price＝実務上、5％から10％の値上げが1年程度続くもの）をしたと想定した場合に値上げが維持できるかどうかを検討する（画定手順における、このような考え方を、「**仮想的独占者基準**」または「**SSNIP 基準**」という）。

値上げしても、顧客（需要者）が他の商品・役務に乗り換えたり（**需要代替**）、値上げに係る商品を製造していたメーカー（供給者）が、当該商品の供給量を増やしたり、他の商品を製造していたメーカー（供給者）が当該商品の供給に新規参入してくる（**供給代替**[12]）可能性が大きいならば、この暫定的な商品・役務範囲においては、独占企業であっても独占価格をつけて独占的利益を確保することができないので、独占の弊害も考えられない。いい換えれば、この暫定的な商品・役務範囲を前提としては、企業結合がどんなに独占に近いものであったとしても、独占の弊害があり得ないということになる。したがって、この暫定的な商品・役務範囲は、企業結合によって生じ得る独占弊害の有無や程度を判定しようとする企業結合審査の前提とするべき「一定の取引分野」としては狭すぎることになる。

(イ)　商品範囲の画定

そこで、暫定的な商品・役務範囲を少し広げる。すなわち、顧客が乗り換える可能性のある別の商品・役務（効用等の同種性の程度が類似する商品役務）も取り込んで、暫定的な商品・役務範囲を新たに定め（例えば、当事会社間で競合していたのが商品・役務Aであれば、これに効用が類似している商品・役務Bも取り込み）、上記同様に、この暫定的な商品・役務範囲について、供給者（独占企業）が、SSNIPの値上げをしたと想定（商品・役務AおよびBについて値上げをしたと想定）したとき、顧客が更に他の商品・役務に乗り

12）　その場合、従来からの製造装置に多大な追加的費用やリスクを負うことなくして当該商品・役務を製造できるかが問題となる。

換えることがなく、また、別の商品を製造していたメーカーが当該商品の供給に新規参入してくることもないといえて、供給者（独占企業）が独占価格をつけられると考えられるときに、この暫定的商品・役務範囲を「一定の取引分野」の「商品・役務範囲」として画定してよい。

イ　地理的範囲

(ア)　仮想的独占者基準

一般的には、各地域で供給・提供される商品・役務について、需要者からみた代替性の観点から、供給者・提供者の販売網等の事業地域、需要者の買い回る範囲、商品・役務の特性（鮮度維持の難易、破損容易性、重量）、輸送手段・費用等を考慮して画定される。例えば、輸送コストがかかりすぎるとか、商品が一定の時間で品質が劣化する（海産物、生コンクリートなど）場合などは、地理的範囲が限定される。必要に応じて、供給者にとっての代替性という観点から判断される。

手順としては、上記アで画定した商品・役務範囲を前提として、現に当事会社が、当該商品・役務の製造販売等の事業活動を競合して行う主な地域を、暫定的な地理的範囲として、その地理的範囲において、供給者（独占企業）がSSNIP基準の値上げをしたと仮定したとき、顧客が範囲外の地域で供給される商品・役務に乗り換えたり、他の地域で当該商品を製造販売していたメーカーがその地域での供給に新規参入してくることが想定され、値上げが維持できないと考えられるならば、この暫定的な地理的範囲は狭すぎることになる。

(イ)　地理的範囲の画定

そこで、更に地理的範囲を拡大し、SSNIP基準の値上げをしたと想定して、供給者（独占企業）が値上げを維持できるといえるとき、その地理的範囲を、「一定の取引分野」の「地理的範囲」として画定できる。

4　需要者グループごとに代替可能な選択肢が違う場合の「一定の取引分野」の画定

(1)　需要者グループごとに代替可能な選択肢が違う場合の取扱い

「一定の取引分野」（商品・役務範囲）は、基本的に、需要者からみた商品・役務の効用等の同種性の観点から画定されるから、商品・役務の効用・用途について認識の異なる需要者が存在すれば認識の異なる需要者別に、一定の取引分野を画定するのが自然である[13]。したがって、需要者全体の中で一部の**需要者グループについては、代替可能な選択肢の範囲が他の需要者グループと異なる場合は**、「一定の取引分野」を、需要者グループごとに各別に画定するのが相当である。

この点は学説において「供給者の範囲の画定は、需要者からみて選択肢となる範囲はどのようなものかということを認定するものなのであるから、そうであるとすれば、そこに登場する需要者がどのような者か、を知る必要がある。需要者グループ甲にとって選択肢となる供給者の範囲と、需要者グループ乙にとって選択肢となる供給者の範囲との間にズレがあれば、それぞれが別々の市場を構成することになる。」と指摘されていたところでもある（白石講義 44 頁）。

実例として、長崎県における銀行の統合案件の審査において、当事会社グループが、大企業・中堅企業、中小企業、地方公共団体に対して行っていた事業性貸出しについて、「一定の取引分野」の「役務範囲」として、どのように画定するかが論点の1つになったのであるが、公取委は、「これら需要者は、その事業規模、事業を展開する範囲、事業の性質が異なるため、借入金額や取引方法等が異なる。また、借入先である金融機関の業態によって貸出対象者に係る制限が異なることから、取引を行う金融機関が異なる。このように、事業性貸出しについては、取引の相手方によって取引の実態が異なっているため、『大企業・中堅企業向け貸出し』『中小企業向け貸出し』『地方公共団体向け貸出し』をそれぞれ別の役務範囲として競争の実質的制限についての検討を行った。」とした[14]。

当事会社（本例では銀行）の取引（本例では事業性貸出取引）における一定の取引分野（本例では役務範囲）を画定するに当たっては、需要者（本例では借入事業者等）にとって代替可能な選択肢の範囲を考慮する必要があるとした上、需要者グループ（本例では大企業・中堅企業、中小企業、地方公共団体）ごとに、代替可能な選択肢の範囲が異なる場合があり、その場合には、一定の取引分野（役務範囲）は、需要者グループごとに、別のものとして（本

13）この点は、企業結合 GL に明記されてはいないが、公取委の実務家の当然の理解のようである。

14）公取委「株式会社ふくおかフィナンシャルグループによる株式会社十八銀行の株式取得」（平 30 年度企業結合事例【事例 10】）。

事例では「大企業・中堅企業向け貸出し」「中小企業向け貸出し」「地方公共団体向け貸出し」)、画定すべきものとしたのである。

(2) 需要者グループごとに代替可能な選択肢が違う可能性があることを踏まえて、「一定の取引分野」が重層的に画定される場合

ア 「一定の取引分野」の重層的な画定とは

需要者グループが複数想定され、グループごとに代替可能な選択肢が異なるものになる可能性がある場合は、需要者グループに応じて**「一定の取引分野」を重層的に画定し得る。**

公取委も「一定の取引分野は、取引実態に応じ、ある商品の範囲(又は地理的範囲等)について成立すると同時に、それより広い(又は狭い)商品の範囲(又は地理的範囲)についても成立するというように、重層的に成立することがある」というが(企業結合GL第2の1)、同趣旨である。「重層的に成立することがある」とは、ある範囲において「一定の取引分野」を画定しても、別の範囲での「一定の取引分野」の画定を同時に行うことを否定しないという趣旨である。

企業結合では、想定できる市場について、考え得る競争制限の可能性をもれなく検討する必要があるため、需要者グループが複数想定できる場合には、需要者グループごとに、重層的に「一定の取引分野」の画定を行い、そのいずれをも土俵として企業結合審査を行うことは妥当である。これは、「商品・役務範囲」をどのように画定すべきかという理論問題に深入りすることなく、画定可能な商品・役務範囲の競争制限の可能性をもれなく検討するもので、実務上の便宜を考慮した手法と考えられる。

イ どんな場合に重層的に画定されるか

需要者全体の中で、需要者グループが複数想定できる場合とは、需要者全体の中で**一部の需要者グループについては、代替可能な選択肢の範囲が他の需要者グループと異なる可能性があるような場合である。**

例えば、映画館運営会社が新作映画館の運営を統合しようとする事案で、一定の取引分野の「役務範囲」を画定しようとするとき、日本映画・外国映画を区別なく好んで観る一般的な顧客を需要者にとっては、日本映画も外国映画も代替的な選択肢であるので、役務範囲は、「新作映画全般」となる。しかし、顧客の中には、外国映画しか観ないグループが存在する可能

性があり、この需要者グループにとっては、一定の取引分野の「役務範囲」は、「新作外国映画」となり得る。そこで、両方を重層的に役務範囲として画定するのが妥当な場合もあると考えられる（泉水経済法入門45頁参照）。

5　国境を越えた「一定の取引分野」の画定

⑴　国境を越えて「一定の取引分野」が画定される場合

地理的範囲について、例えば、日本において製品Xを製造販売するメーカーが2社しかなく、日本国内の需要者のほとんどがその2社から購入しているという場合でも、両メーカーが世界中で、同製品を販売し、外国メーカーと熾烈な競争をしている状況があるときに、国境を越えて世界全体を地理的範囲として「一定の取引分野」が画定できないかが問題とされることがある。

⑵　公取委の考え方

このような場合、前記3の考え方によれば、日本の製品メーカーが製品Xを販売している地域について、日本国内を暫定的な地理的範囲とし、仮想的独占者基準によってこれが狭すぎないか検討する。もし、相当の期間、相当な幅にわたって同製品を値上げしたと仮定したとき、日本国内の需要者が購入先を外国メーカーに切り替え、当該製品のメーカーの独占的利益を確保することが困難と考えられる事実関係があれば、暫定的地理的範囲の「日本国内」は、「一定の取引分野」としては狭すぎることになり、国境を越えて地理的範囲を画定することが必要になる。日本の需要者がスイッチングをする可能性があるかどうかで結論が変わるということである。

この点、公取委は「**ある商品について、内外の需要者が内外の供給者を差別することなく取引しているような場合**には、供給者が日本において価格を引き上げようとしても、日本の需要者が、海外の供給者にも当該商品の購入を代替し得るために、日本における価格引上げが妨げられることがあり得るので、このような場合には、国境を越えて地理的範囲が画定されることとなる。」としている（企業結合GL第2の3⑵、菅久ほか280頁［原田郁］）。

留意すべきは、企業結合GLで、国境を越えた地理的範囲が画定されるのは「**内外の需要者**」**が内外の供給者を差別することなく取引しているよ**

うな場合に限られることである。海外の需要者だけが内外の供給者から商品・役務を調達しており、供給者（わが国の当事会社）が国際的競争にさらされていたとしても、国境を越えた市場画定につながるわけではない。あくまで、内外の供給者と差別することなく取引する需要者側は日本国内の需要者であることが求められているのである（論点体系323頁［中山龍太郎、堀美穂子］）。

(3)　国境を越えて「一定の取引分野」を画定した実例

世界市場を画定した実例としては、例えば次のものがある。

①公取委は、ハードディスクドライブ（HDD）の製造販売業者の統合計画事案について、「HDDメーカーは、世界全体において、実質的に同等の価格でHDDを販売しており、内外のHDDの需要者は、内外のHDDメーカーを差別することなく取引を行っている」と認定し、「世界全体」を地理的範囲として画定した（公取委「ハードディスクドライブの製造販売業者の統合」平23年度企業結合公表事例【事例6】）。ここで認定された「内外の主要な供給者が世界全体で実質的に同等の価格で販売している」との事実は、「内外の需要者が内外の供給者を差別することなく取引していること」を推定させる間接事実と位置付けられていると解される。

②公取委は、別の統合計画事案で、(ア)川上市場の商品・役務である「光源」（光を発生させる装置であり、露光装置に不可欠な重要な部品の1つであり、ウェハーに電子回路を転写する際に用いられるもの）の製造販売業者は、世界全体において、実質的に同等の価格で光源を販売しており、内外の需要家である露光装置の製造販売業者は、内外の光源メーカーを差別することなく取り扱っているとして、光源については「世界全体」を地理的範囲として画定し、(イ)川下市場の商品である露光装置（半導体集積回路の土台となるウェハーに電子回路のパターン（回路原版）をレンズにより縮小投影して転写する装置）のメーカーは、世界全体において、実質的に同等の価格で光源を販売しており、内外の需要家である半導体メーカーは、内外の露光装置メーカーを差別することなく取り扱っているので、露光装置についても「世界全体」を地理的範囲として画定した（公取委「エーエスエムエル・ホールディング・エヌ・ビーとサイマー・インクの統合」平24年度企業結合公表事例【事例4】）。

第5節　競争を実質的に制限する「こととなる」の判断

1　競争を実質的に制限する「こととなる」の意義

ここでは、［図表8-1］のフローチャート【3】の検討を行う。

⑴　「こととなる」の意義

「こととなる」とは**蓋然性**を意味する。企業結合審査において、企業結合を禁止するには、当該企業結合が、競争の実質的制限が必然的ではないが容易に現出し得る状況がもたらされるといえれば足りる。

⑵　「競争を実質的に制限することとなる」かどうかの判断基準

「こととなる」かどうかの判断基準について、公取委は、「**企業結合により市場構造が非競争的に変化して、当事会社グループが単独で又は他の会社と協調的行動を取ることによって、ある程度自由に価格、品質、数量、その他各般の条件を左右することができる状態が容易に現出し得るとみられる場合には**、一定の取引分野における競争を実質的に制限することとなり、禁止される」とする（企業結合GL第3の1⑵）。

これは、画定した「一定の取引分野」を前提に、主として、当事会社グループ（市場画定の時に想定した仮想的な独占者ではないことに要注意）が価格を引き上げた場合に利潤を拡大できると考えられるか否かという枠組みで検討することを意味する（実務に効く82頁［石井崇］参照）。

⑶　単独行動による競争制限と協調的行動による競争制限の2つの観点

企業結合において想定される競争制限については、単独行動による競争制限と協調的行動による競争制限の2つの観点を**漏らすことなく**検討する必要がある[15]。

---

15)　企業結合GL第3の1⑵のほか、水平型企業結合について企業結合GL第4の1、垂直型企業結合、混合型企業結合について企業結合GL第5の1、第6の1。

ア　単独行動による競争制限

「単独」行動による競争制限とは、企業結合後に1つの競争単位となる「当事会社グループ」が「単独で」、ある程度自由に商品・役務の価格を引きあげることができるようになることにより、競争制限をもたらすという意味である

イ　協調的行動による競争制限

協調的行動による競争制限とは、企業結合により、競争単位が減少して市場構造が変化し、「当事会社グループ」とその「競争事業者」が互いの行動を予測しやすくなること等により、当事会社グループが価格を引き上げた場合に、競争事業者が価格を引き下げる（または据え置く）という競争的な行動を採らず、追随して価格の引き上げなどを行うようになることにより、競争制限をもたらすという意味である（深町ほか企業結合224頁参照）。

⑷　企業結合の形態の違いに応じた判断

企業結合には、**水平型企業結合、垂直型企業結合、混合型企業結合**という形態の違いがある。この形態によって競争上の問題点が異なり、競争制限の検討の枠組みも異なってくる。セーフハーバー基準の内容も異なってくるので、企業結合の形態ごとの特徴に応じて判断することが必要である（企業結合GL第3の2）。

また、問題の企業結合に、**水平型企業結合と垂直型企業結合の双方の側面がある場合**（例えば、当事会社の一方が川上市場および川下市場のいずれにも商品・役務を提供している垂直統合企業である場合）には、それぞれの側面に応じて、判断要素等の検討を行う（企業結合GL第3の2）。

なお、公取委の実務では、上記3つの形態の違いは絶対的なものとはされていない（特に、垂直型企業結合と混合型企業結合は市場閉鎖について同じ議論をすることも多いようである）。

⑸　審査のための資料等

公取委は、当事会社から提出される報告書やその裏付け資料（その企業結合を当事会社が検討した時の内部資料等を含む）のほか、当事会社や第三者（競争事業者、需要者、流通業者など）からのヒアリング結果、報告依頼に基づく書面調査結果などを審査資料として利用する。第三者へのアンケート

調査を実施することもある。

また、経済学的知見や経済活動上の経験則を活用して、当事会社グループ等から提出させた生産・販売量や利益率等に関するデータを用いて競争上の懸念行動を行うインセンティブの有無等について分析するための経済分析を行うことも多い。

現状、これらは関係者の任意の協力を得ておこなっており、それで足りているが、もし、審査に係る企業結合について排除措置命令を出す必要がある場合などには、法47条の処分を行って資料を収集することができる(その場合には、企業結合課職員を審査官に指定して法47条処分を行わせる)。

2　セーフハーバー基準による審査の終了

公取委は、企業結合ガイドラインにおいて、企業結合が「一定の取引分野における競争を実質的に制限することとなるとは通常考えられない」場合を「**セーフハーバー基準**」として公表している。公取委実務の取扱上、この基準の範囲内で行われる企業結合は、「競争を実質的に制限することとなる」とはしないということである。

公取委の審査においては、「一定の取引分野」が画定されたならば、当該「一定の取引分野」において、問題となる企業結合による市場シェア等の変化（具体的には、**HHI（ハーフィンダール・ハーシュマン指数）やその増分**（⇒第1節3(4)参照）等の変化）が、「セーフハーバー基準」に該当するかどうかを検討し、該当しない案件については**詳細審査**に移行し詳細な市場分析が行われる。「セーフハーバー基準」に該当する案件は、問題なしとして審査を終了させる。([図表8-1］のフローチャート【3－1】【3－2】参照)。

3　「競争を実質的に制限することとなるか」の審査（水平型企業結合の場合）

(1)　水平型企業結合の意義

水平型企業結合とは、同一の一定の取引分野において競争関係にある会社間の企業結合をいう。市場における競争単位の数が必ず減少することになるため、一般に、競争に与える影響が企業結合の中で最も直接的であると考えられている。そのため、企業結合によって一定の取引分野の競争が実質的に制限される蓋然性はないかについて、検討・判断を行い審査する。

⑵　水平型企業結合のセーフハーバー基準

詳細審査を行う前に、次のセーフハーバー基準に該当するかどうかが審査される。

> ①　企業結合後の HHI が 1500 以下の場合
> または
> ②　企業結合後の HHI が 1500 超 2500 以下、かつ、HHI の増分が 250 以下の場合
> または
> ③　企業結合後の HHI が 2500 超、かつ HHI の増分が 150 以下の場合
>
> ＊いずれも当事会社グループについて検討する。

セーフハーバー①に該当するのは、例えば、合併後も、市場シェアが 10% の会社が 10 社存在しているような群雄割拠の市場構造になっており、相互の牽制力が十分に働いていると考えられる場合である。

セーフハーバー③に該当するのは、例えば、A 社（市場シェア 75%）のほかは零細会社がたくさん存在するという市場において、A 社が市場シェア 1% の B 社を吸収合併するような場合である。この場合、HHI は 2500 を超すが、HHI の増分は 150 であるので③に該当する。このような企業結合は、合併前の市場構造にほとんど影響を与えるものではないからである。

また、実務上は、**セーフハーバー基準非該当であっても、「企業結合後の HHI が 2,500 以下であり、かつ、企業結合後の当事会社グループの市場シェアが 35%以下の場合**には、競争を実質的に制限することとなるおそれは小さいと通常考えられる。」とされている（企業結合 GL 第４の１⑶）ことが重要である。

⑶　単独行動による競争の実質的制限

ア　考え方

これは、企業結合により当事会社同士の牽制関係が解消され、１つの競争単位となった当事会社グループが、価格の引き上げ等による利潤の拡大を図ろうとして、「競争が実質的に制限されることとなる」場合であり、これを妨げる**牽制力**または**競争圧力**（⇒第１章第５節６）が市場に十分に残っ

ているか否かによって「競争が実質的に制限されることとなる」かどうかが判断される（この点は、不当な取引制限や私的独占において「競争が実質的に制限された」かどうかを判断する市場分析の考え方と同じである）。

牽制力・競争圧力としては、①**競争事業者による牽制力**と②**輸入・参入・隣接市場・需要者からの競争圧力**などが想定できる。

イ　単独行動による競争の実質的制限の判断要素

判断要素の主なものは次のとおりであり、これらは公取委によって総合的に勘案される。詳細は、企業結合GLで具体的に説明されている（企業結合GL第4の2）。

(ア)　当事会社グループおよび競争事業者の地位等並びに市場における競争の状況

a　市場シェアおよびその順位

企業結合後の当事会社グループの市場シェアが大きい場合、企業結合による市場シェアの増分が大きい場合には、それだけ当該企業結合の競争に及ぼす影響が大きく、同様に、企業結合後の当事会社グループの市場シェアの順位が高い場合、企業結合により順位が大きく上昇する場合には、それだけ当該企業結合の競争に及ぼす影響が大きいとされており、審査において、最も重視される判断要素の1つである（企業結合GL第4の2(1)ア）[16]。

一般に、合併等の後の当事会社の市場シェア合計が50%を超えれば競争上の弊害が生じる懸念が大きくなるとも考えられるが、それが50%を下回っていても問題になる場合があり、逆に、50%超でも問題にならない場合もあり、総合的に判断されるため、50%を超えるか否かが何らかの判断基準になっているわけではない。

b　当事会社間の従来の競争の状況等

例えば、「当事会社間で競争が活発に行われてきており、一方の市場シェアの拡大が他方の市場シェアの減少につながっていたような場合」は、企業結合後、「一方当事会社の売上げの減少を他方当事会社の売上げの増加で償うことができ、当事会社グループ全体としては売上げを大きく減少させることなく、商品の価格を引き上げることができると考えられる」として、競争に及ぼす影響が大きいとされる（企業結合GL第4の2(1)イ）。

16)　それゆえHHIやその増分という指標が重視される。

また、当事会社グループ内部にも価格戦略が競争的な会社が存在していることがあり、そのような場合には牽制力となり得る（これを**当事会社による牽制力**という）。当事会社グループに属する会社の中に競争的に振る舞う会社があり、企業結合後も引き続きそのように振る舞うと考えられる事情があれば、牽制力として考慮される（例えば、公取委「新日本製鐵株式会社と住友金属工業株式会社の合併」平成23年度企業結合事例集【事例2】で、トピー工業は当事会社グループに属するが一定程度の競争関係を維持していたとされた例がある）。

c　競争事業者の市場シェアとの格差

企業結合後の当事者グループの市場シェアと競争者の市場シェアの格差が大きい場合は、それが小さい場合に比べ、競争者の牽制力は弱くなる（企業結合GL第４の２(1)エ）。

d　競争事業者の供給余力および差別化の程度

競争事業者の供給余力は競争事業者が牽制力となるかどうかを判断する上で重要である。競争事業者に供給余力[17]がない場合には牽制力が働かないとみられることがある。

e　市場の特性

デジタル・サービスの分野では、公取委は**直接・間接のネットワーク効果**（⇒第１章第５節５）や規模の経済性等が作用する市場かどうかといった**「市場の特性」**をも判断要素として、企業結合が競争に及ぼす影響について判断することがある（企業結合GL第４の２(1)キ）。

(イ)　輸入

輸入等の競争圧力とは、価格が上昇した場合に、需要者がどの程度輸入品に切り替えるかということである。輸入圧力が十分働いていれば、当該企業結合が一定の取引分野における競争を制限することになるおそれは小さいものになる。輸出障壁として、制度上の障壁、輸入に係る輸送費用の程度や流通上の問題、輸入品の代替性の程度、海外の供給可能性の程度が影響する（企業結合GL第４の２(2)）。

(ウ)　参入

新規参入圧力が十分働いていれば、当事グループがある程度自由に価格

17）　供給者の製造設備の稼働率などが検討される。

等を左右することを妨げる要因となるとされる。参入障壁として、制度上の参入障壁の程度、実態上の参入障壁の程度などが影響する（企業結合 GL 第4の2(3)）。

(エ) 隣接市場

隣接市場からの競争圧力とは、当事会社グループが値上げした場合に、需要者が、購入先を地理的に隣接する市場や、当該商品・役務と類似の効用を有する商品・役務（代替品）に切り替える程度をいう。これが認められる場合、隣接隣接市場における競争の状況も考慮の対象とするとされる（企業結合 GL 第4の2(4)）。

(オ) 需要者

需要者からの競争圧力とは、例えば、需要者が大口購入者などで、安易に値上げした場合には、購入先を他に替える可能性が強いときなどに、需要者が、対抗的な交渉力を有している場合には、当事会社グループがある程度自由に価格等を左右することへの牽制力となることをいう。

例えば、デジタル・サービス分野において、ネットワーク効果の存在やスイッチングコスト等のために需要者が当事会社グループから他の供給者へ供給先の切替えを行うに当たっての障壁が高い場合など、需要者にとって当事会社グループから他の供給者への供給先の切替えを行うことが容易ではない場合には、需要者からの競争圧力が働きにくいと考えられる（企業結合 GL 第4の2(5)②）。

(カ) 総合的な事業能力

企業結合後に、当事会社グループの総合的な事業能力が壮大し、会社の競争力が著しく高まるときは、その点も加味して判断する（企業結合 GL 第4の2(6)）。

(キ) 効率性

企業結合後に、当事会社グループの効率性が向上し、当事会社グループが競争的な行動をとることが見込まれる場合は、その点も加味して判断する（企業結合 GL 第4の2(7)）。

(ク) 当事会社グループの経営状況

当事会社グループの一部の会社や企業結合の対象となった事業部門が業績不振に陥っていれば、そのことも考慮される。また、当事会社の一方が破綻しており、当該破綻会社を企業結合によって救済できる事業者として、その会社による企業結合よりも競争に与える影響が小さいものの存在が認めがたいときは、当該企業結合は、通常、独禁法上問題がないと判断される（企業結合 GL 第４の２⑻）。

㈸　一定の取引分野の規模が小さすぎる場合

複数の事業者が事業活動を行うと、効率的な事業者であっても採算が取れないほど一定の取引分野の規模が十分に大きくなく、企業結合がなくても複数の事業者による競争を維持することが困難な場合には、当該複数の事業者が企業結合によって１社となったとしても、当該企業結合により一定の取引分野における競争を実質的に制限することとはならないと通常考えられる（企業結合 GL 第４の２⑼）。

実例として、ある銀行統合事案の審査では、当事会社（2 行）以外の競争事業者がいない離島地域につき、市場規模が極めて小さく、複数の事業者による競争を維持することが困難であるとされ、同離島地域では、統合により競争を実質的に制限することにはならないとされた（公取委「ふくおかフィナンシャルグループによる株式会社十八銀行の株式取得事案」平 30 年度企業結合事例【事例 10】）。

⑷　協調的行動による競争の実質的制限

ア　協調的行動による競争の実質的制限が生じる場合

企業結合により、競争単位が減少して市場構造が変化し、**当事会社グループとその競争事業者が互いの行動を予測しやすくなること**等により、当事会社グループが価格を引き上げた場合に、競争事業者が、競争的行動をとらず、追随して価格の引き上げなどを行うようになることを協調的行動という（深町ほか企業結合 224 頁参照⇒1⑶イ）。

当事会社グループとその競争事業者が協調的行動をとることにより、商品・役務の価格等をある程度自由に左右することができる状況が容易に現出し得るとみられる場合を**協調的行動による競争の実質的制限が生じる場合**という（企業結合 GL 第４の１⑵参照）。

例えば、同じ商品を製造販売するＡ社、Ｂ社、Ｃ社が活発に競争している市場では、Ａ社が値上げすれば、Ｂ社、Ｃ社が値段を維持するか値下げすることによってＡ社の客を奪う行動に出るので、Ａ社も元の価格に戻すか、Ｂ社、Ｃ社より安い価格をつけて客を取り返そうとすることになる。

しかし、企業結合の結果、同市場で、お互いの行動が高い価格で予測できるようになる状況が生まれれば、A社が値上げしたとき、B社やC社は、A社に追随して値上げすることが自分の利益になる（B社が、A社の値上げに逆らって値下げしたならば、すぐにA社や他の事業者に知られて、A社らが対抗値下げして客を奪うなどの報復に出ることが予想され、A社に追随して値上げすることが利益になる）ので、B社は追随して値上げし、C社も同様の判断をして追随して値上げするようになるような場合が、その典型である。

イ　協調的行動による競争の実質的制限が生じるかどうかの判断要素

企業結合によって、当事会社グループと競争事業者の間に協調的行動を容易にする条件が揃い、または協調的行動を容易にする条件が揃ったときであっても、当事会社グループによる価格引き上げを妨げる**牽制力・競争圧力が市場に残るか否かによって判断される**。具体的には、次のような判断要素を総合的に勘案して判断すべきと考えられている（企業結合GL第4の3）。

㈠　当事会社グループおよび競争事業者の地位等並びに市場における競争の状況等

a　競争事業者の数等

例えば、競争事業者の数として、一定の取引分野における競争者の数が少ない場合または少数の有力な事業者に市場シェアが集中している場合には、競争事業者の行動を高い確度で予測しやすい（企業結合GL第4の3⑴ア）。

b　当事会社間の従来の競争の状況等

例えば、互いに市場シェアを奪い合う関係にあったり、一方が価格引き下げに積極的であった場合など、当事会社間で競争が活発に行われてきたことなどが、市場の価格引き下げ等につながってきたと認められるとき、企業結合によって同状況が期待できなくなる場合には、当該企業結合が競争に及ぼす影響は大きい（企業結合GL第4の3⑴イ）。

これまで競争的だった会社が統合されることにより、協調的行動をとる誘因を生じさせるおそれがあると判断されることがある。例えば、同業者がA1～A5社まで5社あり、うちA1社が、他社に比べて非常に競争的な経営方針を取っていたときに、このA1社がA2社に吸収合併され、A2社と同様に協調的な経営戦略になった場合、合併後は、4社体制ではあるが、協調的行動が現出しやすくなり、牽制力が弱くなると考えられる（そのような判断が示された事例として、公取委「新日本製鐵株式会社と住友金属工業株式会社の合併」平23年度企業結合事例【事例2】がある）。

しかし、これまでの活発な競争が企業結合後も維持されると認められる場合は、協調的行動をとるインセンティブを生じさせるおそれは認められないとされる（そのような判断が、前記の新日本製鐵と住友金属工業の合併事案でも示された）。

c　自社の供給余力

これが大きくない場合は、競争者と協調的な行動がとられやすい（企業結合GL第4の3(1)ウ）。

(イ)　取引の実態等

具体的には①取引条件等、②需要動向、技術革新の動向等、③過去の競争の状況である。例えば、取引条件等に関し、公取委は「事業者団体が構成事業者の販売価格や数量に関する情報を収集・提供している場合など、価格、数量など競争者の取引条件に関する情報が容易に入手することができるときには、競争者の行動を高い確度で予測しやすく、また、競争者が協調的行動をとっているか否か把握することも容易であると考えられる」とする（企業結合GL第4の3(2)ア）。

(ウ)　輸入、参入および隣接市場からの競争圧力等

輸入、参入については、基本的には、単独行動による競争の実質的制限の有無を検討する場合（⇒(3)イ(イ)・(ウ)）と同様の観点から評価される。隣接市場からの競争圧力が働く場合、協調的行動による価格上昇が生じれば、隣接市所の類似品に需要が流れることとなるため、協調的行動が採られることを妨げる要因になり得る。

(エ)　効率性および当事会社グループの経営状況

効率性および当事者グループの経営状況は、単独行動による競争の実質的制限の有無を検討する場合（⇒(3)イ(キ)・(ク)）に準じて判断される。

Column 8-2　共同出資会社について

(1)　共同出資会社とは

共同出資会社とは、2以上の会社が、共通の利益のために必要な事業を遂行させ

ることを目的として、契約等により共同で設立し、または取得した会社のことをいう。

例えば、出資会社A社と同B社が、共同して会社C社を新設してC社の株式を50%ずつ取得する場合には、「株式取得」という企業再編行為が、企業結合審査の対象となり得る。

これに対し、複数企業間の業務提携として、企業再編行為を伴わないで共同事業が行われることもある。その場合には、非ハードコアカルテル（不当な取引制限）として問題にならないかが検討され得る[18]（⇒第2章第8節参照）。

以下、株式取得事例について説明する。

⑵　共同出資会社における結合関係

共同出資会社における結合関係は、株式取得という企業再編行為に着目して検討される。株式取得事例では、出資会社A社と同B社が、それぞれ50%ずつC社の株式を取得しているので、これによって、A社もB社も、C社との間に「結合関係」が生じ得る。

これと別に、**共同出資会社特有の結合関係**として、直接の株式取得関係がないA社とB社の間で、共同出資会社C社を通じて、間接的に結合関係を形成・維持・強化し得ることである。共同出資会社に関する事業活動における競争への影響を検討するに当たっては、A社とB社の間に結合関係が生じ得ることを念頭におく必要がある。

⑶　共同出資会社に関する事業活動において「競争が実質的に制限されることとなる」場合

ア　単独行動による競争の実質的制限

（想定事例1）

上記株式取得事例において、下図のとおり、商品甲の製造販売を行っていたA

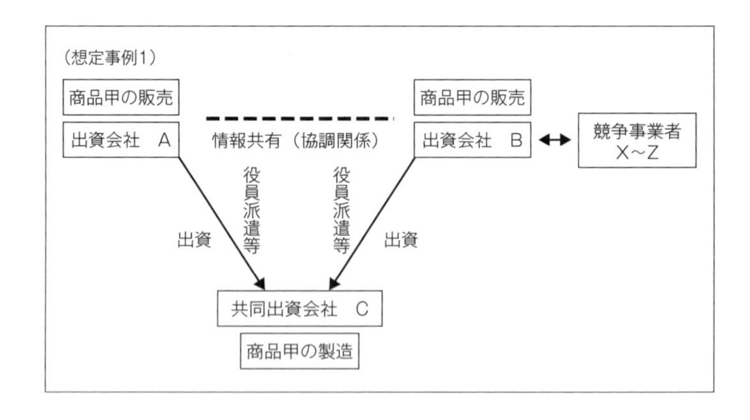

18）業務提携計画について公取委の相談窓口になるのは取引部相談指導室である。

社とB社が、それぞれ商品甲の製造部門のみを切り離し共同出資会社C社で行うこととし、商品甲の販売は、引き続き、A社とB社がそれぞれ独立して行うことにした場合を考える。その場合、A社とB社が、C社の運営（役員・従業員の派遣等）を通じて、商品甲の販売事業に関して、互いのコスト構造、販売数量、戦略等の情報を共有するなどして、事業活動が一体化するような場合には、商品甲の販売事業について、A社とB社の強い結合関係が生じ得る。商品甲の販売事業について競争が実質的に制限されることとなるか検討するに当たっては、商品甲の販売事業分野において、結合関係が生じたA社とB社の市場シェアを合算して、商品甲の販売分野の市場構造の変化が「競争が実質的に制限されることとなる」といえるかどうかを検討しなければならない（深町ほか企業結合44頁）。

（想定事例2）

これに対し、商品甲の製造・販売を行っていたA社とB社が、それぞれ商品甲の製造および販売事業を分離してC社に移して行うことにした場合を考える。この場合には、A社、B社とも商品甲の製造にも販売にも関連しなくなるので、当該共同出資会社設立によって、商品甲の製造・販売事業分野における競争が実質的に制限されることとなるかどうかを検討する場合には、通常の企業結合審査と同様に、共同出資会社の出現による市場構造の変化等を検討することになり、共同出資会社C社の市場シェアを検討すればよい。

イ　協調的行動による競争の実質的制限

（想定事例1）

前記の図のように商品甲の販売はA社とB社がそれぞれ独立して行うことにした場合でも、製造が共通化するので、A社とB社の商品甲のコスト構造が共通化する。もし、従来、商品甲を製造販売するA社、B社、X～Z社の間で、協調的行動が阻害されていた理由が、B社のコスト構造だけが他と異なるためであったとした場合には、共同出資会社の設立によって、B社のコスト構造が他とそろうことになり、A社とB社のみならず、競争事業者X～Z社の間で、協調的行動がとられやすくなる。審査においては、この点が検討されることになる。（企業結合GL第4の3(1)ウ参照）。

（想定事例2）

A社とB社がそれぞれ行っていた商品甲の製造および販売事業を共同出資会社C社で行うことにした場合、協調的行動により競争が実質的に制限されることとなるかについては、共同出資会社C社と競争事業者X～Z社の間で、協調的行動をとることになるのかどうかを検討することになる。

4 「競争を実質的に制限することとなるか」の審査（垂直型企業結合の場合）

(1) 垂直型企業結合の意義

垂直型企業結合とは、例えば、部品メーカーとそれを組み込んだ完成品メーカーの合併、商品メーカーとその商品の販売業者との間の合併など取引段階を異にする（川上市場と川下市場にまたがる）会社間の企業結合をいう。

当事会社だけをみると垂直型企業結合にならなくとも、当事会社グループまで広げてみた場合には、例えば、当事会社は同種製品のメーカー同士だったとしても、どちらかの親会社がその原料メーカーだったり、どちらかの子会社が製品の卸業者だったりしたら、垂直型企業結合としての競争制限についても検討する必要がある。

垂直型企業結合は、一定の取引分野における競争単位を減少させないので、競争に与える影響は大きくなく、通常、一定の取引分野における競争を実質的に制限することとなるとは考えられない（企業結合 GL 第5の1(1)）。

(2) 垂直型企業結合のセーフハーバー基準

垂直型企業結合の企業結合審査でも、**詳細審査を行う前に、次のセーフハーバー基準に該当するかどうかが判断される**（企業結合 GL 第5の1(2)）。

〔垂直型企業結合のセーフハーバー基準〕

① 当事会社が関係するすべての一定の取引分野において、企業結合の当事会社グループの市場シェアが10%以下である場合

または

② 当事会社が関係するすべての一定の取引分野において、企業結合後のHHIが2,500以下の場合であって、企業結合後の当事会社グループの市場シェアが25%以下の場合

（企業結合 GL 第5の1(2)）

なお、水平型企業結合の場合と同様、**セーフハーバー基準非該当であっても、「企業結合後の HHI が 2,500 以下であり、かつ、企業結合後の当事会社グループの市場シェアが 35%以下の場合には、競争を実質的に制限す**

ることとなるおそれは小さいと通常考えられる。」とされており（企業結合GL 第5の1(3)）、実務上重要である。

(3)　単独行動による競争の実質的制限

ア　市場の閉鎖性・排他性が生じる場合

前記のとおり、**垂直型企業結合**は、通常、一定の取引分野における競争を実質的に制限することとなるとは考えられない。しかし、企業結合によって統合された会社が当事会社グループ間でのみ取引を行い、事実上、他の事業者に対して取引拒絶や差別的取扱い（本項では「**取引拒絶等**」という）を行うインセンティブ[19]が生じ、他の事業者の取引の機会が奪われることによって**市場の閉鎖性・排他性**の問題が生じ得る。また、企業結合によって、当事会社の一方を通じて、他方の当事会社の競争事業者の秘密情報を入手できるようになることによっても**市場の閉鎖性・排他性**の問題が生じ得る。この結果、当事会社グループが、当該商品・役務の価格等をある程度自由に左右することができる状態が容易に現出し得るような場合には、当該企業結合は、一定の取引分野における競争を実質的に制限することとなる（企業結合 GL 第5の2(1)）。

イ　投入物閉鎖と顧客閉鎖

閉鎖性・排他性を起こす能力の有無 閉鎖性・排他性を起こすインセンティブの有無	2つの観点から検討

垂直型企業結合において想定できる取引拒絶等としては、川上市場の統合会社が川下市場の当事会社グループの競争事業者に部品・原料の供給拒絶・差別的取扱いをする場合（**投入物閉鎖**）と、川下市場の統合会社が川上市場の当事会社グループの競争事業者からの部品・原料の購入拒絶・差別的取扱いをする場合（**顧客閉鎖**）があり、これらによって、競争が実質的に制限されることとなる」かが検討される。［図表 8-3］参照。

いずれも、当事会社が、それらの行為によって市場の**閉鎖性・排他性を起こす能力**の有無、当事会社グループとして当該行為をすることによるデ

---

19)　当事会社グループ内で、平たくいえば「**えこひいき**」をし合うインセンティブが生じる得るということである。

［図表8-3］　垂直型企業結合の競争に与える影響

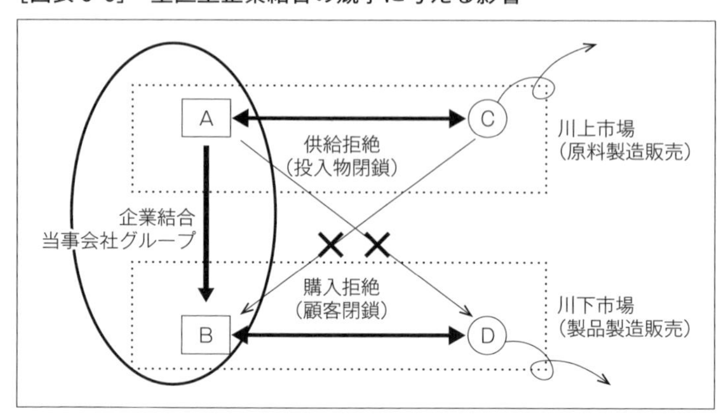

メリット（利益の減少など）と比べメリット（新たな利益の獲得など）が大きいことなど、**閉鎖性・排他性を起こすインセンティブ**の有無という2つの観点から、検討が行われる（菅久ほか310頁［原田郁］参照）。

(ア)　投入物閉鎖

これは、企業結合によって供給拒絶等が起こり川下市場の閉鎖性・排他性が生じることである（企業結合GL第5の2(1)(ア)）。

① その典型的シナリオは、［図表8-3］のとおり、原料製造販売市場（川上市場）のA社と製品製造販売市場（川下市場）のB社が企業結合の後、当事会社グループ内でのみ取引を行うことになり、川下市場の競争事業者D社らに対して原料の供給拒絶をしたため、D社らの競争力が減退し、これら競争事業者が川下市場から退出し、またはこれら競争事業者からの牽制力が弱くなり、あるいは、川下市場の潜在的競争事業者にとって新規参入する意欲が低下し、川下市場の閉鎖性・排他性が生じ、その結果、当事会社グループが川下市場における商品・役務の価格等をある程度自由に左右することのできる状態が容易に現出し得るようになるというものである。

② 投入物閉鎖の能力については川上市場においてA社が大きなシェアを持つ場合、A社と競争事業者C社のシェアの格差が大きい場合、競争事業者C社が十分な供給余力を有していない場合などには、A社が投入物閉鎖を行えば、川下市場の閉鎖性・排他性の問題が生じる蓋

然性が大きくなる。投入物閉鎖を行うインセンティブについて、例えば、A社の利益率が低く、B社の利益率や市場シェアが高い場合などは、投入物閉鎖によって川上市場でA社が失う利益は小さいのに、川下市場で新たに得られる利益が大きく、当事会社グループとしての利益が増加する可能性が高くなり、投入物閉鎖のインセンティブが肯定される（企業結合GL第5の2(1)(イ))。

データが市場において取引され得るような場合に、競争上重要なデータを有する川上市場の一方の当事会社と当該データを活用してサービス等を提供する他方の当事会社が垂直型企業結合を行うことにより、当該重要なデータについて川下市場の競争事業者に対して供給拒否等が行われ、川下市場の閉鎖性・排他性が生じる場合があり得る（企業結合GL第5の2(1)ア)。

(イ)　顧客閉鎖

これは、企業結合によって購入拒絶等が起こり川上市場で閉鎖性・排他性が生まれることである（企業結合GL第5の2(2))。

①　その典型的シナリオは、[図表8-3] のとおり、川上市場のA社と川下市場のB社が企業結合の後、当事会社グループ内でのみ取引を行うことになり、川上市場の競争事業者C社からの原料の購入拒絶をすることにより、川上市場においてC社らの競争力が減退し、これら競争事業者が川上市場から退出し、またはこれらの競争事業者からの牽制力が弱くなり、あるいは川上市場の潜在的競争事業者にとって新規参入する意欲が低下し、川上市場の閉鎖性・排他性が生じ、その結果、当事会社グループが川上市場における商品・役務の価格等をある程度自由に左右することのできる状態が容易に現出し得るようになるというものである。

②　顧客閉鎖の能力については、川下市場においてB社が大きなシェアを持つ場合、B社と競争事業者D社のシェアの格差が大きい場合などには、川上市場の閉鎖性・排他性の問題が生じる蓋然性が大きくなる。顧客閉鎖のインセンティブについては、例えば、B社が川上市場の競争事業者C社からの購入分をA社に振り替えることにより、A社の稼働率が改善するなど、当事会社グループとしての利益が増加する可能性が高くなる場合には、B社が顧客閉鎖を行うインセンティブを有

する（企業結合GL第5の2(2)）。

ウ　秘密情報の入手

［図表8-3］において、川上市場のA社と川下市場のB社が垂直型企業結合した後においても、A社が、B社の川下市場での競争事業者であるD社と取引を行っている場合で、B社が、A社を通じて、D社についての、商品・役務の仕様や開発に関する情報、顧客に関する情報、原材料の調達価格・数量・組成等の情報といった競争上の重要な秘密情報を入手し、この情報を自己に有利に用いることにより、D社が不利な立場に置かれ、これら競争事業者が川下市場から退出し、またはこれらの競争事業者からの牽制力が弱くなるような場合には、川下市場の閉鎖性・排他性の問題が生じる場合がある。

同様に、A社とB社が垂直型企業結合をした後も、B社が、A社の川上市場における競争事業者であるC社と取引を行っている場合、A社が、B社を通じて、C社の競争上の重要な秘密情報を入手し、この情報を自己に有利に用いることにより、C社が不利な立場に置かれ、これら競争事業者が川上市場から退出し、またはこれらの競争者からの牽制力が弱くなるような場合には、川上市場の閉鎖性・排他性の問題が生じる場合がある（企業結合GL第5の2(1)イ・(2)イ）。

(4)　協調的行動が問題になる場合

垂直型企業結合後、当事会社グループが競争事業者の秘密情報を入手することなどによって当事会社グループと競争事業者の間で協調的行動をとりやすくなる場合がある。

［図表8-4］　垂直型企業結合で協調的行動が問題になる事例

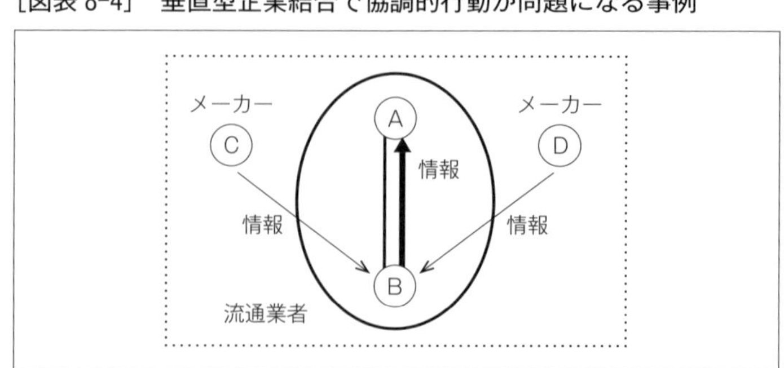

例えば、［図表8-4］のように、メーカーＡ社と流通業者Ｂ社との間に垂直的結合関係ができ、それによって、Ａ社が、Ｂ社を通じて、Ｂ社と取引のあるＡ社の競争事業者Ｃ社やＤ社の価格等の競争上の重要な秘密情報を入手できるようになる場合である。この結果、当事会社グループと競争事業者間で協調的に行動することが高い確度で予測できるようになり、協調的な行動をとりやすくなり、競争を実質的に制限することとなる場合がある（企業結合GL第５の３⑴）。

５　「競争を実質的に制限することとなる」かの審査（混合型企業結合の場合）

⑴　意義

混合型企業結合とは、多角経営を志向して行われる異業種に属する会社間の合併（例えば、たばこ会社が清涼飲料水企業を買収する場合）（**「商品拡大型」**の場合）や一定の取引分野の地理的範囲を異にする会社間の株式保有の場合（**「地域拡大型」**の場合）など、水平型企業結合・垂直型企業結合のいずれにも該当しない企業結合のことをいう（菅久ほか285頁［原田郁］参照）。

⑵　混合型企業結合のセーフハーバー基準

混合型企業結合の企業結合審査でも、詳細審査を行う前に、垂直型企業結合の場合と同様次のセーフハーバ基準に該当するか否かが判断される（企業結合GL第６の１⑵、第５の１⑵）。

〔混合型企業結合のセーフハーバー基準〕

①　当事会社が関係するすべての一定の取引分野において、企業結合後の当事会社グループの市場シェアが10％以下である場合

または

②　当事会社が関係するすべての一定の取引分野において、企業結合後のHHIが2,500以下の場合であって、企業結合後の当事会社グループの市場シェアが25％以下の場合

（企業結合GL第６の１⑵）

なお、水平型企業結合の場合と同様、**「セーフハーバー基準非該当であっても、企業結合後のHHIが2,500以下であり、かつ、企業結合後の当事会**

社グループの市場シェアが35%以下の場合には、競争を実質的に制限することとなるおそれは小さいと通常考えられる。」とされており（企業結合GL第6の1(2)）、実務上重要である。

(3) 単独行動による競争の実質的制限

混合型企業結合は、一定の取引分野における競争単位を減少させないので、競争に与える影響は大きくなく、通常、一定の取引分野における競争を実質的に制限することとなるとは考えられない（企業結合GL第6の1(1)）。しかし、**需要者が同一である別の商品（商品甲と商品乙）**について、企業結合の一方の当事会社A社が商品甲を、他方の当事会社B社が商品乙を市場に供給しており、企業結合後、当事会社グループが、商品甲と商品乙を、技術的に組み合わせるなどして市場に供給する場合などには、競争上、問題が生じ得る。その場合は、アの排他性・閉鎖性の問題の程度と、イの有力な潜在的競争者との企業結合の問題を検討し、競争圧力等も考慮して判断する（企業結合GL第6の2）。

ア　排他性・閉鎖性の問題

(ア)　組み合わせ供給

当事会社（A社およびB社）が、混合型企業結合の後、例えば、A社の商品甲とB社の商品乙を技術的に組み合わせA社の商品甲が100%の性能を発揮するためにはB社の商品乙にのみ接続しなければならないようにすることや、A社の商品とB社の商品乙のセット購入価格を、それぞれ単品で購入する場合の合計価格より安いものにすることがある（これを**組み合わせ供給**という。定義について、企業結合GL第6の2（注15）参照）。

このように**商品甲と商品乙の需要者が同一である場合**に、企業結合後、当事会社によって、組み合わせ供給が行われた場合に、商品甲、商品乙それぞれの商品市場において当事会社の競争事業者が、競争力を削がれ市場から排除される可能性や新規参入が困難になる可能性があり（市場の閉鎖性・排他性）、当事会社グループが商品甲や商品乙の価格等をある程度自由に左右することができる状態が容易に現出し得るような場合には、当該企業結合は、一定の取引分野における競争を実質的に制限することとなる（深町ほか企業結合302頁参照、深町正徳「平成29年度における企業結合関係届出の状況及び主要な企業結合事例」公正取引814号（2018）6頁参照）。

これについても、市場の閉鎖性・排他性の問題を起こし得る、当事会社の能力とインセンティブの有無を検討する[20]。

実例として、富士フイルム株式会社（A）による日立製作所株式会社（B）の画像診断事業・ヘルスケア IT 事業の統合事案がある。ここで問題となった超音波内視鏡（製品甲）と据置型超音波観測装置（製品乙）は、共通の需要者である医療機関に供給されており、本件統合前において、わが国では、製品甲は A 社だけが製造販売し、製品乙は B 社グループのみが製造販売していたため、医療機関は、製品 X と製品 Y を別々に購入し、組み合わせて使用していた。

統合後の A 社グループ（当事会社グループ）が、本件統合後、統合前の B 社グループが製造販売し統合後の A 社グループが製造販売することとなる製品乙と接続性のある製品甲の製造販売を開始しようとしていることにつき、公取委は、統合後の A 社グループが、製品乙と C 社が製造販売する製品甲との接続性の程度を、A 社グループの製造販売する製品甲との接続性の程度よりも低下させるなどし、C 社を競争上不利な立場に置き、超音波内視鏡市場における市場の閉鎖性・排他性の問題が生じる可能性があるとして検討を行い、A 社グループに、市場閉鎖を行う能力も、そのインセンティブもあるとし、超音波内視鏡市場における市場の閉鎖性・排他性の問題が生じる蓋然性が認められるとした[21]。

(イ)　秘密情報の入手

混合型企業結合が行われると、企業結合前には入手できなかった競争事業者の秘密情報を当事会社が入手できるようになり、これを当事会社の有利に用いることにより、当事会社競争事業者の競争力が減退するなどし、市場の閉鎖性、排他性の問題が生じ得る（企業結合 GL 第６の２(1)イ、前掲深町・６頁参照）。

例えば、商品甲と商品乙が通信機器関連製品であって、技術的要因によ

---

20)　その場合、能力の有無が決定的な要因になる。論点体系 352 頁［服部薫］参照。

21)　公取委「富士フイルム株式会社による株式会社日立製作所の画像診断事業及びヘルスケア IT 事業の統合」（令２年度企業結合事例【事例 4】）。ただし、当事会社から、製品 Y と A 社の製品 X との接続性を確保するとともに、不当に差別的に扱わないなどの問題解消措置の申出がなされ、公取委は、この措置がなされることを前提に、本統合が一定の取引分野における競争を実質的に制限することとはならないと判断した。

る相互接続性を確保するために、商品甲の供給者（当事会社A社のほかX社などが存在）と商品乙の供給者（当事会社B社などが存在）が競争上の重要な秘密情報を交換する必要があり、商品甲の供給者社X社と、商品乙の供給者B社も秘密情報の交換をしているという状況において、A社とB社が混合型企業結合をした後、A社が、B社を通じて、A社の競争事業者X社（B社と秘密情報を交換している者）の競争上の重要な秘密情報を入手し、当該情報を自己に有利に用いることにより、競争事業者X社の競争力が減退し、これら競争者からの牽制力が弱くなるような場合には、商品甲の市場において市場の閉鎖性・排他性の問題が生じる場合がある（企業結合GL第6の2(1)イ、菅久ほか313頁［原田郁］参照）。

イ　潜在的競争者との企業結合

例えば、ある市場において既に事業を行う他方当事会社A社が、その事業を行っていないが、データ等の重要な投入財を有し、当該市場に参入した場合に有力が競争者となることが見込まれる一方当事会社B社と混合型企業結合を行うことによって、B社の新規参入の可能性を消滅させる場合は、そうでない場合に比べて競争に与える影響が大きい（企業結合GL第6の2(2)）。

第６節　問題解消措置

これは、［図表8-1］のフローチャート【４】の検討事項である。

１　意義

企業結合について、競争法上の問題があり、そのまま実行されたならば、一定の取引分野における競争を実質的に制限することとなる場合であっても、当事会社が一定の適切な措置（**問題解消措置**）を講じることにより、その競争上の問題を解消することができる場合には、公取委は、その問題解消措置が行われることを前提に、当該企業結合の実行を認める（排除措置命令をしない）。

問題解消措置は、企業結合によって失われる競争を回復することができるものであることが求められる。

２　構造的措置と行動的措置

問題解消措置としては構造的措置と行動的措置がある。

(1)　構造的措置

構造的措置としては、第三者への**事業譲渡**、結合関係の解消、第三者との業務提携の解消などの措置がある。例えば、ヤマダ電機とベスト電気の統合事案（平24年度企業結合公表事例【事例9】）では、全国の競合地域のうちヤマダとベストの店舗しかない８カ所について、第三者に店舗を売却する措置を講じた。ふくおかフィナンシャルグループによる十八銀行の統合案件（平30年度企業結合公表事例【事例10】）では、当事会社グループは、貸出先の承諾を得て、貸出債権を他の金融機関に譲渡するの措置を講じた。

構造的措置は、牽制力を強化するものであるとともに、不可逆的措置であるため、公取委による事後的監視が不要であり、問題解消措置の原則とされる。

(2)　行動的措置

行動的措置としては、当事会社の問題となる商品をコストベース[22)]で第三者に提供することを契約で自ら義務付ける措置などがある。例えば、エーエスエムエル・ホールディング・エヌ・ビーとサイマー・インクの企業結合事案（平24年度企業結合事例【事例4】）で、統合会社が、光源を公正・合理的・無差別的な条件の下で供給することにした措置や、統合会社が、客観的・公平な基準に基づいて、部品の購入先を決定することにした措置がある。

行動的措置は、その行動が行われなくなるおそれがあるため、一定期間履行状況を事後的に監視する必要があり、実効的な監視が可能か等について検討される。

垂直型企業結合・混合型企業結合で、供給拒否・購入拒否、組み合わせ供給、秘密情報の共有といった当事会社の行為が問題とされる案件について、行動的措置が適切な問題解消措置とされることもある（菅久ほか317頁［原田郁］）。また、水平型企業結合であっても、問題となる商品に係る製造設備が他の商品とも共通である場合には、事業譲渡などの構造的措置では、問題のない商品に係る設備等の譲渡をしなければならず、企業結合による効率性向上を図れないという事態も生じ得る。このような場合には、行動的措置を講じることが合理的な場合もある。

(3)　行動的措置に対する履行の監視

行動的措置は、不可逆的措置でないため、公取委による継続的監視が必要とされる。

エーエスエムエル・ホールディング・エヌ・ビーとサイマー・インクの統合事案（平24年度企業結合公表事例【事例4】）では、**トラスティ**（独立の監査チームが措置の遵守状況を監査するという欧米において一般的に用いられている措置）と同様の措置（独立の監査チームが履行を監視し、公取委に定期的に報告することとされた）が用いられ、公取委の監査の負担が軽減されるようになっていた。

22）　例えば、統合会社における当該製品フルコストをベースとして計算した平均生産コストに相当する価格で供給する（新日本製鐵と住友金蔵工業の合併事案（平23年度企業結合事例【事例2】）ということである。

(4) 確約手続が利用される場合

企業結合規制に違反する行為も確約手続の対象となる（法48条の2）。

企業結合審査において、公取委から確約手続通知（法48条の2）が行われ、当事会社が確約手続の利用を希望した場合[23]、当事会社が、確約計画の内容として問題解消措置を提案し、これが公取委によって認定されたとき、当事会社は、確約手続における確約計画の履行として問題解消措置を履行することになる。

3 企業結合後に問題解消措置をとるべき期限が守られない場合

企業結合の後に問題解消措置をとることとされる事案においては、その履行が確実になされなければならない。そのような事案では、企業結合の届出書には当該措置の内容と期限を記載し、期限までに履行がされなかったときは、期限から1年以内であれば、排除措置命令の事前通知（意見聴取の通知）を行うことができる（法10条9項1号・10項）。

23) 確約通知があっても、当事会社が確約手続を希望しないで、問題解消措置の提案を行い、これが必要十分なものであるときには、これが実施されることを前提に、公取委は、排除措置命令をしないことになる（深町ほか企業結合387頁参照）。

第7節　企業結合審査のフローチャートの再確認

第2節から第6節までにかけて、企業結合審査の検討事項や手順などを、［図表8-1］のフローチャートに沿って説明した。

これを、やや複雑な下記の設問[24]に当てはめ、審査での検討事項や検討手順などを再確認してほしい。

［図表8-1］のフローチャートの検討事項の再確認

設問

電子部品甲の製造・販売を行う日本企業A社は、同業のアメリカ合衆国企業E社の株式の全部取得を計画している。下記の関連情報を踏まえ、同計画についての独禁法上の問題点を説明しなさい。

なお、部品甲は、完成品丙に搭載される以外の用途はなく、部品甲の各社の世界および日本でのシェアは下図のとおり。関連する情報は下記のとおり。

（関連情報）

○部品甲の販売価格に占める輸送費用の割合は数％程度、部品甲に関税を課す国は存在しない。部品甲の販売価格が国によって大きく異なる傾向はない。

○国ごとに完成品丙の規格が違うため、消費者は、一般に自国で丙を購入するが、丙のメーカーは、自国の甲部品メーカーからのみ購入する傾向はなく、国を問わず、複数の甲のメーカーから購入している。また取引条件などに応じて購入先を常時変更している。

○部品甲と同一機能を持つ新たな部品乙が流通しはじめているが、価格が甲より50％高いなどの理由で、この数年のうちに部品乙が丙メーカーに広く普及する見込みはない。

〔検討結果〕[25]

［図表8-1］のフローチャートの【1】～【4】の検討事項をその順で検討する。その検討結果は次のようなものになると思われる。

【1】一体化（結合関係）について

A社によるE社の全株式の取得行為は、両会社を一体化するものであり結合関係を形成することが明らかであり、企業結合審査の対象になる。

24）2015年度司法試験「経済法」第2問を簡略化したものである。

25）試験の模範答案ではないことをお断りしておく。

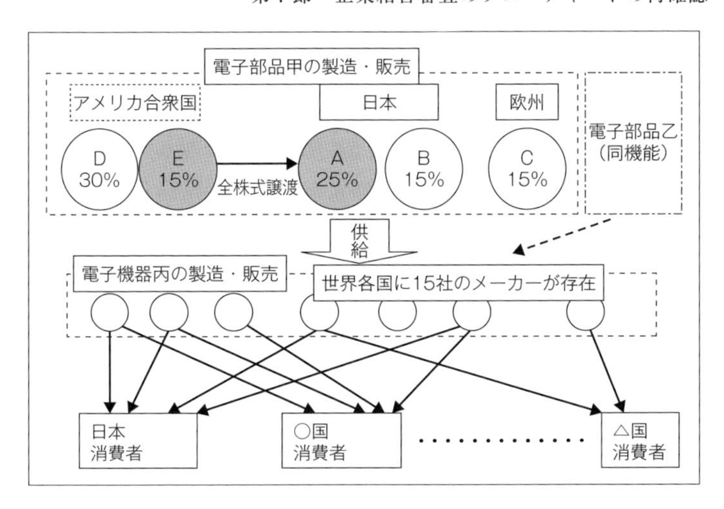

【2】一定の取引分野の画定

A社とE社は、完成品丙のメーカーへの部品甲の供給をめぐって競合関係にあるので、一定の取引分野は、部品甲の供給市場といえる。この商品・役務範囲として、部品乙も含めて市場画定しなければならないのか、地理的範囲として、日本国内市場とすべきか世界市場とすべきか問題となる。

○商品・役務範囲について

部品甲と同一機能を持つ部品乙について、部品甲の需要者である完成品丙のメーカーにとっての代替性を検討すると、部品乙の性能は良いが価格が高いため、この数年のうちに、完成品丙のメーカーが部品甲の代わりに部品乙を購入することはないと認められ、需要者にとっての代替性は否定される。別の製品メーカーが、その製造設備を使って部品甲を製造する状況もないようなので、供給者にとっての代替性も否定される。したがって、商品・役務範囲としては、部品甲だけで画定するのが相当。

○地理的範囲について

部品甲の需要者である完成品丙のメーカーにとっての代替性をみると、丙のメーカーは、自国の甲部品メーカーからのみ購入することはなく、国を問わず複数の甲メーカーから購入していること、部品甲の販売価格に占める輸送費用は僅少であり、輸入に関税がかかることもなく、部品甲の販売価格が国によって大きく異なることがないことからすると、部品甲については、内外の需要者が内外の供給者を差別することなく取引をしているものと認められ、国境を越えた世界市場を画定するのが相当。

【3－1】セーフハーバー基準に該当するか（なお、司法試験では問われていない）

本件株式取得は、世界全体を地理的範囲とする、部品甲の製造販売メーカー同士であるA社とE社を当事会社とする水平型企業結合である。本株式取得後のこの市場のHHIは2,950、HHIの増分は750（計算方法については、第1節4⑶参照）となるので、水平型企業結合のセーフハーバー基準に該当せず、詳細審査となる。

【3－2】競争が実質的に制限されることとなるか

本想定事案には、さらに次の追加情報が存在する[26]。

○A社とE社の統合計画（2015年5月）前の2012年～2013年の間に、世界の部品甲メーカーの数は、企業統合が行われ、8社から5社になっていた。
○完成品丙メーカーは、消費者等から、丙の価格の値下げ要求を受け、部品甲メーカーに対しても強い価格引き下げを要求している。
○消費者は、製品丙の高速化、大容量化を求めているため、部品甲メーカーも、甲の機能の高速化、大容量化のため、部品甲の技術開発を積極的に行っており、毎年1度新しいモデルの部品甲を販売している。

まず、A社とE社の統合による「単独行為による競争の実質的制限」の蓋然性を検討する。本件については、①部品甲の製造販売市場での統合会社の市場シェアは40％にとどまり、競合が4社もいること、②部品甲メーカーの業界全体をみると、互いに技術開発や新製品開発にしのぎを削っておりM&Aも積極的に行われるなど、競合間の競争が活発とみられること、③統合会社が部品甲を値上げしようとしても、需要者である丙メーカーが、業界全体として部品甲の価格の値下げを強く要請しており牽制力になること、④部品甲が値上げされたとき、需要者が隣接市場の商品ある部品乙を代替的に購入する可能性があり、一定の競争圧力になることが認められる。これらを総合して「競争が実質的に制限されることとなる」蓋然性はないと考えられる。

A社とE社の統合による「協調的行動による競争の実質的制限」の蓋然性についても、当事会社グループ以外の部品甲のメーカーの競争が活発であると考えられるので、否定できる。

【4】問題解消措置

市場分析の結果、本株式取得が競争を実質的に制限することとなると判断されたとしても、当事会社が、一定の適切な措置（問題解消措置）を講じることを提案し、公取委が、それが適切なものと認めるときは、問題解消措置の実施を条件に当該企業結合が許される。

26）　試験問題文に記載されているものを整理した。

第8節　企業結合審査手続

1　届出義務

(1)　事前届出を要する企業結合

株式取得、合併、共同新設分割・吸収分割、共同株式移転、事業等の譲受けの5類型（役員兼任、会社以外の者の株式取得は、届け出を要しない）。

(2)　届出義務の対象となる場合

会社側の届出負担にも配慮し、競争に影響を与える蓋然性の高いと考え

［図表8-5］　株式取得と合併に関する届出義務

企業結合の類型	届出義務者	届出対象となる場合
株式取得 （法10条2項）	株式取得会社	①株式取得会社の属する企業結合集団の国内売上高*1の合計額が200億円超、かつ ②被取得会社とその子会社*2の国内売上高の合計額が50億円超、かつ ③取得・所有する株式の議決権の割合が、20%または50%を超えることとなる場合*3
合併 （法15条2項）	当事会社すべて	合併当事会社のうちに ①国内売上高合計額が200億円超の会社と ②国内売上高の合計額が50億円超の会社 が存在する場合

＊1：外国所在の会社の日本国内売上額は、日本への輸出額27)のことである。

＊2：親会社や兄弟会社の分は含まない。

＊3：「取得・所有する株式の議決権の割合が、20%または50%を超えることとなる場合」とは、株式取得会社の属する企業結合集団（⇒第1節3(2)）全体における株式取得後の議決権保有割合が新たに20%超になるときまたは新たに50%超になるときに届出を要するということである（例えば、取得前に保有割合が既に10%あったのが、取得後25%になるとき、また、取得前に40%だったのが、取得後に55%になるときに、いずれも届出を要する）。

27)　外国所在の会社に、日本所在の子会社等があれば、その子会社等の日本国内での売上額も合計する。

られる一定規模以上の会社同士の企業結合が届出の対象とされている（菅久ほか325頁［原田郁］）。株式取得と合併について、届出対象となる場合を［図表8-5］にまとめた。

会社分割、共同株式移転、事業譲受け等についても、これに準じた事前届出義務が課されている。

(3)　届出を要しない企業結合計画に対して審査が行われる場合

届出を要しない企業結合計画についても、公取委は、必要があれば、企業結合審査を行う。公取委は、当事会社のうち実質的に買収される会社（被買収会社）の国内売上高等の金額だけが上記の届出基準を満たさないために届出を要しない企業結合結合（届出不要企業結合計画）のうち、**買収に係る対価の総額が大きく、かつ国内の需要者に影響を与えると見込まれる場合に、企業結合審査を行う**方針を明確にしている。

2　企業結合審査手続の流れ

(1)　第1次審査

公取委に企業結合計画の**届出の受理**がなされると第1次審査が開始される。公取委は、当該企業結合に問題がないか、あるいは、より詳細な審査を行うため第2次審査に進むかを判断する[28]。第1次審査は30日以内で行うものとされ、この間、届出会社は企業結合を禁止される（法10条8項等）。なお、禁止期間経過後は、当該企業結合の実行は法的には可能であるが、当該企業結合が実行されると市場の競争に悪影響が生じる懸念があるとき、公取委は、裁判所に**緊急停止命令**を申し立てることができる（法70条の4、菅久授業185頁）。

第1次審査において当該企業結合に問題がないと判断された場合、公取委は「排除措置命令を行わない旨の通知」（届出規則9条の通知、「**9条通知**」という）を交付する。同交付が可能な場合において、届出会社から申出があるときは、公取委は、禁止期間を短縮することができる。

28)　第1次審査の30日間の期間内に、排除措置命令を出すことを決め、法50条の事前通知（意見聴取手続の通知）をすることも法的には可能である（法10条9項など）が、排除措置命令を行うことを検討しなければならない事案であれば、第2次審査に進むのが通常と思われる。

この段階で、公取委は、**確約手続通知**（法48条の2〜48条の9）を行うこともでき、その場合の手続は、公取委の「確約手続に関する対応方針」に従って行われる（⇒第6章第1節5参照）。

(2) 第2次審査

ア　報告等の要請

公取委が、より詳細な審査を要すると判断したため第2次審査に進むことにしたときは、公取委は、第1次審査期間中に、届出会社に対して「必要な報告、情報又は資料の提出の要請」（**報告等の要請**）を行う[29)]。これが第2次審査の開始である。報告等の要請をしたことは、公取委のHPで公表され、また、その事案について第三者からの意見が募集される。

イ　すべての報告等の受理

公取委が届出会社から報告等の要請に対するすべての**報告等の受理**をしたときに、公取委は届出会社に対して**報告等受理書**を交付する。

この報告書等受理書の交付から90日間のうちに、公取委は、問題がないとして「排除措置命令をしない旨の通知」（**9条通知**）を交付するか、**確約手続通知**をするか、当該企業結合を禁止する排除措置命令を前提とした**事前通知**をするかについて判断し、いずれかの措置をとる（法10条9項など）。報告書受理報告書の交付から、90日間のカウントが開始される。

法的には、報告等受理から90日を経過した日と、届出届出受理日から120日を経過した日のいずれか遅い日までが第2次審査期間とされる（法10条9項）が、実務的には、報告等受理から90日を経過した日までに、排除措置命令をしない通知または事前通知をするかを判断する。

(3) 第2次審査の終了

ア　9条通知または事前通知

上記(2)イの9条通知または事前通知の措置を取ることで第2次審査が終了する。

イ　確約計画の認可

上記(2)イの確約通知に応じた届出会社が、確約計画を提出し、これが公

---

29)　公取委が第2次審査に必要と考える資料の提出を網羅的に要請される。

取委によって認可されたときも第2次審査が終了する。

その後の手続は、「確約手続に関する対応方針」のとおり行われる。

ウ　審査結果の公表

第2次審査に進んだすべての事案について、審査結果が公表される。問題解消措置を講じたものも含めて、問題がないと判断した事案については、審査終了時に、審査の理由も含めて公表される。問題があるとした事案については、事前通知、意見聴取手続を経て、**排除措置命令**を講じた時点で公表される。

第1次審査終了事案についても、審査終了時点で重要なものは、公表される。

3　届出前相談（任意）

届出を予定している会社は、公取委に対して**届出前相談**できる。あくまで届出予定会社が必要と考えるときに、任意に行うものであり、その開始も終了も、届出予定会社が主体的に判断するものである。

届出予定会社がこの相談を利用する目的としては、届出書面の事前チェックなどがあるが、相談時に届出予定会社が意見書や資料を提出することも可能であり、また、当局担当者との意見交換も可能である。

大型案件では、届出前に当事会社からの意見書が公取委に提出されることもあり[30)]このような意見書が提出されれば、公取委はこれを踏まえて審査を行うことになるので、届出予定会社と公取委との間では、届出前であっても、意見書の内容について意見交換をすることもあり得る。

「届出前相談」においては、届出予定会社側がいつでも相談を打ち切って正式の審査手続に移ることができる。相談の結果、届出書に必要な情報を記載し、いつでも届出を出せる状態になったときに、届出時期をいつにするかの決定権は届出予定会社にある。

4　外国事業者が当事会社となる企業結合への対処

(1)　届出義務の有無と審査の対象となるかは別問題

日本の公取委に届出義務のない企業結合は、実際上、公取委の審査の対

30)　その意見書の内容は、検討対象の市場の実態を説明した上で、独禁法上問題が生じないことについて根拠を示しつつ説明するものであることが多い。

象になりにくいことは事実である。届出義務に関し、例えば、①日本の携帯電話会社が、日本で売上げのないアメリカ合衆国の携帯電話会社を統合しようとする株式取得も、②日本に売上げのない台湾電子機器メーカーが、日本の電気製品メーカーを統合しようとする株式取得も、当事会社の一方が日本に売上げがない場合なので、株式取得による企業結合においては届出義務がない。③外国事業者による外国事業者を相手とした株式取得は、いずれも日本に売上げがあれば、届出義務が生ずるが、そうでないときに届出義務はない。④日本の零細企業同士による株式取得については、日本の企業であっても、一定規模以上の売上げがないと届出義務がない。

しかし、前記1⑶のとおり、事前届出義務が課されない企業結合についても、公取委は、必要なときには、審査を行うことがある。

⑵　外国事業者同士の企業結合に対する審査についての公取委の考え方

ブラウン管価格カルテル事件最高裁判決は、「国外で合意されたものであっても、当該カルテルが我が国に所在する者を取引の相手方とする競争を制限するものであるなど、価格カルテルにより競争機能が損なわれることとなる市場に我が国が含まれる場合には、当該カルテルは、我が国の自由競争経済秩序を侵害する」として、これに、わが国の独禁法が適用され得るとした（最判平29・12・12⇒第11章第1節）。

同様の発想に基づき、公取委は、外国事業者同士の企業結合であっても、その企業結合が日本市場の競争への実質的な制限となることもあり得るとして、審査を行うことがある。

ビーエイチピー・ビリトン（BB社）とリオ・ティント（R社）の企業結合事案（平22年度企業結合事例【事例1】）では、BB社とR社はいずれも外国事業者であり、本件企業結合（株式取得）自体も日本の国外で行われることとされていたが、本件株式取得の結果、わが国を含む一定の取引分野における競争が実質的に制限されることとなる疑いがあったことから、公取委は、日本にも立法管轄権（⇒第11章第1節）があると判断し、審査を開始したものである（なお、当時は、株式取得については、国内事業者が当事会社であっても、事後届出義務を課すにとどまっていた）。

(3)　外国の競争当局が日本企業同士の企業結合を審査の対象とし得るか

逆に、外国の競争当局も、当該外国市場における競争を制限する可能性のある企業結合であれば、それが日本企業同士の企業結合であったとしても審査を行う。例えば、当該外国において相当な売上げがある複数の日本企業が合併して１単位になるような場合である。

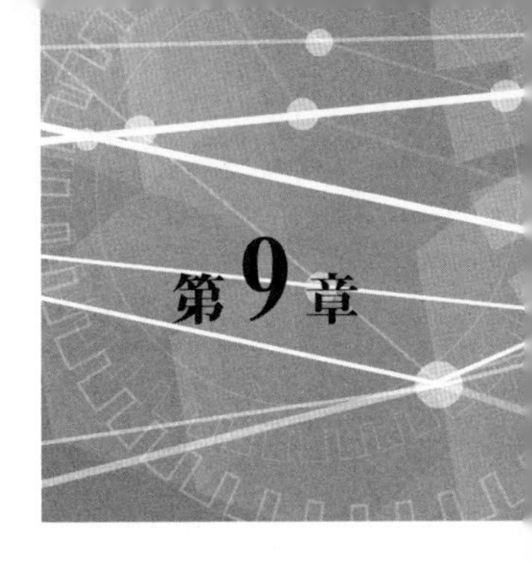

知的財産権と独禁法

知的財産権は、独占的・排他的な権利とされ、権利者は他の者が当該権利を行使すること（権利に係る技術等を利用することなど）を制限することができるという特徴がある。

そのため知的財産権と独禁法の関係については、「特許などの知的財産権による技術の専有と競争との折り合いをどうつけるか、特許による不当な権利行使を独禁法で抑制できるか……。いずれも広い意味でイノベーションに関わる問題であり、イノベーション時代における競争政策の在り方が問われている（。）」との問題指摘がある（小田切イノベーション・はしがき）。

本章では、このような大きな問題に切り込んでいくために必要と思われる、初歩的な知識や考え方について解説する。

第1節では、知的財産権全般の意義および知財GLが取り扱う知財権利者による知的財産権の利用制限の意義等について説明し、第2節では、知的財産権利者が、他の事業者による当該知的財産権の行使（技術の利用）を制限することに関し独禁法が適用される場合と適用除外される場合についての考え方等を説明し、第3節では、知的財産権利者が、他の事業者による当該知的財産権の行使（技術の利用）を制限することが独禁法違反になる場合について実例を紹介しながら説明する。

第1節　知的財産権と独禁法

1　はじめに

知的財産権（定義等は後述する。以下「知財」と略称することもある）の典型は、特許権である。知的財産権は、権利者がその権利行使を独占的・排他的に行えることに特徴があり、そのことによって、技術の研究開発が動機づけられ、社会の発展進歩が促進される。しかし、知的財産権が、市場において事業活動をしている競争者、または新規参入しようとしている競争者を排除する手段として使われる場合があり、独禁法上問題となる。公取委が、そのような場合を、独禁法違反として法的措置をとった実例として、次の**ぱちんこ製造特許プール事件**がある。

CASE 9-1　ぱちんこ機製造特許プール事件

X ら 10 社は、ぱちんこ機の製造に関する多くの特許権等を所有すると同時に、日本国内において販売されるぱちんこ機のほとんどを供給する製造販売業者である。

X ら 10 社は、ぱちんこの製造を行う上で必須の特許権等の管理を「日本遊技機特許運営連盟」に委託するとともに、これらに係る発明等の実施許諾の意思決定に実質的に関与していた。

X ら 10 社と同連盟は、ぱちんこ機の製造分野への新規参入を排除する方針に基づき、同連盟が所有または管理運営する特許権等の集積を図り、これらに係る発明等の実施許諾に係る市場において、既存のぱちんこ機製造業者以外の者に対して実施許諾を拒否するなどして、参入を希望する事業者がぱちんこ機の製造を開始できないようにした。

（勧告審決平 9・8・6）

この事案では、ぱちんこ機の製造分野に新規参入をさせない目的で、ぱちんこ機の製造についての特許を持っているぱちんこ機メーカー（同業者）10 社が、これら特許を集積して管理運用する連盟を作り、新規参入希望メーカーに対しライセンスを拒否したことが問題になり、公取委は、これが独禁法に違反し排除型私的独占（法 3 条）に該当するとして排除措置を

[図表 9-1]　ぱちんこ機製造特許プール事件

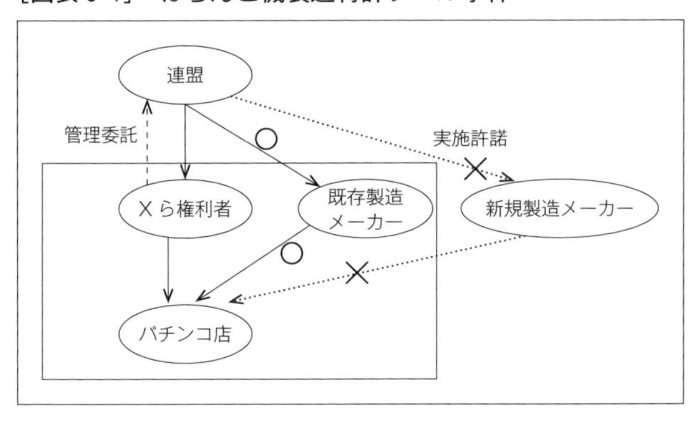

命じた（⇒第３節２(1)イ）。

2　知的財産権とは

知的財産基本法において、**知的財産**とは、「発明、考案、植物の新品種、意匠、著作物その他の人間の創造的活動によって生み出されるもの（発見又は解明された自然の法則又は現象であって、産業上の利用可能性のあるものを含む。）、商標、商号その他事業活動に用いられる商品又は役務を表示するもの及び営業秘密その他の事業活動に有用な技術上又は営業上の情報」と定義され（同基本法２条１項）、知的財産権とは、「**特許権、実用新案権、育成者権、意匠権、著作権、商標権**その他の知的財産に関して法令により定められた権利又は法律上保護される利益に係る権利」と定義される（同基本法２条２項）。知的財産に関して法令により定められた権利としては**育成者権**[1)]、**回路配置利用権**[2)]がある。

知的財産権を保護する法律は、知的財産権の権利者に対して、独占的・排他的に実施・利用できる権利を付与し、または、他者による無断で利用などの不正な行為を差し止める権利を付与することによって、知的財産権を保護する。

知的財産権は、創作意欲の促進を目的として知的創造物（発明や文学作品など）を保護する権利と、使用者の信用維持を目的として営業標識（商標や

1)　植物の新品種を対象とし、種苗法によって保護される権利である。
2)　半導体集積回路の配置に関する法律によって保護される権利である。

商号）を保護する権利に分類される。

知的創造物を保護する権利は、産業発展を目的とした権利（**特許権、実用新案権、意匠権、育成者権、回路配置利用権**）と文化学術の発展を目的とした権利（**著作権**）に分類できる。

3　ライセンス

(1)　意義

知的財産権は、権利者自らが当該知的財産権を実施・利用でき、他の者に実施・利用させないことができるという独占的・排他的な権利である。

権利者は、自ら権利を実施・利用して利益を得て研究開発費用を回収することができるが、他の者に当該権利の実施・利用を許諾し、その対価を得ることによっても研究開発費用を回収することができる。他の者への権利の実施・利用の許諾を「**ライセンス**」（許諾）といい、権利を許諾する者を「**ライセンサー**」、許諾を受ける者を「**ライセンシー**」という。

(2)　ライセンスの種類

独占的ライセンスとは、ライセンス契約において、ライセンサーが、特定の１人の者にのみライセンスを与え、その他の者にはライセンスを与えない特約をする場合をいう。特約によって、ライセンサー自身が、権利の利用・実施をできるとする場合と、ライセンサー自身も利用・実施できないことにする場合のいずれもあり得る。

ライセンサーが多数の者にライセンスする場合を、**マルティプルライセンス**という。

ライセンスの特約において、ライセンシーがさらに第三者にライセンスすることを認めることもできる。そのような第三者へのライセンスを**サブライセンス**という。

２人の権利者が、相互にライセンスし合う場合もあり、これは**クロスライセンス**と呼ばれる。消費者が求める製品は、自分が特許権を持つ技術の上に、他者が発明した改良技術が累積した最新技術によって製造されるものであることが多く、自己の特許権だけでは製造ができないことがあり、その場合などに、クロスライセンスが有用とされる。

一定期間内に出願するすべての特許を相互に自由に実施できる**包括的ク**

ロスライセンスも行われている。

多数の知的財産権者が、それぞれの知的財産権を１つの機関に集中させ、相互にまとめて実施・利用できるようにしたものをプールという。特許権についてのプールを**パテントプール**という。

4　知財 GL が取り扱う「技術の利用に係る制限行為」の意義

公取委は、知的財産権のうち**技術に関する知的財産権**を対象とし、その**技術の利用に係る制限行為**[3]について独禁法上の考え方を知財 GL として取りまとめて公表している[4]。なお、同 GL は、「ノウハウとして保護される技術」についても適用される。

ここで、**技術に関する知的財産権**とは、前記２の産業発展を目的とした権利（特許権、実用新案権、意匠権、育成者権、回路配置利用権）および**プログラム著作物に係る著作権**を意味する。

技術の利用に係る制限行為とは、技術に関する権利を有する者が、他の事業者がこれを利用することを拒絶したり、利用することを許諾するに当たって許諾先事業者の事業活動を制限したりする行為のことをいう（知財 GL 第１の1）。これは、①他の者に当該技術を利用させないようにする行為、②他の者に当該技術を利用できる範囲を限定して許諾する行為、③他の者に当該技術の利用を許諾する際に相手方が行う活動に制限を課する行為に分類できる（同 GL 第１の２⑵）。

3）技術の利用とは、当該技術に係る知的財産の利用を意味するので、知的財産の利用と同義とされる。

4）プログラム著作物以外に係る著作権や商標権をカバーしたガイドラインは策定されていない。

第2節　技術の利用に係る制限行為への独禁法の適用除外

1　法21条の判断枠組み

例えば、自分の特許権を他人にライセンスするかどうかは権利者の自由であるように、一般に、知的財産の権利の行使は自由であるが、知的財産法・民事法においても、濫用にわたる権利行使は制限されることがある。

独禁法上も、知的財産権の権利を有する者による権利行使の行為には、原則として独禁法が適用されないが、濫用的な権利行使のような場合には、例外的に独禁法が適用され、独禁法違反に問われることがあり得る。

これについて、独禁法21条が規定している。

> ○法21条
> この法律の規定は、著作権法、特許法、実用新案法、意匠法又は商標法による権利の行使と認められる行為にはこれを適用しない。

法21条の文言だけをみると、技術の利用に係る権利行使であれば、独禁法はおよそ適用されない（適用除外される）と考える向きもあるかもしれないが、そうではない。

まず、外形的に「権利の行使とみられる」行為かどうか検討され「権利行使とみられる」といえない行為には独禁法が適用される。次に、外形的に「権利の行使とみられる」場合であっても、実質的に「権利の行使と認められる」行為といえない場合も、独禁法が適用される。

⑴　「権利の行使とみられる」行為かどうかの検討

技術の利用に係る制限行為のうち、そもそも「権利の行使とみられる」といえない行為、すなわち外形的にも権利行使といえない行為には、法21条は適用されず、独禁法の適用が検討される（知財GL第2の1参照）。

そこで、権利者による技術の利用に係る制限が、そもそも「権利の行使とみられる」行為なのか否かが問題となるが、この点、知財GLでは、「技術に権利を有する者が、**他の者にその技術を利用させないようにする行為及び利用できる範囲を限定する行為**は、外形上、権利の行使とみられる」とする（知財 GL 第2の1）。これらの行為は、知的財産の権利者が、知的財産権によって保護された範囲の全部または一部について他者の利用を排除するものであり、権利者固有の行為だからである[5)]。

(2) 「権利の行使と認められる行為」かどうかの検討

「権利の行使とみられる」行為といえても、直ちに法21条が適用されて独禁法の適用除外となるわけではない。この点、公取委は、「権利行使とみられる行為であっても、行為の目的、態様、競争に与える影響の大きさも勘案した上で、……**知的財産権制度の趣旨を逸脱し、又は同制度の目的に反すると認められる場合は、**……（法）21条に規定される『権利の行使と認められる行為』とは評価できず、**独占禁止法が適用される**」とする（知財 GL 第2の1。なお、審判審決平21・2・16〔第一興商事件〕も同旨）。

2　具体的判断基準

判断枠組みは上記のとおりであるが、個別事案において、権利者による、技術の利用に係る制限行為が、「権利行使とみられる」行為かどうか、「権利行使とみられる」行為であっても、それが「権利行使と認められる行為」かどうかの判断は必ずしも容易なものではない。そのため、公取委は、知財 GL によって具体的判断基準を示している。

(1) 「権利の行使とみられる」行為かどうか

ア　権利が存在しない場合

権利の存続期間が終了した後におけるライセンシーの供給先を制限する行為、特許権について権利者が自らの意思で製品を流通に置き、特許権が国内消尽した後において、同製品について他の者が取引をする際に制限を課す行為は、そもそも権利が存在しないから「権利の行使とみられる」とはいえないため、直ちに独禁法の適用が検討される。

5) 「権利の行使とみられる」かどうかは、本来的に知的財産権者が自由に決定し得る性質の事柄かどうかで判断されるとする見解（菅久ほか344頁［伊永大輔］）も同趣旨。

イ　技術を利用させないようにする行為・利用できる範囲を限定する行為

前記1(1)で述べたとおり、「技術に権利を有する者が、他の者にその技術を利用させないようにする行為及び利用できる範囲を限定する行為は、外形上、権利の行使とみられる」とされる（知財GL第2の1）。

(ア)　技術を利用させないようにする行為

これは、具体的には、ライセンスを受けずに当該技術を利用する者に対して、差止請求**訴訟**や損害賠償請求）の**提起・遂行**（その前段階において、訴訟提起等行為を行うとの**警告**をすることも含む）、他の者への**ライセンス拒絶**（拒絶と同視できる程度の高額のライセンス料の要求も含む）であるが、通常、当該「権利の行使とみられる」行為と考えられる（知財GL第3の1(1)、第4の2）。

(イ)　技術の利用範囲を制限する行為

これは、ある技術に権利を有する者が、他の者に対して、全面的な利用ではなく、当該技術を利用する範囲を限定してライセンスを付与する行為であるため、外形上「権利の行使とみられる」行為とされる。

具体的には、当該権利に係る技術を実施できる事業活動を生産・使用・譲渡・輸出等のいずれかに限定する行為、技術の利用期間を限定する行為、当該技術を用いるのを特定の商品の製造等に限定する（事業活動を行う分野の限定）行為、当該技術を用いた製品の製造販売ができる地域を制限し、最低製造数量または技術の最大使用回数を制限する行為、サブラインセンス先を制限する行為は「権利の行使とみられる」（知財GL第3の1(2)、第4の3）。

ウ　それ以外の技術の利用を制限する行為

権利者による技術の利用に係る制限が、「技術を利用させないようにする行為」または「技術の利用範囲を制限する行為」のいずれにも当てはまらない場合は、「権利の行使とみられる」行為とはいえないので（泉水経済法入門362頁）、法21条の適用はなく、直ちに独禁法違反の成否が検討される。

例えば、技術に関する権利を持つ者が、自己の権利をライセンスする際に、ライセンシーに対して、ライセンス技術を用いた製品の製造地域や製造数量や、販売地域・販売数量の制限をすることは、前記(イ)の技術の利用範囲の制限となり「権利の行使とみられる」行為になる。しかし、ライセンス技術を用いた製品の販売の相手方を制限する行為は、「技術の利用範囲の制限」を超えたもの（ライセンス先が、その制限に反しても、特許権侵害にはならないと考えられるもの）で、外形的にみて「権利の行使とみられる」行為とはいえないので、法21条が適用にならず、直ちに独禁法違反が検討され得る。（知財GL第４の３⑵、４の⑵）。ライセンス供与に際し、知財法による保護範囲に含まれない商品・役務に係る取引を強制する行為や、競争品製造販売や競争者との取引を制限したりする行為も、同様である（論点体系480頁［平山賢太郎］）。

⑵ 「権利の行使と認められる行為」かどうか

「権利の行使とみられる」行為であっても、その権利行使の行為が、知的財産制度の趣旨を逸脱しまたは同制度の目的に反する濫用的な権利行使と評価される場合には「権利の行使と認められる行為」とはいえないとされ、法21条による独禁法の適用除外はなく、独禁法違反になり得る。

ア　権利行使が合理性を欠く場合や、反競争性が明白な場合

例えば、パテントプールを形成している事業者が、新規参入者や特定の既存事業者に対し、ライセンスを合理的理由なく拒絶する場合のような場合である（知財GL第３の１⑴、第４の２）。例えば、再販売価格拘束の指示を守らないフランチャイズ加盟店に対し商標ライセンスを拒絶することにように、もっぱら独禁法違反の実効性を確保するための権利行使の場合も同様である。

イ　知的財産制度の趣旨や同制度の目的に反し濫用的な場合

これは、例えば**標準規格必須特許権**（SEP: Standard-Essential Patent）が濫用的に行使される場合である。

今日、社会的に有用で有望な製品が出現したときは、同一製品の重要機能に係る技術について、複数の規格が乱立することを回避するため、早期に標準的な規格を策定するようにしており、このような標準規格を策定するための公的な機関や事業者団体を**標準化機関**という。標準化機関において、ある技術についての標準規格が策定されるとき、その規格の実施に必須となる特許等のことを**標準規格必須特許**という。

特定の技術が、標準規格必須特許とされると、その権利についてライセ

ンスを得ようとする事業者が増え、権利者において、ライセンスに法外な対価を要求するなどの濫用的な権利行使がなされるおそれがある。そうなれば、当該技術を採用した製品の開発・販売意欲を阻害し、ひいてはその規格の普及の支障にもなり得る。

そこで、標準化機関は、標準規格必須特許のライセンスの取扱い等（**IPRポリシー**という）において、通常、規格の策定に参加する者に対し、標準規格必須特許の保有の有無および標準規格必須特許を他の者に**公正・妥当かつ無差別的な（Fair, Reasonable And, Non-discriminatory）条件**（**フランド条件**）でライセンスをする用意がある意思を明らかにさせており、標準規格必須特許を有する者が、フランド条件でライセンスをする用意がある意思を標準化機関に対して文書で明らかにすることを、**フランド宣言**と呼んでいる。もし、標準規格必須特許を有する者がフランド宣言を行わない場合には、当該標準規格必須特許の対象となる技術が標準規格に含まれないように標準規格の変更を検討する旨がIPRポリシーで定められている（知財GL第3の1(1)オ）。

そのため、フランド宣言をした標準規格必須特許の権利者が、フランド条件でのライセンスを受ける意思を有する事業者に対し、ライセンスを拒否したり、法外な対価を求めたり、さらには権利利用の差止請求訴訟の提起をする行為は、**知的財産制度の趣旨を逸脱しまたは同制度の目的に反し濫用的と評価されることがあり得る**（知財GL第3の1(1)オ、第4の2(4)）。

第３節　独禁法違反が成立する場合

１　独禁法上の評価を行う場合の考え方

知財権利者による技術の利用に係る制限行為について独禁法を適用することになっても、技術の利用に係る制限行為は、その内容・態様等に応じ、独禁法上、様々な観点から問題が想定できるため、対象市場における競争減殺の有無・程度、どのような独禁法違反が成立し得るのかなどについての検討は、必ずしも簡単ではない。公取委は、これらについて、次のとおり、総論的な考え方を示している。

「技術の利用に係る制限行為によって市場における競争が減殺されるか否かは、**制限の内容及び態様、当該技術の用途や有力性のほか、対象市場ごとに、当該制限に係る当事者間の競争関係の有無、当事者の占める地位（シェア、順位等）、対象市場全体の状況（当事者の競争者の数、市場集中度、取引される製品の特性、差別化の程度、流通経路、新規参入の難易性等）、制限を課すことについての合理的理由の有無並びに研究開発意欲及びライセンス意欲への影響**を総合的に勘案し、判断することになる。技術の利用に関して複数の制限が課される場合、それら制限が同じ市場に影響を及ぼすのであれば、各制限が当該市場における競争に及ぼす影響を合わせて検討することになる。また、これらの制限が、それぞれ異なる市場に影響を及ぼす場合には、各市場ごとに競争への影響を検討した上で、当該市場の競争への影響が他の市場の競争に対して二次的に及ぼす影響についても検討することになる。また、他の事業者が代替技術を供給している場合には、これらの事業者が同様の制限行為を並行的に行っているかどうかについても検討する。」（知財 GL 第２の３）

２　独禁法違反が成立する場合

(1)　私的独占

ア　私的独占の規定が適用になる場合

技術の利用に係る制限行為が、「他の事業者の事業活動を排除し、又は支配する」ものであるときは、私的独占の規定の適用が問題となる（知財 GL

第3の1)。

イ　具体的事例

本章冒頭のぱちんこ機製造特許プール事案（勧告審決平9・8・6）は、濫用的な権利行使がなされたと評価され、排除型私的独占に該当するものとされた（知財 GL 第3の1(1)ア）。

なお、フランド宣言をした標準規格必須特許の権利者が、フランド条件でのライセンスを受ける意思を有する事業者に対し、ライセンスを拒否したり、法外な対価を求めたり、さらには権利利用の差止請求訴訟の提起をする行為は、規格を採用した製品の研究開発、生産、販売を困難とすることにより、他の事業者の事業活動を排除する行為に該当することがあり得、私的独占に該当し得る（知財 GL 第3の1(1)オ）。

(2)　不当な取引制限

技術の利用に係る制限行為が、「事業者が他の事業者と共同して、相互にその事業活動を拘束し又は遂行する」ものであるときは、不当な取引制限の規定の適用が問題となる。

特に、技術の利用に係る制限行為の当事者が競争関係にある場合の技術に係る制限行為、例えば、多数の競争者が同一の技術のライセンシーとなるマルティプルライセンスにおいて、ライセンサーおよび複数のライセンシーが当該技術の利用の範囲や、当該技術を用いて製造する製品の販売価格等を制限する行為や、競争者間で行われるパテントプールやクロスライセンスなどにおける制限行為は、不当な取引制限の観点から検討が必要になる（知財 GL 第3の2)。

(3)　不公正な取引方法

ア　技術を利用させないようにする行為や技術の利用範囲を制限する行為

当該技術に係る知財権利者がこれを行うことは、通常、「権利の行使とみられる行為」である。しかし、例えば、自己の競争者が、ある技術のライセンスを受けて事業活動を行っており、他の技術では代替困難であることを知りながら、当該技術に係る権利を権利者から取得した上で、当該競争者に対し、当該技術のライセンスを拒絶するような行為は、当該競争者の事業活動の妨害のために技術の利用を阻害するものであり、知的財産制度の趣旨を逸脱しまたは同制度の目的に反するものであり、「権利の行使とは認められない」とされ、独禁法違反（取引拒絶（一般指定2項）、取引妨害（一般指定14項））が検討され得る（知財GL第4の2および3）。

この点は、民事訴訟における、原告の特許権の行使に対し、被告から「当該特許権の行使は、独禁法違反に該当し、権利濫用に当たる」旨の抗弁が主張されることによっても問題化する。

具体例として、原告A社（プリンターと純正トナーカートリッジのメーカー）が、被告B社（使用済み純正トナーカートリッジに内蔵された、原告の特許権の対象である情報記憶装置を外し、B社が製造した別の情報記憶装置に取り替えてインクを充填し、再生品トナーカートリッジを製造・販売した者）に対し、特許権侵害を理由として損害賠償請求等を行ったところ、B社は、情報記憶装置自体の取替えをせざるを得なくなったのは、A社が必要性も合理性も欠く情報記憶装置データの書換制限措置を行ったためであるなどと主張した民事訴訟事案について、第一審裁判所は、A社のデータ書換差止請求および損害賠償請求等（本件特許権行使）について、全体として、一般指定14項に該当し、権利の濫用に当たるとして、損害賠償請求等を棄却した（東京地判令2・7・22〔リコートナーカートリッジ事件〕）。

しかし、その控訴審判決（知財高判令4・3・29）は、A社がB社らに対して、特許権に基づいて、上記の差止請求および損害賠償請求権を行使することは、独禁法の競争者に対する取引妨害として独禁法に抵触するものということはできないし、特許法の目的である「産業の発達」を阻害しまたは特許権制度の趣旨を逸脱するものであるということはできないから、権利の濫用に当たるものと認めることはできないとし、一審判決を破棄し、A社の請求を認容した。

また、フランド宣言をした標準規格必須特許の権利者が、フランド条件でのライセンスを受ける意思を有する事業者に対し、ライセンスを拒否したり、法外な対価を求めたり、さらには権利利用の差止請求訴訟の提起をする行為は、規格を採用した製品の研究開発、生産、販売を行う者の取引機会を排除し、その競争機能を低下させる場合があり得、不公正な取引方法に該当し得る（知財GL第4の2(4)）。

その具体例として、フランド宣言がなされたブルーレイディスクの標準規格必須特許について、同特許の権利者が、フランド条件でライセンスを受ける意思を有していたブルーレイディスク製造メーカーからのライセンス交渉に応じないまま、同メーカーの取引先小売業者に対し、同メーカーのブルーレイディスクについて、特許権侵害であり差止請求権を有している旨を告知した行為について、公取委が、これを不公正な取引方法（取引妨害）に該当するとした事案がある（公取委平28・11・18公表「ワン・ブルー・エルエルシーに対する独占禁止法違反事件の処理について」）。

イ　技術の利用に関し制限を課す行為

技術に権利を有する者が、当該技術の利用を他の事業者にライセンスをする際に、当該技術の利用に関し、当該技術の機能・効用を実現するため、安全性を確保するため、ノウハウのような秘密性を有するものについて漏洩や流用を防止するためなど様々な目的から、ライセンシーに対し、一定の制限を課すことは、知財GL上「技術の利用に関し制限を課す行為」と呼ばれる。

これらの制限については、技術の効率的な利用、円滑な技術取引の促進の観点から一定の合理性がある場合が少なくないと考えられる。他方、これらの制限を課すことは、ライセンシーの事業活動を拘束する行為であり、競争を減殺する場合もあるので、制限の内容が上記の目的を達成するために必要な範囲にとどまるものかどうかの点を含め、公正競争阻害性の有無を検討する必要がある（知財GL第４の４）。

例えば、ライセンスをするに当たって、ライセンシーに対して、**不争義務**を課す行為が問題になる。**不争義務**とは、ライセンサーが持つライセンス技術に係る権利の有効性をライセンシーにおいて争わない義務、**具体的には、特許無効審判請求を行わないなどの義務**をライセンシーに課する行為である。

これは「権利の行使とみられる行為」とはいえない行為であるため、直ちに独禁法違反になるかどうかが検討される。知財GLは、同制限行為については、円滑な技術取引を通じ競争の促進に資する面が認められ、かつ、直接的には競争を減殺するおそれは小さい一方で、無効にされるべき権利が存続し、当該権利に係る技術の利用が制限される面もあることから、目的の合理性、当該制限が、目的に必要な範囲にとどまっているかも含めて、公正競争阻害性の有無を検討する必要があるとする（同GL第４の４）。

ウ　ライセンシーの事業活動に制限を課す行為

㋐　抱き合わせ

例えば、ライセンサーが、ライセンシーに対して、ライセンシーの求める技術以外の技術についても、一括してライセンスを受ける義務を課する行為が、技術の効用を発揮する上で必要でない場合、または、必要な範囲を越えた技術のライセンスが義務付けられる場合と評価でき、公正競争阻害性を有するときは、不公正な取引方法（一般指定10項（抱き合わせ販売等）、12項（拘束条件付取引）に該当し得る。

㋑　非係争（NAP: Non-Assertion of Patent）義務

ライセンサー（Aという）が自分の技術をライセンスする際に、ライセンシー（Bという）に対して、Bが所有しているか、または今後所有することになる知的財産権の全部または一部について、AまたはAの指定する者（Cという）に対して、権利行使をしない義務を課すことを**非係争義務**といい、ライセンス契約においてこの義務を課する条項を**非係争条項**という。

ライセンシーBが、所有しまたは所有することになる知的財産権として想定されるのは、ライセンサーAからライセンスを受けた技術を改良・応用・発展させた**改良技術**である。改良技術は、ライセンサーAにとっても有用なことがあり、これをライセンスに係る技術に織り込むことによって、当該技術の先進性や優位性を維持し、将来Cなどに対して、当該技術のライセンスを呼びかける上でも有利になる。

他方、非係争条項には、当該改良技術について知的財産権を持つライセンシーBにとっては、当該知的財産権を他者に利用されても対価を要求することができないことになり、研究開発意欲が損なわれ、技術市場における競争阻害効果が生じ得るデメリットもある。競争阻害効果は、ライセンス契約において、非係争の対象となる特許権の範囲や、権利行使できない相手方の範囲がどのように定められるかによって異なる。例えば、対象となる特許権の範囲がライセンス契約時点でライセンシーが所有している特定の特許権に限定されるのであれば実質的には普通のクロスライセンスと変わりないといえる場合が多いであろうが、これが将来的に無限定に拡大され得るものであれば、競争阻害性は大きい（小田切イノベーション時代138頁〜144頁、146頁参照）。

公取委は、ライセンサーが、ライセンシーに対して非係争義務を課す行為について、「ライセンサーの技術市場若しくは製品市場における有力な地位を強化することにつながること、又はライセンシーの研究開発意欲を損ない、新たな技術の開発を阻害することにより、公正競争阻害性を有する場合には、不公正な取引方法に該当する」という（知財GL第4の5(6)）。

公取委は、次の具体的事案において、非係争条項を独禁法違反だとした。

CASE 9-2　マイクロソフト事件

M社がライセンシー（国内のパソコン製造販売会社15社など）との間で、ウィンドウズOSの使用を許諾するライセンス契約をした際、各ライセンシーに対し、ウィンドウズOS（将来製品や後続製品を含む）による特許権侵害を理由にM社およびウィンドウズOSの他のライセンシーへの訴訟を提起しないとの非係争条項を課した。

同事案の非係争条項においては、ライセンシーが権利行使できない相手方は、M社のほか同業他社を含めて極めて多数にわたり、権利行使が制限される対象となる特許の範囲は、M社が今後行うウィンドウズOSの機能拡張によりさらに拡大するおそれのあるものであった。

（審判審決平20・9・16）

公取委は、この事案について、①ウィンドウズOSのライセンシーのうち、国内のパソコン製造販売会社15社は、パソコンAV技術の市場でM社と競争関係にあり、本件非係争条項が課されたことで、当該ライセンシー15社が所有し、または将来取得する特許技術がウィンドウズOS上において無断で実施されたとしても、当該技術の実施を他者に許諾して対価を得ることや、自己のパソコン等の製品を差別化するために用いることが困難となり、当該ライセンシー15社の研究開発意欲が低下する蓋然性があり、他方、②パソコンAV市場におけるM社の地位は強化されるとして、本件非係争条項は、一般指定12項（拘束条件付取引）に該当し独禁法19条に違反するとした。

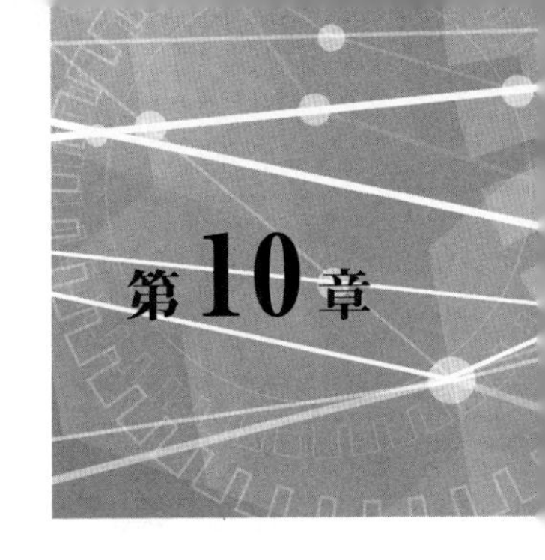

協同組合

一定の政策目的から、特定分野の一定の行為に関して、独禁法の適用が除外される場合がある。その代表例としての協同組合の行為への独禁法の適用除外（法22条）があり、本章でこれについて説明する。

実は、独禁法が適用除外されるように見えるとしても、そもそも法22条の適用がされない場合や、法22条ただし書によって独禁法の適用除外が解除される（結局、独禁法が適用される）場合も多く、実務的には、この点を的確に押さえることが重要である。

第1節では、法22条の適用除外の趣旨について、第2節では、適用除外がされない場合について、実例を紹介しながら説明する。

協同組合は、小規模の事業者（例えば、農家や中小企業事業者）の相互扶助を目的とする社会的意義のある組織であり、その共同事業の円滑な実施のためなどに必要な範囲で、独禁法の適用が除外されることは望ましい。しかし、協同組合が、組合員である事業者に対する統制力は非常に大きくなりがちであり、その結果、市場の競争機能に悪影響を及ぼすこともある。独禁法の適用除外の問題を考えるときは、このバランスをどのようにして取るべきかという問題意識を持つことも必要である。

また、事業者団体に対しては、独禁法上厳しい規制が行われている(⇒第3章)のであるが、事業者団体が同時に協同組合に該当することがあり、その場合には、法22条の適用除外になるかどうかも併せて判断しなければならないことに留意が必要である。

第 1 節　協同組合の行為について独禁法の適用が除外される場合

1　法 22 条による独禁法の適用除外の趣旨

○法 22 条
　この法律の規定は、次の各号に掲げる要件を備え、かつ、法律の規定に基づいて設立された組合（組合の連合会を含む。）の行為には、これを適用しない。ただし、不公正な取引方法を用いる場合又は一定の取引分野における競争を実質的に制限することにより不当に対価を引き上げることとなる場合は、この限りでない。
　一　小規模の事業者又は消費者の相互扶助を目的とすること。
　二　任意に設立され、かつ、組合員が任意に加入し、又は脱退することができること。
　三　各組合員が平等の議決権を有すること。
　四　組合員に対して利益分配を行う場合には、その限度が法令又は定款に定められていること。

　これは、小規模の事業者または消費者の相互扶助を目的とする**協同組合**（以下「組合」ともいう。）の行為についての**独禁法の適用除外**を定めた規定である。

　同条の定める要件と範囲の下で、組合が組合員のために行う共同購入、共同販売などの行為については、外形的に不当な取引制限に該当したとしても、独禁法が適用されないため違反にはならない。

　なお、小規模の事業者の相互扶助を目的とする協同組合は、**事業者団体**にも該当する場合があり（⇒第 3 章第 1 節 2(1)）、事業者団体としての規制の対象にもなり得るが、その場合でも、法 22 条の適用除外になるか検討が必要である。

2　主体要件

　法 22 条本文の「次の各号に掲げる要件を備え、かつ、法律の規定に基づいて設立された組合（組合の連合体を含む）」とは、適用除外を受ける主体に関する要件（主体要件）のことであり、この要件を満たす組合を**適格組合**と呼ぶ。適格組合の設立根拠となる法律の主なものとしては、中小企業等協同組合法、農業協同組合法等がある。

3　行為要件

法22条では、本文の「組合（組合の連合会を含む。）の行為」であることが、独禁法の適用除外を受けるための要件であり、その行為が、ただし書に該当すれば、例外として、適用除外にならないことが規定されている。

事業者の相互扶助を目的とする組合の行為は、組合が事業者として行う行為の場合もあるし、事業者である組合員の結合体たる事業者団体として行う行為の場合もある。

なお、消費者は事業者ではないため、消費者の相互扶助を目的とする**消費生活協同組合**は事業者団体にはなり得ない。消費生活協同組合の行為が独禁法上問題になるのはもっぱら事業者として行う行為であり、その場合、法22条の適用が検討されることになる。

第2節　協同組合の関与した行為について、法22条による適用除外がされない場合

これには、法22条本文に該当しないという理由で独禁法の適用除外がなくなる場合と、法22条のただし書に該当するという理由で適用除外がなくなる場合がある。

1　法22条本文に該当しない場合

法22条本文に該当しない場合には、主体要件を欠く場合と行為要件を欠く場合とがある。

(1)　当該組合が、主体要件を具備しない場合（法22条本文に該当しない場合）

ア　適格組合ではない組合の行為については、法22条による適用除外はない。中小企業等協同組合法7条2項により、小規模事業者以外の者を組合員に含む組合は、当該組合が小規模の事業者の相互扶助を目的とするものであるかなど、法22条各号に該当し適格組合といえるかどうかは公取委が個別に判断し、もし、適格組合といえないときは、当該組合の行為については、法22条による適用除外がない。

イ　この点、農業協同組合（単組、連合会）の場合は、農業協同組合法8条により、独禁法22条1号および3号の要件を具備しているとみなされるため、この要件具備を立証する必要がない（この点で、農業協同組合（以下本章では「農協」ともいう）は一般の組合より優遇されている）。

(2)　問題の行為が「組合の行為」に該当しない場合（法22条本文に該当しない場合）

ア　「組合の行為」とは

(ア)　根拠法に規定される事業に該当する行為

法22条によって独禁法が適用除外される「組合の行為」とは、各協同組合の根拠法に基づく行為を指す。問題の行為が、各組合の根拠法（例えば、中小企業等協同組合法）において限定列挙される、組合としてなし得る事業

に当てはまるときに限り「組合の行為」と認められる（多数説であり、公取委もこの見解を採用する）。例えば、中小企業等協同組合法9条の2において、同法に基づいて設立される協組の事業としては「生産、加工、販売、購買……その他組合員の事業に関する共同事業」などが列挙されており、組合として行った行為であっても、これに該当しない行為は、「組合の行為」に該当しない[1]。

(イ)　組合の事業に付帯する行為

組合が行うことのできる事業に付帯する行為も「組合の行為」として法22条による独禁法適用除外となる（中小企業等協同組合法9条の2においても「前各号の事業に付帯する事業」は、組合の事業とされている）。

例えば、共同出荷に当たり各組合員に出荷数量を割り当てることは、協同出荷の付帯行為とされるので、競争制限的なものであっても独禁法違反とはならない。

共同事業には「共同受注」も含まれる。これは、組合において、顧客と交渉し、価格を決定して契約を締結し、契約された案件が、一定のルールのもとで組合員に割り振られるもので、組合員間における価格競争や品質競争がありえないものになっているが、これも共同受注の付帯行為とされる。零細事業者は集団で、外部と交渉した方が、零細事業者にとって有利になることから、事業者間の競争システムを犠牲にすることもやむなしとされた結果である。

イ　「組合の事業」が存在しない場合

CASE 10-1　網走コンクリート協組事件

①　A協同組合（以下「A協組」という）は、平成24年6月5日の臨時総会で、オホーツク地区におけるコンクリート二次製品の市況回復を図るため、共同受注事業と称して、予め需要者ごとに見積価格を提示し契約すべき者（以下「契約予定者」という）として組合員のうち1社を割り当て、その販売価格に係る設計価格からの値引き率を10％以内とすることを決定し、その実施に当たっては、対象品目および需要者ごとに契約予定者として割り当てる組合員を予め

1)　消費者・小規模事業者の共同行為が「組合の行為」として行われる場合に独禁法の適用を除外する、という法22条の基本的趣旨から、「組合の行為」は、組合員の共同行為という実態を有していることが原則とされる（注釈独禁法558頁［舟田正之］）。

事前に運営委員会において決定することとした。

② ①を踏まえ、平成24年6月8日の運営委員会において、①の対象品目について、コンクリート二次製品から一部の組合員のみが製造販売しているものなどを除いたコンクリート二次製品（特定コンクリート二次製品）とすることを決定した。また、同月27日の運営委員会において、需要者ごとに契約予定者として割り当てる組合員を記載した一覧表を定め、同年7月から①の決定を実施することに決めた。

③ オホーツク地区においてコンクリート二次製品の製造販売を行っている非組合員3社に対し、①および②の決定を組合員とともに実施するように協力を求め、3社がこれに応じたことから、平成24年10月5日の理事会において、3社を組合員に準ずる賛助会員とすることを決定した。

④ しかし、組合員および賛助会員（組合員等）は、平成26年5月26日まで、対象品目について、網走協組を通すことなく、一覧表に従って契約予定者として割り振られた者において、割り当てられた顧客に対し、設計価格からの値引率を10%以内とする価格で販売した。

⑤ 網走協組は、組合員等を構成事業者とする事業者団体であり、独禁法2条2項に規定する事業者団体に該当するところ、特定コンクリート二次製品について、前記①～③の決定により、特定コンクリート二次製品の販売分野における競争を実質的に制限していた。

→平成27年1月14日、公取委、網走協組に対して排除措置命令（法8条1号該当）。

同日、構成事業者6社に対し、合計5859万円の課徴金納付命令。

（排除措置命令平27・1・14）

上記網走コンクリート協組事案の処理理由について、公取委は、「網走協組は、中小企業協同組合法に基づいて設立された事業協同組合であるものの、前記第1の2（＊著者注：上記①～③）の決定は、網走協組の実施する販売について定めたものではなく、組合員等の需要者に対する特定コンクリート二次製品の販売について取引の相手方及び対価を制限することを定めたものであって、網走協組の当該行為は、独占禁止法22条に規定する組合の行為に該当しない。……独禁法の適用を受ける。」と公表している。

網走協組は、公取委の調査の当初は、「共同受注事業」を行っているとみられていたが、公取委が調査を進めた結果、網走協組は「共同受注」という、設置法によってなし得る事業を行っていたことはなく、組合による受注調整を受けて、個々の組合員が直接取引を行っている実態だったことが判明したことから、「組合の行為」は存在せず法22条による適用除外にならないとしたものと考えられる。

協同組合には事業者団体としての側面と事業者としての側面があるところ、本件における協組による受注調整は、事業者団体としての行為と評価され、法8条1号に該当するとされたものである。

ウ　「組合の事業」が外形的には存在するように見えるが、実質的には存在しない場合

組合としてなし得る事業とは各種協同組合の根拠法に基づく組合本来の事業をいうから、組合の事業が存在するようにみえる場合であっても、組合本来の事業の範囲を逸脱した事業は、法22条の「組合の行為」とはいえず、独禁法の適用除外とならない。

㈠　非組合員との共同行為を伴う場合

組合が自ら行う事業について、非組合員である他の事業者（他の協同組合も含む）と受注調整（カルテル）を行うことは、「共同事業」とはいえず、また、協同組合が行うことができる他の事業とも言えないから、法22条の適用除外にならない。

組合員の活動に制限を加えることだけを目的とする価格協定を組合の場で行うことは、協同組合の事業とはいえないとされているところ（注釈独禁法557頁［舟田正之］）、例えば、根拠法によって、組合の共同販売が、組合の「共同事業」として認められ、実質的にも存在する場合には、その実施のために組合として共同販売に係る商品の価格を定めることは共同事業に当然随伴する行為といえるが、さらに進んで、組合員が自ら販売する商品の販売価格を統一するようなことは、共同販売に不必要な価格協定であり、組合員の活動に制限を加えることだけを目的とする価格協定と考えられる。

公取委の実務においても、組合が自ら行う事業について非組合員である他の事業者（協同組合を含む）と受注調整を行うことは組合の事業ではないため、法22条により独禁法の適用除外を受ける行為に当たらないと解されている[2)]。

CASE 10-2　山形県庄内地区5農協事件

① 山形県庄内地区に所在するS農業協同組合ほか4農業協同組合（以下「5農協」という）は、山形県の庄内地区において生産される主食用うるち米（特定主食用米という）について、各組合が農家から徴収する販売手数料に関し、平成23年1月13日の5農協の組合長による会合において、特定主食米の販売手数料を平成23年度米から定額とするとともに、その算定方式および金額については、営農担当部長級の者の間で検討することとし、それを受けて同年2月1日の5農協の営農担当部長級の者による会合において、特定主食用米の販売手数料を平成23年産米から一俵当たり410円（消費税相当額を除く）を目安として定額とすることとした。

② 5農協の上記行為は、特定主食用米の集荷分野における競争を実質的に制限していた疑いのある行為であり、独禁法2条6項の不当な取引制限に該当し、法3条の規定に違反するおそれがあることから、公取委は、5農協に対して、今後このようなことを行わないように警告した。

（警告平26・9・11）

単位組合における共同販売事業において、仮に組合員同士で、出荷量について協定するなどしても共同事業に付帯したものであるので法22条による適用除外になり得る。しかし、上記山形県庄内地区5農協事件の場合は、複数の単位組合相互で、共同出荷手数料について協定していることは、単位組合の共同行為の範囲を超えており、必ずしも「組合の行為」とは言えず、法22条による適用除外はないと判断されたものと考えられる。

(イ)　外形的に組合の事業が存在していても、当該事業において独禁法違反の方法が用いられ、実質的に組合の事業といえない場合

公取委の実務では、不当な取引制限、私的独占に該当するような独禁法違反の手法が用いられる組合の行為は、正当な組合の事業とはいえず「組合の行為」に該当せず、法22条本文に該当しないと考えられている。

2）網走コンクリート協組事件において、仮に、同協組が、自らの事業として、非組合員たる事業者と共同して受注調整をしていたとすれば、これは組合本来の事業範囲を逸脱したもので「組合の行為」に当たらず、法22条による適用除外もないとされる。

2　法22条ただし書に該当する場合

(1)　法22条ただし書前段

法22条ただし書前段により、組合自らが「不公正な取引方法を用いる場合」には、法22条による独禁法の適用除外がなくなる（独禁法が適用されることになる）。

1(2)ウ(イ)で述べたとおり、不公正な取引方法を含め独禁法違反の手法が用いられる組合の行為は、正当な「組合の行為」に該当しないことを理由として、独禁法の適用除外としないとする考え方もあり得る。

しかし、法22条ただし書は、「組合の行為」に含まれないもののうち、そのことが明らかなものを特に列挙したものとも解され（注釈独禁法559頁［舟田正之］参照）、下記アの処理例からみて公取委の実務は、組合が「不公正な取引方法を用いる」場合には、法22条ただし書によって独禁法の適用除外がされないこともあり得る（独禁法の適用があり得る）としているようである。

ア　組合の活動において非組合員に不公正な取引方法を用いる場合

CASE 10-3　岡山県北生コンクリート協同組合事件

① 岡山生コンクリート協組は、アウトサイダー（非組合員である生コン販売業者）との価格競争を回避しつつ、取引先がアウトサイダーと取引しないようにするため、アウトサイダーから生コンを購入した取引先に対し、ペナルティとして以後の取引条件を「現金による定価販売」とすることを決定し、平成24年9月ころ、同年10月ころおよび平成25年8月ころ、取引先に対して、その旨を「お知らせ」文書によって告知し、それ以外の機会においても、アウトサイダーから生コンを購入した取引先や購入しようとしている取引先に対して、口頭によりその旨を告知するとともに、アウトサイダーと取引しないように申し入れた。

② 工事場所や生コン使用量等の施行条件に応じ、同協組から生コンの供給を受ける必要のある取引先は、アウトサイダーから生コンを購入した場合には、同協組からの購入価格が価格表通りの価格に値上げとなって設計単価を上回ること、支払条件が不利になることから、アウトサイダーから生コンを購入しないようにしている。

公取委は、上記組合の①の行為について、同組合に排除措置命令を出した。

（排除措置命令平27・2・27）

上記事件は、「共同販売行為」の実施の過程で、同協同組合と競争関係にあるアウトサイダーとその取引の相手方（需要者である建設会社）との取引を不当に妨害した事案である（一般指定14項）。協同組合によるこの「共同販売行為」は、取引妨害という不公正な取引方法を用いるものであるので、法22条ただし書前段により、適用除外にならないものとされ法19条違反に問擬された（田邊陽一＝石本将之「事件解説」公正取引779号（2015）67頁参照）。

イ　組合の活動において、組合員に対して、不公正な取引行為を用いる場合

例えば、その生産する生乳を、従来からの組合の出荷先以外の乳業会社に出荷した組合員に対して、組合の事業の利用を制限するなど差別的取扱いをした組合の行為については、法22条ただし書前段により独禁法の適用除外はなくなり、一般指定5項に該当し独禁法19条に違反する（勧告審決昭和32・3・7〔浜中村主畜農協事件〕⇒第3章第3節2(3)参照）。

(2)　法22条ただし書後段

法22条ただし書後段は「組合の行為」が「一定の取引分野における競争を実質的に制限することにより不当に対価を引き上げることとなる場合」に、独禁法の適用除外を規定している。

この場合、「一定の取引分野における競争を実質的に制限する」だけでなく、これにより「不当に対価を引き上げることとなる」ことを立証しなければならない。これまで、このただし書を適用して、独禁法を適用した例はない。

第11章 国際的適用

独禁法を日本国外での行為に適用することを独禁法の国際的適用という。

本章のメインの論点は、独禁法の国際的適用ができるか、特に国外で行われた独禁法違反行為に、日本の独禁法を適用できるかということである。

この論点が本格的に争われたブラウン管カルテル事件について、最高裁判決が出て事案としての決着がつき、同論点について最高裁の基本的な考え方も示された。

わが国における独禁法の国際的適用に関する実務は、今後、この最高裁判決の考え方をベースに形成され運用されていくものと思われる。

本章では、第１節で独禁法の地理的適用範囲に関する考え方について説明し、第２節で公取委による国際的適用の考え方および実例について説明し、この中で、ブラウン管カルテル事件最高裁判決も紹介する。

第３節では外国事業者への送達手続などを簡単に説明する。

第 1 節　独禁法の地理的適用範囲

1　地理的適用範囲の問題とは

独禁法の規制対象は、多くの場合、日本所在の事業者の行為であるが、経済活動が国際化していることを反映して、日本国外で独禁法に違反する行為が行われ、これが日本の市場に影響を及ぼすこともあり得る。その一方で、独禁法には、刑法第 2 条ないし第 4 条の 2（国外犯処罰規定）のような、外国で行われた独禁法違反行為を規制する明文が存在しないことから、このような行為が、日本独禁法の規制対象となるのか（特に行政的な規制対象になるのか）が問題となり得る。例えば、外国において合意されたカルテルが、日本企業をターゲットにしたものであるときなどに、独禁法を適用して排除措置命令等の法的措置を講じることができるかが問題とされ得る。

日本国外で行われた行為に独禁法を適用することを「**独禁法の国際的適用**」と呼ぶが、独禁法の国際的適用を行うための要件をどのように考えるかの問題は、一般に、独禁法の**地理的適用範囲の問題**とか**域外適用の問題**とも言われ、国際法上は「**立法管轄権**」の問題と言われる（なお、立法管轄権とは、立法機関・行政機関・裁判所が、国内法を制定し、一定の現象についてその合法性を判断する基準を設ける権能をいう（小寺彰ほか編『講義国際法〔第 2 版〕』（有斐閣、2010）162 頁［中川淳司］。公取委のような政府機関が、一定の事実に独禁法を適用して違法かどうかを判断する権能は立法管轄権に属する。論点解説 315 頁［稲熊克紀］）。

本節では、地理的適用範囲について解説する。

なお、経済活動の国際化に伴って、公取委が違反事件の調査のために、外国において調査をする必要も生じることもあり得るので、外国において日本の独禁法の執行ができるのかも問題となり得る。これは**執行管轄権**の問題と言われる（執行管轄権とは、裁判所または行政機関が逮捕、捜査、強制調査、押収などの物理的手段によって国内法を執行する権能をいう。前記小寺彰ほか編『講義国際法〔第 2 版〕』163 頁［中川淳司］）。

2　属地主義と効果主義

⑴　属地主義

立法管轄権は、原則として属地主義に基づいて決められるべきである。属地主義とは、国内法は原則としてその領域内において発生する行為に対して適用されるとする考え方である。これは国際法における管轄権の原則とされている（刑法は、「日本国内において罪を犯したすべての者」（国内犯）に適用される（刑法１条１項）ところ、属地主義とは、国内犯を処罰する原則のことをいい、原則として、わが国のすべての刑罰法規に適用される（刑法８条)。西田刑法総論 472 頁)。

属地主義を厳格に適用すれば、例えば、日本の市場で販売される商品の価格カルテルであっても、日本国外でカルテル合意が行われたという仮想事例では、日本の独禁法は適用できず、日本の公取委にはその違反を調査する権限自体がないということになる（なお、この問題は、独禁法の適用ができて調査権限があるものの、外国主権との関係で、その執行（権限行使）ができないという問題、すなわち執行管轄権の問題とは違うことに留意されたい)。

⑵　効果主義

属地主義を厳格に適用した場合の上記仮想事例のような不都合を解決するものとして、独禁法（競争法）の立法管轄権に関し、効果主義の考えが唱えられている。これは、自国の領域外で行われた違反行為であっても、自国内にその効果がある程度以上及ぶ場合には、自国の法律を適用できるという考え方である。アメリカ合衆国の競争法（反トラスト法）の運用では、この考え方が採用されているという。

⑶　修正された属地主義

属地主義においても修正説が有力化しており、これによれば上記⑴の仮想事例などに独禁法の適用が可能になる。

ア　主観的属地主義

これは、国内で発生し、国外で完成した犯罪・違反行為（行為の着手が国内でなされ行為の結果が国外で発生する場合）には管轄権を行使することができるとする考え方である。

イ　客観的属地主義

これは、アの逆で、国外で発生し、国内で完成した犯罪・違反行為（行為の着手が国外でなされ行為の結果が国内で発生する場合）には管轄権を行使することができるとする考え方である。

ウ　遍在説

なお、刑事事件に関する判例、通説としては、刑法1条1項の属地主義の適用において、ある犯罪が日本の国内で行われたか否かをみるに当たっては、犯罪構成要件の一部をなす行為が日本国内で行われ、または構成要件の一部である結果が日本国内で発生した場合に、その犯罪が日本の国内で行われたとみることができるとしており（大審院判決明治44・6・16刑録17輯1202頁)、遍在説といわれる（西田刑法総論472頁、473頁)。これによれば、上記のアおよびイの両方の場合に、日本の刑事法の適用ができる。

(4)　具体的想定事例への当てはめ（属地主義と効果主義の違い）

CASE 11-1　設問

次の各カルテルについて、公取委は、日本独禁法（競争法）を適用できるか。競争法の国際的適用に関する属地主義とそれ以外の考え方のいずれを採用するかによって結論が変わるか。

① 外国（X国）の自動車部品メーカー数社が、日本国内において、日本所在の自動車メーカー向けの自動車部品について価格カルテルを結び、そのカルテルの対象とした部品をX国から日本に輸出し日本の自動車メーカーに販売した場合

② X国の自動車部品メーカー数社が、X国内において、日本所在の自動車メーカー向けに輸出する自動車部品についての価格カルテルを結び、カルテルの対象とした部品をX国から日本に輸出し日本の自動車メーカーに販売した場合

③ X国の自動車部品メーカー数社が、X国内において、X国所在の自動車メーカーに販売する自動車部品について価格カルテルを結び、同カルテルの対象となった部品を購入したX国の自動車メーカーがこの部品を組み込んだ自動車を製造してX国から日本に輸出し、日本において日本のユーザーに販売した場合

ア　違反行為が日本国内で行われた場合

CASE 11-1 の設問①では、カルテルの合意が日本国内で行われている。

立法管轄権の原則とされる**属地主義**では、違反行為が当該国の中で行われている違反についてだけ当該国の独禁法（競争法）が適用される。本事案については、属地主義によって、公取委は日本独禁法（競争法）を適用できる。

イ　違反行為が国外（X国内）で行われ、直接的効果が日本国内に生じた場合

CASE 11-1 の設問②では、違反行為であるカルテル合意がX国国内で行われているので、属地主義の考えを厳格に適用すれば、この事案について、公取委は日本独禁法を適用できない。

しかし、**効果主義**の考えによれば、日本独禁法を適用できる。つまり、設問②は、カルテル合意は国外（X国内）で行われたが、日本国内において、日本の自動車メーカーが、カルテルの影響を受けてより高い価格となった部品を購入することになったという直接的な効果が発生したと考えられるので、公取委は、日本独禁法を適用できる。

客観的属地主義や遍在説の考えによっても、行為の結果（競争の実質的制限）が日本国内で発生していると考えられるので、公取委は日本独禁法を適用できる。

ウ　違反行為が国外（X国内）で行われ、間接的効果が日本国内に生じた場合

CASE 11-1 の設問③についても、属地主義を厳格に適用すれば、日本独禁法を適用できない。しかし、日本のユーザーが、カルテルの影響を受けた部品を組み込んだ自動車を購入したことをとらえて、カルテル行為の結果が間接的に生じているとも評価できると考えられ、客観的属地主義や遍在説の考えによれば、日本独禁法を適用できる可能性もある。

効果主義を採用し、カルテルの効果が間接的（ユーザーは、カルテルの対象商品を購入したのではなく、カルテルの対象となった部品を組み込んだ商品を購入したにとどまる）であっても、効果主義の適用は可能だと考えられるので、日本独禁法を適用できる。

しかし、設問③における「効果」の程度では、日本市場に及ぼす効果は、あくまで「間接的」であるとして、このような場合には、効果主義に立っ

ても、日本独禁法の適用は控えるべきだという考え方もある[1)]。

3　外国当局における国際的適用

(1)　アメリカ合衆国の場合（効果主義）

アメリカ合衆国の競争当局は、カルテルが国外で行われたものであっても、アメリカ合衆国市場に効果が及ぶものは摘発し刑事訴追している。アメリカ合衆国では、実際に、前記の CASE 11-1 の設問③と同様の事案（設問③の日本をアメリカ合衆国に、X 国を日本に置き換えた事案）について、日本の部品メーカーやその従業員を反トラスト法違反で摘発し刑事制裁を課している[2)]。

なお、アメリカ合衆国では、カルテルには刑事罰が適用され、関与従業員は実刑となる厳しい運用が行われている。加えて、被害者から3倍額損害賠償請求（懲罰的損害賠償請求）が行われ、しかもクラスアクションが利用されるので、民事的な制裁も極めて厳しいものになっている。

(2)　EU の場合（実施行為説）

EU の競争当局は、外国において行われたカルテルであっても、EU 域内でその**実施行為**が行われたものについては EU の競争法を適用できるとする**実施行為説**に基づいて摘発を行い、高額の制裁金を課している。実施行為説によれば、CASE 11-1 の設問②のような事案については、カルテルに基づく販売行為が EU 内で行われているから、実施行為が EU 内で行われているとして、EU の競争法が適用できることになる。

1)　CASE 11-1 の設問③のように外国で合意されたカルテルの対象となった部品を組み込んだ完成品を輸入した場合、輸入先国の市場にカルテルの効果が及んでいるか等の問題を「部品問題」と呼ぶことがある。

2)　また CASE 11-1 の設問①ないし③と同様の事案を対象とした事件として、米国ワイヤーハーネス事件がある。

第２節　公取委における国際的適用

１　基本的な考え方

⑴　独禁法の目的

既に述べたとおり、独禁法には、国外で行われた行為に、日本の独禁法を適用できる範囲等を直接定めた規定はないが、基本的には、国際法上の一般原則である属地主義の考えに原則として従う運用をしてきたと思われる。

CASE 11-1 の設問②のように、日本国外で不当な取引制限の行為（例えば、カルテル合意）がなされた場合であっても、それが日本市場の競争を実質的に制限する効果を及ぼすのであれば、**日本市場の競争秩序を守ることを使命とする独禁法**を適用するのは当然と考えられていた。

⑵　法２条６項後段の効果要件の活用

公取委は、この場合についても、属地主義の原則を維持しながら、法２条６項後段の効果要件に注目して、独禁法が適用できると考えてきた。

不当な取引制限の成立要件としては、他の事業者との相互拘束によるカルテル合意（行為要件）のみならず、それによって「一定の取引分野における競争を実質的に制限する」こと（効果要件）が必要とされている。

この効果要件を、カルテル合意という「行為」によってもたらされる「結果」と位置づけ、カルテル合意が日本国外で行われた場合であっても、それによって、日本国内で「一定の取引分野における競争を実質的に制限する」という結果が生じているときには、日本の独禁法が適用できるとするのである。これは、客観的属地主義ないし偏在説の考え方とも整合し、実務感覚として自然といえる（不当な取引制限の禁止規定は、犯罪としての不当な取引制限の罪の構成要件でもある（法89条、３条、２条６項）ところ、刑事法上、構成要件解釈上「一定の取引分野における競争を実質的に制限する」は、カルテル合意という「行為」によってもたらされる「結果」であり、判例通説である遍在説によれば、日本国外で着手ないし合意が形成されたカルテル等の違反行為であっても、それによって、日本国内で「一定の取引分野における競争を実質的に制限する」という結果が生じている場合には、日本独禁法の罰則が当然に適用できると考えられる。権力性の最も強い刑事法においてさえ日本独禁法の適用が可能であれば、行政処分としても日本独禁法の適用は当然に可能である、ということであろう)。

(3)　公取委の基本的な考え方

このように、公取委は、事業者が、外国において、不当な取引制限行為(カルテル合意)をした場合であっても、その**行為(カルテル合意)により「競争が実質的に制限」されることとなる市場に我が国が含まれる場合**には、わが国の独禁法が適用できると考えて事案の審査処理を行ってきたものと考えられる。

わが国の実務において、効果主義が採用されなかったのは、実体法上の根拠がないのに、国際法の原則である属地主義から離れることに躊躇があったからだと推察される。これに対し、アメリカ合衆国の競争法であるシャーマン法においては、そもそもカルテルは当然違法であり、成立要件として「対市場効果」は必要とされていない。このことが、アメリカ合衆国の判例法において、海外で結ばれたカルテルに国内法を適用できるかという場面で、効果理論が発展することになったと考えられる(論点解説327頁［稲熊克紀］)。

2　マリンホース事件

CASE 11-2のマリンホース事件は、公取委が本格的に国際カルテル事件の調査に取り組んだ初期の事件である。

本件は、外国事業者が日本国外でカルテル合意を行い、そのカルテルの対象が日本所在の需要者との取引であって、その悪影響(効果)が、日本市場に及ぶものであることが明らかな場合であり、国際的適用についてはさほど問題はない事案であった。

CASE 11-2　マリンホース事件

タンカーと石油備蓄基地等との間の送油に用いるゴム製ホースであるマリンホースについて、日本、イギリス、フランスおよびイタリアの4ヶ国に本店が所在するマリンホース製造販売事業者8社が、この4ヶ国をマリンホースの使用地とする場合には、使用地になる国に本店を置く事業者を受注予定者とし、複数の事業者がこれに該当する場合には、これらのうちいずれかの事業者を受注予定者とするなどの合意をし、受注予定者を決定し、受注予定者が受注できるようにすることで、日本に所在する需要者が発注するマリンホースの取引分野における競争を実質的に制限していた。

（排除措置命令平20・2・20）

本件は、合意の内容としては、世界市場を分割するものであったが、公取委は、立証に配慮して、合意より狭い「日本に所在する需要者が発注するマリンホースの取引分野」を「一定の取引分野」に画定した（⇒第2章第4節2(3)ア）。

この事案について、公取委は、日本に拠点のない外国事業者に対しても行政調査を行って排除措置命令を行い（平20・2・20）その執行も遂げた（当該外国事業者からは日本国内での調査について任意の協力があったようである。排除措置命令の送達や執行結果についての公取委への報告などは、日本の弁護士を当該外国事業者の代理人として行ったようである）。

なお、カルテル合意を行った外国事業者に対する課徴金納付命令に関しては、「一定の取引分野」をわが国の需要者が発注するものと狭く画定しつつ、合意によれば、当該「一定の取引分野」では、日本事業者だけが受注予定者になることとされたため、外国事業者には売上げが発生せず、課徴金納付命令を出すことはできなかった。

これに対して、CASE 11-3のブラウン管カルテル事件においては、外国所在の違反事業者から海外所在の日系ブラウン管テレビ組立会社へのブラウン管の販売は一定の取引分野に含まれ、その販売について国外所在のブラウン管製造メーカーに売上が立ったので課徴金納付命令を出せたものである（なお、課徴金納付命令については、外国所在の事業者が課徴金を任意に納付するときにこれを徴収することはできるが、当該外国事業者が外国に所有する資産に対し強制的に徴収を行うことは、外国の主権侵害になるためできない）。

3　ブラウン管カルテル事件

(1)　何が問題だったか

次のブラウン管カルテル事件は、ブラウン管メーカーが違反事業者であり、カルテル合意が行われた場所は国外であり、カルテル合意の内容は、日本のブラウン管テレビメーカーとの交渉において、違反事業者が遵守すべき指定目標価格等が設定するというものであったが、カルテル合意の対象となったブラウン管は、国外にある日本のブラウン管テレビメーカーの現地製造会社に引き渡され、日本のブラウン管テレビメーカーに引き渡されることがなかったという特徴がある。

公取委は、本件のカルテル合意は、日本のブラウン管テレビメーカーを対象とし、同メーカーとの交渉で決められるブラウン管の購入価格について指定目標価格等を設定しようとするものであったことから、同カルテルの「競争を実質的に制限」する効果は、日本市場に及ぶとし、独禁法が適用されるとした。

これに対して、違反事業者側は、カルテル合意の対象商品であるブラウン管についての需要者は、ブラウン管の引き渡しを受けた現地製造会社であり、価格交渉に関わっていた日本のブラウン管テレビメーカーは需要者でない。そうである以上、本件カルテル合意による「実質的な競争制限」の効果は、需要者が所在しない日本市場には及ばないので、日本独禁法の適用はないと主張した。

このように、ブラウン管メーカーのカルテルに公取委が法的措置を講じることができるかどうかが争われたのである。

CASE 11-3　ブラウン管カルテル事件

違反事業者であるブラウン管メーカー甲社など11社は、日本国外における会合において、東南アジアに所在する日系ブラウン管テレビ組立会社（日本ブラウン管テレビメーカーA社等の現地製造会社a社等）に販売するテレビ用ブラウン管の販売価格についてカルテル合意を結んだ。

A社など日本に所在する日本ブラウン管テレビメーカーは、a社等の現地製造会社が組み立てて販売するブラウン管テレビの設計、仕様の決定を行うとともに、甲社、乙社等のテレビ用ブラウン管メーカーと同ブラウン管の購入価格、購入数量等の交渉を行った上でそれらの決定を行い、現地製造会社に同ブラウン管の取引条件を指示し、指示どおりに同ブラウン管を購入させていた。

ブラウン管の購入価格は、ブラウン管テレビメーカーの現地製造会社に決定権限はなく、日本所在のブラウン管テレビメーカーA社などが、ブラウン管メーカー甲社などと交渉して決めていた。

上記カルテルは、この交渉において決まる購入価格について、違反事業者甲社らが遵守すべき指定目標価格等を設定する旨を合意した。

違反事業者が販売したブラウン管は、現地の製造会社ａ等にすべて引き渡され日本のブラウン管テレビメーカーに引き渡されたものはなかった。

（審判審決平27・5・22、最判平29・12・12）

［図表 11-1］　ブラウン管事件における取引状況

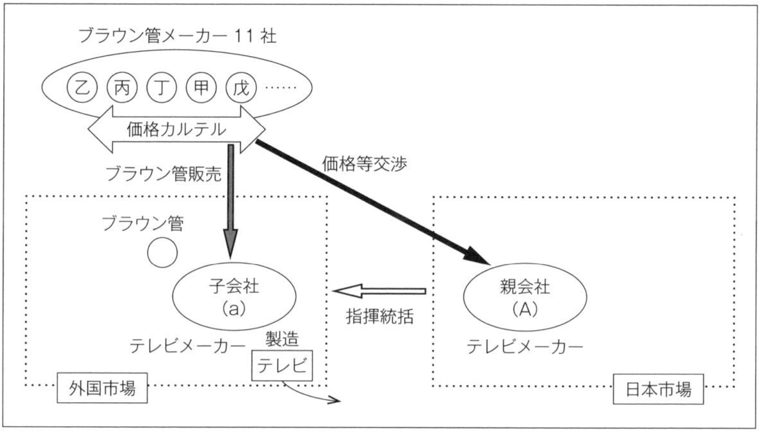

ブラウン管メーカー 11 社
乙 丙 丁 甲 戊 ……
価格カルテル
ブラウン管販売
価格等交渉
ブラウン管
子会社 (a)
テレビメーカー
製造
テレビ
外国市場
指揮統括
親会社 (A)
テレビメーカー
日本市場

(2)　最高裁判決までの経緯

ア　排除措置命令・課徴金納付命令

公取委は、上記の事実関係を前提として、上記カルテルには独禁法の適用ができるとして、排除措置命令・課徴金納付命令を行ったところ、違反当事者から審判請求がなされた。

イ　審決

ブラウン管カルテル事件審決は、「事業者が日本国外において独占禁止法第２条第６項に該当する行為に及んだ場合であっても、少なくとも、一定の取引分野における競争が我が国に所在する需要者をめぐって行われるものであり、かつ、当該行為により一定の取引分野における競争が実質的に制限された場合には、同法第３条後段が適用されると解するのが相当である」とした上で、事実関係に照らして独禁法の適用が肯定されるとし、不当な取引制限の成立を認めた。

これは1(2)(3)の公取委の考え方が整理して述べられたものである。

ウ　高裁判決

これに取消訴訟が提起され、東京高裁において、3つのルートに分かれて審理がなされ判決が言い渡され、それぞれの理由付けは異なるものの、いずれの判決も審決の結論を支持するものであった（東京高判平28・1・29〔ブラウン管カルテル・サムスンSDIマレーシア社事件〕、東京高判平28・4・13〔ブラウン管カルテル・MT映像ディスプレイほか3社事件〕、東京高判平28・4・22〔ブラウン管カルテル・サムスンSDI事件〕）。

(3)　最高裁判決

各高裁判決に対して、各控訴人（違反当事者）から上告・上告受理申立がなされ、最高裁は、サムスンSDI（マレーシア）ルートの上告を受理し、原審とは理由付けは異なるがその結論を肯定した[3)]（最判平29・12・12。他の2ルートについては、同日、上告棄却・上告不受理となった）。その判示は次のとおり。

① 「（独禁法1条の趣旨等に鑑み）**国外で合意されたカルテルであっても、それが我が国の自由競争経済秩序を侵害する場合には、同法の排除措置命令及び課徴金納付命令に関する規定の適用を認めていると解する**のが相当」

② 「本件のような価格カルテル（不当な取引制限）が**国外で合意されたものであっても、当該カルテルが我が国に所在する者を取引の相手方とする競争を制限するものであるなど、価格カルテルにより競争機能が損なわれることとなる市場に我が国が含まれる場合には、当該カルテルは、我が国の自由競争経済秩序を侵害する**」

③ 「（本件の事実関係の下においては、）**本件合意は、我が国に所在する我が国テレビ製造販売業者をも相手方とする取引に係る市場が有する競争機能を損なうものであった**ということができる。」

④ 「本件合意は、日本国外で合意されたものではあるものの、我が国の自由競争経済秩序を侵害する」

同最高裁判決は、前記審決の考え方、すなわち従来の公取委実務を基本

3)　最高裁は、本判決によって東京高判平28・1・29の法的構成を斥けたと考えられる（ベーシック329頁［泉水文雄］）。

的に支持し、審決の結論を肯定したものである。

(4)　最高裁判決において注目すべき点

ア　判決が、行為が国外で行われたとしても日本の独禁法の適用ができる場合について「当該カルテルが我が国に所在する者を取引の相手方とする競争を制限するものであるなど、価格カルテルにより競争機能が損なわれることとなる市場に我が国が含まれる場合」として**「当該カルテルが我が国に所在する者を取引の相手方とする競争を制限するものである」場合以外もあり得る**と含みを残している。

イ　従来、カルテルの実質的な競争制限効果が国内市場に及ぶかどうかの判断基準として、カルテルの対象商品の「需要者」が国内に所在するかが問題とされていたが、最高裁は、これを、カルテルが競争を制限する「取引の相手方」が我が国内に所在するかと言い換えている。

最高裁には、カルテルの実質的競争制限効果が日本国内市場に及ぶかどうかという問題については、法人格の同一性、契約上の買主や受領者がだれかなどの事情だけでなく、経済活動の実質や実体に即して判断されるべきであるとの考慮があったと思われるとの指摘があり（最高裁調査官判例解説（平28度）215頁［池原桃子］）、これには納得感がある。

ウ　「本件の事実関係の下では」という前提ではあるが、本件カルテル合意の対象となってブラウン管の引き渡しを受けていない「日本のブラウン管テレビメーカー」を、カルテルが競争を制限する「取引の相手方」といえるとしたことの意味も大きい。

Guidance 11-1　国外でなされた違反行為への独禁法適用の考え方

違反行為（例えばカルテル合意）を行った地が、日本国外であっても、それによって日本の市場において競争制限が生じ、それが独禁法に違反する場合には、その行為に独禁法を適用できる。

Column 11-1　ブラウン管事件最高裁判決の射程距離

本件では独禁法の行政的規制の可否（排除措置命令や課徴金納付命令という公取委による行政上の命令の適法性）が問題になり、公取委および裁判所は、日本市場に対する自由競争秩序違反の発生の有無を問題とし、本件では、これが肯定されるとしたものである。反対説は、民事的規制の視点に立ち、日本市場における被害者（＝需要者）への損害の発生の有無を問題にし、本件でその発生を否定する主張をしたものと理解できる。

したがって、本最高裁判決の射程距離もこの問題に限定され、法 24 条の差止請求や法 25 条の損害賠償請求等の適用についてまで及ぶものではないかもしれない。そのような問題の場面では、「損害」（法 25 条）や「著しい損害」（法 24 条）概念の解釈を介在して異なる結論にたどりつく可能性も否定できないとも思われる。

4　外国事業者が関与したカルテル事件に対する公取委の調査

(1)　行政調査

行政調査に関しては、外国当局との調査（証拠収集）共助の枠組みがない（二国間での協力協定はあっても、あくまで当局間の資料・情報交換にとどまる）ため、公取委が審査を行うカルテルに関与した外国企業関係者（外国居住）が、来日して公取委の調査に応じない限りは、その供述や証拠の獲得ができないという弱点がある。このような証拠収集上の限界を抱えながら、日本の公取委は、外国当局と連携しつつ、この種の案件を調査し、日本に拠点のない外国企業に対しても法的措置を行っている。

(2)　犯則調査および告発

国外で合意されたカルテルに日本の刑事罰が適用されるかに関しては、独禁法違反は国外犯処罰規定がない国内犯であり、国内が犯罪地である場合しか日本の刑罰の適用がない（刑法 1 条）。

しかし、「犯罪地」に関して、構成要件該当事実の一部でも国内で発生すれば、日本の罰則が適用になる（遍在説）とするのが通説である。したがって、国外でカルテル合意が行われたとしても、合意の対象が日本市場であり、「競争の実質的制限」という構成要件的結果が日本市場で発生しているときは、日本の独禁法罰則が適用でき、刑事罰の対象となり得る。

その場合、公取委が犯則調査・告発を行い、検察官が刑事訴追をするプロセスを経ることになるが、このプロセスにおいては、国外における証拠収集等について困難な問題も生じ得るので、公取委と検察官の密接な連携協力が不可欠となる。

第3節　外国事業者への送達など

1　執行管轄権など

執行管轄権は、日本が立法管轄権を有する事項について、人または物に対して法を執行する権能であり、国家権力の現実の行使を意味する。人の逮捕や財産の差押えのように私人（自然人と法人）に対して強制的なものはもとより、任意の事情聴取等、非強制的な性格しか持たないものも含む。

2　外国事業者などへの書類の送達

(1)　外国事業者の国内拠点等への送達

外国事業者であっても、日本の国内に支店、営業所等の拠点を有する場合、また、平成14年の商法改正以降は日本における代表者を定めその登記をしている場合には、これらの拠点等に対して排除措置命令書等の文書を送達している。また、日本の国内にこれらの拠点等を有しない外国事業者であっても、当該外国事業者が日本の国内において文書の受領権限を有する代理人を選任すれば、当該代理人に対して文書を送達することができる。

(2)　国内拠点がなく、受領権限ある代理人がいない場合の送達

日本の国内における代表者を定めて登記をしておらず、文書の受領権限を有する代理人の選任も行わない外国事業者に対しては、排除措置命令書等の文書を直接送達することができないものの、独禁法70条の7により、民事訴訟法108条に規定する管轄官庁送達および領事送達をすることができる。また、それらによっても送達できない場合等には、独禁法70条の8により、公示送達をすることが可能である。

ア　管轄官庁送達

これは、公取委が、外国の管轄官庁に嘱託し、送達を実施する方法である。通常は、管轄官庁送達の手続等に関して条約その他の取決めの存在が前提となるところ、現在、わが国と外国との間で競争法に関する文書の送達について規定した条約等は存在せず、管轄官庁送達は、事実上不可能である。

イ　領事送達

領事送達とは、公取委が、外国に駐在するわが国の大使、公使または領事に嘱託して、送達を実施する方法である。これを規定した条約がない場合には、命令書等の送達自体も外国の領域内における公権力の行使であるため、当該外国の政府に領事送達を個別に容認してもらう必要がある。

ウ　公示送達

管轄官庁送達または領事送達によっても命令書等を送達することができない場合等には、公示送達をすることができる。

●事項索引

◆ さ行

◆ ま行

◆ や行

◆ ら行

◆ わ行

●判例・審決等索引

「課徴金納付を命ずる審決」「その他の審決」についても、本書では「審判審決」と表記する。公取委の審決等データベース使用の際は、審決の種類を「一括選択」とすることで該当審決を検索できる。

◆ 裁判所

◆ 公取委

●著者略歴

幕田　英雄（まくた・ひでお）

昭和50年	司法試験合格
昭和51年	東京大学法学部卒業、司法修習生
昭和53年	検事任官
平成18年	新潟地方検察庁検事正
平成20年	最高検察庁検事
平成21年７月	宇都宮地方検察庁検事正
平成22年４月	千葉地方検察庁検事正
平成23年８月	最高検察庁刑事部長
平成24年６月	検事退官
７月	公正取引委員会委員
平成29年６月	公正取引委員会委員退官
９月	弁護士登録（長島・大野・常松法律事務所）

［主な著書］

『実例中心 捜査法解説——捜査手続・証拠法の詳細と公判手続入門〔第４版〕』（東京法令出版、2019）

『論点解説 実務独占禁止法』（共監修、商事法務、2017）

『捜査実例中心 刑法総論解説〔第３版〕』（東京法令出版、2022）

公取委実務から考える　独占禁止法〔第２版〕

2017年10月５日　初　版第１刷発行
2022年９月30日　第２版第１刷発行

著　者　幕　田　英　雄

発行者　石　川　雅　規

発行所　株式会社　商　事　法　務

〒103-0025 東京都中央区日本橋茅場町3-9-10
TEL 03-5614-5643・FAX 03-3664-8844〔営業〕
TEL 03-5614-5649〔編集〕
https://www.shojihomu.co.jp/

落丁・乱丁本はお取り替えいたします。　　印刷／三報社印刷㈱

ISBN978-4-7857-2988-2
＊定価はカバーに表示してあります。